Max Weber (1864–1920), Jurist, Sozial- und Wirtschaftshistoriker, Nationalökonom, Soziologe und Politiker, lehrte als Professor an den Universitäten Berlin, Freiburg/Br., Heidelberg, Wien und zuletzt München, wohin er 1919 auf den Lehrstuhl Lujo Brentanos als dessen Nachfolger berufen worden war. Seine Wirkung beruhte sowohl auf zahlreichen wissenschaftlichen Veröffentlichungen und Stellungnahmen als auch auf politischen Schriften und Reden. Bahnbrechend war seine Erforschung der Zusammenhänge zwischen Religion und Wirtschaft sowie der Soziologie der Wirtschaft, des Rechts und der Herrschaft. Die »Protestantische Ethik« schuf ihm bei ihrem Erscheinen (1904/05) mit einem Schlage Weltruf. Sein (unvollendetes) Hauptwerk »Wirtschaft und Gesellschaft« bedeutet einen Höhepunkt der deutschen Soziologie von zugleich internationaler Gültigkeit.

1919 Wissenschaft als Beruf
Politik als Beruf

1920–1921 Gesammelte Aufsätze zur Religionssoziologie (3 Bände)

1921 Gesammelte politische Schriften
Die rationalen und soziologischen Grundlagen der Musik

1921–1922 Wirtschaft und Gesellschaft

1922 Gesammelte Aufsätze zur Wissenschaftslehre

1923 Wirtschaftsgeschichte. Abriß der universalen Sozial- und Wirtschaftsgeschichte

1924 Ges. Aufsätze zur Sozial- und Wirtschaftsgeschichte
Ges. Aufsätze zur Soziologie und Sozialpolitik

1956 Staatssoziologie

1960 Rechtssoziologie

Max Weber

Die protestantische Ethik
II

Kritiken und Antikritiken

Siebenstern Taschenbuch Verlag
Hamburg

Siebenstern-Taschenbuch 119/120
Zweite, durchgesehene und erweiterte Auflage 1972

Herausgegeben von Professor Dr. Johannes Winckelmann
Vorstand des Max Weber Instituts der Universität München

Der Band erscheint mit freundlicher Unterstützung der
Vermögensverwaltung Bosch in Stuttgart

Umschlagentwurf von Jan Buchholz / Reni Hinsch
Gesamtherstellung Clausen & Bosse, Leck/Schleswig
Printed in Germany 1972
ISBN 3-7970-0089-8

Vorwort zur zweiten Auflage der Taschenbuch-Ausgabe

Während der frühere Band (Siebenstern-Taschenbuch 53/54) die Darlegungen Max Webers über die Ergebnisse seiner Protestantismus-Forschungen enthält, soweit sie zu einem vorläufigen Abschluß gekommen waren, sind in dem vorliegenden Bande die Kritiken und Antikritiken abgedruckt, die auf die ursprünglichen Ausführungen von 1905 folgten, und anschließend zwei Aufsätze amerikanischer Verfasser wiedergegeben, mit denen diese sich rückblickend zu Max Webers Problemansatz im Hinblick auf eine mehr als sechzigjährige Kontroversliteratur äußern.

Wegen des begrenzten Raumes, der für diesen Band zur Verfügung stand, konnten drei Beiträge, die gedanklich in diesen Zusammenhang gehören, keine Aufnahme finden: WERNER SOMBARTS Darlegungen im 20. Kapitel seines Buches »Der Bourgeois« (1913), JAKOB STRIEDERS Betrachtungen im II. Buch seiner »Studien zur Geschichte kapitalistischer Organisationsformen« (1914) sowie LUJO BRENTANOS Einwände im III. Exkurs, II. Teil seiner Münchener Akademie-Abhandlung »Die Anfänge des modernen Kapitalismus« (1916), wiederabgedruckt in seiner Aufsatzsammlung »Der wirtschaftende Mensch in der Geschichte« (1923).

Die Antikritiken Max Webers machen zweierlei ganz besonders deutlich: den Sinn und die Begrenzung seines Ansatzes sowie die Tatsache, daß in den von ihm insgesamt vorgelegten speziellen Protestantismus-Studien bewußt und ausschließlich der *einen* Kausalrichtung nachgegangen wird, nämlich dem Einfluß religiös bedingter Bewußtseinsinhalte auf das Sozialverhalten, und zwar allein auf der Grundlage der reformatorischen Neuformung der religiösen Gehalte und ohne Einbeziehung von deren glaubensmäßiger und sozialer Vorgeschichte im okzidentalen Mittelalter. Die beiden offengebliebenen Thematiken waren ausdrücklich späterer Erforschung und Darstellung vorbehalten worden: 1. die allmähliche Entfaltung der glaubensmäßigen und gedanklichen Vorstellungen, die schließlich in der Reformationszeit zum Austrag kamen, in ihrer Verflochtenheit mit der Geschichte der mittelalterlichen Orden und Sekten, der Herausbildung der Stadt und des Städtebürgertums sowie der Umgestaltung des Gewerbewesens in Richtung auf die moderne, rationale Arbeitsorganisation, und 2. die gegenüber der bisherigen umgekehrte Untersuchungsaufgabe: der Zusammenhang des Religiösen mit der jeweils gegebenen Wirtschafts- und Gesellschaftsstruktur sowie den politischen Machtverhältnissen. Die Wesenheit dieser *doppelseitigen* Analyse zeigen unverkennbar die gesammelten Abhandlungen Max Webers zur »Wirtschaftsethik der Weltreligionen«, in denen beide Betrachtungsrichtungen voll entwikkelt durchgeführt und im Vollzuge anschaulich gemacht werden. Diese zugleich sozialstrukturellen und religionssoziologischen Untersuchungen sollten nach Max Webers Plan nicht nur die drei tatsächlich vorhandenen, sondern insgesamt vier Bände umfassen, zunächst die Betrachtung des Judentums weiterführen, sodann die Erörterungen der ägyptischen, babylonischen, persischen und phönikischen Verhältnisse nachholen und schließlich der Entwicklung des Frühchristentums, des Islâm, des mittelalterlichen Christentums folgen und hierbei die allmähliche Vorbereitung des reformatorischen Gedankenguts in seinen Beziehungen zur sozialen, politischen und ökonomischen Welt – etwa seit dem 11./12. Jahrhundert – analysieren. Dazu ist es nicht mehr gekommen.

Zugleich aber erweisen die Antikritiken unwiderleglich, wie irrig es ist, zu wähnen, die »These« der »auffällig starken Kongruenz von Protestantismus und modernem Kapitalismus« rühre von Max Weber her. Tatsächlich ist diese Beobachtung in den ganzen vorangegangenen drei Jahrhunderten stets wiederholt gemacht worden. Max Weber sah seine Aufgabe nicht darin, diese Koinzidenz »zu beweisen«, sondern sie in ihren möglichen Beziehungen plausibel zu *erklären*. Seine Protestantismus-Studien haben – auch in ihrer unvollendeten Gestalt, wie sie uns heute vorliegen – beträchtliche Ergebnisse erbracht; sie haben:

1. die soziologische Seite der Kulturbedeutung des Protestantismus näher zu explizieren unternommen;
2. demonstriert, wie die Motivations- und Wirkungszusammenhänge der bürgerlichen Revolution im England des 16. und 17. Jahrhunderts – unter gleichzeitiger Veränderung der Denkweisen, der ökonomischen Basis und des sozialen Status der emporstrebenden Schichten – soziologisch verständlich deutbar gemacht werden können;
3. einen bedeutsamen Beitrag zum Selbstverständnis der nordamerikanischen Nation geliefert;
4. sich als erstklassiges analytisches Modell – und zwar auch unter gänzlich anders gearteten kulturellen Ausgangsbedingungen als denen der »westlichen Welt« – für die Herausläuterung der Stimulantien erwiesen, die die Gesellschaftsordnungen in die Richtung der Entwicklung spezifisch bürgerlicher Erwerbskultur, rationaler kapitalintensiver Wirtschaftsstruktur sowie rationaler Arbeitsorganisation unter Ausbildung entsprechender Bewußtseinsformen und -inhalte (z. B. Arbeitsethos, methodische Lebensreglementierung, Pioniergeist) leiten können: – es sei nur an Rußland und Japan erinnert.

Wenn man sich Max Webers Forschungsintention verständlich machen will, so braucht man nur an folgende Überlegungen zu denken. Wie man bis in Einzelheiten die Renaissance daraufhin erforscht hat, was es war, das in ihr renaszierte, wie dieses Aufgenommene im Prozeß des Ergreifens umgestaltet wurde und welches Insgesamt an Auswirkungen dies für Europa und darüber hinaus gezeitigt hat; wie es Aufgabe der Soziologie der Herrschaft sein muß, zu untersuchen, welches es ist, das jeweils in der Macht mächtig wird, und wie es soziologisch wirkt; so gehört es zum Aufgabenbereich der – von Max Weber und Ernst Troeltsch initiierten – Religionssoziologie, die Metánoia, den durchgreifenden Gesinnungswandel, herauszuarbeiten, die der Impuls der Reformatoren bei der Kirchenspaltung des Abendlandes auf *allen* Seiten ausgelöst hat, und zu ergründen zu suchen, wie dieses Neue sich im Sozialisations- und Kulturationsprozeß soziologisch zur Geltung gebracht hat. Und das umsomehr, als es sich dabei um einen Prototyp des Zusammenhanges von indoktrinierten Ideen und Parolen mit dem sozialen, wirtschaftlichen und politischen Aufbruch einer spezifischen gesellschaftlichen Schicht handelt. Wer würde die motorische Kraft und die Geschichtsmächtigkeit des die amerikanische Unabhängigkeitsbewegung und die französische große Revolution inspirierenden Gedankengutes und seine Adäquanz zur Situation der aufständischen Gesellschaftsschichten je in Zweifel gezogen haben? Die Entdeckung der Modellhaftigkeit des hier in Rede stehenden soziologischen Strukturzusammenhanges ist eine der genialen Leistungen Max Webers in der Frühe des 20. Jahrhunderts.

Der gegenwärtige Band stellt eine Gemeinschaftsarbeit des Herausgebers mit Herrn Dr. Walter M. Sprondel (s. Zt. im Max Weber Institut der Universität München) dar – angefangen von der Auswahl und Überprüfung der Texte, über die Konfirmierung und Ergänzung der Literaturangaben bis zur Druckkorrektur. Die Titelei sowie das Vorwort rühren vom Herausgeber her, während Herr Sprondel die Zusammenstellung der Bibliographie am Schluß des Bandes übernommen hat. Wir hoffen, mit den beiden Bänden zur »Protestantischen Ethik« die soziologischen Kulturanalysen Max Webers nicht nur einem breiteren Leserkreis näher gebracht, sondern damit zugleich ein geeignetes Lehrmittel und Seminarmaterial für das Studium vorgelegt zu haben.

Besonderer Dank sei hier noch den Herren Ephraim Fischoff und Reinhard Bendix sowie ihren Verlagshäusern dafür ausgesprochen, daß sie liebenswürdigerweise die Aufnahme ihrer Arbeiten in diesen Sammelband gestattet haben.

München, im Februar 1972 — Der Herausgeber

H. KARL FISCHER

Kritische Beiträge zu Professor Max Webers Abhandlung »Die protestantische Ethik und der Geist des Kapitalismus«

Sowohl die neue, interessante Fragestellung als auch die Beweisführungen der oben bezeichneten verdienstvollen Arbeit[1] Professor MAX WEBERS haben von der Kritik[2] reichen Beifall gefunden. Die im folgenden dargebotenen Überlegungen führen im großen und ganzen zu wesentlich anderen Ergebnissen. Das Verdienst der Untersuchungen Prof. WEBERS soll dadurch keineswegs geleugnet werden: denn wie die nachstehenden kritischen Beiträge einerseits durch jene Arbeit erst veranlaßt worden sind, so haben sie andererseits das Ziel, einen bescheidenen Beitrag zu liefern zur Lösung des aufgeworfenen Problems.

Im Interesse einer zusammenhängenden Darstellung erscheint es zweckmäßig, zunächst die wesentlichsten Gedankengänge der besprochenen Arbeit in gedrängter Kürze zu rekapitulieren.

1 *Die Aufstellung des Problems*

Zur Aufstellung des Problems geben wesentlich folgende Tatsachen Veranlassung: 1. Die Kapitalisten und Unternehmer, die obere gelernte Schicht der Arbeiter, das höhere, technisch oder kaufmännisch vorgebildete Personal der modernen Unternehmungen sind vorwiegend Protestanten. 2. Für Baden, Bayern und Ungarn ist statistisch festgestellt, daß der Prozentsatz derjenigen katholischen Abiturienten, die eine humanistische Vorbildung erhalten haben, bedeutend höher ist, als der Prozentanteil derjenigen, die in Realgymnasien, Realschulen usw. für moderne, speziell technische, gewerbliche und kaufmännische Berufe vorgebildet worden sind. Bei den protestantischen Abiturienten zeigt sich das entgegengesetzte Verhältnis. 3. Unter den Handwerksgesellen zeigen die Katholiken die stärkere Neigung zum *Verbleiben* im Handwerk; sie werden relativ häufiger Handwerks*meister* als ihre protestantischen Kollegen, die in stärkerem Maße in die Fabriken abströmen, um hier die oberen Staffeln der gelernten Arbeiterschaft und des gewerblichen Beamtentums zu füllen. Zur Erklärung dieser Erscheinungen stellt Prof. WEBER die These auf, daß der Geist der christlichen Askese in den Geist des Kapitalismus als integrierender Bestandteil übergegangen ist. Seine Einzeluntersuchung führt W. unter einem umfassenden, großen Gesichtspunkt: Seine Studien sollen einen Beitrag bilden zur Veranschaulichung dessen, wie überhaupt »Ideen« in der Geschichte wirksam werden. Wenn nach der materialistischen Geschichtsdeutung der Geist des Kapitalismus aufzufassen ist als eine Widerspiegelung der materiellen Verhältnisse in dem ideellen Überbau, so ist dies unhaltbar, barer Unsinn. Wenn nun die Wahrheit der idealistischen Geschichtsdeutung an einem Beispiel dargetan werden soll, so sollen nur die Beziehungen aufgedeckt werden, in denen eine Einwirkung religiöser Bewußtseinsinhalte auf das materielle Kulturleben zweifellos ist.

2 *Der »Geist« des Kapitalismus*

Den »Geist« des Kapitalismus findet Prof. WEBER in Aussprüchen FRANKLINS[3] und FUGGERS[4]. Der »Geist« FRANKLINS wird – so scheint mir – zunächst als von dem kapitalistischen Geist verschieden aufgefaßt, später aber werden beide identifiziert.[5] Indessen ist bei gehöriger Verwertung von Parallelstellen und von anderen ausdrücklichen Erklärungen des Verfassers ersichtlich, daß er unter dem *»Geist« des Kapitalismus den Gedanken an die Berufspflicht versteht. Dieser Ge-*

danke der Berufspflicht und die Tatsache der Hineinbeziehung der geldwirtschaftlichen Arbeit unter den Begriff der Berufspflicht sollen zur Zeit des Entstehens religiös begründet gewesen sein.

3 a Die Berufspflicht im lutherischen Protestantismus
b Der kapitalistische Geist und der Puritanismus

a) Es wird von Prof. Weber der Nachweis versucht, daß der Gedanke der Berufspflicht hervorgegangen sei aus der religiösen Gedankenwelt des lutherischen Protestantismus: in seinem heutigen Sinn stamme das Wort aus dem Geist der *Bibelübersetzer.* Luther gebrauchte es zuerst bei der Übersetzung der Stelle Jesus Sirach XI 20–21. Dazu dürfte kritisch zu sagen sein: Angenommen – wie es vom Verfasser wahrscheinlich gemacht worden ist –, Luther habe hier eine originäre Leistung vollzogen, so ist dies noch kein Beweis für die *Notwendigkeit* der Annahme, daß die religiösen Vorstellungen Luthers den Berufsgedanken erzeugt haben. Denn wie kam Luther dazu, jene Stelle aus Jesus Sirach mit »Beruf« zu übersetzen? Es geschah wohl sicher nicht mit der Absicht, bei der Gelegenheit der Bibelübersetzung ein religiöses System zu schaffen, in dem auch die weltliche Berufsarbeit ihren Platz erhielt; sondern Luther glaubte mit diesem im Volke geläufigen Ausdruck die beste, dem Volke verständlichste Bezeichnung gewählt zu haben. Der »Geist« des Bibelübersetzers dürfte sich in diesem Falle der geläufigen Ausdrucksweise angepaßt haben. Wollte man einwenden, daß im lutherischen Protestantismus neu sei die Schätzung der Pflichterfüllung *innerhalb* der weltlichen Berufe als des *höchsten* Inhalts, den die sittliche Selbstbetätigung überhaupt annehmen kann, so wäre darauf zu erwidern, daß zur Erklärung dieses Tatbestandes auch die entgegengesetzte Hypothese verwertet werden *könnte,* nach der die religiösen Vorstellungsweisen dem Zustand des wirtschaftlichen Lebens sich angepaßt haben. Aus dem gleichen Grunde kann die Irrigkeit der Überbautheorie wohl nicht durch den Hinweis dargetan werden, daß in der lutherischen Dogmatik die weltliche Berufs*arbeit* als äußerer Ausdruck der Nächstenliebe gewertet wird. Endlich führt Prof. WEBER aber selbst an, daß LUTHER mit zunehmendem Alter immer mehr den traditionalistisch gebunden gebliebenen Berufsbegriff betont hat, wonach der Beruf das ist, was der Mensch als göttliche Fügung hinzunehmen, worin er sich zu schicken habe.

b) Hat sich der lutherische Protestantismus somit als ein wenig geeignetes Gebiet erwiesen, die Wahrheit der idealistischen Geschichtsdeutung in der zur Behandlung stehenden Frage zu erhärten, so erhebt sich um so dringender die Frage: in welcher Abhängigkeitsbeziehung steht der kapitalistische Geist zur bedeutendsten Erscheinungsform des Puritanismus, dem Calvinismus? Dessen charakteristisches und hinsichtlich der kulturgeschichtlichen Wirkung bedeutendstes Dogma ist die Lehre von der Gnadenwahl, wie sie ihren klassischen Ausdruck in der Westminsterkonfession von 1647 gefunden hat. Darnach ist nur ein kleiner Teil der Menschen zur Seligkeit berufen. Maßstäbe irdischer Gerechtigkeit an Gottes souveräne Verfügungen anzulegen, ist sinnlos. Gott ist frei und keinem Gesetz unterworfen. Dem Nichterwählten kann niemand helfen: kein Prediger, kein Sakrament, keine Kirche, kein Christus. Diese Gnadenmittel können nur von den Erwählten verstanden und darum mit Erfolg benutzt werden. So ergaben sich für jeden Gläubigen die wichtigen Fragen: Bin *ich* erwählt? Wie kann ich dieser Erwählung sicher werden? Dem Menschen, der nach sichtbaren Merkmalen der Erwählung suchte, wurde es zur Pflicht gemacht, sich für erwählt zu *halten*, jeden Zweifel als Anfechtung des Teufels abzuweisen. Als hervorragendstes Mittel wurde rastlose Berufsarbeit eingeschärft. So durchaus ungeeignet gute Werke und angestrengtes Berufsleben sind, um als Mittel zur Erlangung der Seligkeit zu dienen, »so unentbehrlich sind sie als *Zeichen* der Erwählung«. Kritisch möchte dazu zu bemerken sein: Gewiß, nach einem Zeichen der Erwählung wird man verlangt haben. Warum wurde aber die angestrengteste Berufstätigkeit als Zeichen der Erwählung betrachtet? Hätten Völker auf einer andern Wirtschaftsstufe auch *dieses* Zeichen als Zeichen der Erwählung betrachtet? Die Wahl gerade dieses Zeichens scheint mir ein Wahrscheinlichkeitsgrund dafür zu sein, daß die angespannte Berufstätigkeit auch unabhängig von religiösen Erwägungen hochgeschätzt wurde. In wie hohem Maß Momente des wirtschaftlichen, des kapitalistischen Lebens die religiösen Vorstellungsweisen beeinflußt haben, dürften gerade folgende Data lehren: Die Lebensführung des Puritaners war einer ständigen Kontrolle unterworfen. Man legte religiöse Tagebücher an, in welche die Sünden, Anfechtungen und die in der Gnade gemachten Fortschritte fortlaufend oder tabellarisch eingetragen wurden. Das Verhältnis des Sünders zu seinem Gott war ähnlich dem eines Kunden zum shopkeeper: wer einmal in die Kreide geraten ist, der wird mit dem Ertrag seiner Verdienste allenfalls die auflaufenden Zinsen, niemals aber die Hauptsumme abtragen können. So nahm die Heiligung des Lebens fast den Charakter eines Geschäftsbetriebes an.

Außer dem Calvinismus kommt als selbständiger Träger der protestantischen Askese besonders das Täufertum in Betracht, dessen historisch und prinzipiell wichtigster Gedanke ist, daß die Kirche ausschließlich eine Gemeinschaft der persönlich Gläubigen und Wiedergeborenen sein soll. Die Zugehörigkeit wird erworben durch innerliche Aneignung des Erlösungswerkes Christi. Dazu wird jedem durch *individuelle* Offenbarung der göttliche Geist angeboten. Es genügt, auf diesen Geist zu *harren* und seinem Kommen nicht durch sündliches Kleben an der Welt zu widerstreben. Der Gläubige hat darum jeden nicht unbedingt nötigen Verkehr mit den Weltleuten aufzugeben. Es ist m. E. nicht einleuchtend, wie diese Form der protestantischen Askese zur Geburtsstätte des kapitalistischen Geistes werden konnte. Das Harren in hysterischen Zuständen, das Schwelgen in prophetischen und eschatologischen Hoffnungen steht im Gegensatz zur nüchternen

Berufsarbeit. Nach dem Tode der rücksichtslosen, radikalen Führer der Täuferbewegung lenkte diese allmählich in das normale Berufsleben ein. Es ist versucht worden, diese Umwandlung zu erklären als Wirkung des Gedankens, »daß Gott nur redet, wo die Kreatur schweigt«. Gibt man zu, daß dieser Gedanke immer mächtiger wurde, so entsteht die Frage: wie kam es, *daß* er allmählich ins Bewußtsein der Täufer trat? Fand eine logische Entwicklung etwa im Sinne Hegels statt? Dann wäre es merkwürdig, daß diese Entwicklung so spät und nach so vielen Opfern eingesetzt hat. Die ungezwungenste Erklärung dürfte die sein, nach der das Einlenken der Täufer in eine ruhige Bewegung aufzufassen ist als eine Anpassung an die rauhe Wirklichkeit, mit der man sich abfinden mußte.

Prof. Weber hat zur Erhärtung seiner These endlich Ausführungen aus solchen theologischen Schriften jener Zeit mitgeteilt, die aus der seelsorgerischen Praxis hervorgegangen sind. Die Benutzung der theologischen Erbauungsliteratur als Beweismaterial dürfte jedoch wenig fruchtbar sein. Denn mit Hilfe jener Schriften kann im günstigsten Fall doch nur bewiesen werden, daß von den Verfassern derselben wirtschaftliche Anschauungen in das dogmatische System hineinverwoben worden sind. Andererseits deuten jene Erbauungsschriften darauf hin, wie stark die Beeinflussung der religiösen Vorstellungsweisen durch wirtschaftliche Faktoren gewesen ist; so z. B. die Wertschätzung der Arbeit und Verwerfung jedes Zeitverlustes durch Geselligkeit, faules Gerede, Luxus und übermäßigen Schlaf, ferner die Wertschätzung der Berufsgliederung und Arbeitsteilung und endlich die providentielle Deutung der privatwirtschaftlichen Profitlichkeit, wonach Gott mit dem Gläubigen eine bestimmte Absicht hat, wenn er ihm eine Gewinnchance zeigt, der gläubige Christ hat diesem Rufe zu folgen; tut er es nicht, so durchkreuzt er einen göttlichen Zweck.

4 *Wirtschaftsgeschichtliche Erklärung der Entstehung des kapitalistischen Geistes*

Die Frage, ob die materialistische oder die idealistische Geschichtsdeutung zur Lösung dieses Problems zu verwenden ist, kann nach SOMBART[6] nur mit Hilfe eines empirischen Nachweises konkret-historischer Zusammenhänge beantwortet werden. Dieser Nachweis gestaltet sich bei SOMBART in kurzem folgendermaßen:

Während des europäischen Mittelalters stieg die Wertung des Geldbesitzes aus mehreren Gründen, z. B. infolge der geldverschlingenden Kreuzzüge und der höheren Lebenshaltung der aus dem Orient heimgekehrten Kreuzfahrer. Die Folge war wachsender Geldbedarf und gesteigertes Streben nach Geldbesitz.

Als Methoden zur Gelderlangung kamen in Anwendung: Kaiser und Könige legten neue Steuern auf, brandschatzten die Städte oder raubten die Judengemeinden aus; die Ritter und kleinen Grundbesitzer verwandelten die Reallasten des Bauern in Geldlasten oder legten sich gleichfalls aufs Plündern, was als durchaus anständige Beschäftigung galt; die Päpste verschafften sich infolge ihrer geistlichen Autorität durch Ablaßgewährung etc. Geld. Wo diese Mittel versagten, mußten die Kirchen Darlehen aufnehmen. Aus demselben Grunde entstanden das Goldgräbertum und die Alchemie. *Bei den Leuten niederen Standes tauchte dann zuerst der Gedanke auf, Geldvermehrung zu erzielen durch wirtschaftliche Tätigkeit selbst.* Wie hat sich dieser neue Zweckgedanke zum vollendeten System kapitalistischer Wirtschaftsbetrachtung ausgewachsen? *Zu der auf den Erwerb gerichteten Willensverfassung* muß ein ökonomischer Rationalismus hinzutreten. Es gelang dem neuen Zweckgedanken (= Geld zu erwerben durch Wirtschaften), das Mittel zu seiner Realisierung (= das Wirtschaftsleben) vollständig umzugestalten; das Wirtschaftsleben wurde in eine Reihe von Rechenexempeln aufgelöst und zu einem kunstvollen Ganzen ganz neu nach rechnerischen

Prinzipien zusammengefügt. Kurz: Das Wirtschaften wurde zum Geschäft gemacht. Daher wurden schon im frühen Mittelalter dementsprechende Arbeitsmethoden ausgebildet: Methoden zur genauen rechnerischen Feststellung jedes einzelnen Geschäftsfalles und zur systematischen Erfassung eines geschäftlichen Gesamtunternehmens. Diese Methoden entwikkelten die mathematischen Wissenschaften während des 13. bis 15. Jahrhunderts; und man kann die Schöpfungsperiode der neuen Geschäftstechnik mit den Jahreszahlen 1202–1494, und mit den Namen LEONARDO PISANO und LUCA PACIOLA umgrenzen; ersterer brachte den Abendländern zuerst das indisch-arabische Zahlensystem, letzterer machte durch die wissenschaftliche Darstellung der doppelten Buchführung diese zu einem für jedermann erreichbaren Hilfsmittel der Geschäftsführung. Daß die einfache und doppelte Buchführung schon vor dem Erscheinen des Werkes PACIOLAS angewendet wurden, zeigen z. B. die Rechnungsausweise des Papstes NIKOLAUS III. (1279/80), die Ausgaberegister der Kommunen Florenz (1303), Genua (1340), die Geschäftsbücher der Gebr. SORANZO in Venedig (1406).

So hat SOMBART ein Zweifaches zu zeigen versucht: 1. die Entstehung des kapitalistischen Geistes aus wirtschaftlichen Ursachen; 2. hat SOMBART dargetan, daß lange vor dem Auftreten der protestantischen Reformation die Methoden für kapitalistische Betriebsformen ausgebildet und angewendet wurden. Wollte man dagegen einwenden, daß der kapitalistische *Geist* bei weitem später entstanden sei, so würde darauf zu entgegnen sein: wie entstanden denn die kapitalistischen Betriebsformen? Sollten sie nicht etwa als Äußerungen, als Schöpfungen des kapitalistischen Geistes selbst aufzufassen sein?

5 *Psychologische Erklärung der Entstehung des kapitalistischen Geistes*

So stehen sich die idealistische Erklärung Prof. Webers und die wirtschaftsgeschichtliche Prof. Sombarts mit ihren Vorzügen und Nachteilen gegenüber. (Denn auch des letzteren Darstellung ist angefochten worden.[7]) Es soll darum zur psychologischen Erklärung der Entstehung des kapitalistischen Geistes fortgeschritten werden.

Der Gegenstand der Untersuchung ist ein komplexes psychisches Phänomen. Gestützt auf den Satz, daß die Funktion der Allgemeinbegriffe unabhängig ist von ihrer Definition[8], ist man allerdings berechtigt, die Funktion solcher Allgemeinbegriffe zunächst unabhängig von ihrer Definition zu betrachten, und letztere alsdann nachfolgen zu lassen. In diesem Fall ist dies Verfahren nicht anwendbar, *denn indem wir über die Genesis jener Begriffe (psychischen Zustände) Aussagen machen wollen, wird unsere Arbeit zu einer psychologisch-historischen. Darlegungen über die psychologische Entstehung jener Zustände* müssen darum den Ausgangspunkt bilden, dürfen aber keinenfalls gänzlich unberücksichtigt bleiben.[9]

Der kapitalistische Geist ist von Prof. Weber bestimmt worden als »Erwerben von Geld und immermehr Geld, rein als Selbstzweck« oder als »Gedanke an die Berufspflicht«.

Bringen wir das »Erwerben von Geld und immermehr Geld, rein als Selbstzweck«, auf einen psychologischen Ausdruck, so können wir es auffassen als die Freude des Individuums an seiner kraftvollen Betätigung. (Vgl. Fuggers Ausspruch: »er wolle gewinnen, dieweil er könne«.) Obgleich die Folge dieser Betätigung die Ansammlung von Kapital ist, so ist dies doch nicht in die Zweckvorstellung aufgenommen, also nicht gewollt worden. Die Freude an der kraftvollen Betätigung ist in keiner Weise religiös begründet, sie verbindet sich mit der kraftvollen Betätigung unmittelbar.[10]

Der »Geist« FRANKLINS kann ferner auch so verstanden werden, daß das Erwerben von Kapitalbesitz in die Zielvorstellung aufgenommen wird, so daß die Freude an der kraftvollen Betätigung psychische Begleiterscheinung ist. Mit welchem psychischen Phänomen haben wir es hier zu tun? Treffliche Ausführungen darüber bietet J. St. MILL:[11]

»Was sollen wir z. B. von der Liebe zum Gelde sagen? Ursprünglich ist das Geld um nichts wünschenswerter als irgend ein Haufe glitzernder Kieselsteine; sein Wert ist nur der Wert *der* Dinge, die man damit erkaufen kann. Gleichwohl ist die Liebe zum Gelde nicht nur eine der stärksten Triebfedern im menschlichen Leben, sondern das Geld wird auch in vielen Fällen an und für sich selbst gewünscht; der Wunsch, es zu besitzen, ist oft stärker als der Wunsch, davon Gebrauch zu machen. Man kann deshalb mit Recht sagen, daß Geld nicht um eines Zweckes willen, sondern als Teil des Zweckes gewünscht wird. Aus einem Mittel zur Glückseligkeit ist es für sich selbst ein hauptsächlicher Bestandteil der eigenen Vorstellung von Glückseligkeit geworden. Ganz dasselbe kann von der Mehrzahl der großen Gegenstände des menschlichen Strebens gesagt werden, – von dem Streben zur Macht, zum Ruhm. Die innige Assoziation, welche auf diese Weise zwischen ihnen und allen Gegenständen unserer Wünsche entsteht, ist es, was dem direkten Wunsch nach ihnen jene Stärke gab, wie er sie oft annimmt, so daß er bei manchen Charakteren alle anderen Wünsche an Stärke übertrifft.«

Beim Streben nach Macht, Ruhm, Geld hat also eine Übertragung von Gefühlszuständen stattgefunden. Das Gefühl der Freude, das ursprünglich mit der Zielvorstellung sich verband (Glückseligkeit), überträgt sich auf die Vorstellung des Mittels (Geld etc.). Da das Geld das Tauschmittel par excellence ist, so ist ersichtlich, daß die Übertragung von Gefühlszuständen gerade bei der Wertschätzung des Geldes stattfindet. Eine Mitwirkung religiöser Faktoren findet nicht statt. Zwar ist die Schätzung des Geldbesitzes auf Grund religiöser

Gedankengänge *denk*möglich. Aber diese Betrachtungsweise ist eine reflexions-psychologische, die psychische Phänomene komplizierter erscheinen läßt, als sie in Wirklichkeit sind. Die Übertragung von Gefühlszuständen ist ein allgemeines psychisches Geschehen, das selbstverständlich auch vor dem Aufkommen des Puritanismus stattgefunden hat. Auf das *Geld* konnte diese Gefühlsübertragung eben nur in Zeiten mit Geldwirtschaft stattfinden, u. a. z. B. bei den Römern. Schon Cato censorius zeigt in einer Schrift, wie man als römischer Aristokrat einen Grundbesitz mit möglichst großem Profit bewirtschaften kann; der Profit soll zur Vermögensvermehrung verwendet werden. Derjenige ist ein tüchtiger Mann, der mehr Kapitalvermögen hinterläßt, als er übernommen hat. Im europäischen Mittelalter konnte erst mit dem Aufkommen der Geldwirtschaft die hohe Schätzung des Geldes Platz greifen; es geschah lange vor der Zeit des Puritanismus.

Als spezifischen Geist des Kapitalismus bezeichnet Prof. Weber den Gedanken an die Berufspflicht. Wir haben darum die Entstehung des auf die Berufstätigkeit sich beziehenden Pflichtgefühls zu untersuchen. Woher stammt es? Welches ist seine Wurzel? Das Pflichtgefühl ist ein abstraktes Gefühl, das auf eine ähnliche Weise entsteht, wie abstrakte Begriffe entstehen.[12] Zahllos angesammelte Erfahrungen haben in den Menschen die Überzeugung ausgebildet, daß die Leitung durch solche Gefühle, die sich auf entferntere und allgemeinere Folgen beziehen, in der Regel sicherer zum Wohlergehen führt als die Leitung durch Gefühle, die unmittelbare Befriedigung verlangen. Das gemeinschaftliche Merkmal *der* Gefühle, die zu Ehrlichkeit, Wohltätigkeit, Fleiß, Vorsicht etc. antreiben, ist dies, daß es lauter komplizierte, an abstrakte Vorstellungen sich anschließende Gefühle sind, die vielmehr auf die Zukunft als auf die Gegenwart hinweisen. So erklärt es sich, wie das *Merkmal der autoritären Geltung* an diese Gefühle sich anschließt, *das* Merkmal, worin sie sich von den an niederen Begierden und Reizen sich anschließenden Gefühlen unterscheiden.

Der Entstehung dieses *autonomen Pflichtbewußtseins* ging die Entstehung des heteronomen voraus. Wenn wir zwar nicht, wie ALEX. BAIN, das Gefühl der moralischen Verpflichtung ausschließlich auf die Wirkungen von Strafen zurückführen, so erkennen wir an, daß die Furcht vor staatlichen, sozialen und religiösen Strafen die Wurzel des heteronomen Pflichtbewußtseins ist. – Wie entsteht das Gefühl der Pflicht zu *beruflicher* Tätigkeit? Welche Rolle spielen bei seiner Entstehung *religiöse* Gedankengänge, die nach W. die alleinige Ursache der Berufspflicht sein sollen? Ist dieses Gefühl ein autonom oder heteronom bedingtes?

Ohne Zweifel haben Staat, Gesellschaft und Religionsgemeinschaften ein Interesse an der beruflichen Tätigkeit der Einzelnen, sie werden daher Gesetze zur Regelung der Berufsarbeit erlassen haben. Ob aber die Berufstätigkeit selbst und das Pflichtgefühl zu derselben aus solchen von jenen drei Autoritäten erlassenen Gesetzen *ausschließlich* hervorgegangen ist, das ist zweifelhaft, unwahrscheinlich. Ungezwungener ist die Auffassung der Berufspflicht als eines autonom bedingten Gefühles: der emotionelle Drang zu beruflicher Tätigkeit entstand im Menschen, weil die Vorstellung der Berufserfüllung höhere Geltung besaß, als die Vorstellung der Unterlassung der Berufstätigkeit. Die Ausübung des Berufs erwies sich als ein in den Folgen segensreicheres Verhalten als das nur gelegentliche, dem augenblicklichen Bedürfnisse dienende Arbeiten. – Wir sehen: bei der Entstehung des heteronomen Pflichtgefühls können neben staatlichen und sozialen auch religiöse Vorstellungen mitwirkend sein. Höchst unwahrscheinlich ist es aber, daß das Gefühl der *Berufs*pflicht, noch dazu das Pflichtgefühl zu gewerblicher, kapitalistischer Berufstätigkeit ein heteronom bedingtes oder gar ausschließlich religiös bedingtes Pflichtgefühl sei. Das Pflichtgefühl zu gewerblich-kapitalistischer Berufstätigkeit ist autonom bedingt und entspringt, wie aus seinem Wesen sich ergeben haben dürfte, nicht der Befolgung religiöser Vorschriften.

6 *Der Zusammenhang zwischen Konfession und kapitalistischer Entwicklung – eine geistreiche Parallele?*

Den psychologischen Bedenken gesellen sich bisher unerwähnt gebliebene historische hinzu. Daß im europäischen Mittelalter der kapitalistische Geist auch innerhalb des Katholizismus sich erhalten konnte, beweisen die Genuesischen, Florentinischen und Venetianischen Kapitalisten, ferner das Haus der FUGGER und die Verwaltung des päpstlichen Kapitals. Die katholischen Gebiete des Niederrheines sind gleichfalls ein Hauptsitz kapitalistischer Unternehmungen gewesen. Im katholischen Belgien stand und steht der Kapitalismus höher als in Holland. Es scheinen doch physikalische Bedingungen und allgemeine Welthandelsbeziehungen für die Ausbreitung des kapitalistischen Geistes ausschlaggebend gewesen zu sein. Der strikte Calvinismus hat in Holland nur sieben Jahre wirklich geherrscht. Daß die in puritanischer Strenge lebenden Kapitalistenkreise in Holland schnell abgenommen haben, zeigt HUËTS Darstellung.[13] Der Calvinismus hat tatsächlich das Genießen des Reichtums dort nicht verhindert, wo andere Momente eine Entwicklung der Genußfreudigkeit begünstigt haben. Die englischen Schriftsteller des 17. Jahrhunderts führen die Überlegenheit der holländischen Kapitalisten gegenüber den englischen darauf zurück, daß jene nicht, wie diese, die neuerworbenen Kapitalvermögen benutzten, um durch Aufkaufen von Landgütern und durch den Übergang zu feudalen Lebensgewohnheiten die Nobilitierung zu erwerben. Die holländischen Kapitalisten, obwohl jeglicher puritanischer Lebensweise abhold, behielten große Kapitalien zur freien Verfügung, weil sie ihre Gelder nicht in Ländereien anlegten. Ferner: In Italien zeigen sich große Unterschiede zwischen Ober- und Unteritalien in bezug auf das Vorhandensein des kapitalistischen Geistes, obgleich alle Teile dieses Landes katholisch sind. Auch in der Schweiz würde man durch das Zurückgreifen auf konfessionelle Unterschiede nicht alle Unterschiede in der Ausbreitung des kapitalistischen Geistes erklären können. Der Kanton Bern ist reformiert und zeigt doch keine kapitalistische Entwicklung.

Diesen Erwägungen gegenüber steht freilich die auffallende Tatsache, daß dort, wo in Frankreich die Hugenotten vertrieben wurden, die Industrie zurückging und umgekehrt dort aufblühte, wo die Hugenotten sich niederließen. Waren für diesen Parallelismus rein religiöse Momente bestimmend? Oder stellten die Übergetretenen den von vornherein lebenskräftigeren, energischeren, für den Fortschritt prädisponierten Teil der Bevölkerung dar, was etwa schon ihr Widerstand gegen die überlieferte Religionsform beweist? Auch das Moment des Stammescharakters spielt in dieser Beziehung vielleicht keine ganz untergeordnete Rolle. Es scheint so, daß einige Volksstämme zur Entwicklung und Aufnahme des kapitalistischen Geistes mehr geeignet sind als andere.

Unstreitig besteht ein enger Zusammenhang zwischen der Konfession und der kapitalistischen Entwicklung. Auf diesen Parallelismus hat von neuem und energisch die verdienstvolle Arbeit Prof. Webers hingewiesen. Unsere Ausführungen, namentlich der psychologische Teil derselben, aber suchten zu zeigen, daß der kapitalistische Geist aus dem Puritanismus sich nicht ableiten läßt, daß wir mithin den angedeuteten Parallelismus nur feststellen, nur auf ihn hinweisen können. Eine Erklärung dieser Erscheinung dürfte das Ziel weiterer Forschungen sein.[14]

1 Archiv für Sozialwissenschaft und Sozialpolitik, XX. und XXI. Bd., 1905. [Wiederabdruck der von Max Weber überarbeiteten Fassung (1920) in: Max Weber, Die protestantische Ethik I, hrsg. von Johannes Winckelmann, München und Hamburg 1965. Den in diesem Band zusammengefaßten Kritiken und Antikritiken lag die Fassung von Max Webers Aufsätzen zur »Protestantischen Ethik« aus den Bänden XX und XXI des Archivs für Sozialwissenschaft zugrunde. Sofern in Anmerkungen und Zitierungen auf sie Bezug genommen wird, wurden die Zitate ergänzt durch die Angabe der Fundstelle in eckigen Klammern aus der Neuausgabe in den Siebenstern-Taschenbüchern, Bd. 53/54. Beispiel: Archiv, XX. Bd., S. 10 [STB 53/54, S. 37]. (Hrsg.)]

2 Z. B. Ferdinand J. Schmidt, Kapitalismus und Protestantismus, in: Preußische Jahrbücher, 122. 1905, S. 189–230.

3 Franklin: »Bedenke, daß Zeit Geld ist« etc. (Archiv, XX. Bd., S. 13 [STB 53/54, S. 40 f.]).

4 Fugger: »Er, Fugger, hätte viel einen anderen Sinn, wollte gewinnen, dieweil er könnte.« (Archiv, XX. Bd., S. 15 [STB 53/54, S. 43]).

5 Vgl. Archiv, XX. Bd., S. 16 und 17; dagegen S. 26 [STB 53/54, S. 43–45; dagegen S. 55].

6 Werner Sombart, Der moderne Kapitalismus, 2 Bde., Leipzig 1902, I. Bd.

7 S. z. B. die Kritik Hans Delbrücks [Besprechung von: Werner Sombart, Der moderne Kapitalismus, Leipzig 1902, und Die deutsche Volkswirtschaft im 19. Jahrhundert, Berlin 1903] in den Preußischen Jahrbüchern, 113. Bd., 1903, S. 333–350.

8 Gustav Störring, Zur Lehre von den Allgemeinbegriffen, in: Festschrift, Wilhelm Wundt zum 70. Geburtstag, II. Teil, Leipzig 1902, S. 323–355 (Wundts Philosophische Studien, Band XX).

9 Das Fehlen solcher Erwägungen über die Entstehung und das Wesen jener psychischen Zustände erscheint mir als Mangel der so gründlichen Arbeit Prof. Webers. Der Verfasser sucht sein Verfahren zu rechtfertigen durch den Hinweis darauf, daß die Ergebnisse der modernen Psychologie gering und unsicher seien. Mir scheint, daß ihre Ergebnisse doch nicht gar so gering sind, daß wir gegebe-

nen Falles aber eigene psychologische Erwägungen versuchen müssen, da unser Thema eine psychologisch-historische Arbeit erheischt.

10 S. GUSTAV STÖRRING, Moralphilosophische Streitfragen. I. Teil: Die Entstehung des sittlichen Bewußtseins, Leipzig 1903, S. 50–52 und 78–87.

11 JOHN STUART MILL, Gesammelte Werke. Autorisierte Übersetzung von TH. GOMPERZ, Leipzig 1872, I. Bd., Kap. IV, S. 168/69.

12 Vgl. HERBERT SPENCER, System der synthetischen Philosophie, Bd. X, § 47.

13 CONRAD BUSKEN-HUËT, Het land van Rembrandt, Haarlem 1883/84, auch deutsch herausgegeben durch VON DER ROPP, Rembrandts Heimat, Leipzig 1886/87, II. Bd., Kap. III–IV.

14 Es sei gestattet, an dieser Stelle auf eine demnächst vom Verfasser erscheinende geschichtsphilosophische Studie hinzuweisen, in der die theoretischen, insbesondere psychologischen Voraussetzungen der materialistischen und idealistischen Geschichtsdeutungen dargelegt werden.

MAX WEBER

Kritische Bemerkungen zu den vorstehenden »Kritischen Beiträgen«

Ich bin meinen beiden Herren Mitherausgebern dankbar, daß sie dem Abdruck der vorstehenden Ausführungen zustimmten. Denn eine Kritik mag noch so mißverständlich sein – und ich glaube, daß die vorstehende dies ist –, sie zeigt dennoch immer, an welchen Punkten der kritisierten Erörterung Mißverständnisse entstehen *können*, welchen der Autor, sei es nun mit oder ohne eigene Schuld, nicht genügend vorgebeugt hat.

Freilich: für nahezu alle der von meinem Herrn Kritiker gemachten Einwendungen muß ich irgendein Verschulden meinerseits, für manche auch jede Möglichkeit eines Mißverständnisses für einen aufmerksamen Leser ablehnen. – Während ich (Archiv, XX. Bd., S. 15 [STB 53/54, S. 43]) gerade mit dem *Gegensatz* zwischen dem »Geist«, der in den von meinem Kritiker zitierten Aussprüchen JAKOB FUGGERS einerseits, FRANKLINS andererseits sich äußert, operiere, läßt er mich jenen »Geist« in *beiden* gleichmäßig finden.[1] Während ich FRANKLIN (Archiv, XX. Bd., S. 26 [STB 53/54, S. 55]) als eines der verschiedenen Beispiele[2] dafür brauche, daß das, was ich ad hoc »Geist des Kapitalismus« getauft habe, nicht einfach an der Form des Wirtschafts*betriebes* hängt, läßt der Kritiker mich FRANKLINS *Gesinnung* das eine Mal als vom kapitalistischen »Geist« verschieden, das andere Mal mit ihm identisch behandeln. Während ich es mich (Archiv, XX. Bd., S. 36 [STB 53/54, S. 97 f., Anm. 53]) ziemlich erhebliche Mühe habe kosten lassen, *nachzuweisen*, daß der *allen* protestantischen Völkern seit den Bibelübersetzungen gemeinsame, *allen* anderen fehlende ethisch gefärbte Begriff des »Berufes« (und also auch die entsprechende Wortbedeutung) in dem für meine Untersuchung entscheidenden Punkt eine *Neu*schöpfung der Reformation ist, meint mein Herr Kritiker, LUTHER werde sich bei dieser Neuschöpfung dem »im Volk geläufigen Ausdruck« angeschlossen haben, – ohne natürlich versuchen zu können, für diese »Geläufigkeit« irgend eine Tatsache anzuführen. Selbstredend können philologische Funde meine Ergebnisse jederzeit berichtigen. Mit dem bloßen Behaupten des Gegenteils ist es aber doch gegenüber dem derzeitigen Stand des Materials nicht getan.

Während ich ferner selbst in ausführlicher Weise zu begründen versucht habe, daß und warum der »Berufs«-Gedanke in der Form der lutherischen Religiosität spezifisch *verschieden* blieb von derjenigen Ausprägung, welche jene Vorstellung innerhalb der »asketischen« Formen des Protestantismus als integrierender Bestandteil des kapitalistischen »Geistes« annahm, – hält mir mein Herr Kritiker dies mein eigenes Resultat, welches doch einen Grundgedanken meiner Aufsätze bildet, als Einwand *gegen* meine – wie er sich ausdrückt – »idealistische Geschichtsdeutung«, die den Kapitalismus aus LUTHER ableiten wolle, entgegen. Während ich (Archiv, XX. Bd., S. 54 [STB 53/54, S. 77]) nachdrücklich die Möglichkeit der »törichten« These ablehne, daß die Reformation *allein* den kapitalistischen Geist »oder wohl gar« den Kapitalismus selbst (als Wirtschafts*system*) geschaffen habe, da ja wichtige *Formen* kapitalistischen Geschäftsbetriebes erheblich älter als sie seien, – entgehe ich dennoch nicht dem Schicksal, diese letztere, gänzlich unbezweifelbare Tatsache, unter Berufung auf meinen Freund SOMBART, von meinem Kritiker *gegen* mich zitiert zu sehen. Und während ich in unzweideutiger Weise mich *gegen* die Benutzung der von mir angenommenen historischen Zusammenhänge zur Konstruktion irgend einer »idealistischen« (ich sagte Archiv, XXI. Bd., S. 110 [STB 53/54, S. 190] »spiritualistischen«) Geschichtsdeutung verwahrt habe, wird mir eine solche von meinem Herrn Kritiker nicht nur in den eben angeführten Bemerkungen dennoch imputiert, sondern er wirft an anderer Stelle sogar die Frage auf, ob ich mir die Wandlung der täuferischen Ethik als einen »logischen Prozeß im Sinne HEGELS« vorstelle[3], und hält mir als seine Auffassung wiederum Dinge entgegen, die ich selbst an der betreffenden Stelle (Archiv, XXI. Bd., S. 69 [STB 53/54, S. 160]) doch wohl für jedermann deutlich genug gesagt habe. Ich fühle mich nicht schuldig, wenn die dort (und öfter) von mir gegebene Erklärung für das Einmünden der täuferischen Lebensstimmung in die »Welt«, welche bekanntlich der Erfahrung bei anderen ihnen hierin ähnlichen Sekten, z. B. manchen russischen, die im übrigen unter gänzlich anderen ökonomischen Bedingungen lebten, durchaus entspricht, ihm nicht einleuchtend erscheint.[4]

Ich glaube auch nicht, dafür verantwortlich zu sein, wenn mein Herr Kritiker annimmt, ich hätte meine Aufsätze nur zur Erklärung der *heute* noch bemerkbaren Zusammenhänge konfessioneller Verhältnisse mit ökonomischen und sozialen Schichtungen geschrieben. Ich habe (Archiv, XX. Bd., S. 23 und öfter [STB 53/54, S. 51 f.]) gerade sehr nachdrücklich hervorgehoben, daß der heutige, auf mechanischer Grundlage ruhende Kapitalismus, welcher polnische Arbeiter nach Westfalen, Kulis nach Kalifornien importiert, absolut anders zu jenem Problem steht als der Kapitalismus der Frühzeit. Der Umstand, daß trotz alledem selbst heute noch Unterschiede des ökonomischen Verhaltens der Konfessionen zu bemerken sind und gelegentlich öffentlich erörtert wurden, gab mir ausgesprochenermaßen (Archiv, XX. Bd., S. 25 [STB 53/54, S. 53]) lediglich den Anknüpfungspunkt und den Anlaß, die *Frage* als berechtigt hinzustellen, wie sich wohl Konfession und wirtschaftliches Gebaren in der Frühzeit des Kapitalismus zu einander gestellt haben möchten.

Daß nun diese beiden Kulturkomponenten auch damals nicht in einem Verhältnis »gesetzlicher« Abhängigkeit von einander standen, – dergestalt, daß wo x (asketischer Protestantismus) ist, auch schlechthin ausnahmslos y (kapitalistischer »Geist«) bestand, – dies ist bei der Art der ursächlichen Verkettung historisch komplexer Erscheinungen miteinander a priori selbstverständlich.[5] Die Bemerkungen meines Herrn Kritikers über die holländischen Kapitalisten aber treffen schon der Sache nach gar nicht zu: der Vorgang des Aufkaufes von Rittergütern durch bestimmte Schichten des städtischen Patriziates war auch dort typisch (Archiv, XXI. Bd., S. 103 [STB 53/54, S. 181]), und über die (im weiteren Verlauf der Untersuchung noch näher zu besprechenden) Determinanten der Entwicklung Hollands habe ich (Archiv, XX. Bd., S. 26 [STB 53/54, S. 54]), (Archiv, XXI. Bd., S. 85/86 [STB 53/54, S. 171/72]) einige (allerdings nur gänzlich provisorische) Bemerkungen gemacht, – die mir mein Herr Kritiker nun ebenfalls teilweise als Einwand entgegenhält. Über die Bedeutung bestimmter religiöser Gruppen für die Entwicklung des niederrheinischen Gebiets in der frühkapitalistischen Zeit[6] wird wohl noch bei Fortsetzung meiner Darstellung zu sprechen sein. Im übrigen darf ich daran erinnern, daß »reformiert« nicht einfach mit »calvinistisch« identisch ist und daß auch der »Calvinismus« erst in seiner – mit der genuinen Lehre Calvins, wie ich mehrfach betont habe, keineswegs identischen – Entwicklung zum asketischen Puritanismus in *vollem* Umfang die Züge aufweist, welche für die von mir erörterten Zusammenhänge in Betracht kommen. Ich verweise dabei nochmals nachdrücklich auf meine Ausführungen: Archiv, XXI. Bd., S. 103/104 [STB 53/54, S. 181/182]. Daß die *bloße* Tatsache der konfessionellen Zugehörigkeit eine bestimmte Entwicklung ökonomischer Art derart rein aus dem Boden stampfen könnte, daß baptistische Sibirier unvermeidlich zu Großhändlern, calvinistische Bewohner der Sahara zu Fabrikanten würden, – diese Meinung wird man mir schließlich kaum imputieren wollen. Für ein Land mit den geographischen und kulturellen Bedingungen Ungarns z. B. in der Zeit seiner kontinuierlichen Unterjochungen und Wiederbefreiungen von den Türken wäre die Annahme, der Calvinismus hätte hier kapitalistische Betriebsformen schaffen müssen, ähnlich seltsam als die, seine Herrschaft hätte im Boden Hollands Kohlenflöze entstehen lassen müssen. *Ge-*

wirkt hat er, beiläufig bemerkt, in der ihm spezifischen Art auch in Ungarn, nur auf anderem Gebiet, und übrigens habe ich (Archiv, XX. Bd., S. 4, Anm. 1 und 2 [STB 53/54, S. 78, Anm. 7 und 8]) nebenher auf Zahlen verwiesen, die zeigen, daß trotz allem *auch dort* jene charakteristischen Erscheinungen in der Berufswahl der Reformierten sich zu zeigen scheinen, von denen, als Anknüpfungspunkten, ich ausging. Über meine Ansichten bezüglich der Beziehungen zwischen religiösen und ökonomischen Bedingungen überhaupt glaube ich, mich (Archiv, XXI. Bd., S. 101, Anm. 69 [STB 53/54, S. 269, Anm. 277]) bei aller Kürze vorerst hinlänglich deutlich geäußert zu haben. Ich kann meinerseits nichts dafür, wenn derartige und zahlreiche ähnliche Äußerungen, insbesondere auch die Schlußbemerkungen des ganzen Aufsatzes, einfach nicht beachtet werden. –

Ich lehne also die Verantwortung für die Mißverständnisse, welche m. E. der vorstehenden »Kritik« zugrundeliegen, ab, werde aber bei der aus verlagstechnischen Gründen doch nicht länger zu umgehenden Separatausgabe der Aufsätze nochmals versuchen, jede Wendung, die im Sinn einer von mir nie behaupteten Ableitung von Wirtschafts*formen* aus religiösen Motiven auch nur verstanden werden *könnte*, zu beseitigen und womöglich *noch* deutlicher zu machen, daß es der Geist »methodischer« *Lebensführung* ist, welcher aus der »Askese« in ihrer protestantischen Umbildung »abgeleitet« werden sollte und welcher zu den Wirtschaftsformen nur in einem allerdings kulturgeschichtlich m. E. sehr wichtigen »Adäquanz«-Verhältnis steht. Für die Anregung dazu bin ich meinem Herrn Kritiker dankbar, obwohl eine sachlich fruchtbare Kritik auf diesem Gebiet unendlich verschlungener Kausalzusammenhänge nur bei Beherrschung des Quellenstoffes möglich gewesen wäre, die ihm abgeht.[7]

Gar nichts kann ich dagegen, zu meinem Leidwesen, mit seinen positiven, »psychologischen« Erörterungen anfangen. Wenn ich (Archiv, XXI. Bd., S. 44, Anm. 79a [STB 53/54, S. 226, Anm. 115]) den heutigen gesicherten Begriffsvorrat der »Psychologie« für unzulänglich erklärt habe, um für ein konkretes religionshistorisches Problem: die Bedeutung bestimmter Hysterisierungsvorgänge im alten Pietismus, mit Sicherheit verwertet zu werden, so sprach ich dabei ersichtlich nicht von Versuchen, wie die, welche mein Herr Kritiker benutzt hat, sondern von den *exakten* Forschungen auf dem Gebiet der Hysterie. *Nur* von solchen verspreche ich mir eventuell neue, für jenes Problem wertvolle Einsichten.[8] Wie unbrauchbar dagegen das, was mir in der vorstehenden Kritik als »Psychologie« entgegengehalten wird, für die historische Erklärung von Phänomenen wie die, mit welchen ich zu tun hatte, bleibt, zeigen m. E. gerade die Darlegungen meines Herrn Kritikers. »Bringen wir« – sagt er – »das Erwerben von Geld ..., rein als Selbstzweck, auf einen psychologischen Ausdruck, so können wir es auffassen als die Freude des Individuums an seiner kraftvollen Betätigung.«[9] Schon dieser allererste Schritt ins Gebiet dieser »Psychologie« ist, historisch betrachtet, ein Fehltritt. Jene »Freude an der kraftvollen Betätigung« mag ein zutreffendes Wort sein für eine Begleiterscheinung des Gelderwerbens bei vielen Typen *moderner* Geschäftsleute und ebenso in der Vergangenheit bei Typen wie Jakob Fugger und ähnliche ökonomische »Übermenschen«, von denen ich auch meinerseits gesprochen habe, – Typen, die es seit dem babylonischen Altertum überall gegeben hat, wo man irgendwie Geld erwerben konnte[10], die aber ja gerade *nicht* charakteristisch sind für jenen Geist *nüchterner* Lebens*methodik*, um dessen Analyse es sich für mich handelte. Die »kraftvolle Betätigung des Individuums« und seine »Freude« daran mag man bei den sogen. »Renaissance-Menschen« studieren, – wenn man den *gleichen* Ausdruck auf asketisch nach Art der Mönche gezügelte Puritaner anwendet, dann versteht man jedenfalls – wie bei so unpräzisen Abstraktionen nicht verwunderlich – beide Male Grundverschiedenes darunter. Die weiter folgenden Auseinandersetzungen über die Frage, unter welches Schema von psychologischen Erscheinungen jene »Freude« falle, ob eine bestimmte Art von »Übertragung von Gefühlszuständen« ein »allgemeines psychisches Geschehen« sei und was daraus theoretisch folge, welche historischen Vorgänge infolgedessen »denkmöglich« seien und welche nicht, wann die »hohe Schätzung des Geldes« (die, wie ich nochmals betone, bekanntlich unter sich gänzlich heterogene »psychische« Erscheinungen umfaßt, von MOLIÈRES »Avare« bis zu CARNEGIE einerseits, dem indischen Rajah andererseits, und die an sich mit der puritanischen Lebensmethodik einfach *nichts* zu schaffen hat[11]) entstanden sein könne und wann nicht, daß, ferner, das »Pflichtgefühl« ein abstrakter Begriff sei und wie seine Entstehung zu denken sei, wie man speziell die Entstehung der Berufspflicht »ungezwungener« (als ich) erklären könne usw., – dies alles zeigt m. E. nur, daß generalisierende Doktrinen *dieser* Art den Erscheinungen der historischen Wirklichkeit eben weltenfern stehen. Auf welchen methodischen Grundirrtümern dies beruht, habe ich bei anderen Gelegenheiten so oft erörtert, daß ich mir die Wiederholung hier sparen darf.

Es wäre ja sicherlich wesentlich bequemer für die Auffindung des historischen kausalen Regressus, wenn wir das Entstehen bestimmter eigenartiger Lebensstilisierungen einfach aus Abstraktionen einer »Psychologie« deduzieren könnten. Allein die historische Wirklichkeit läßt sich schlechterdings nicht kommandieren und fragt nichts darnach, ob es J. ST. MILL, H. SPENCER[12] oder auch meinem Herrn Kritiker für ihre psychologischen Schemata lästig ist, daß die Menschen jener Vergangenheit nun einmal sehr konkrete Vorstellungen von dem, was ihrer nach dem Tode harre, und von den Mitteln, ihre Chancen in dieser Hinsicht zu verbessern, besaßen, daß sie darnach ihr Handeln einrichteten, und daß es für die Kulturentwicklung wichtig wurde, in welcher verschiedenen Art sie es einrichteten je nach den verschiedenen Ansichten über die Voraussetzungen, deren Erfüllung ihnen die Seligkeit garantierte, – so schwierig uns modernen Menschen es ist, uns in die qualvolle Macht jener metaphysischen Vorstellungen zu versetzen.

Mein Herr Kritiker gibt nach allen seinen verschiedenen »psychologischen« Überlegungen schließlich dennoch den offenkundigen Zusammenhang der Entwicklung kapitalistischen »Geistes« in Frankreich mit dem Hugenottentum zu. Ich bin so unbescheiden, zu glauben, diesen, nach seiner Ansicht vorerst ganz unerklärlichen »Parallelismus«: 1. auch für eine Anzahl anderer Gebiete wahrscheinlich gemacht und 2. einen leidlich plausiblen Versuch zu seiner Erklärung gegeben und durch eine Reihe immerhin beachtenswerter Tatsachen gestützt zu haben. Ob nun die Abstraktionen irgendeiner »Psychologie« zu den Tatsachen, die ich beigebracht habe, passen oder nicht, – das ist mir, offen gestanden, ziemlich gleichgültig: die Theorie hat sich nach den Tatsachen zu richten, nicht umgekehrt. Mir ist jede Psychologie als Helferin hochwillkommen, deren Begriffe mir bei der Zurechnung konkreter historischer Erscheinungen zu ihren konkreten Ursachen irgendwie von Nutzen sind. Für *mein* Problem aber kann ich aus dem, was ich an »psychologischer« Literatur kenne, einschließlich der von meinem Herrn Kritiker zitierten Arbeiten, nichts von Belang zur Befriedigung meines kausalen Bedürfnisses entnehmen. Die exakte wissenschaftliche religionspathologische Arbeit aber steckt, soweit die in meinem Fall interessierenden Fragen in Betracht kommen, bekanntlich leider noch in den Anfängen.

Anmerkungen zu: Max Weber, Kritische Bemerkungen zu den vorstehenden »Kritischen Beiträgen«

1 Und überdies *nur* in diesen beiden Aussprüchen. Man wird mir wohl zugestehen müssen, daß Archiv, XX. Bd., S. 18–35 [STB 53/54, S. 45–66] noch einiges mehr zur (freilich trotz allem nur provisorischen) Erläuterung des Begriffes beigebracht ist. [Den in diesem Band zusammengefaßten Kritiken und Antikritiken lag die Fassung von Max Webers Aufsätzen zur »Protestantischen Ethik« aus den Bdn. XX und XXI des Archivs für Sozialwissenschaft zugrunde. Sofern in Anmerkungen und Zitierungen auf sie Bezug genommen wird, wurden die Zitate ergänzt durch die Angabe der Fundstelle in eckigen Klammern aus der Neuausgabe der von Max Weber überarbeiteten Fassung (1920) in den Siebenstern-Taschenbüchern. Beispiel: Archiv, XX. Bd., S. 10 [STB 53/54, S. 37]. Angaben von Seitenzahlen in eckigen Klammern ohne den Zusatz STB beziehen sich auf die Kritiken und Antikritiken in *diesem* Band. Beispiel: [oben S. 14]. (Hrsg.)]

2 S. für den gerade umgekehrten Fall z. B. die Bemerkungen Archiv, XX. Bd., S. 28 [STB 53/54, S. 55 f.].

3 Selbstredend ist, nach meinem eigenen Ausdruck, die Umgestaltung der ursprünglichen, teils eschatologischen, teils enthusiastischen, teils antipolitischen Ethik des Täufertums »Anpassung an die Welt«, genau wie beim Urchristentum. Das ist längst bekannt, und ich selbst bin darauf deutlich genug zu sprechen gekommen. Aber doch nicht: Anpassung an den *Kapitalismus.* Die entscheidende erste »Anpassung« des Täufertums an die »Welt« ging ja dem Schwerpunkt nach in Gebieten vor sich, welche, z. B. Friesland, an *kapitalistischer* Entwicklung *tief unter* der Umwelt standen.

4 Nur in einem Einzelpunkt hat wohl ein – freilich sehr leicht als solcher erkennbarer – Druckfehler wenigstens mitgespielt. Im Archiv, XXI. Bd., S. 69 [STB 53/54, S. 160] heißt es von den Wiedertäufern: »Freilich kann die Wirkung dieses ›Harrens‹ in hysterische Zustände, Prophetie und ... unter Umständen selbst in einen Ausbruch von enthusiastischem Reformeifer ausmünden, wie dies bei der in Münster vernichteten Richtung der Fall war.« Aus »hysterische Zustände« hat ein Druckfehler »hysterischen Zuständen« gemacht. Daß es ein Druckfehler ist, ergibt allerdings m. E. der Sinn des Satzes selbst, und die weiterfolgenden Ausführungen erst recht, auf den ersten Blick: – was sollte man sich auch unter einem »*Harren* in

hysterischen Zuständen« denken, – welches, wie mir der Verf. entgegenhält, im Gegensatz zur nüchternen Berufsarbeit stehe?

5 Man könnte mir als *einzige* unvorsichtige Formulierung die Bemerkung (Archiv, XX. Bd., S. 8 [STB 53/54, S. 36]) entgegenhalten: daß der Calvinismus das Zusammentreffen intensiver Frömmigkeit mit kapitalistischem Erwerbssinn zeige, »wo immer er aufgetreten ist«. Ich hatte bei jenem Satz den Diaspora-Calvinismus im Auge, von dem auch GOTHEIN an der von mir alsbald dazu zitierten Stelle spricht.

6 Denn für die *jetzige* gilt natürlich das, was ich über den *heutigen* Kapitalismus gesagt habe. So namentlich für das *heutige* Belgien. Dagegen ist die allmähliche Abwanderung der (anfänglich, im 16. Jahrhundert, gerade zuerst in die belgischen Südgebiete eingedrungenen, aber dort in der Minorität befindlichen) Calvinisten nach Norden (Holland) sowohl politisch wie ökonomisch von größter Tragweite gewesen, wie aus jeder Geschichte des 30jährigen Krieges zu ersehen ist.

7 Eine solche Kritik erwarte ich, – was manchem vielleicht höchst »rückständig« erscheint, – von *theologischer Seite als der kompetentesten.*

8 Von hier aus *könnte* namentlich auch der Einfluß religiöser Institutionen und Anschauungen auf alles das, was man heute mit dem nichtigen Begriff »Volkscharakter« überdeckt, aufgehellt werden. Auch darüber bei Gelegenheit der Separatausgabe.

9 Dazu wird wieder jener Ausspruch FUGGERS zitiert, den ich, wie schon gesagt, in *Gegensatz* zu dem gestellt hatte, was *ich* »kapitalistischen Geist« *genannt* hatte. Diese *Bezeichnung* ist mir natürlich für jede andere, geeignetere, feil. – Weiterhin wird auf den »kapitalistischen Geist« in Florenz usw. Bezug genommen, obwohl ich (Archiv, XX. Bd., S. 32 [STB 53/54, S. 61 f.]) die *Unterschiede* der mittelalterlichen Attitude zu dem, was *ich* nun einmal ad hoc »kapitalistischen Geist« *nenne*, auseinandersetze. *Ignoriert* man diese spezifischen Unterschiede, *dann* hört freilich der Sinn des Begriffs auf.

10 Ich habe davon meinerseits öfter (Archiv, XXI. Bd., S. 109 [STB 53/54, S. 189]) gehandelt. Es versteht sich, daß dieser Typus nicht nur in dieser amerikanischen Reinheit existiert, daß vielmehr heute etwas davon in breiten Schichten des Unternehmertums steckt.

11 S. Archiv, XX. Bd., S. 19 [STB 53/54, S. 46] und die ganze letzte Partie des zweiten Aufsatzes.

12 Die zitierten »Erklärungsweisen« der beiden genannten bedeutenden Gelehrten sind spezifisch englisch – und teilweise selbst Spätlinge jener Art der »natürlichen« Lebensbetrachtung, die wir auch bei Franklin finden –, die aber das Gegenteil historischer Empirie darstellen. – Was an solchen Konstruktionen richtig bleibt, sind einige Trivialitäten aus der Alltagserfahrung, mit denen jeder Wirtschaftshistoriker auch ohne Kenntnis Mills und Spencers ständig operiert.

H. Karl Fischer

Protestantische Ethik und »Geist des Kapitalismus«

Replik auf Herrn Professor Max Webers Gegenkritik

Zu der von Herrn Professor Weber im 1. Heft des XXV. Bd. des Archivs für Sozialwissenschaft [oben S. 27 ff.] gelieferten Gegenkritik wünsche ich, einiges zu erwidern, weil meinem Herrn Gegenkritiker trotz seiner – ich will sagen: temperamentvollen – Ausführungen das Mißgeschick widerfahren ist, den Kernpunkt der Streitfrage außer acht zu lassen. Diesen Kernpunkt noch schärfer herauszuarbeiten, als es in meinem ersten Aufsatz geschehen war, ist der Zweck der nachstehenden Ausführungen.

Ich sehe also davon ab, auf die einzelnen Punkte der Gegenkritik einzugehen, teils wegen beschränkten Raumes, teils um mich nicht zu wiederholen. Ob die von meinem Herrn Gegenkritiker vorgebrachten Einwände zu recht bestehen, überlasse ich dem Urteil des nachdenklichen Lesers. Nur will ich kurz erwähnen, daß ich nirgends in meiner Kritik Prof. Weber die Ansicht »imputiert« habe, er wolle mit seinen Darlegungen die noch *heute* bestehenden Zusammenhänge zwischen den Konfessionen und den ökonomischen und sozialen Schichtungen erklären oder gar die Wirtschafts*formen* des kapitalistischen Betriebes aus religiösen Motiven ableiten.

Es sei hier die für mich ungünstigste Position gesetzt und daher angenommen, meine Kritik basierte tatsächlich auf einer unglückseligen Verkettung von Mißverständnissen. Ich halte mich darum an die in der Gegenkritik von Prof. Weber ausdrücklich abgegebene Erklärung, »daß es der Geist ›methodischer‹ *Lebens*führung ist, welcher aus der ›Askese‹ in ihrer protestantischen Umbildung ›abgeleitet‹ werden sollte.« Ich erinnere daran, daß von dem Autor (Archiv, XXI. Bd., S. 110, [STB 53/54, S. 190]) ferner erklärt worden ist, daß »mit Bedacht nur *die* Beziehungen aufgenommen worden sind, in welchen eine Einwirkung religiöser Bewußtseinsinhalte auf das ›materielle‹ Kulturleben wirklich zweifellos ist«.

Wenn man an die fast verwirrende Fülle von Gründen und Gegengründen denkt, mit denen in der Literatur gefochten wird, um die treibenden Faktoren, oder gar *den* treibenden Faktor des geschichtlichen Geschehens zu ermitteln, wenn man bedenkt, wie schwierig es ist, aus der Mannigfaltigkeit des wirklichen Geschehens, seinen verschlungenen Kausalzusammenhängen eine einwandfreie Rekonstruktion des wirklichen Geschehens zu finden, dann ist man erfreut, hier – wie verheißen wird – für einen begrenzten Bezirk des geschichtlichen Geschehens die wahrhaft treibenden Kräfte aufgewiesen zu sehen. Umsomehr wird man sich zu einer Nachprüfung des *Verfahrens* veranlaßt fühlen, mit dessen Hilfe der Autor zu seinem Ergebnis gekommen ist. Zwar wird uns ausdrücklich versichert: »es soll keineswegs eine so töricht-doktrinäre These verfochten werden, wie etwa die, daß der ›kapitalistische Geist‹ (...) oder wohl gar der ›Kapitalismus‹ überhaupt, *nur* als Ausfluß bestimmter Einflüsse der Reformation habe entstehen *können.*« »Es soll durchaus nicht an Stelle einer einseitig ›materialistischen‹ eine ebenso einseitige spiritualistische kausale Kultur- und Geschichtsdeutung gesetzt werden.« Aber für den Nachprüfenden handelt es sich nicht darum, was der Autor will oder nicht will, sondern darum, *welches Verfahren er tatsächlich in seiner Untersuchung anwendet,* ganz abgesehen von seinen sonstigen Versicherungen. Darum habe ich in meiner Kritik aus der Fülle des dargebotenen Stoffes nur die Partien herausgehoben, die für den methodischen Fortschritt in jener Arbeit in Betracht kamen.

»Der ›Geist methodischer *Lebens*führung‹ ist also aus der ›Askese‹ in ihrer protestantischen Umbildung abzuleiten.« Der »Geist methodischer Lebensführung« ist natürlich auch schon vor dem Auftreten des Puritanismus im Menschengeschlecht aufgetreten und wirksam gewesen. Wollte man für das *jedesmalige* Entstehen dieses Geistes von vornherein auf religiöse Motive als Hauptursache zurückgreifen, so würde man eben, bewußt oder unbewußt, Reflexionspsychologie treiben; ich verweise dafür noch einmal auf meine Ausführungen in den »Kritischen Beiträgen«. Aber es kann wohl sein, daß in *diesem speziellen* Fall der Geist methodischer Lebensführung tatsächlich religiös begründet gewesen war. Warum sollte man sich dagegen sträuben, wenn dieser Kausalzusammenhang als der wahrscheinliche erwiesen wird? Es ist nur die Frage, ob dieser Beweis erbracht worden ist. Freilich ist es unbestritten, daß, nachdem die religiös-wirtschaftliche Gemütsstimmung des Puritanismus erst einmal entstanden war, sie ihrerseits nun auch verstärkend wirkte auf den Geist methodischer Lebensführung dort, wo dieser Geist noch schwach entwickelt war. Doch es handelt sich nicht um die Frage der von niemand geleugneten Wechselwirkung beider Größen, sondern um die Frage der *Entstehung* des Geistes methodischer Lebensführung in jener Zeit. Daß im lutherischen *Protestantismus* die *Pflichterfüllung innerhalb* der weltlichen Berufe als höchster Inhalt der sittlichen Betätigung geschätzt wird, daß in der lutherischen Dogmatik die weltliche Berufs*arbeit* als Ausdruck äußerer Nächstenliebe gewertet wird, diese Tatsachen lassen sich gleicherweise auch deuten als eine Anpassung der religiösen Vorstellungswelt an den vorhandenen wirtschaftlichen Zustand. Daß im *Calvinismus* gerade die *angestrengteste Berufsarbeit* als äußeres Zeichen der Erwählung betrachtet wurde, läßt die »wirtschaftliche« Ausdeutung gleichfalls zu, läßt sogar die Vermutung aufkommen, daß der wirtschaftliche Zustand die religiösen Anschauungen beeinflußt hat. Daß endlich mit Hilfe *theologischer Erbauungsschriften* im günstigsten Falle nur bewiesen wird, daß von den Verfassern derselben wirtschaftliche Anschauungen in das dogmatische System hineinverwoben wurden, darauf hatte ich bereits früher hingewiesen. *Mit Hilfe der beigebrachten religiösen Literatur ist nur bewiesen worden das gleichzeitige Vorhandensein und die enge Verknüpfung beider Faktoren miteinander in jenen Schriften.* Nicht mehr. Über diesen objektiv gegebenen Befund geht der Autor hinaus mit der Behauptung, daß also der Geist methodischer Lebensführung aus religiösen Motiven abgeleitet worden ist. Gerade hier, am entscheidenden Punkt tritt ein Schluß auf, dem keine Beweiskraft innewohnt. *Denn um diesen Schluß zu einem zwingenden zu gestalten, hätte nachgewiesen werden müssen, daß in jedem einzelnen Falle die erwähnten anderen Deutungsmöglichkeiten ausgeschlossen sind. Es hätte gezeigt werden müssen, daß vor dem Auftauchen der herangezogenen religiösen Literatur der Geist methodischer Lebensführung nicht vorhanden gewesen ist, und zwar nicht nur nicht in religiösen, sondern auch nicht in weltlichen literarischen Denkmälern. Der Autor hätte endlich dartun müssen, daß die übrigen möglichen Erklärungen der Entstehung des Geistes methodischer Lebensführung, wie sie von* MILL, SPENCER *gegeben werden und von mir versucht wurden, hier tatsächlich ausgeschlossen sind, so daß einzig und allein nur die vom Autor angenommene Erklärung übrig bliebe.* Dergleichen methodische Überlegungen bietet der Autor nirgends; er *sieht* diese Schwierigkeiten gar nicht.

Der allgemeine Hinweis, daß wir modernen Menschen uns gar nicht genügend in die durch und durch religiöse Gemütsstimmung der Menschen jener Zeit zu versetzen vermögen, *beweist* natürlich *nichts*; er beweist ebensowenig, wie der auf entgegengesetzter Seite übliche Hinweis, daß wir in unseren Geschichtsbetrachtungen bisher nur gar zu sehr geneigt waren, religiöse Motive als die in der Vergangenheit ausschlaggebenden zu werten. –

Der Versuch einer nachzeichnenden Rekonstruktion der Vergangenheit, insbesondere unser Bemühen, die in der Geschichte wirksam gewesenen Motive zu erkennen, begegnet der großen Schwierigkeit, daß wir in und mit der Geschichte keine Experimente treiben können. Wir können nicht diese oder jene Ursachen-Komponente variieren oder gänzlich ausschalten, um dadurch in der Wirkung das Vorhandensein oder die Größe des Anteils jener Ursachen-Komponente in dem Ursachen-Komplex zu erkennen. Wo das uns vorliegende geschichtliche Material nicht zu einer ganz bestimmten Schlußfolgerung drängt, – und das ist zumeist und auch bei unserem Material nicht der Fall, – da sehen wir uns zu psychologischen Deutungen gezwungen, *falls wir überhaupt zu Urteilen über einst wirksam gewesene Motive gelangen wollen.* Z. B. bei Urteilen über unsere Umgebung nehmen wir irgendeinen erkenntnistheoretischen Standpunkt ein, ohne uns desselben fortwährend bewußt zu sein, weil praktisch ohne Bedeutung. Aber *irgendeinen* erkenntnistheoretischen Standpunkt nehmen wir ein, und bei erkenntnistheoretischen Untersuchungen kommt es sehr darauf an, sich desselben bewußt zu sein. Ähnlich steht es bei Untersuchungen nach den in der Geschichte wirkenden Motiven. Falls nicht das dargebotene Material selbst zu einem bestimmten Schlusse drängt, kommen wir aus der psychologischen Ausdeutung gar nicht heraus. Es kommt nur darauf an, sich *bewußt* zu werden, *welche* psychologischen Voraussetzungen man macht, damit man nicht, ehe man sich's versieht, einer reflexionspsychologischen Deutung verfällt. Schließlich gibt Prof. Weber denn auch zu, daß er für die Erscheinungen des Täufertums Aufklärungen erwartet von den heutigen exakten Forschungen auf dem Gebiet der Hysterie. Aber diese Forschungen sollen doch wohl nicht auch Hilfsmittel bieten zur Erklärung der Entstehung des »Geistes methodischer *Lebens*führung«? *Warum wird hier plötzlich die Mithilfe der exakten normalen Psychologie verschmäht?* –

Indem ich im Anschluß an andere Autoren zu zeigen suchte, welches die Psychogenesis der »Berufspflicht«, des »kapitalistischen Geistes«, besser also: »des Geistes methodischer *Lebens*führung« ist, habe ich keinerlei »psychologische Schemata« verwendet, auch nicht »Abstraktionen irgendeiner Psychologie« dargeboten. »Die Theorie hat sich nach den Tatsachen zu richten, nicht umgekehrt«, sagt mein Herr Gegenkritiker. Dieser Satz ist so unbestritten, wie z. B. der, daß die Zukunft später ist als die Vergangenheit. Durchaus richtig; aber beide Sätze gehören nicht hierher. »Eine sachlich fruchtbare Kritik«, hält mir mein Herr Gegenkritiker vor, »auf diesem Gebiet unendlich verschlungener Kausalzusammenhänge ist nur bei Beherrschung des Quellenstoffes möglich«. Nun, ich stelle an eine sachlich fruchtbare Kritik höhere Ansprüche: sie hat besonders auch auf eine *methodisch einwandfreie Verwertung* des Quellenmaterials zu achten; sie hatte in diesem speziellen Fall auch zu prüfen, ob der Autor dessen eingedenk war, daß das Erkennen und Verwerten historischer Objekte selbst gar nicht möglich ist ohne gewisse – es tut mir leid – *psychologische* Voraussetzungen.

MAX WEBER

Bemerkungen zu der vorstehenden »Replik«

Ein Leser, der sich in dieser (wenig fruchtbaren) Erörterung orientieren wollte, müßte nicht nur »nachdenklich«, sondern vor allem *geduldig* genug sein, um bei jedem Punkt sich an der Hand *meiner* Aufsätze über das zu informieren, was ich gesagt und zu sagen unterlassen habe. Er würde dann vermutlich über die Behauptung erstaunen: ich hätte die vorstehend in belehrendem Ton vorgetragenen, jedem Anfänger geläufigen, »methodischen« Prinzipien und Probleme der historischen Kausalbetrachtung nicht »gesehen« und hätte *deshalb* an Überlegungen über die entscheidenden kausalen Fragen meiner Untersuchung »nichts geboten«. Sie wirkt vollends erstaunlich, wenn man damit die rein aprioristische Art vergleicht, wie mit diesen Problemen mein Herr Kritiker selbst umgehen zu können glaubt, der ja von »unserem« hier in Betracht kommenden Material schlechthin *nichts* kennt, – nicht einmal die allgemeinsten literarischen Eigentümlichkeiten der Quellen. Er nennt sie in seinen angeblich »methodologischen« Darbietungen »religiöse Erbauungsbücher« und verwechselt diese dann wieder mit »dogmatischen Systemen«. – Hier fehlt die *Sach*kunde. Er weiß einfach nicht, daß die für meine Darstellung der Beeinflussung der *Lebensführung* entscheidenden Quellen – neben denen andere nur da zur Verwendung gelangten, wo die Natur der konkreten Fragestellung dazu Anlaß gab – aus Responsensammlungen entstanden sind, die direkt auf ganz konkrete praktische Anfragen an den Geistlichen (damals den schlechthin universellsten Ratgeber, den irgendeine geschichtliche Epoche gekannt hat!) zurückgehen und mit »Erbauungs-« oder »dogmatischen« Zwekken gar nichts, umsomehr aber mit den Problemen der alltäglichen Lebensgestaltung zu tun haben, die sie uns daher illustrieren, wie wenig andere Quellen dies tun. Seine »methodologischen« Ansichten über das, was eine ihm gänzlich unbekannte Literatur »höchstens« beweisen könne, und was nicht, dürften also von geringem Belang sein. Und wenn er meine Bemerkung über die Schwierigkeit für den modernen Menschen, sich in die damalige Behandlung praktischer Lebensfragen und deren Beeinflussung durch religiöse Motive zu versetzen, ihrer »Allgemeinheit« wegen für belanglos erklärt, so will ich sie gern näher dahin präzisieren: daß *ihm* jene Fähigkeit zweifellos fehlt. Ich wage auch kaum zu hoffen, ihn wenigstens künftig noch für meine Ansichten zu gewinnen. Denn seine Frage: *weshalb* »man« denn sich trotz plausibler Gründe sträuben sollte, einen solchen Einfluß (wie ich ihn behauptet habe) anzuerkennen, – ist für ihn persönlich sehr einfach zu beantworten. Die feste Überzeugung, welche er hegt: *selbst* ein unendlich einfaches Mittel zur Feststellung historischer »Psychogenesen« in der Hand zu haben – in Gestalt dessen, was er »Psychologie« nennt –, konnte der Unbefangenheit seines Urteils über die (nach seiner Ansicht) allzu komplizierten und mühsamen Versuche anderer sehr begreiflicherweise nicht zuträglich sein. Um dies zu sehen, bedarf es keiner Hilfe der »Psychologie«.

Eine nicht auf *irgend*welcher Sachkenntnis ruhende Besprechung kann aber überhaupt, auch bei den schönsten »methodologischen« Vorsätzen, nicht wohl mit der Prätention auftreten, eine »Nachprüfung« historischer Untersuchungen darzustellen. Denn statt der angeblichen »methodologischen« erhalten wir fortwährend *sachliche,* und zwar durchweg aufs Geratewohl hingeworfene und auf Unkenntnis beruhende Behauptungen vorgeführt. Eine Redewendung wie die: daß eine »Anpassung« der religiösen Vorstellungswelt an den vorhandenen wirtschaftlichen Zustand »vermutet« werden müsse, und alle ähnlichen sind doch *sachlicher* Art. Sie stehen freilich – nachdem diese Fragen, gerade unter diesem Gesichtspunkt, bereits in einer nicht ganz unbeträchtlichen Literatur (darunter so verschiedenartige Schriftsteller wie Kautsky einerseits, Dilthey andererseits) erörtert worden sind – denn doch allzu tief unter der heutigen historischen Fragestellung, von der ich ausgehen durfte, sind überdies auch gänzlich inhaltsleer.[1] Und – worauf es hier, gegenüber der eingangs erwähnten Behauptung meines Herrn Kritikers vor allem ankommt: – sie ignorieren einfach, daß ich meinerseits, nach meinen ausdrücklichen Erklärungen und nach der ganzen Anlage meiner Untersuchung, die Frage der Beeinflussung der religiösen Bewegungen durch die ökonomischen Prozesse *keineswegs* als schon durch meine bisherigen Feststellungen über die Richtung, in der sich die *umgekehrt* gerichtete Beeinflussung bewegt hat, erledigt betrachte. Jene meine Erklärungen glaubt freilich mein Herr Kritiker jetzt als einfach irrelevant beiseite schieben zu können mit der Begründung: ich hätte eben dennoch nicht (und zwar: nirgends) ihnen entsprechend gehandelt. Den Versuch, *diese* ziemlich starke Behauptung nicht nur aufzustellen, sondern durch Analyse meiner Beweisführungen zu erhärten, hatte er nun freilich in seinen »Kritischen Beiträgen« nirgends gemacht. Statt dessen »hält« – sagen wir richtiger: »klammert« – er sich jetzt an »*Worte*«. Was insbesondere mit dem (von mir nicht unabsichtlich in Anführungsstriche gesetzten) *Ausdruck:* »ableiten« (scil.: der Berufsethik aus der protestantischen Form der Askese und gewisser ökonomisch relevanter Komponenten des modernen Lebensstils aus der »Berufsethik«) *gemeint* ist, – dies ergibt jedem *Leser* meines Aufsatzes dessen Inhalt. Aber auch für den *Nicht*leser geht schon aus den von meinem Herrn Kritiker selbst drei Zeilen nachher zitierten *Worten* (»*Einwirkung*« religiöser Bewußtseinsinhalte auf das Kulturleben) wahrhaftig zur Genüge hervor, daß es mir nicht beigekommen ist, »den treibenden Faktor des geschichtlichen Geschehens« irgendeiner Epoche oder irgendwelche »*wahrhaft* treibenden Kräfte« zu finden: – denn derartige Gespenster gibt es für mich nicht in der Geschichte –, sondern daß ich vielmehr, genau entsprechend meinem erklärten Vorsatz, untersuchte: in welcher *Richtung* die durch grundlegende metaphysische Voraussetzungen entscheidend mitbestimmten religiösen Eigenarten der verschiedenen asketischen Richtungen des Protestantismus die Lebensführung beeinflußt haben, *da, wo* ein solcher Einfluß *überhaupt* stattfand. Für seine etwas kühne Annahme, daß ich gleichwohl eine idealistische Geschichtskonstruktion unternommen habe, war mein Herr Kritiker, diesem einfachen Tatbestand gegenüber, denn auch jeden Anfang von Beweis schuldig geblieben. Gegen die beweislose Unterstellung aber, daß ich meinen eigenen Erklärungen entgegen handelte, wendete sich mein »temperamentvoller« Protest. –

Habe ich es nötig, *Lesern* meiner Aufsätze gegenüber die fast noch kühnere Behauptung: ich hätte überhaupt keinerlei Erwägungen über die Möglichkeit der Einwirkung anderer, speziell ökonomischer, Motive angestellt, noch ausdrücklich als das zu kennzeichnen, was sie ist? Ich erinnere nur an folgendes: das *Maß* jener Beeinflussung durch religiöse Motive war nach meiner a. a. O. begründeten Ansicht oft ein *sehr* großes; daß es aber überall ein *gleich* großes gewesen sei, daß es nicht durch andere Umstände habe abgeschwächt oder völlig überwogen werden können, *das* habe ich nicht bewiesen, – aber allerdings auch nirgends behauptet. Dagegen *habe* ich den Beweis für das angetreten, worauf es für mich allein ankam: daß die *Richtung*, in welcher jener Einfluß sich bewegte, in protestantischen Ländern mit den denkbar verschiedensten politischen, ökonomischen, geographischen und ethnischen Bedingungen – Neu-England, deutsche Diaspora, Südfrankreich, Holland, England (die irischen »Scotch-Irish«, Friesland, zahlreiche andere deutsche Gebiete hätten hinzugefügt werden können) – in den entscheidenden Punkten die *gleiche* war, und insbesondere: daß diese Richtung *unabhängig* bestand von dem Maß der Entwicklung des Kapitalismus als Wirtschafts*system*. Ich habe andererseits konstatiert, daß auch in dem Gebiet der Höchstentwicklung der kapitalistischen Wirtschaft *vor* der Reformation: in Italien (ebenso ist es in Flandern) der »kapitalistische *Geist*« (in *meinem* Sinn des Wortes!) *fehlte*, – nicht ohne daß (wie ich jetzt nur andeutend hinzufügen will) gerade dies die allertiefgehendsten Folgen für den »Lebensstil«

gehabt hat.[2] Man mag nun jenen von mir angetretenen Beweis einer aus der *religiösen* Eigenart des asketischen Protestantismus folgenden *Gleichheit* jener »Einwirkungstendenz« für noch so unvollständig oder für nur bis zu einer gewissen Wahrscheinlichkeitsstufe geführt erachten, oder er mag von *sachkundiger* (insbesondere theologischer) Seite überhaupt angegriffen werden. *Jedenfalls* aber wird man angesichts 1. meiner Argumentation, 2. meiner damit verbundenen wiederholten Feststellungen über den *Sinn* meiner These, 3. meiner Angaben über die Richtung der künftig weiter folgenden Untersuchungen zur Ergänzung, Interpretation und weiteren Prüfung derselben[3] – ich sage: man wird es nach alledem begreiflich finden, daß die jetzt auch *ausdrücklich* ausgesprochene Meinung meines Herrn Kritikers: ich hätte jene wirklich etwas simplen »methodischen« Prinzipien, von denen er redet, nicht »gesehen« und meine Arbeit lasse *keinerlei* methodische *»Überlegungen«* dieser Art erkennen, mir etwas leichtfertig erscheinen mußte und erscheint, und daß dies mich, wie er es nennt: »temperamentvoll«, d. h. ohne besonderes Entgegenkommen, antworten ließ.[4] Ich vermißte und vermisse eben hier nicht nur Sachkunde, sondern auch den »guten Willen«, erst einmal deutlich hinzusehen, ehe man abspricht. Wenn freilich der heilige (und in diesem Fall zugleich so »billige«) »methodologische« Eifer meines Herrn Kritikers jetzt sagt: man hätte verlangen müssen, daß durch mich *»jede Möglichkeit«* einer anderen Kausalverknüpfung »ausgeschlossen«, gar *keinerlei* andere Interpretation überhaupt als zulässig und *»denkbar«* übriggelassen sei, als eben einzig und allein die, die ich versuchte, – so wird der Historiker leider, aus bekannten Gründen, eine solche Beweislast für eine negative Tatsache wohl kaum als *allgemeine* »Norm« seines Verhaltens anerkennen können. Er wird, normalerweise, umgekehrt positiv die *anderen* [nämlich ökonomischen, sozialen, politischen usw.], als kausale Komponenten in Betracht kommenden Momente auf die Art ihrer Wirkung hin untersuchen, und dergestalt zu einem stets umfassenderen (aber kaum je ganz abgeschlossenen) kausalen Regressus gelangen, – ganz wie ich dies (ich wiederhole es nochmals) *ausdrücklich* als meine Absicht ausgesprochen und auszuführen übrigens schon in den bisher vorliegenden Artikeln begonnen habe.

Vor allem aber bildet nun jener ideale Maßstab, den mein Herr Kritiker für die Beweiskraft der Ausführungen *anderer* bereit hält, denn doch einen allzustarken Kontrast mit seiner Bescheidenheit in seinen Ansprüchen an die *eigene* Argumentation. Man erwäge: er hat, nach seiner Erklärung, zu *»zeigen«* (!) gesucht, *welches* die »Psychogenesis« der »Berufspflicht«, des »kapitalistischen Geistes«, des »Geistes methodischer Lebensführung« ist. Wie ist ihm (auf 10 Seiten) dieser, nach seiner eigenen Versicherung, so überaus schwierige und mir gänzlich mißlungene Versuch geglückt? Man muß es in seinen »Kritischen Beiträgen« nachlesen: indem er (S. 238 [oben S. 19]) – über SOMBART[5] und mich »hinaus« – zur höheren Synthese, d. h. bei ihm: »zur psychologischen Erklärung« jener Vorgänge »fortschritt«. Wie diese aussieht, erinnere man sich: »Bringen wir (S. 239 [oben S. 19]) das Erwerben von Geld ... rein als Selbstzweck *auf einen psychologischen Ausdruck*, so können wir es auffassen als die Freude des Individuums an seiner kraftvollen Betätigung. ... Die Freude an der kraftvollen Betätigung ist in keiner Weise religiös bedingt, sie verbindet sich mit der kraftvollen Betätigung unmittelbar.« (Seine der Qualität nach ganz entsprechenden Entdeckungen über die »Psychogenese« des Pflichtgefühls und speziell des Berufspflichtgefühls – welches, nach ihm, entstand, weil »die Vorstellung der Berufserfüllung höhere Geltung besaß als die Vorstellung der Unterlassung der Berufstätigkeit«, also ziemlich genau so, wie die Armut aus der »Powerteh« – mag man S. 240 [oben S. 22] selbst nachlesen.) Mein Herr Kritiker hat Recht: diese Dikta verdienen den Namen von »Abstraktionen« und »psychologischen Schemata«, die ich ihnen beilegte, nicht: sie sind eine harmlose Spielerei mit Definitionen, aus denen dann deduziert wird, gleichviel ob die Pointe des dergestalt »definierten« Phänomens dabei unter den Tisch fällt, –

wie ich dies in meiner Replik, soweit es nötig schien, gezeigt habe. Wenn er nun jetzt gar allen Ernstes derartige Generalisationen von unpräzis wiedergegebenen Alltagstrivialitäten als »historische *Psychologie*« hinstellt, so werden alle ernst zu nehmenden Psychologen darüber heute wohl ebenso lächeln wie wir heutigen Nationalökonomen über das Zitat der seinerzeit ganz gewiß »trefflichen«, heute aber doch wohl etwas überholten Ausführungen von J. St. Mill über die historische Entstehung der Schätzung des Geldes (aus der vermeintlich ursprünglichen Vorstellung seiner als eines »Mittels zur Glückseligkeit«), – die ich sträflicherweise freilich zu »widerlegen« weder versucht habe, noch jetzt [es zu tun] mich versucht fühle. Wenn ich im Schlußsatz meiner Replik speziell von der exakten religions*pathologischen* Forschung – aber doch nicht einfach, wie der Kritiker es wiedergibt: der *Hysterie*-Forschung[6] – als für bestimmte Probleme vielleicht künftig einmal bedeutsam gesprochen habe, so war damit etwas angedeutet, was jeder Kundige weiß: – daß nämlich *jene* »Religionspsychologie«, welche das »Erlebnismäßige«, Irrationale, des religiösen Vorgangs als »pathologischen Prozeß« behandelt, trotz aller ihrer Unvollkommenheiten und Voreiligkeiten doch diejenige ist, welche für die Aufklärung der hier in Betracht kommenden *»charakterologischen«* Wirkungen bestimmter Arten von Frömmigkeit eventuell künftig *mehr* zu leisten verspricht und gelegentlich schon geleistet *hat,* als die Arbeit »ganz gewöhnlicher« Theologen leisten *kann.* Für *meine* Probleme kommt es aber natürlich gerade auf *diese* Fragen an. Der wirklichen *»exakten* Normalpsychologie« soll damit selbstredend sonst ganz und gar nicht zu nahe getreten sein. Für eine »Psychologie« von *dem* Typus, den die Ausführungen meines Herrn Kritikers darstellen, scheint mir dagegen auf diesem Gebiet nur allenfalls Gelegenheit gegeben zu sein, – sich nach Verdienst bloßzustellen. –

Ich hätte bei all diesen Dingen schwerlich so lange verweilt, wenn nicht doch auch hier wieder sich zeigte, wie der Aberglaube an eine ganz spezifische Bedeutung der »Psychologie«

für die Geschichte, der heute erfreulicherweise von einem Teil gerade der hervorragendsten Psychologen selbst *nicht* mehr geteilt wird, geeignet ist, einerseits die Unbefangenheit der historischen Forschung zu beeinträchtigen, andererseits die wissenschaftliche Psychologie (vor deren Leistungen auf dem Gebiet *ihrer* Fragestellungen ich den höchsten Respekt habe) geradezu zu diskreditieren und den Historiker auch *da, wo* er allen Anlaß hat, sich von ihr beraten zu lassen – wie dies zweifellos nicht selten vorkommt –, gegen ihre Hilfe mißtrauisch zu machen. Auch ich bin genötigt gewesen, mich z. B. über die vermeintlich »psychologisch« fundierten »historischen Gesetze« eines auf seinem eigenen Fachgebiet so hochverdienten Mannes wie WUNDT einfach lustig zu machen, – wie ich glaube: mit Grund und Erfolg. Und was daraus geworden ist, als ein Schriftsteller, der uns einst das »Deutsche Wirtschaftsleben im Mittelalter« geschenkt hatte, den Versuch unternahm, diese sogenannte »Psychologie« (und nach ihr noch beliebige andere verschiedenster Provenienz) für die Geschichte nutzbar zu machen, – das wissen wir leider, und ich komme darauf an anderer Stelle zurück. Die Erkenntnisse der Fachpsychologie kommen für die Geschichte in *genau* dem gleichen Sinn gelegentlich in Betracht wie diejenigen der Astronomie, Soziologie, Chemie, juristischen Dogmatik, Theologie, Maschinenbaukunde, Anthropologie usw., usw. Der Laienglaube: weil die Geschichte es mit »geistigen Vorgängen« zu tun habe, *also* – wie man glaubt und sich im heute modischen Vulgärsprachgebrauch ausdrückt: – »von psychologischen Voraussetzungen ausgehe«, so müsse sie sich in besonders einzigartigem Maß auf »Psychologie« im Sinne *irgend* einer Fachdisziplin stützen, – ist ganz genau so begründet wie die Annahme: weil die Großtaten der »historischen Persönlichkeiten« heute ausnahmslos an das »Medium« von Schallwellen oder Tinte gebunden sind, so seien die Akustik und die Physik der tropfbaren Flüssigkeiten ihre Grundwissenschaften, oder: weil die Geschichte sich auf dem Planeten Erde abspielt, müsse dies die Astronomie, oder, weil sie vom

Menschen handelt, die Anthropologie sein. Die Geschichte macht – »es tut mir leid« – »allgemeine psychologische Voraussetzungen« *nur* im gleichen Sinn, wie sie z. B. allgemeine »astronomische Voraussetzungen« macht. Wer diese Serie scheinbarer »Paradoxien« nicht wenigstens einmal durchdacht hat, hat keine Legitimation, sich auf das hohe Pferd »erkenntnistheoretischer« oder »methodologischer« Schulmeisterei zu setzen. Und wenn mein Herr Kritiker von einer ähnlichen Höhe herunter meint, die »höheren Ansprüche« betonen zu dürfen, die er an seine »Kritik« (gegenüber den niederen, die ich an die Methodik meiner Arbeiten) gestellt habe, – so bedaure ich, ihm unter Hinweis auf meine früheren Bemerkungen entgegnen zu müssen, daß jene seine »Ansprüche« an sich *selbst*, auch in methodischer Hinsicht, doch hinter dem zurückbleiben, was *jeder* kritisierte Schriftsteller von einer »Kritik« verlangen muß. Möchte er uns in seinem angekündigten Buch mit Ausführungen beschenken, die sich wirklich auf einem Gebiet halten, welches er beherrscht, statt anderen Leuten auf Gebieten, die er *nicht* genügend kennt, auf die Finger klopfen zu wollen, – dann kann er der unbefangensten und, selbst im Fall noch so großer Meinungsverschiedenheit, einer respektvolleren Aufnahme sicher sein, als sie in diesem Fall, zu meinem Bedauern, nach der Art seines Argumentierens möglich war. Formelle »Höflichkeit« schließt sachliche Anmaßung nicht immer aus. Und eine solche lag, beiläufig bemerkt, *auch* in den *guten* Zensuren, die mein Herr Kritiker in seine »Kritik« einzuflechten für gut fand.[7] Von einem Inkompetenten lasse ich mir auch diese nicht gefallen (im übrigen halte ich es darin mit einem Ausspruch unseres Meisters G. F. Knapp, der mir bei ähnlichem Anlaß einmal sagte: »Ich lese gewiß nicht gern gedruckt: ich sei ein Esel. Aber ich freue mich auch nicht, wenn jemand glaubt, drucken lassen zu müssen: ich sei *kein* Esel.«).

Anmerkungen zu: Max Weber, Bemerkungen zu der vorstehenden »Replik«

1 »Angepaßt« aneinander ist im historischen Leben, wenn jener Begriff nicht genau erläutert wird, alles oder – nichts. »Angepaßt« ist an die ökonomischen »Bedingungen« von Utah der Mormonismus ebenso, wie es die Lebensformen der anderen Felsengebirgsstaaten waren; der Jesuitenstaat in Paraguay war es an den dortigen Urwald ebenso, wie das Leben der Indianer vor und nach ihm es war; die ökonomische Lebensführung der Skopzen, Stundisten und anderer Sektierer in Rußland ist es an die dortigen Existenzbedingungen ebenso wie die Lebensweise der benachbarten orthodoxen Muschiks, trotz der in allen drei Fällen recht starken Differenzen. *Nicht* angepaßt an die ökonomischen Bedingungen von Genf war Calvins Theokratie, als sie geschaffen wurde, wenn man den ökonomischen *Rückgang* (oder die auffällige, aber leicht erklärliche, Stagnation) in ihrem Gefolge in Betracht zieht. Usw., usw. Das Thema meiner Untersuchungen könnte ich direkt dahin formulieren: in *welchem Sinne* man allenfalls von »Anpassung« (der verschiedenen Kulturelemente aneinander) in diesen Zusammenhängen reden könne?

2 Für die in ihrer Art unsterbliche Eigenart des Florentiner Bürgertums z. B. ist die Konsequenz eben jener Spannung zwischen Wirtschafts*form* und ethischem Lebensstil, welche aus dem Fehlen der »Berufsethik« (in meinem Sinn des Wortes) resultierte, von einem feinsinnigen Kunsthistoriker bis in die Eigenart der künstlerischen Motive hinein verfolgt worden. – Man muß diese (und noch recht viele andere) historischen Probleme und Tatbestände eben *kennen*, ehe man, wie mein Herr Kritiker, es unternimmt, so beiläufig Sätze (NB! wiederum *sachlichen* Inhalts) aus dem Ärmel zu schütteln wie den: daß methodische Lebensführung »natürlich« (!) auch schon vor dem Auftreten des Puritanismus »im Menschengeschlecht aufgetreten« sei. – Bitte: wo? – und: was für eine? Denn *ich* spreche selbstredend ein für alle Mal von »methodischer Lebensführung« in *dem* auf vielen Dutzenden von Seiten meiner Aufsätze analysierten Sinn, in welchem sie als Bestandteil der modernen »Berufsethik« das Leben beeinflußt hat, nicht von der »Methodik« etwa der japanischen Samurai, oder des »Cortegiano«, oder des ritterlichen Ehrbegriffs des Mittelalters, oder der Stoa, oder der »objektiven Behandlung« des Lebens in den Anschauungen der Renaissance in dem Sinn, wie

BURCKHARDT diesen Begriff geprägt hat, und selbst nicht gewisser (*hierin* dem Puritanismus angenäherter) Gedanken BACONS, der zwischen den Einflüssen der Renaissance und der Reformation in der Mitte steht, oder endlich der Gegenreformation. Alle diese hatten ja ihre eigenartige spezifische »Methodik«, und von ihnen *allen* sind eben deshalb Bestandteile in den Lebensstil führender moderner Nationen eingegangen (von manchen derselben werde ich s. Zt. zu reden haben). Aber sie sind – ich habe dies für einen meinem Thema naheliegenden Fall *ausdrücklich* schon in meinem Aufsatz hervorgehoben – Lebensrationalisierungen in ganz *anderer* Richtung und anderem *Sinn*, als die, mit der *ich* zu tun hatte.

3 Daß ich sie noch nicht vorlegen kann, hat seinen Grund nicht etwa in sachlichen Schwierigkeiten, sondern teils in hier nicht interessierenden persönlichen Umständen, teils in eigenen – wie jeder, der das »Archiv für Sozialwissenschaft« eines Blickes gewürdigt hat, weiß – weit abliegenden anderen Arbeiten, teils endlich darin, daß mein Kollege und Freund E. TROELTSCH inzwischen eine ganze Reihe von Problemen, die auf meiner Route lagen, in glücklichster Weise von seinem Gedankenkreis aus aufgegriffen hatte, und ich ein unnützes Parallelarbeiten (bei dem ihm die weitaus größere Sachkunde zu Gebote stände) zu vermeiden wünschte. Ich hoffe aber, im laufenden Jahr wieder an diese Arbeit zu gelangen und einstweilen bis zum Frühling wenigstens die Aufsätze für eine Separatausgabe durchsehen zu können. Gewiß: die Verzögerung hatte und hat den Nachteil, daß flüchtige Leser diese Artikel leicht als etwas in sich Abgeschlossenes ansehen können. Für *die* Art der »Kritik«, mit der ich mich hier befasse, ist das natürlich *keinerlei* Entschuldigung. Mein Herr Kritiker hatte das volle Recht, zu sagen: die Gegenprobe und nähere Interpretation, die *versprochen* ist, *fehlt* bisher. Aber mir eine »idealistische« Geschichtskonstruktion zu imputieren, gegen die ich mich mit Grund verwahrt habe, und jetzt gar ausdrücklich zu behaupten, ich *sähe* diese Probleme nicht, das ist mehr, als ich mir, noch dazu von einem sachlich ganz Inkompetenten, bieten lasse.

4 Ich empfahl den Mitherausgebern die Annahme der »Kritik«, obwohl ich die Quellenunkenntnis ihres Verfassers sofort erkannte, weil eine Anzahl Einzelbemerkungen und scheinbarer Schwierigkeiten darin berührt waren, mit denen ich mich sehr wohl erinnerte, s. Zt. mich *innerlich* auseinandergesetzt zu haben, um die Gelegenheit zu deren Erörterung zu benutzen, da ich glaubte, eine solche in

die Aufsätze selbst noch nicht aufgenommen zu haben. Ich war dann nicht wenig erstaunt, aber sehr wenig erfreut, beim Wiederdurchlesen meiner Aufsätze zu finden, daß *alle* jene Dinge in ihnen schon recht ausdrücklich enthalten und in ihren Zusammenhang gestellt waren, aus dem sie dann der »Kritiker« kritiklos und mißverstehend, weil sachunkundig, herausgerissen hatte, um sie mir als »Einwände« entgegenzuhalten. Ich bedaure, dem »Archiv« und seinen Lesern die Belastung mit dieser wertlosen Erörterung nicht erspart zu haben, die mich – einmal aufgenommen – nun schließlich dennoch zu einer langwierigen Beleuchtung der angerichteten Konfusion genötigt hat. Wäre die »Kritik« an einer anderen Stelle erschienen, so hätte ich sie einer Antwort nicht für wert gehalten.

5 Denn auch SOMBARTS Darstellung sei »angefochten« worden, – Beweis: Zitat einer von jenen, nach Inhalt und Form gleich bedenklichen Rezensionen, mit denen SOMBART von H. DELBRÜCK in den »Preuß. Jahrbb.« bedacht zu werden pflegt. Nun ist gerade dieser Teil der SOMBARTschen Darstellung – die Darlegung der Bedeutung der »Rechenhaftigkeit« und ihrer Technik – gewiß der relativ am wenigsten umstrittene, und ich halte ihn meinerseits, bei der SOMBARTschen Fragestellung: – woher die moderne ökonomische Bedeutung der kapitalistischen *Wirtschafts*formen? – für in den entscheidenden Punkten ganz und gar zutreffend. Natürlich: ein gewisses Maß von »Rationalisierung« des Wirtschaftens bringt schon das voll entwickelte Handwerk, ein gewisses Maß von »Rechenhaftigkeit« bringen schon die in die fernsten uns bekannten Jahrtausende zurückreichenden *antiken* Formen kapitalistischer Geschäfte mit sich. *Warum* die »Rechenhaftigkeit« in jenen quantitativ gelegentlich ganz kolossal entwickelten kapitalistischen Wirtschaftsformen des Altertums so tief *unter* denjenigen der beginnenden Neuzeit blieb, daß SOMBART im Recht ist, wenn er erst für die *Neu*zeit nicht nur vom Vorhandensein einzelner – schon vor 4000 Jahren nachweislicher – kapitalistischer *Betriebe*, sondern von »Kapitalismus« als Wirtschaftsstufe spricht, – davon an anderer Stelle. Daß SOMBART für *seine* Fragestellung die *technische* »Rechenhaftigkeit« als entscheidendes Merkmal des »Geistes des Kapitalismus« bezeichnet, ist selbstredend. Für *meine* Fragestellung, die sich mit der Entstehung desjenigen *ethischen* »Lebensstils« befaßt, welcher der Wirtschaftsstufe des »Kapitalismus« geistig »adäquat« war, seinen Sieg in der »Seele« der Menschen bedeutete, ist meine Terminologie die (nach

meiner Ansicht) berechtigte. Denn für mich kommen notwendig andere Merkmale der von uns beiden nach verschiedenen Seiten hin untersuchten Erscheinungen in Betracht. Es handelt sich hierbei also um terminologische Unterschiede, nicht – jedenfalls von meiner Seite nicht – um sachliche Differenzen. *Gar* keine solche besteht insbesondere, soweit ich sehen kann, bezüglich der Stellung zum historischen Materialismus. Wenn etwa seitens anderer die Tragweite meiner Ausführungen für die Würdigung »ideologischer« kausaler Momente überschätzt worden ist, – so ist dies nicht *meine* Schuld. Es ist sehr gut möglich, daß, wenn meine Untersuchungen einmal zu Ende kommen sollten, ich zur Abwechslung ganz ebenso entrüstet der Kapitulation vor dem historischen Materialismus geziehen werde wie jetzt der Ideologie.

6 Von der in ganz *anderem* Zusammenhang (bezüglich bestimmter Erscheinungen im Pietismus) die Rede war! Die betreffende Polemik gegen mich ist eigentlich ein starkes Stück. Nachdem ich meinen Herrn Kritiker darauf aufmerksam gemacht habe, daß seine Bemerkungen über die »hysterischen Zustände« bei den Täufern einem ganz offenbaren Mißverständnis entsprangen, – kehrt jetzt dennoch die Behauptung wieder: ich »gäbe zu«, für die Erscheinungen des Täufertums Aufklärung von der *Hysterie*forschung zu erwarten, mit der »witzigen« Frage: ob etwa diese Forschungen Hilfsmittel zur Erklärung der Entstehung »methodischer Lebensführung« darbieten sollten? 1) habe ich schlechthin *nichts* »zugegeben«, was nicht in meinem Aufsatz deutlich zu lesen stand, – 2) hat sich mein Herr Kritiker nicht die Mühe genommen, auch nur nachzusehen, *was* ich eigentlich von der Hysterieforschung im speziellen zu erwarten (und nicht zu erwarten) erklärt habe. Man sieht, die »Kette unglückseliger Mißverständnisse« reißt auch jetzt nicht ab, – auch jetzt aber aus dem gleichen Grunde wie früher.

7 Daß, beiläufig, solche Prädikate wie »gründlich« etc. – »damals!« – einem Aufsatz erteilt wurden, der – »jetzt!« – die simpelsten Kausalprobleme nicht »gesehen« hat, spricht wohl weder für die Sach*kunde*, noch, leider, für die Sachlich*keit* des Verfassers.

Felix Rachfahl

Kalvinismus und Kapitalismus

»Noble cité, riche, fière et sournoise.
On y calcule et jamais on n'y rit;
L'art de Barême[1] est le seul qui fleurit.
On hait le bal, on hait la comédie,
Pour tout plaisir Genève psalmodie
Du bon David les antiques concerts,
Croyant que Dieu se plaît aux mauvais vers.
Des prédicants la morne et dure espèce
Sur tous les fronts a gravé la tristesse.«

Mit diesen Versen hat der Spötter Voltaire die charakteristischen Züge des von der vénérable compagnie des pasteurs beherrschten Genf, der vom kalvinischen Geiste durchtränkten Genfer Bevölkerung gezeichnet. Abkehr von den Freuden der Welt, den Gütern der Kultur, »asketischer« Ernst, gepaart mit hochgesteigerter Erwerbssucht, mit stetigem Rechnen für den Gewinn: das war die Signatur Genfs auch schon zur Zeit Calvins, das war das Erbteil, das der düstere Reformator der Stadt hinterließ, in der er es unternahm, das Gottesreich, die Herrschaft des Wortes, wie sie ihm als höchstes Ideal vorschwebten, auf Erden zu verwirklichen. Nicht nur ihr allein hat er es mitgeteilt; Verzicht auf Lebensgenuß und unermüdliche Tätigkeit im Berufe, also auch im geschäftlichen Leben, sind unverkennbar integrierende Bestandteile der ganzen kalvinischen Religiosität überhaupt; wo immer diese fest und dauernd Wurzel geschlagen hat, da muß sie an diesen ihren Früchten erkennbar sein. Und erwägt man, daß gerade in den kalvinistischen Ländern der Kapitalismus zur höchsten Entfaltung seiner Blüte gelangt ist, was liegt da näher als die Annahme, daß darauf gerade der speziell kalvinische Geist von größtem Einflusse gewesen, daß der Kalvinismus als Vorfrucht des Kapitalismus zu betrachten, daß aus der spezifisch kalvinischen Berufsethik der Geist des modernen Kapitalismus hervorgegangen ist?

In der Tat hat ein Nationalökonom von großem Ruf, MAX WEBER in Heidelberg, diese These von der Herkunft des kapitalistischen Geistes aus der kalvinistischen Berufsethik aufgestellt und vertreten,[2] und reicher Beifall, ungeteilte Zustimmung ist ihm aus den Reihen seiner eigenen und anderer Wissenschaften zuteil geworden. Zunächst schloß sich ihm sein Kollege, der ausgezeichnete Heidelberger Theologe ERNST TROELTSCH, an, sowohl in seinem Werk über die Geschichte des Protestantismus in der Neuzeit[3], als auch in einem Vortrag, den er auf der Stuttgarter Historiker-Versammlung im Jahre 1906 hielt.[4] Ein Gelehrter, der auf den beiden Gebieten der Historie und der Nationalökonomie gleich bewährt ist, EBERHARD GOTHEIN, erklärt die Verwerfung des kanonischen Zinsverbotes durch CALVIN als »das erste Zeichen, daß aus dem Geist des Kalvinismus der Geist des Kapitalismus hervorgehen werde«.[5] Und erst neuerdings hat der Kirchenhistoriker v. SCHUBERT betont: »Mit Recht habe man den ›Geist des Kapitalismus‹, den Kern moderner Wirtschaftsgeschichte, abgeleitet aus dem entschlossenen Individualismus der Puritaner mit ihrer ›inneren Askese‹, die sich ökonomisch darstellt als Sparzwang bei vollster Ausnützung der Arbeitskraft.«[6] Nur ganz vereinzelt, soviel mir bekannt ist, ist von philosophischer Seite ein Einspruch gegen WEBERS Theorie versucht worden.

Wenn wir es hier unternehmen wollen, sie vom Standpunkte des Historikers aus auf ihre Stichhaltigkeit zu prüfen, so werden wir nicht umhin können, zunächst, um den Leser in das Problem einzuführen, eine kurz zusammengedrängte Übersicht ihres Inhaltes zu geben. Wir werden uns dabei möglichst an den Gedankengang des Autors anschließen; so werden die Punkte am ehesten erkennbar werden, bei denen die Kritik einzusetzen hat.

I

Nicht als ob WEBER den Kapitalismus schlechthin aus dem Kalvinismus ableiten wollte. Er verwahrt sich dagegen, »eine so töricht-doktrinäre These« verfechten zu wollen, »wie etwa, daß der ›kapitalistische Geist‹ ... oder wohl gar der Kapitalismus überhaupt, nur als Ausfluß bestimmter Einflüsse der Reformation hätte entstehen können«; er fügt hinzu: »Schon daß gewisse wichtige Formen kapitalistischen Geschäftsbetriebes erheblich älter sind als die Reformation, stünde einer solchen These im Wege. Sondern es soll nur festgestellt werden«, so bestimmt er sein Thema, »ob und inwieweit hier tatsächlich religiöse Einflüsse bei der qualitativen Prägung und quantitativen Expansion jenes ›Geistes‹ über die Welt mitbeteiligt gewesen sind, und welche konkreten Seiten der kapitalistischen Kultur auf sie zurückgehen.«

Nicht die Entstehung des Kapitalismus überhaupt ist somit das Problem, das WEBER lösen will, sondern nur die des »kapitalistischen Geistes«, und zwar in einem ganz bestimmten Sinne. Welches nun ist der Sinn, den WEBER mit diesem Worte verbindet? Wenn er vom »Geist des Kapitalismus« spricht, dann eben in dem »spezifischen Sinn«, daß er ihm »den Charakter einer ethisch gefärbten Maxime der Lebensführung« beilegt. Das »summum bonum« dieser »Ethik« aber ist der Erwerb von Geld, und immer mehr Geld, und das unter strengster Vermeidung alles unbefangenen Genießens, so gänzlich aller eudämonistischen oder gar hedonistischen Gesichtspunkte entkleidet, so rein als Selbstzweck gedacht, daß es als etwas gegenüber dem »Glück« oder dem »Nutzen« des einzelnen Individuums jedenfalls gänzlich Transzendentes und schlechthin Irrationales erscheint. Der Mensch ist auf das Erwerben als Zweck seines Lebens, nicht mehr das Erwerben auf den Menschen als Mittel zum Zweck der Befriedigung seiner materiellen Lebensbedürfnisse bezogen. Diese für das unbefangene Empfinden schlechthin sinnlose Umkehrung des, wie wir sagen würden, »natürlichen« Sachverhaltes ist nun ganz offenbar ebenso unbedingt ein Leitmotiv des Kapitalismus, wie sie dem von seinem Hauche nicht berührten Menschen fremd ist. – Das ethische Moment, das die Grundlage des kapitalistischen Geistes in diesem Sinne bildet, findet WEBER in der Anschauung, daß der Gelderwerb innerhalb der modernen Wirtschaftsordnung das Resultat und der Ausdruck der Tüchtigkeit im Berufe ist, und eben dieses Postulat der Tüchtigkeit im Berufe stammt nach WEBER, um das hier voraus zu nehmen, aus der Ethik des Kalvinismus. Durch nichts kann das Wesen dieses kapitalistischen Geistes besser gekennzeichnet werden, als daß man sich vor Augen führt, welche Tendenz dem geborenen Gegner des kapitalistischen Geistes zugrunde liegt, nämlich dem Geist des »Traditionalismus«; sein Wesen besteht darin, daß der Mensch »von Natur« nicht Geld und immer mehr Geld verdienen will, sondern einfach leben, so leben, wie er zu leben gewohnt ist, und soviel erwerben, wie dazu erforderlich ist.

Mit dieser seiner Lehre vom Gegensatz zwischen dem Geist des Traditionalismus und dem des Kapitalismus berührt sich WEBER mit der SOMBARTschen Theorie[7] vom Unterschiede zwischen den Systemen der »Bedarfsdeckungs«- und der »Erwerbs-Wirtschaft« – je nachdem nämlich das Ausmaß des persönlichen Bedarfs oder das von den Schranken des letzteren unabhängige Streben nach Gewinn und die Möglichkeit der Gewinnerzielung für die Art und Richtung der wirtschaftlichen Tätigkeit maßgebend sind. Und sie berühren sich nicht nur, sie sind sogar miteinander identisch, wie WEBER selber erklärt, und zwar unter einer bestimmten Voraussetzung, wenn man nämlich den Begriff »Bedarf« gleichsetzt mit »traditionellem Bedarf«. Tut man das nicht, so fallen freilich große Massen von Wirtschaften, die nach der Form ihrer Organisation SOMBARTS Ansicht zufolge als »kapitalistisch« zu bezeichnen sind, aus dem Bereiche der »Erwerbswirtschaften« heraus; sie sind bloße »Bedarfsdeckungs-Wirtschaften«. Denn auch »kapitalistische« Unternehmungen können nicht nur einen traditionalistischen Charakter tragen, sondern sie tragen ihn auch in der Regel. Oft genug sind nicht die gerade vorhandenen Kapitalisten die Träger des »kapitalistischen Geistes«, sondern die aufstrebenden Schichten des Mittelstandes, die dann ihre älteren Konkurrenten überflügeln, – wie die oft aus recht kleinen Verhältnissen emporsteigenden Parvenus von Manchester und

Rheinland-Westfalen gegenüber den vornehmen Gentlemen von Liverpool und Hamburg mit ihren altererbten großen Kaufmannsvermögen. Eine Bank, ein Export-Großhandelsgeschäft, auch ein großes Detailgeschäft, ein großer Verlag hausindustriell hergestellter Waren können nur in der Form der kapitalistischen Unternehmung betrieben werden; sie brauchen aber nicht auch mit kapitalistischem Geiste erfüllt zu sein.

An einem Beispiel erläutert WEBER dieses Verhältnis: Betrachten wir die Zustände, wie sie für irgend eine Produktionsstätte der Textilbranche um die Mitte des 19. Jahrhunderts charakteristisch sind. Wir finden da verschiedene Verleger, die in den herkömmlichen Bahnen des Betriebes, mäßigem Geschäftsumfang und leidlicher Harmonie, mit mäßigem Einkommen und Wohlstand eine sorgenfreie und gemächliche Existenz genießen. Es ist der Form nach eine unzweifelhaft kapitalistische Wirtschaftsführung, aber sie entbehrt des »kapitalistischen Geistes«; sie ist rein traditionalistisch. »Die traditionelle Lebenshaltung, die traditionelle Höhe des Profits, das traditionelle Maß von Arbeit, die traditionelle Art der Geschäftsführung und der Beziehungen zu den Arbeitern und zu dem wesentlich traditionellen Kundenkreise, die Art der Kundengewinnung und des Absatzes beherrschten den Geschäftsbetrieb, lagen – so kann man geradezu sagen – der ›Ethik‹ dieses Kreises von Unternehmern zu Grunde.« Plötzlich wird diese Idylle gestört. Einer der Verleger führt neue Geschäftsgrundsätze ein; es braucht dabei nicht einmal eine prinzipielle Änderung der Organisationsform im Spiel zu sein; es genügt, daß er die Arbeiter besser kontrolliert und ausnützt, daß er in persönliche Beziehungen mit den Kunden tritt, ihren Wünschen und Bedürfnissen seine Produktion anpaßt, den Grundsatz durchführt: »Billiger Preis, großer Absatz!« Er will nicht verbrauchen, sondern nur erwerben. Das Gewicht seiner Konkurrenz macht sich bald für seine Berufsgenossen unangenehm fühlbar; er steigt, während sie sinken: es vollzieht sich also ein »Rationalisierungsprozeß« und eben deshalb, weil hier ein neuer Geist, der »Geist des Kapitalismus«, seinen Einzug hält.

»Die Frage nach den Triebkräften der Entwicklung des Kapitalismus ist nicht in erster Linie eine Frage nach der Herkunft der kapitalistisch verwertbaren Geldvorräte, sondern nach der Entwicklung des kapitalistischen Geistes. Wo er auflebt und sich auszuwirken vermag, da schafft er sich die Geldvorräte als Mittel seines Wirkens, nicht aber umgekehrt.« Freilich sein Einzug pflegt nicht friedlich zu sein, und der »Unternehmer neuen Stils« muß bestimmt und scharf ausgeprägte »ethische Qualitäten« haben, – Spannkraft behufs Überwindung der Widerstände, intensivste Arbeitsleistung, Verzicht auf bequemen Lebensgenuß, Fähigkeit, das Vertrauen von Kunden und Arbeitern zu gewinnen usw. Das eben ist im Gegensatz zum »Traditionalisten« das Kennzeichen des Unternehmers »neuen Stils«: abgelöst von allen anderen Motiven betreibt er das Geschäft nur um des Geschäfts willen, weil ihm das Geschäft zum Leben unentbehrlich erscheint. Der Mensch ist da um des Geschäftes willen, nicht das Geschäft um des Menschen willen. Der Unternehmer »neuen Stils« scheut Ostentation und Aufwand; nichts liegt ihm an bewußtem Genusse der Macht und gesellschaftlichem Ansehen; seine Lebenshaltung trägt einen »asketischen« Charakter. Denn er hat von seinem Reichtum nichts für seine Person; es bleibt ihm von seiner Tätigkeit nichts als die »irrationale Empfindung der Berufserfüllung«. Gerade dieser Gedanke ist es, welcher seiner Lebensführung den ethischen Unterbau und Halt verleiht: die Einordnung einer äußerlich rein auf Gewinn gerichteten Tätigkeit unter die Kategorie des »Berufes«, dem gegenüber sich der Einzelne verpflichtet fühlt.

Welches nun ist die Herkunft dieses irrationalen Elementes, das in jedem »Berufs«-Begriff liegt, also auch in dem des ausschließlichen Erwerbes? Lief nicht die Auffassung des Gelderwerbes als eines den Menschen sich verpflichtenden Selbstzweckkes, als eines »Berufes«, dem sittlichen Empfinden ganzer Epochen zuwider? Sie kann nicht dem Ideenkreise des katholischen Mittelalters entstammen. Denn den Kaufleuten selbst galt damals ihre Lebensarbeit im günstigsten Falle als etwas sittlich

Indifferentes, höchstens Toleriertes, ja sogar schon wegen der steten Gefahr, mit dem kirchlichen Wuchergebot zu kollidieren, als ein für die Seligkeit Bedenkliches, als ein pudendum, das nur die einmal vorhandenen Ordnungen des Lebens zu dulden zwingen. Also kann die Auffassung des Erwerbes als Berufsarbeit im Sinne einer ethischen Maxime nur aus dem Protestantismus stammen, und zwar scheidet das Luthertum aus Gründen aus, die wir alsbald kennen lernen werden, und es bleibt somit nur der Kalvinismus übrig. Troeltsch gibt diesen Gedankengang Webers sehr anschaulich mit den Worten wieder: »Sombart hatte gezeigt, wie der Geist des Kapitalismus eine dem natürlichen Trieb zu Genuß und Ruhe, zu Erwerbung der bloßen Existenzmittel ganz entgegengesetzte Rastlosigkeit und Grenzenlosigkeit zeigt, wie er Arbeit und Erwerb zum Selbstzweck und den Menschen zum Sklaven der Arbeit um ihrer selbst willen macht, wie er das ganze Leben und Handeln unter eine absolut rationalistisch-systematische Berechnung bringt, die alle Mittel kombiniert, jede Minute ausnützt, jede Kraft verwertet, wie er im Bunde mit der wissenschaftlichen Technik und dem alles verknüpfenden Kalkül dem Leben eine durchsichtige Rechenhaftigkeit und abstrakte Genauigkeit verleiht. Dieser Geist aber, sagte sich Weber, kam nicht von selbst mit den industriellen Erfindungen, den Entdeckungen und dem Handelsgewinne; er hat sich auch in der spätmittelalterlichen Geldwirtschaft, in dem Kapitalismus der Renaissance und in der spanischen Kolonisation nicht stark entwickelt. Er ist zu sehr gegen die Natur des Menschen, als daß er ohne eine die Natur gewaltsam und systematisch unterdrükkende ungeheure Geistesmacht sich hätte bilden können. So kam Weber auf die Vermutung, aus der Tatsache der Blüte des Kapitalismus gerade auf kalvinistischem Boden den Schluß auf eine besondere Bedeutung des kalvinistischen religiösethischen Geistes für die Entstehung dieses kapitalistischen Geistes zu ziehen.« Und eben die das Wesen der kalvinistischen Berufsethik kennzeichnende »innerweltliche Askese« ist es, auf deren Boden der kapitalistische Geist erwachsen ist.

Die große Kirchentrennung des 16. Jahrhunderts bildet eine Epoche nicht nur für die Geschichte des christlichen Glaubens, sondern auch der christlichen Ethik. Damals fiel die katholische Unterscheidung der christlichen Sittengebote in die für alle Menschen verbindlichen praecepta und in die consilia, die sogenannten evangelischen Räte, der Keuschheit, der freiwilligen Armut und des unbedingten Gehorsams, deren Befolgung naturgemäß immer nur die Sache Weniger sein konnte. Damit wurde die Überbietung der innerweltlichen Sittlichkeit durch mönchische Askese unmöglich; einziges Mittel, Gott wohlgefällig zu leben, war fortan die Erfüllung der innerweltlichen Pflichten, wie sie sich aus der Lebensstellung des Einzelnen ergaben, die fortan sein »Beruf« wurde. Die Pflichterfüllung innerhalb des Berufes wird fortan geschätzt als der höchste Inhalt, den die sittliche Selbstbetätigung überhaupt annehmen kann. LUTHER hat zuerst diesen neuen protestantischen Berufsbegriff entwickelt; aber noch blieb dieser bei ihm traditionalistisch gebunden: ihm ist der Beruf das, was der Mensch als göttliche Fügung hinzunehmen, worin er sich zu »schicken« hat; diese Färbung übertönt den auch vorhandenen Gedanken, daß die Berufsarbeit eine oder vielmehr die von Gott gestellte Aufgabe sei: Wegfall der Überbietung der innerweltlichen durch asketische Pflichten, verbunden aber mit der Predigt des Gehorsams gegen die Obrigkeit und Schikkung in die gegebene Lebenslage. Auf ökonomischem Gebiet mußte diese Lehre zur Folge haben: dieselbe traditionalistische Lebenshaltung wie im Katholizismus; es fehlte ihr jeder Stachel zu wirtschaftlichem Aufschwung; in Übereinstimmung damit war LUTHERS ökonomisches Ideal »vom agrarischen und handwerklichen Standpunkt aus orientiert«, und er setzte das kanonische Zinsverbot fort.

Ganz verschieden von der lutherischen ist die kalvinistische Berufsethik, und zwar gemäß der Differenz, die zwischen lutherischer und kalvinistischer Religiosität überhaupt obwaltet. Das Ziel der ersteren ist die unio mystica mit Gott, die Empfindung des realen Eingehens des Göttlichen in die gläubige

Seele; es ist gekennzeichnet durch seinen passiven, auf die Erfüllung der Sehnsucht nach Ruhe in Gott ausgerichteten Charakter und seine rein stimmungsmäßige Innerlichkeit. Dazu kommt das tiefe Gefühl erbsündlicher Unwürdigkeit und daraus fließender Demut und Reue, wie sie für die Sündenvergebung unentbehrlich sind, und eben deshalb, weil die Sündenvergebung mit der durch sie hervorgerufenen Ruhe und Seligkeit der Erlösung im Mittelpunkt des religiösen Interesses steht, wird Gott aufgefaßt als ein Gott der Liebe und des Erbarmens. Anders der Kalvinismus. Hier liegt der Nachdruck nicht auf dem Akt der Sündenvergebung, sondern auf der Erwählung durch den Willen der Allmacht Gottes; zu seiner Ehre beruft er die Einen und verwirft er die Anderen. Wegen der zentralen Bedeutung, die der Prädestinationslehre im Kalvinismus zukommt, rückt daher in den Vordergrund bei der Betrachtung Gottes sein freier und unumschränkter Machtwille, seine Ehre, seine Herrlichkeit und Furchtbarkeit. Das Gefühl bußfertiger Reue ist dem Kalvinismus zwar nicht in der Theorie, wohl aber in der Praxis fremd. Denn es ist für ihn ethisch wertlos; es nutzt dem Verworfenen nichts, und dem, der seiner Erwählung sicher ist, ist die eigene Sünde, deren er sich bewußt ist, ein Symptom rückständiger Entwicklung und unvollkommener Heiligung; er beweint sie nicht; sondern er haßt sie und trachtet darnach, sie zu Gottes Ruhme durch die Tat zu überwinden. Durch die Elektionsgnade, die ihm zuteil geworden ist, wird er erhoben in die Gemeinschaft des Gotteswillens, erhält er das Bewußtsein der Bestimmung zu einem positiven Weltzweck, der Berufung zur Betätigung der göttlichen Herrlichkeit im Dienste Gottes. Das Moment der Ehre Gottes ist es, worauf alles ankommt: die ganze Welt ist bestimmt zu seiner Verherrlichung; das gleiche ist die Aufgabe des Christen. Gott will die Tätigkeit des Christen in Welt und Gesellschaft; denn diese sollen so eingerichtet sein, daß sie zur Verherrlichung seiner Ehre dienen; die soziale Arbeit, d. h. die Arbeit in Welt und Gesellschaft, ist dem Kalvinisten auferlegt als Pflicht in majorem gloriam Dei, und eben diesen Charakter trägt auch die Berufsarbeit, die im Dienst des diesseitigen Lebens der Gesamtheit steht. Entsprechend dem Unterschied der Religiosität überhaupt trägt daher die Ethik des Kalvinismus und auch seine Berufsethik im allgemeinen im Gegensatz zu der des Luthertums einen ausgeprägt aktiven Charakter.

Aus dem Wesen der kalvinistischen Religiosität fließt noch ein spezielles Moment in der reformierten Berufsethik, das allerdings erst durch die Epigonen CALVINS zur Ausbildung gelangt ist. Zwar soll man nach CALVIN darauf vertrauen, daß man zu den Erwählten gehört; aber es gibt seiner Ansicht zufolge schlechterdings keinen äußerlichen Unterschied zwischen Erwählten und Verworfenen, keine certitudo salutis. Anders seine Nachfolger, schon BEZA. Sie verlangten ein sicheres Kennzeichen des eigenen Gnadenstandes, der Zugehörigkeit zu den electi. Um diesem Bedürfnis zu genügen, muß man sich für erwählt halten und jeden Zweifel als Anfechtung des Satans abwehren, da ja mangelnde Selbstgewißheit Folge unzulänglichen Glaubens, also unzulänglicher Wirkung der Gnade ist; und andererseits: um diese Selbstgewißheit zu erlangen, bedarf es vor allem rastloser Berufsarbeit; denn sie allein verscheucht den religiösen Zweifel und gibt die Sicherheit des Gnadenstandes. Die Gemeinschaft des Erwählten mit Gott ist im Kalvinismus nicht, wie im Luthertum, ein reales Eingehen des Göttlichen in die Menschenseele; denn das ist durch die absolute Transzendenz Gottes gegenüber allem Kreatürlichen ausgeschlossen. Sie kann vielmehr nur so stattfinden und zum Bewußtsein kommen, daß Gott in den Erwählten wirkt und daß sich diese dessen bewußt werden. Sola fide will auch der Reformierte selig werden; aber der Glaube muß sich in seinen objektiven Wirkungen bewähren, um der certitudo salutis als Unterlage dienen zu können; er muß eine fides efficax sein, und zwar muß sich, damit Glauben und Gnadenstand erkennbar werden, die Wirkung des Glaubens in einer Lebensführung äußern, die zur Mehrung von Gottes Ruhm dient. Nur der Erwählte hat die fides efficax; nur er ist fähig, Gottes Ruhm durch wirklich, nicht nur scheinbar gute Werke zu mehren, und indem er sich dessen bewußt ist, daß sein Wandel, wenigstens dem Grundcharakter und konstanten Vorsatz nach, auf einer in ihm lebenden Kraft zur Mehrung von Gottes Ruhm ruht, also gottgewollt oder vor allem gottgewirkt ist, erlangt er jenes höchste Gut, nach welchem die Religiosität strebt: die Gnadengewißheit. So absolut ungeeignet also gute Werke auch sind, als Mittel zur Erlangung der Seligkeit zu dienen (denn auch der Erwählte ist Kreatur und aus sich selbst ohnmächtig), so unentbehrlich sind sie als Zeichen der Erwählung. Das bedeutet aber praktisch, daß Gott dem hilft, der sich selbst hilft, daß also der Kalvinist seine Seligkeit – oder korrekter: die Gewißheit seiner Seligkeit – selbst schafft, daß aber dieses Schaffen nicht, wie im Katholizismus, in einem allmählichen Aufspeichern verdienstlicher Einzelleistungen bestehen kann, sondern in einer beständigen systematischen Selbstkontrolle, die jeden Augenblick vor der Alternative steht: erwählt oder verworfen? Logisch wäre der Fatalismus als Konsequenz der Prädestination deduzierbar; die psychologische Wirkung aber war infolge der Einschaltung des »Bewährungs«-gedankens die gerade umgekehrte. Die electi sind eben kraft ihrer Erwählung dem Fatalismus unzugänglich; gerade in ihrer Abweisung der fatalistischen Konsequenzen bewähren sie sich, und durch ihre Erwählung werden sie eifrig und besorgt in ihrem Berufe.

Das also ist es, was der kalvinischen Ethik auf der Grundlage des Bewährungsprinzips ihre charakteristische Eigentümlichkeit gibt – eine Lebensführung, die jederzeit so geregelt wird, daß sich der Christ bei jeder einzelnen seiner Handlungen darüber Rechenschaft gibt, ob sie ein Zeichen seiner Erwählung oder Verwerfung sei. Es werden somit im Unterschiede vom Katholizismus nicht nur einzelne »gute Werke«, d. h. nicht systematisch miteinander zusammenhängende einzelne Handlungen, verlangt, sondern ein »heiliges Leben«, d. h. eine zum System gesteigerte Werkheiligkeit, eine konsequent ausgebildete Methode der ganzen Lebensführung. Denn nur in einer fundamentalen Umwandlung des Sinnes des ganzen Lebens in jeder Stunde und bei jeder Handlung kann sich das

Wirken der Gnade als einer Transferierung des Menschen aus dem Status naturae in den Status gratiae bewähren. Das Leben des Heiligen ist ausschließlich auf ein transzendentes Ziel, die Seligkeit im Jenseits ausgerichtet, und eben deshalb, weil es darauf in jedem Momente bezogen wird, ist es in seinem diesseitigen Verlaufe rationalisiert, nämlich stets beherrscht vom Grundsatz: »omnia ad majorem gloriam Dei«. Nur ein durch konstante Reflexion geleitetes Leben kann als Überwindung des Status naturalis gelten: die Rationalisierung nun gibt der reformierten Frömmigkeit ihren spezifisch asketischen Zug. Das Wesen der protestantischen Askese besteht demnach darin, daß das ganze Leben heiligmäßig eingerichtet wird, daß jede einzelne Handlung, gleichgültig, welcher Natur sie auch immer sei, auf das transzendente Leben bezogen wird, nämlich ob sie zur Ehre Gottes gereicht, und das will sagen, ob sie zwar nicht ein Realgrund, aber doch ein Erkenntnisgrund des Gnadenstandes ist; das bedeutet in Wirklichkeit, daß das transzendente Ziel bei jeder Handlung im Christen als ausschlaggebendes Motiv gesetzt wird. Eine rationalistische, nämlich eine methodisch gepflegte und kontrollierte Lebensführung, das eben ist die dem Protestantismus eigentümliche Askese. Sie arbeitet daran, den Menschen zu befähigen, seine konstanten Motive (insbesondere diejenigen, die sie ihm selbst »einübt«) gegenüber den Affekten zu behaupten und zur Geltung zu bringen; sie will ihn in den Stand setzen, den Status naturae zu überwinden, ihn der Macht der irrationellen Triebe und der Abhängigkeit von Welt und Natur entziehen, der Suprematie des planvollen Willens unterwerfen, seine Handlungen beständiger Selbstkontrolle und der Erwägung ihrer ethischen Tragweite unterstellen: so soll er – objektiv – zu einem Arbeiter im Dienst des Reiches Gottes erzogen, zugleich aber auch dadurch – subjektiv – seines Seelenheiles versichert werden. Der Kalvinismus ist die bedeutendste, aber nicht die einzige Richtung des Protestantismus, die eine solche methodisch gepflegte und kontrollierte, d. h. asketische Lebensführung vorschreibt; sie ist auch, wenngleich in verschiedenartiger Begründung und Abstufung (auf das Nähere können wir hier nicht eingehen) im Pietismus, im Methodismus und Baptismus zu finden. Allen ist gemeinsam die Auffassung des Gnadenstandes als eines Standes, der die Menschen von der Verworfenheit des Kreatürlichen abscheidet, dessen Besitz aber nur durch die Bewährung in einem spezifisch gearteten, von dem Lebensstil des »natürlichen« Menschen unzweideutig verschiedenen Wandel garantiert werden kann. Daraus folgt für den Einzelnen der Antrieb zur methodischen Kontrolle seines Gnadenstandes in der Lebensführung und damit zu deren asketischer Durchdringung. Dieser »asketische Lebensstil« aber bedeutet eine am Gotteswillen orientierte rationale Gestaltung des ganzen Daseins.

Auch der Protestantismus hat somit seine Askese, und daraus ergibt sich von selbst die Frage: wie verhält sie sich zur Askese des Katholizismus? Beide sind, so meint Weber, miteinander verwandt, und zwar beruht diese Verwandtschaft auf dem rationalen Zuge, der ihnen beiden zu eigen ist, und der, was die katholische Askese betrifft, am schärfsten bei den Jesuiten zur Ausbildung gelangt ist, – nämlich emanzipiert von planloser Weltflucht und virtuosenhafter Selbstquälerei. Die unbedingte Herrschaft über das eigene Selbst: – sie ist das Ziel der Exerzitien des hl. Ignatius und der höchsten Formen rationaler mönchischer Tugenden überhaupt, ganz ebenso aber auch das höchste praktische Lebensideal des Puritanismus. Protestantische und katholische Askese aber unterscheiden sich auch voneinander. Denn jener fehlen die evangelischen Räte; weit davon entfernt, der Welt zu entsagen, die Welt zu fliehen, betätigt sie sich vielmehr in der Welt: sie ist eine »innerweltliche«. Nachdem das weltflüchtige Mönchtum, der Kulminationspunkt der katholischen Askese, einmal von Luther abgeschafft worden war, ließ sich die Askese innerhalb des Protestantismus nicht mehr vom weltlichen Alltagsleben absondern; man sah sich darauf angewiesen, den asketischen Idealen innerhalb des weltlichen Berufslebens nachzugehen. Ihre feste Norm behufs stetiger Orientierung empfing diese neue asketische Lebensführung durch die Bibel, zumal durch das Alte Testament, das ja, als gleichfalls inspiriert, dem Neuen Testament völlig gleichgestellt ward. Indem nun freilich der Unterschied zwischen der Alltagssittlichkeit als einer ethischen Ordnung gleichsam niederen Grades und der Askese als einer höheren Sittlichkeit aufhört, ist die Askese des Protestantismus nicht mehr ein opus supererogationis, sondern eine Leistung, die jedem zugemutet wird, der seiner Seligkeit gewiß sein will, und sie gipfelt in der Berufsidee. »Auf den Markt des Lebens hinaustretend, die Tür des Klosters hinter sich zuschlagend«, unternahm es diese neue Askese, gerade das weltliche Alltagsleben mit ihrer Methode zu durchtränken, es zu einem rationalen Leben in der Welt und doch nicht von dieser Welt oder für diese Welt umzugestalten.

Um zu zeigen, wie sich diese Durchdringung des Alltagslebens durch die protestantische Askese vollzog, analysiert Weber zunächst eine Reihe von Schriften, die, aus der seelsorgerischen Praxis herausgewachsen, das ökonomische Leben in den Kreis ihrer Betrachtung zogen und, wie er meint, entscheidend beeinflußten: »denn in einer Zeit, in welcher das Jenseits alles war, an der Zulassung zum Abendmahl die soziale Position des Christen hing, die Einwirkung des Geistlichen in Seelsorge, Kirchenzucht und Predigt einen Einfluß ausübte, von dem ... wir modernen Menschen uns einfach keine Vorstellung mehr zu machen vermögen, sind die in dieser Praxis sich geltend machenden religiösen Mächte die entscheidenden Bildner des Volkscharakters«. Das Schwergewicht fällt auf die Schilderung der puritanischen Berufsethik an der Hand von Baxters Christian Directory: sie erklärt zwar den Reichtum für gefährlich, aber nur unter der Voraussetzung, daß man auf dem Besitz ausruht und sich dem Genuß hingibt. Denn nicht Muße und Genuß sind unsere Bestimmung, sondern Arbeit zur Ehre Gottes. Zeitvergeudung durch Faulheit, Geselligkeit, Luxus, übermäßigen Schlaf und untätige Kontemplation auf Kosten der Berufsarbeit ist die erste und prinzipiell schwerste Sünde. Aktives Tun seines Willens im Beruf ist Gott am meisten wohlgefällig. Harte körperliche und geistige Arbeit ist die Pflicht des Menschen, zunächst als das von altersher in der abendländischen Kirche erprobte asketische Mittel gegen alle unlauteren Anfechtungen, aber auch darüber hinaus als Selbstzweck des Lebens: Arbeitsunlust ist ein Symptom mangelnden Gnadenstandes. Auch der Reiche darf nicht essen, ohne zu arbeiten. Bei BAXTER spielt allerdings bereits die Ansicht hinein, daß man arbeiten muß zur Ehre Gottes und zur öffentlichen Wohlfahrt, – also ein utilitaristischer Gesichtspunkt, der den späteren Umschlag zur utilitaristisch-liberalen Theorie vorbereitet. Er schreibt direkt die »Profitlichkeit« von Arbeit und Beruf vor: wenn Gott den Seinigen eine Gewinnchance zeigt, so haben sie (vorausgesetzt ihre moralische Zulässigkeit) diesem Rufe (calling) zu folgen: »nicht freilich zum Zweck der Fleischeslust und Sünde, wohl aber für Gott dürft Ihr arbeiten, um reich zu sein!«

So war der »kapitalistische Lebenstil« direkt ein Postulat der dem Kalvinismus eigentümlichen Berufsethik und als solches in der kalvinistischen Literatur ausdrücklich anerkannt; seine tatsächliche Entwicklung und Verbreitung wurde weiterhin gefördert durch das ganze System der reformierten Ethik mit ihrem Gebot »asketischer Lebensführung«: gerade hierin springt die Übereinstimmung mit der Eigenart des »kapitalistischen Geistes« der Jetztzeit deutlich ins Auge, wie er typisch ist für den »Unternehmer neuen Stils«, dessen Porträt uns ja WEBER so plastisch vorgeführt hat. Denn die rationale Askese des Kalvinismus und des Puritanismus als seiner vollkommensten Erscheinungsform wendet sich gegen den unbefangenen Genuß des Daseins und der Daseinsfreuden wie Sport, Geselligkeit, Tanzbelustigungen, Kneipenbesuch, kurz gegen allen triebhaften Lebensgenuß, der von der Berufsarbeit und von der Frömmigkeit abzieht; sie nimmt allen nicht direkt religiös zu wertenden Kulturgütern gegenüber eine mißtrauische Stellung ein, so gegenüber der schönen Literatur, aller Sinnenkunst, Musik, Theater. Sie bekämpft alles, was nicht Gottes Ruhm, sondern der menschlichen Eitelkeit dient. Daher schreibt sie Einfachheit der Kleidung, nüchterne, von ästhetischen Rücksichten entblößte äußere Lebenshaltung vor, Vermeidung aller überflüssigen Ausgaben und Kosten, da ja der Mensch nur Verwalter der Güter ist, die ihm Gott verliehen hat, und da er dafür Rechenschaft abzulegen hat. Hier fand der für die Entwicklung des Kapitalismus so bedeutsame Gedanke seine Heimstätte, daß der Mensch seinem Besitz verpflichtet ist, daß er ihm als dienender Verwalter, als Erwerbsmaschine untergeordnet ist. Indem sie also den unbefangenen Genuß des Besitzes verwirft, schränkt sie die Konsumtion ein; zugleich entlastet sie den Erwerbstrieb von allem Druck traditionalistischer Ethik: hatte schon CALVIN das Zinsnehmen für erlaubt erklärt, so galt seinem ethischen System der Erwerb, wie jeder Beruf überhaupt, nicht nur als gestattet, sondern sogar als direkt durch Gott geboten, wenngleich alle Unredlichkeit und rein triebhafte Habgier, aller Mammonismus bekämpft wurde. Allerdings, so gibt WEBER zu, zeigte sich schließlich die kalvinistische Ethik als eine Kraft, die zwar das Gute wollte, aber das Böse schuf, nämlich das Böse in ihrem eigenen Sinne, den Reichtum lediglich zum Endzweck, reich zu sein, den Reichtum mit allen seinen Versuchungen. Und das Resultat ihrer doppelten Wirkung, nämlich der Entfesselung des Erwerbstriebes und der Einschnürung der Konsumtion, mußte sein: Kapitalbildung durch asketischen Sparzwang, indem das durch Sparsamkeit gesammelte Kapital immer wieder produktiv als Anlagekapital verwandt wurde.

Wie nun vollzog sich – das ist das letzte Glied in der Beweiskette WEBERS – der Übergang von protestantischer Berufsethik zum modernen »kapitalistischen Lebensstil«? Von vornherein ist ja eines klar: »Die religiöse Wertung der rastlosen, stetigen, systematischen weltlichen Berufsarbeit als schlechthin höchsten asketischen Mittels und zugleich sicherster und sichtbarster Bewährung des wiedergeborenen Menschen und seiner Glaubensechtheit mußte ja der denkbar mächtigste Hebel der Expansion jener Lebensauffassung sein, die wir hier als den ›Geist‹ des Kapitalismus bezeichnet haben.« Aber noch mehr: der »kapitalistische Geist« der Jetztzeit ist direkt aus der reformierten Berufsethik hervorgegangen, und zwar durch einen Prozeß der Säkularisation. Es waren ja von Anfang an in ihr Elemente enthalten, die diesen Prozeß vorbereiteten und anbahnten. Dazu gehörte es, wenn BAXTER das Streben nach Reichtum sowohl zum Ruhme Gottes, als auch zur allgemeinen Wohlfahrt forderte. Darin steckte, wie schon erwähnt wurde, ein utilitaristisches Moment, das den späteren Umschlag zur utilitaristisch-liberalen Theorie einzuleiten geeignet war. Aber das wichtigste ist: der religiöse Sinn, der bisher die Grundlage des Erwerbslebens war, schwindet. Der Kapitalist arbeitet nicht mehr aus Motiven der Askese zur Ehre Gottes. Es erfolgt, wie TROELTSCH sich ausdrückt, eine Wendung zum Erwerb um des Erwerbes willen, mit seinem harten und brutalen Konkurrenzkampf, seinem agonalen Siegesbedürfnis und seiner weltlich triumphierenden Freude an des Kaufmanns Herrschgewalt; damit löst sich die kapitalistische Tätigkeit völlig von ihrem ursprünglichen Boden und wird zu einer dem echten Kalvinismus und Protestantismus entgegengesetzten Macht; diesem wachsen seine eigenen Schöpfungen über den Kopf; er wird die Geister nicht mehr los, die er gerufen hat.

Aber trotzdem: wenngleich durch Verleugnung und Verkehrung des Geistes, aus dem sie erwachsen waren, in sein Gegenteil – Geist und Voraussetzungen des Kapitalismus waren nun einmal geschaffen. Oder, wie WEBER sagt: »Soweit die Macht puritanischer Lebensauffassung reichte, kam sie unter allen Umständen – und das ist natürlich wichtiger als die bloße Begünstigung der Kapitalsbildung – der Tendenz bürgerlicher, ökonomisch-rationaler Lebensführung zugute; sie war ihr wesentlichster und einzig konsequenter Träger. Sie stand an der Wiege des ›modernen Wirtschaftsmenschen‹. Freilich, sobald die von ihr getragenen Elemente erst in die Höhe gelangt waren, da suchten sie bald, wie gesagt, nicht mehr den Reichtum zur Ehre Gottes, sondern um seiner selbst willen; da waren sie recht oft zur Verleugnung der alten Ideale bereit. Aber die kalvinische Askese wurde überdauert durch ihr Werk, den durch sie entfesselten Geist des Kapitalismus. Ihre vollen ökonomischen Wirkungen entfalteten jene mächtigen religiösen Bewegungen, deren Bedeutung für die wirtschaftliche Entwicklung ja in erster Linie in ihren asketischen Erziehungsmitteln lag, regelmäßig erst, nachdem die Akme des rein religiösen Enthusiasmus bereits überstiegen war, der Krampf des Suchens nach dem Gottesreich sich allmählich in nüchterne Berufstugend aufzulösen begann, die religiöse Wurzel langsam abstarb und utilitaristischer Diesseitigkeit Platz machte.« Was jene religiös lebendige Epoche des 17. Jahrhunderts ihrer utilitaristischen Erbin vermachte, das war vor allem ein ungeheuer gutes – wie WEBER wörtlich sagt –: pharisäisch gutes Gewissen beim Gelderwerb, wenn anders es sich nur in legalen Formen vollzog. Eine spezifisch bürgerliche Berufsethik ist entstanden. Mit dem Bewußtsein, in Gottes voller Gnade zu stehen und von ihm sichtbar gesegnet zu werden, vermag der bürgerliche Unternehmer, wenn er sich in den Schranken formaler Korrektheit hält, sein sittlicher Wandel untadelig und der Gebrauch, den er von seinem Reichtum macht, kein anstößiger ist, seinen Erwerbsinteressen zu folgen, und er soll das tun. Die Macht der religiösen Askese stellt ihm überdies nüchterne, gewissenhafte, ungemein arbeitsfähige und an der Arbeit als gottgewolltem Lebenszweck klebende Arbeiter zur Verfügung. Die protestantische Askese suggerierte ihnen ja als mächtigen Antrieb zur Arbeit die Auffassung der Arbeit als Beruf, als einziges Mittel, des Gnadenstandes sicher zu werden, und sie legalisierte auf der anderen Seite die Ausbeutung dieser Arbeitswilligkeit, indem sie auch den Gelderwerb des Unternehmers als »Beruf« deutete: so wurde durch sie in zweifacher Hinsicht die »Produktivität« der Arbeit im kapitalistischen Sinne des Wortes gefördert. –

So weit die Theorie WEBERS von der Herkunft des »kapitalistischen Geistes« aus der innerweltlichen Askese des Kalvinismus. Wir haben sie bei dem komplizierten Charakter ihrer Gedankengänge möglichst eingehend und zur Vermeidung von Irrtümern möglichst in Anlehnung an den Wortlaut ihrer

Ausführungen wiedergegeben. Wir gehen jetzt an ihre Prüfung, wenigstens was ihre wesentlichen Bestandteile anlangt. Es sind ihrer drei: zunächst die Erörterung dessen, was unter »kapitalistischem Geist« zu verstehen ist; alsdann die Berufsethik CALVINS und des Kalvinismus und ihre Stellung zum Wirtschaftsleben, endlich der faktische Einfluß des Kalvinismus auf die Entwicklung des »kapitalistischen Geistes« und des Kapitalismus.

II

Was ist nach WEBER »kapitalistischer Geist«? Eine ethisch gefärbte Maxime der Lebensführung, und zwar gipfelt diese Ethik im Streben nach Gelderwerb; dieser ist Selbstzweck, abgelöst von allem Streben nach Genuß, so daß daneben die Rücksicht auf das »Glück« oder auf den »Nutzen« des Individuums vollkommen zurücktritt: das ist das Leitmotiv des Kapitalismus. Er ist gekennzeichnet durch seinen Gegensatz zum »Traditionalismus«, der für den »traditionellen Bedarf« arbeitet; denn so ist ja die menschliche Natur angelegt, man will nicht schlechthin verdienen, sondern eben nur so viel, wie man zur Lebenshaltung braucht und zu brauchen gewöhnt ist. Dagegen arbeitet der kapitalistische Geist für den über den traditionellen Bedarf hinausgehenden Erwerb, und zwar nur des Erwerbes halber, unter bewußtem Verzicht auf alle anderen Motive. Der reine Gelderwerb wird als Beruf aufgefaßt, und gerade darin liegt das ethische Moment des »kapitalistischen Geistes«, daß man sich diesem seinem Beruf gegenüber verpflichtet fühlt, daß man durchdrungen ist vom Postulat der Tüchtigkeit auch in diesem Beruf: das ist ein *ir*rationales Element, das der menschlichen Natur an sich widerstrebt.

Diese Auffassung vom »kapitalistischen Geist« ist auf der einen Seite zu eng, auf der anderen zu weit; es werden in seinen Bereich Dinge gezogen, die sicherlich nicht von ihm getragen sind, und solche ausgeschlossen, die nicht minder unzweifelhaft seinen Stempel tragen. Bedenken erregt bereits der Ausgangspunkt: sind traditionalistisches Bedarfswirtschaftssystem und kapitalistisch gerichtetes Erwerbswirtschaftssystem wirklich so scharf gesondert, wie WEBER annimmt? Streben nach »Bedarfsdeckung« und nach »Erwerb« sind nur relative Gegensätze. Es gilt nicht die Alternative: Arbeiten entweder um des Bedarfs willen oder um des Erwerbs halber; man arbeitet vielmehr entweder nur für seinen Bedarf oder auch darüber hinaus, um mehr zu erwerben, als man braucht, und dieses letztere Motiv geht doch nicht so gegen die menschliche Natur, wie WEBER und TROELTSCH behaupten. Wenn es gleich viele gibt, die zufrieden sind, wenn sie erworben haben, was sie brauchen, so fehlt es doch auch keineswegs an solchen, die vom Bestreben erfüllt sind, falls sich ihnen nur Gelegenheit und Mittel bieten, mehr zu erwerben, als sie brauchen, Schätze nicht nur aufzuspeichern, sondern immer wieder produktiv zu verwerten, d. h. Kapital umzuschlagen: es gibt und gab von jeher Menschen beider Kategorien, und es braucht nicht erst eine übergewaltige religiöse Geistesmacht, wie der Kalvinismus mit seiner »Askese«, in die Geschichte einzutreten, um solche der zweiten Art zu schaffen, d. h. den mit der Natur des Menschen an sich unvereinbaren und bis dahin auch tatsächlich mangelnden »kapitalistischen Geist« zu erwecken oder auch etwa nur zur Reife zu bringen.

WEBER setzt traditionalistisches Bedarfswirtschaftssystem und von »kapitalistischem Geist« getragenes Erwerbswirtschaftssystem als absolute Gegensätze. Ist denn aber, was davon die logische Konsequenz wäre, jeder Versuch, über das durch die Tradition überlieferte Wirtschafts- und Bedarfsniveau hinauszugelangen, bereits als eine Emanation »kapitalistischen Geistes« zu betrachten? Daß WEBER tatsächlich dieser Ansicht ist, erhellt schon daraus, daß er an mehreren Stellen ausdrücklich »die aufstrebenden Schichten des Mittelstandes« als die Träger »derjenigen Gesinnung« erklärt, die er unter kapitalistischem Geist versteht. In solchen Fällen aber *kann* es sich wenigstens oft nur um ein Streben nach besserer Lebenshaltung, nach Erhebung in ein höheres gesellschaftliches Milieu, nach größerem Anteil an den mannigfaltigen Genüssen des Lebens und den Gütern der Kultur, vor allem aber um Förderung der Nachkommenschaft handeln. Es läge dann vor: ein Streben nach Deckung eines Bedarfs, der über das »Traditionalistische« hinausgeht, aber keineswegs ein Streben nach Sammlung und Umschlag von Kapitalien. Was aber ist das für ein »kapitalistischer Geist«, der darauf nicht nur nicht ausgeht, sondern auch eventuell darauf anderer Zwecke halber von vornherein bewußt verzichtet?

Kann somit vieles von dem, was Weber als Emanation »kapitalistischen Geistes« ansehen müßte und auch in der Tat ansieht, keineswegs mit diesem Worte im üblichen Sinn bezeichnet werden, so müßte er dieses Prädikat andererseits zahlreichen wirtschaftlichen Erscheinungen versagen, denen es nach dem allgemeinen Sprachgebrauch gebühren würde. Dabei entbehrt seine Auffassung nicht des inneren Widerspruchs. Nach ihr ist es möglich, daß ein bestimmtes wirtschaftliches Handeln als getragen vom kapitalistischen Geist erklärt werden muß, weil es aus dem Rahmen des traditionellen Bedarfsdeckungssystems herausfällt; trotzdem muß in diesem Fall aber das Walten des »kapitalistischen Geistes« geleugnet werden, weil das betreffende Handeln nicht rein abzulösen ist von den Motiven des Genusses, der Rücksicht auf »Glück« und »Nutzen«. Wohl gibt es genug Kapitalisten ohne besonders entwickelten »kapitalistischen Geist«; es ist wohl sogar Kapital möglich, bei dessen Bildung »kapitalistischer Geist« nicht im Spiel war, indem z. B. glückliche Konjunkturen bisher wertlosem Grundbesitz aus Zufall und jedenfalls ohne Zutun des Besitzers eine riesenhafte Preissteigerung brachten; oder infolge plötzlichen Steigens bisher relativ wertloser Aktien, die man im Erbgang erhalten hat u. a. m. Aber setzen wir einen Fall, für dessen tatsächliches Vorkommen Geschichte und Gegenwart uns unzählige Belege zu bieten vermögen: ein Unternehmer ist erfüllt von einem über das Maß jeglicher (nicht nur traditioneller) Bedarfsdeckung weit hinausgehenden Erwerbstrieb, der ihn zum Gewinn und Umschlag immer neuer und größerer Kapitalien anreizt und instand setzt; es tritt aber in ihm der Erwerbstrieb nicht isoliert auf, sondern es mischen sich bei ihm mit dem Streben nach Gewinn noch andere Motive, Rücksicht auf das »Glück« und den »Nutzen«, sei es der eigenen Person oder auch anderer, zumal der Familie, Streben nach Genüssen, Ehren, Macht, glänzender Zukunft der Nachkommen usw.: werden wir diesem Kapitalisten deshalb die Triebfeder des »kapitalistischen Geistes« absprechen, bei dem von ihm gesammelten Kapital die Provenienz aus dem »kapitalistischen Geist« leugnen wollen und dürfen?

Ganz anders sieht, wie wir wissen, das Bild des Unternehmers »neuen Stils« aus, wie es WEBER entworfen hat; es ist ein »Idealtypus«, wie er vorkommen mag, aber keineswegs die Regel ist. Ich habe in meiner Jugend in meiner Heimat, dem schlesischen Gebirge, so manche Textilfabrikanten gekannt, auf die die WEBERsche Schilderung der geschäftlichen Qualitäten dieses Idealtypus sehr wohl zutrifft, die ihre Konkurrenten weit überflügelten und Vermögen sammelten; aber was ich an ihnen nicht entdecken kann, das ist die von WEBER behauptete Isoliertheit des Motivs. Ihr Erwerbstrieb, wie kräftig auch entwickelt, ward getragen und sekundiert von einer Fülle anderer Motive, für die der Gelderwerb nur Mittel zum Zweck war. Dem reichen Geschäftsmann, von dem WEBER erzählt, daß er nur mit Mühe zu dem ärztlich verordneten Austerngenuß zu bewegen war, kann wohl jedermann aus persönlicher Kenntnis mehr als einen anderen Kapitalisten entgegenstellen, an dessen »kapitalistischem Geist«, im üblichen Sinn des Wortes gesprochen, nicht zu zweifeln ist, der sich aber in den Tagen vollster Gesundheit, und gerade dann mit dem größten Genuß, die köstlichen Schalentierchen sehr wohl munden läßt. Sollten nicht solche Artikel in diesen Kreisen jetzt, wie früher, immer noch am meisten konsumiert werden, jedenfalls mehr, als in den übrigen Schichten der sogenannten »besseren Gesellschaft«? Fast möchte ich glauben, daß die Delikatessenhändler, falls in der Sphäre des »kapitalistischen Geistes« plötzlich »asketische« Lebensgewohnheiten einzögen, aus Mangel an Kundschaft ihre Läden schließen könnten. Für den Anfänger mit geringen Mitteln, der erst noch emporkommen muß, sind gewisse Eigenschaften sehr förderlich und selbst sogar unentbehrlich: Fähigkeit, das Vertrauen von Arbeitern und insbesondere Kunden zu gewinnen, Spannkraft und Arbeitskraft, Mäßigung im Genuß. Inwieweit es sich dabei um »ethische« Qualitäten handelt, kommt auf den einzelnen Fall an: am nützlichsten zum Zweck des Reichwerdens werden ihm wohl die spezifisch »geschäftlichen Tugenden« sein, und mancher, in dem sich der kapitalistische Geist recht kräftig, ungehindert und erfolgreich auswirkte, hat sich nicht immer solcher Mittel bedient, die »ethisch« ganz einwandfrei waren. Die Hingabe an den Beruf, das Pflichtbewußtsein, das die Tüchtigkeit, die Bewährung im Beruf zur inneren Forderung erhebt, – das ist wohl ein ethisches Moment, welches, wie alle Berufe, so auch den des Geschäftsmannes adeln soll; aber für Existenz und Wirksamkeit des kapitalistischen Geistes ist es ganz gleichgültig, welche Zwecke dem Kapitalisten als Leitmotiv vorschweben, ob der des Gelderwerbens in reiner Isoliertheit, oder auch andere, und gerade diese anderen können unter Umständen der Tätigkeit des Unternehmers eine besonders ausgeprägte ethische Nuance verleihen. Es kann andererseits recht zweifelhaft sein, ob seine Wirksamkeit, die den Gelderwerb als reinen Selbstzweck statuiert, überhaupt noch das Prädikat »ethisch« verdienen würde. Denn aus einer also gerichteten »Berufsethik« könnten Handlungen entspringen, die sich nicht mit den allgemeinen ethischen Grundsätzen vertragen. Mit anderen Worten: jede spezielle Berufsethik empfängt ihre Normen aus dem Schatz der allgemeinen Ethik, und wer möchte leugnen, daß gerade eine auf den Gelderwerb gerichtete Berufsethik solcher Normierung und Abhängigkeit von den Grundsätzen allgemeiner Sittlichkeit am dringendsten bedarf? Aber selbst wenn sie sich dessen entschlagen würde, würde man ihren Äußerungen das Kriterium des »kapitalistischen Geistes« nicht versagen dürfen, wenn sonst die dafür erforderlichen Voraussetzungen vorhanden sind.

Wie wahr es auch immer ist, daß der vom »kapitalistischen

Geist« ergriffene Mensch zur bloßen Erwerbsmaschine herabsinken kann, so braucht doch bei ihm das Motiv keineswegs so isoliert zu sein, daß WEBERS Auffassung vom Wesen des »kapitalistischen Geistes« als erschöpfend und richtig anerkannt werden könnte; wenn sie richtig wäre, so würde es selbst heutzutage wenig genug vom »kapitalistischen Geist« geben, und aus ihm heraus wäre dann nur sehr wenig von dem tatsächlich existierenden Kapital abzuleiten. Die Einengung des Begriffes, wie sie WEBER vornimmt, widerspricht sowohl dem Sprachgebrauch, als auch dem Sachverhalt. Nicht einmal TROELTSCH teilt vollkommen WEBERS Standpunkt. Dieser kennzeichnet den Träger des »kapitalistischen Geistes« dahin, daß er Ostentation und Aufwand scheue, daß er gesellschaftliches Ansehen und bewußten Genuß der Macht verschmähe, daß er nichts von seinem Reichtum habe, als die »irrationelle Empfindung der Berufserfüllung«, was, wenn faktisch in reiner Isoliertheit wirksam, in der Praxis, wie ich fürchte, auf einen ungezügelten Erwerbstrieb hinauslaufen würde, der sich kaum noch von dem unterscheidet, was man sonst Geldgier, Habsucht oder Geiz zu nennen pflegt, also eine »Berufsethik« begründen würde, die der Sittlichkeit ins Gesicht schlüge. Steht es aber mit WEBERS Charakteristik des »Unternehmers neuen Stils« in Einklang, wenn TROELTSCH dem modernen Kapitalismus neben »hartem und brutalem Konkurrenzkampf« auch »agonales Siegesbedürfnis und weltlich triumphierende Freude an des Kaufmanns Herrschgewalt, Arbeit für den Machtgewinn zur Ehre der Menschen« vorwirft? Wenn es nun nach WEBER »Zweck der idealtypischen Begriffsbildung«, wozu ja auch sein Begriff des »kapitalistischen Geistes« gehört, »überall ist, nicht das Gattungsmäßige, sondern umgekehrt die Eigenart von Kulturerscheinungen scharf zum Bewußtsein zu bringen«[8], so darf man wohl doch die Frage stellen: Gehört denn der Verzicht auf Macht und auf alle anderen Motive überhaupt so sehr zur »Eigenart« des »kapitalistischen Geistes«, daß man unter diesem Gesichtspunkt auch nur seinen »Idealbegriff« formen darf?

Wird man den »kapitalistischen Geist« bestimmen wollen,

wie er im Laufe der Geschichte gewirkt hat, wie er noch heute wirkt und stets wirken wird, so wird man sagen müssen: er ist eine Betätigung des Erwerbstriebes, die über die (zwar nicht traditionelle, aber) vom Erwerbenden selbst als notwendig und erstrebenswert erachtete Bedarfsdeckung hinausgreift, die Ansammlung von Kapitalien und nach Möglichkeit ihre weitere gewinnbringende Anlegung verfolgt. Sie kann sich kombinieren (und das ist die Regel) mit anderweitigen Motiven der verschiedensten Art, wie Lebensgenuß, Sorge für die Familie, Streben nach Ehren, Macht, nach Wirksamkeit im Dienst des Nächsten und der Gesamtheit, der Nation und der nationalen Wohlfahrt. Sie kann getragen sein von einer speziellen Berufsethik, kann aber auch im Gegensatz stehen zu allgemeinen ethischen Grundsätzen der Zeit und des Volkes. Die eigentümliche Bewährung im Beruf aber hat bei ihr nicht ihr Kriterium im Verhältnis zur Konsumtion, – jedenfalls nicht in höherem Grade, als das bei anderen Berufen der Fall ist; es ist nur, wie bei diesen, darauf zu achten, daß nicht ein Mißverhältnis zwischen Einnahme und Ausgabe eintritt, und es muß hier speziell der Bedarf eine Grenze an der Bereitstellung der für die Erhaltung und Erweiterung des Betriebes im Rahmen der Rentabilität erforderlichen Mittel finden. Insoweit nicht gegen dieses Postulat verstoßen wird, liegt die Bewährung im kapitalistischen Beruf nicht, um das noch einmal zu betonen, auf dem Gebiet der Konsumtion durch möglichste Einschränkung der Ausgaben, womit die Nützlichkeit des Sparens für Kapitalisten, zumal für den Anfänger, keineswegs geleugnet werden soll, – sondern im spekulativen Kalkül, in der schnellen und sicheren Erfassung der jeweiligen geschäftlichen Konjunktur unter rechenmäßiger Schätzung des Verhältnisses, in welchem die anzuwendenden Mittel zum voraussichtlichen Erfolg stehen. »Kapitalistischer Geist« ist ein Erwerbstrieb, der auf dem Grunde einer spekulativen Veranlagung dieser Art die Ansammlung von Kapital erstrebt. Die theoretischen Disziplinen sind nicht meine Domäne, und ich erhebe keinen Anspruch darauf, daß dieser Definition absolute Geltung zukommt; aber sie kommt gewißlich der Wahrheit näher als der »idealtypische Begriff« WEBERS, und durch ihre Anwendung wird eine richtigere Erkenntnis des historischen Verlaufes bewirkt.

III

Welches war die Stellung CALVINS und des Kalvinismus zum Wirtschaftsleben und insbesondere zum Kapitalismus? Wir erörtern zuerst die des Stifters der Genfer Kirche.

Unzweifelhaft hat CALVIN für eine freiere Betrachtung der ökonomischen Verhältnisse vom religiösen Standpunkt aus gewirkt. Noch LUTHER verharrt bekanntlich bei dem kanonischen Zinsverbot; erst ZWINGLI billigte ein Zinsnehmen innerhalb mäßiger Grenzen, nämlich bis 5 Prozent. Seinem Vorgang schloß sich CALVIN an[9]; ausführlich legte er die Rechtmäßigkeit des Kapitalzinses dar durch den Hinweis auf die Produktivität des Geldes und auf das Opfer, das der Darleiher bringe, indem er zugleich die Ableitung des Zinsverbotes aus der Bibel bekämpfte. Selbst den Geistlichen gestattete er, ihr Vermögen zinstragend anzulegen, nur unter Vermeidung von Ärgernis; er erblickte im Reichtum kein Hindernis für ihre Amtsführung, vielmehr eine sehr erwünschte Steigerung ihres Ansehens.[10] Abweichend von LUTHER betonte er nicht einseitig die Produktivität des Ackerbaus, sondern auch die von Gewerbe und Handel; er verteidigte den Gewinn des Großhandels. Insofern darf man sagen, daß er einer freieren Berufsethik auch für die kapitalistische Unternehmung die Bahn geebnet hat; aber diese sollte doch immer ihre Norm und Grenze an den allgemeinen Vorschriften seiner Ethik finden: die christliche Liebe sollte nicht verletzt und aus dem Zinsnehmen kein Geschäft gemacht werden.[11] Daher umgab er das Zinsnehmen mit zahlreichen Restriktionen, von denen manche der ungehemmten Auswirkung kapitalistischen Geistes nicht gerade günstig waren, z. B. daß der Reiche den Armen nicht deshalb, weil sie ihm zu geringe Sicherheit böten, Darlehen verweigern dürfe, daß der Schuldner mit dem Darlehn ebensoviel gewinnen solle, wie der Gläubiger, daß neben dem privaten Nutzen auch auf das Beste des Staatswesens Rücksicht genommen werden müßte. Man sieht, daß der Spielraum, der durch ihn dem kapitalistischen Geist vergönnt wurde, doch ziemlich beschränkt war.

Man darf die praktische Wirkung der Wirtschaftslehre CALVINS im Gegensatz zu der des Katholizismus und LUTHERS nicht etwa insofern überschätzen, als man daran erst die Entwicklung des kapitalistischen Geistes zu knüpfen versucht. Der Drang der Umstände selbst hatte schon längst die faktische Ausschaltung des Zinsverbotes bewirkt, und CALVIN sanktionierte lediglich für seine Anhänger das förmlich, was praktisch längst geübt wurde. Mit Recht ist darauf aufmerksam gemacht worden, daß in Genf selbst schon vor CALVIN das Zinsnehmen erlaubt und ein Maximum fixiert war, und daß wohl gerade durch diese *Praxis* CALVIN bei der Ausbildung seiner Lehre beeinflußt wurde. Auch war er gegen die Ansammlung großer Reichtümer; er wollte das Volk in Armut erhalten wissen, damit es im Gehorsam bleibe; keineswegs war der wohlhabende Industriestaat sein Ideal: »Das ungünstige, zürnende Urteil, welches er wiederholt über die großen Industrie- und Handelsstädte seiner Zeit, über Venedig und Antwerpen, fällt, beweist zur Genüge, wie wenig er selbst jenes Verdienst für sich in Anspruch nahm, das seine Verehrer im 16. und 19. Jahrhundert ihm zugesprochen haben.«[12] Treffend hat ELSTER CALVINS Bedeutung für die volkswirtschaftliche Entwicklung dahin formuliert: »Vor allem hat er ein Moment im Handel und Gewerbe segensreich zur Geltung gebracht: die Arbeit des sittlichen Menschen. CALVIN hat deutlich darauf hingewiesen, daß nicht allein die physischen und die geistigen, sondern vor allem auch die moralischen Kräfte des Menschen bei der Produktion in hohem Maße mitwirken müssen; immer und immer wieder hat er betont, daß die sittlichen Eigenschaften, daß Fleiß und Ausdauer, Redlichkeit und Gewissenhaftigkeit, wie in allen Handlungen des Menschen, so auch auf wirtschaftlichem Gebiet tätig sein müssen«: die Durchdringung der Arbeit mit dem Geist christlicher Sittlichkeit, – darin liegt das, was in CALVINS Lehre eine Entwicklung des kapitalistischen Geistes und der volkswirtschaftlichen Verhältnisse in kapitalistischem Sinn fördern konnte, aber ihnen auch, im ganzen Zusammenhang seiner Lehre und seines Wirkens, hin und wieder hemmend in den Weg treten mußte. Jedenfalls kann es ganz schiefe Vorstellungen im Leser erwecken, wenn TROELTSCH bei der Erwähnung der kalvinischen Lehre vom Zins bemerkt: »Bei aller Strenge gegen den Wucher ist ein mäßiger Zins, über dessen Höhe die Obrigkeit wacht, ein unentbehrliches Mittel des Gedeihens. So verwendet sich die Genfer vénérable compagnie selbst für Errichtung einer Darleihungsbank, so entstehen die großen Handelskompagnien, die großen Banken und die großen Unternehmer.« Der kausale Zusammenhang, der durch diese Ausdrucksweise zwischen CALVINS Zinslehre und der Entstehung der großen Kompagnien, Banken und Unternehmungen angedeutet wird, ist tatsächlich nicht vorhanden.

Noch fruchtbarer für die ökonomische Entwicklung unter der Ägide des »kapitalistischen Geistes« als CALVINS spezielle Wirtschaftslehre aber war, wie wir hören, die kalvinische Berufsethik wegen des ihr innewohnenden Prinzips der »innerweltlichen Askese«. Wir kommen damit zum Problem der kalvinistischen und überhaupt der altprotestantischen Askese. Schon früher hat man davon gesprochen, daß CALVIN in Genf die Herrschaft der Askese eingeführt, daß das daselbst von ihm gehandhabte Regiment einen asketischen Zug getragen habe. Man dachte dabei vornehmlich an die von ihm geübte strenge Sittenzucht, an seinen Kampf gegen den alt-genfischen Hang zu Luxus und Vergnügungen. Es ist klar, welcher Sinn dem Wort in diesem Zusammenhang beizumessen ist, – der einer gewissen Abwendung von der Welt und ihren Genüssen, einer auf rigoroser Moralität beruhenden Feindschaft gegen Lebensfreude und Genuß der Kulturgüter. Nun ist allerdings zu beachten, daß dieser, wenn man so will, »asketische Zug« in CALVINS praktischer Wirksamkeit in Genf besonders scharf hervortritt, weil es hier den Kampf gegen eine fest eingewurzelte arge Sittenverderbnis galt. An und für sich hielt der Reformator die Freude, selbst an materiellen Genüssen, keineswegs für unstatthaft, sondern sogar in Ansehung, daß es sich um Geschenke Gottes handle, für geboten, insofern sie nur das Übermaß vermeide.[13] Gewiß haften CALVINS Religiosität mit Einschluß seiner Ethik und Berufslehre gewisse pessimistisch-weltflüchtige Züge an, entspringend aus seinem eschatologischen Gedankenkreis[14]; es ist aber mit Recht hervorgehoben worden, daß ihnen im ganzen seiner Religiosität keineswegs eine »herrschende Stellung«, sondern nur eine sekundäre Bedeutung gebührt, und daß auch sie sich dem Hauptbegriff CALVINS sowohl für seine Dogmatik, als auch für seine Ethik unterordnen lassen – nämlich des Dienstes zur Ehre Gottes.

Nicht an eine »Askese« dieser Art denkt WEBER wenigstens zunächst, wenn er den kapitalistischen Geist, wie er ihn versteht, aus der »innerweltlichen Askese« des Kalvinismus hervorgehen läßt. Für ihn ist »Askese«, wie wir wissen, eine rationalistische, d. h. *methodisch* gepflegte und kontrollierte Lebensführung, derzufolge jede Handlung auf Gott bezogen wird; ihr »innerweltlicher« Charakter wird dadurch begründet, daß sie nicht, wie die katholische Askese, aus der Welt flieht, sondern sich im Alltagsleben betätigt. Im allgemeinen übernimmt TROELTSCH, wo er von den Einwirkungen des Kalvinismus auf das Wirtschaftsleben spricht, die WEBERsche Auffassung von der kalvinistischen Askese; doch läßt sich nicht verkennen, daß die WEBERsche Auffassung von der Ansicht vom Wesen der »altprotestantischen Askese«, wie TROELTSCH sie sonst vertritt, erheblich abweicht. Da für den Altprotestantismus wie für den Katholizismus das Jenseits das Wesentliche ist, kommt den irdischen Gütern und Ordnungen, so führt TROELTSCH in seiner Lehre aus, kein Selbstzweck zu; nicht Weltliches hat einen Wert in sich selbst, so daß wir uns nur um seinetwillen daran erfreuen könnten; alles dient nur dem religiösen Zweck; Kunst und Wissenschaft sind nur für die Erbauung oder für den Nutzen. »Mitten in der Welt die Welt zu überwinden; sie haben, als hätte man sie nicht; ihre Werke tun und doch das Herz im Himmel haben; keine besonderen Bedingungen und Umstände für die Heiligkeit suchen, sondern sie im strengsten Ernst unter Schickung in die natürlichen Lebensordnungen betätigen; von der Welt empfangen, was ihr Wesen ist, das Leiden und die Strafe für die Sünde, dagegen an ihr tun, was des Geistes ist, die Selbstverleugnung und Liebe: das ist protestantische Askese.«[15]

Keineswegs deckt sich dieser Begriff der altprotestantischen Askese, wie ihn TROELTSCH entwickelt, vollkommen mit dem WEBERS. Sie stimmen wohl in manchen Punkten überein, aber nicht in allen. Auch TROELTSCH gesteht der protestantischen Askese, weil sie sich im Gegensatz zur katholischen »nicht in einem Leben außer und neben der Welt äußert«, das Prädikat »innerweltlich« zu. Was das Verhältnis der lutherischen zur kalvinistischen innerhalb der gesamt-altprotestantischen Askese betrifft, so führt TROELTSCH aus: Die kalvinische Ethik »ist motiviert wie die lutherische, und ist Berufsethik wie diese; aber ihr ist gelungen, was der lutherischen bei aller Betonung der Freiheit und des Gesinnungscharakters des neuen Lebens wegen ihres beständigen Ausruhens in der Sündenvergebung nicht gelang, die Rationalisierung der Ethik zu einem planmäßigen, zusammenhängenden strengen Ganzen der Lebensführung. ... Die innerweltliche Askese ist hier an sich nicht stärker entwickelt als im Luthertum«; der Unterschied ist nur der: Das Luthertum erduldet die Welt im Kreuz von Leid und Martyrium, der Kalvinist meistert sie zur Ehre Gottes in rastloser Arbeit um der in der Arbeit liegenden Selbstdiziplin und des mit ihr erreichten Gedeihens der christlichen Gemeinde willen. Die lutherische Askese trägt somit einen mehr passiv-resigniert-pessimistischen Charakter; die kalvinische ist erfüllt vom Geist der Aktivität, des Heroismus und der Initiative. Damit gelangen wir zur fundamentalen Differenz zwischen TROELTSCH und WEBER in der Auffassung von der altprotestantischen Askese. Was bei TROELTSCH nur eine Besonderheit der kalvinischen innerhab der gesamtaltprotestantischen Askese ist, nämlich »die Rationalisierung der Ethik zu einem planmäßig zusammenhängenden strengen Ganzen der Lebensführung«, – das ist für WEBER das Kennzeichen jeder, sogar der katholischen Askese. Die Konsequenz seiner Abweichung von der spezifisch TROELTSCHschen Auffassung müßte also darin bestehen, daß er dem Luthertum die Askese abspricht, weil der lutherschen Ethik die Rationalisierung abgeht, d. h., daß er von einer gesamt-»altprotestantischen Askese« im Sinne von TROELTSCH nichts weiß. Und dem ist so in der Tat; beginnt doch WEBERS zweiter Aufsatz mit den Worten: »Die geschichtlichen Träger des asketischen Protestantismus (im hier gebrauchten Sinne des Ausdrucks) sind in der Hauptsache viererlei: 1. der Kalvinismus in der Gestalt, welche er in den Hauptgebieten seiner Herrschaft im Laufe insbesondere des 17. Jahrhunderts annahm, 2. der Pietismus, 3. der Methodismus, 4. die aus der täuferischen Bewegung hervorgegangenen Sekten. Keine dieser Bewegungen stand den anderen absolut gesondert gegenüber, und auch die Absonderung von den nicht asketischen Reformationskirchen ist keine streng durchgeführte.«

Welche Vorstellungsinhalte man aber auch immer auf den Ausdruck »Askese« beziehen möge, es muß geprüft werden, ob die Beziehung eine richtige ist, oder zum mindesten ob sie nicht vielleicht imstande wäre, Mißverständnisse hervorzurufen. Was nun die Behauptung TROELTSCHS von der Existenz einer altprotestantischen Askese im allgemeinen anlangt, so bemerkt LOOFS in der ausgezeichneten Kritik, der er TROELTSCHS Einschätzung der Bedeutung LUTHERS für den Gang der Geschichte unterworfen hat[16], sehr treffend: »Eine Stimmungsdifferenz zwischen altprotestantischem und modern christlichem Empfinden gegenüber der Welt will ich nicht leugnen. Aber sie ist minimal dem gegenüber, daß der Grundton aller lebendigen Frömmigkeit nie der der Diesseitigkeit sein kann.« So ist es auch in der Tat: Jede wahrhaft christliche Religiosität wird den Schwerpunkt der Dinge stets im Jenseits suchen und das Diesseits nur als eine Vorbereitung oder ein Durchgangsstadium nach dem Jenseits ansehen. Ob das nun freilich eine »asketische« Tendenz genannt werden darf, steht dahin; gewißlich ist es eine relative Indifferenz gegenüber dem Irdischen, die allerdings keineswegs den Christen zu hindern braucht, sich sehr aktiv in der Welt zu betätigen, in die er nun einmal gestellt ist. Man kann sogar nicht einmal sagen, daß diese trübe und pessimistisch gefärbte Jenseitsstimmung nur den Vätern des Altprotestantismus, LUTHER und, wie wir aus den früheren Ausführungen wissen, auch CALVIN, zu eigen gewesen sei, daß sie ein Ergebnis der für sie charakteristischen Grundlehre von der allgemeinen Verderbnis des natürlichen Menschen sei. Um zu beweisen, daß die innerweltliche Askese des Altprotestantismus »wahrhafte Askese« sei, weist TROELTSCH auf ihren Gegensatz zur »Geisteswelt der Renaissance« hin. Aber ERASMUS, der Fürst der Renaissance, der von der Erbsündenlehre LUTHERS und CALVINS weit entfernt war, teilte diese pessimistische Jenseitsstimmung »der wirklichen Reformatoren« durchaus; ja es ist sogar neuerdings nachgewiesen worden, daß CALVIN gerade in diesem Punkt, zum mindesten was die Form der Äußerung anlangt, von ERASMUS abhängig ist; man sieht: sie ist das gemeinsame Gut jeglicher christlichen Religiosität im Zeitalter der Reformation, auch der des ausschließlich biblizistisch und moralistisch gerichteten Humanismus. Und auch jede christliche Religiosität der Gegenwart, mag sie sich von den historischen Formen des Bekenntnisses innerlich noch so weit freigemacht haben, wird im Jenseits den wahren Zielpunkt ihres Sinnens und Trachtens, die letzte Bestimmung des menschlichen Lebens erblicken müssen.

Das eben ist die Frage: Was ist Askese? TROELTSCH definiert sie als die »Konzentration alles Handelns auf das Leben in Gott und die Fernhaltung alles Störenden«. Auf dasselbe läuft es hinaus, wenn WEBER unter dem asketischen Lebensstile eine an Gottes Willen orientierte rationale Gestaltung des ganzen Lebens versteht, die beim Kalvinismus von der Bibel normiert ist. Aber darf man das wirklich schon »Askese« nennen? Sehr wohl, wenn man den Ausdruck rein wörtlich nimmt; denn dann bedeutet er »Übung«: Askese wäre dann also eine beständige Übung, gemäß dem Willen Gottes im allgemeinen und im einzelnen gemäß seinen speziellen Geboten, wie sie in der Bibel niedergelegt sind, zu leben und darnach alle Handlungen einzurichten, das natürliche Triebleben also unter die Herrschaft dieses Gesichtspunktes zu stellen. Aber dann wäre die Askese in Ansehung ihrer Geltung für das Laienelement, oder besser gesagt, für die Gesamtheit der Gläubigen nichts, wodurch sich der Altprotestantismus vom Katholizismus unterscheiden würde. Denn auch der katholische Laie muß Gott bei allem seinem Tun und Lassen »vor Augen haben«; auch er ist verbunden, alle seine Handlungen nach Gottes Willen zu richten, wie er in den Satzungen der Schrift, zu deren Auslegung allerdings allein die Kirche befugt ist, und in den Geboten der vom heiligen Geist geleiteten Kirche zum Ausdruck gelangt. Es gibt doch wohl niemanden, der da glaubt, die »doppelte Moral« des Katholizismus gipfle darin, daß der Laie dieser Pflicht enthoben wäre. Wie lax auch immer die Praxis sein möge, die im Leben und auch in der Seelsorge in diesem Punkt wohl geübt worden ist, die kirchliche Lehre hat nie anders gelautet. Nun wird tatsächlich nicht nur in der protestantischen[17], sondern auch in der katholischen Theologie eine Askese gelehrt, die eine bloße »Übung« involviert; es soll nämlich darunter verstanden werden »der Inbegriff alles dessen, was dazu dient, sittliche Vollkommenheit zu erlangen und uns die ewige Auserwählung zu sichern.«[18] Daß der Begriff dieser Askese sich nahe mit dem TROELTSCH-WEBERschen berührt, liegt auf der Hand; auch sie läuft auf die Forderung hinaus, »den alten Menschen auszuziehen und einen neuen anzuziehen nach dem Bilde Gottes«, und sie stellt ein Ideal auf, dem alle, jeder nach Kräften und Gelegenheit, nachstreben sollen. Dabei ist freilich immer noch zu beachten, daß die Askese selbst in dieser Fassung des Begriffes für den Katholizismus nicht etwa die Voraussetzung für die Erlangung des Heils, sondern nur ein Mittel zu seiner Beförderung ist; sie ist keineswegs ein Praeceptum, das alle verpflichtet. Aber nicht in diesem weiteren Sinne, der alles Handeln umfaßt, das die Erwerbung sittlicher Vollkommenheit zum Ziel hat, fassen wir das Wort, wenn wir von »katholischer Askese« als historischer Erscheinung sprechen, sondern im engeren Sinne eines auf Erlangung der Seligkeit durch freiwillige Enthaltung von weltlichen Gütern und Genüssen, ja sogar vollkommene Ertötung aller sinnlichen Empfindungen gerichteten Handelns, dessen konsequenteste Ausgestaltung sich in der Befolgung der drei evangelischen Räte, in der daraus folgenden Weltflucht und in dem darauf basierenden Mönchtum darstellt. Sie tritt auf mit dem Anspruch, als eine Sittlichkeit höherer Ordnung zu gelten; sie verlangt daher nicht nur Beherrschung des Trieblebens durch beständige Selbstkontrolle nach Gottes Willen, sondern seine vollkommene Unterdrückung nach verschiedenen Richtungen, und zwar in der Voraussetzung, daß dadurch ein besonderes Verdienst erworben werde, dessen man zwar nicht zur Seligkeit bedarf, das sie aber mit besseren Garantien zu umgeben vermag, höheren Lohnes seitens des ewigen Richters versichert.[19]

Die Unterschiede zwischen dieser katholischen und der kalvinistischen Askese WEBERS liegen auf der Hand, und WEBER verkannte sie keineswegs. Diese betätigt sich in der Welt, ist daher »innerweltlich« und ist auch allen Christen vorgeschrieben; jene flieht die Welt und ist eine Sondermoral; sie gipfelt endlich, was ihre höchste Form, das Mönchtum, die »Religiosität« κατ' ἐξοχήν des Mittelalters, die Lebensführung der viri religiosi, der eigentlichen »Asketen« anlangt, in der Unterdrückung des Trieblebens infolge der drei evangelischen Räte, deren einer ja auch für den Weltklerus gilt und daher auch ihn zu einem höheren Stande christlicher Vollkommenheit erhebt. Und vor allem: es fehlt der »kalvinistischen Askese« nicht nur der Charakter eines besonderen Verdienstes, sondern auch – im Zusammenhang mit der ganzen Rechtfertigungslehre des Protestantismus – überhaupt der Charakter eines Verdienstes, das zur Erlangung der göttlichen Gnade behilflich sein könnte; sie ist die alle Christen ohne Ausnahme und mit ganz derselben Kraft verpflichtende Norm und insofern (abgesehen von den graduellen Unterschieden, die unzweifelhaft vorhanden sind) qualitativ das Gegenstück nicht zur »katholischen Askese« im eigentlichen Sinn, sondern zur allgemeinen Moral des Katholizismus, wie sie für alle seine Mitglieder, für »asketisch« und »nicht asketisch« lebende, verbindlich ist, d. h. im wesentlichen zu seiner spezifischen Laienmoral.

Solche Differenzen, so sollte man meinen, müßten geeignet sein, Bedenken gegen die Heranziehung des Namens »Askese« für die protestantische Berufsethik zu erwecken. Aber Weber kennt ein Moment der Gleichartigkeit zwischen katholischer und kalvinistischer Askese, dem gegenüber alle Unterschiede in den Hintergrund treten müssen: es ist dies der »rationale Zug«, der beiden zu eigen ist. Die protestantische Ethik ist ja nichts weiter als rationalisierter Lebensstil, orientiert an Gottes Willen, und andererseits trägt ja »die christliche Askese in ihren höchsten Erscheinungsformen bereits im Mittelalter durchaus diesen rationalistischen Charakter: sie ist im Prinzip schon in der Regel des hl. Benedikt, noch mehr bei den Kluniazensern und Zisterziensern, am entschiedensten endlich bei den Jesuiten, emanzipiert von planloser Weltflucht und virtuosenhafter Selbstquälerei. Sie ist zu einer durchgebildeten Methode rationaler Lebensführung geworden. ... Die unbedingte Selbstbeherrschung (die sie vom Mönche fordert) ist, wie das Ziel der exercitia des hl. Ignatius und der höchsten Formen rationaler mönchischer Tugenden überhaupt, so auch das entscheidende praktische Lebensideal des Puritanismus«. Nun ist es einerseits zweifelhaft, ob Rationalisierung der Lebensführung, »Abgrenzung gegen Planlosigkeit«[20], durch stetige Orientierung an Gottes Willen, bereits Askese ist, ob daher die kalvinistische Ethik überhaupt als Askese gelten darf, und andererseits ist die »Rationalisierung« keineswegs ein konstitutives Merkmal der katholischen Askese; mit einer solchen haben wir es vielmehr auch schon dann zu tun, wenn durch Weltflucht ein besonderes Verdienst erworben werden soll, auch dann, wenn sie »planlos« und mit »virtuosenhafter Selbstquälerei« verbunden ist. Unter Rationalisierung wird eben in beiden Fällen etwas ganz verschiedenes verstanden: bei den Kalvinisten systematische Regulierung der gesamten Lebenshaltung aller, bei den Katholiken Mäßigung in Kasteiung und Selbstpeinigung durch Vermeidung überflüssigen, physisch und psychisch aufreibenden Extrems und also zweckmäßige Regulierung der Askese, die eine nur für Einige gültige Sondermoral ist. Es geht mit dem Ausdruck »Rationalisierung« wie mit dem der »Askese«; man muß sich hüten, sie auf wesentlich verschiedenartige Objekte zu beziehen; oder wenn man es tut, so muß man sich des Unterschiedes der Bedeutungen bewußt bleiben: sonst läuft das ganze Verfahren, wenngleich es sich anscheinend nur um Fragen der Nomenklatur handelt, darauf hinaus, eine gewisse Unsicherheit in der Begriffsbestimmung zu begünstigen, durch den Gleichklang des Namens grundlegende Unterschiede zu verwischen.

Man kann nicht einfach sagen: der Altprotestantismus übernahm vom mittelalterlichen Katholizismus die Askese, nur daß er an die Stelle von Selbstpeinigung und Weltflucht die Berufsarbeit setzte. Das wäre eine Verdrehung des geschichtlichen Herganges. Die Askese des Mittelalters war eine Sondermoral, die der Protestantismus nicht übernommen, sondern verworfen hat. Er hat vielmehr die allgemeine christliche Ethik, wie sie für jedermann ohne Ausnahme galt, nach bestimmten Richtungen fortgebildet. Dazu gehörte es, daß die Berufslehre auf einem neuen Fundament aufgebaut wurde, indem die Arbeit eine neue Wertung erhielt, indem sie zur höchsten sittlichen Betätigung des Menschen erklärt und allen zur Pflicht gemacht wurde. Gewiß weist die kalvinistische Ethik in Lehre und Praxis verschiedene Züge der Abgewandtheit von der Welt und der Feindseligkeit gegen bestimmte Kulturgüter auf. Man kann sie »asketisch« nennen, weil sie bereits inhärente Bestandteile der mittelalterlich-katholischen Askese waren; aber sie begründen noch keine Askese als ausgeprägten Stil der ganzen Lebensführung, solange nämlich nicht damit prinzipielle Weltflucht und die Absicht eines besonderen Tuns verbunden sind. Wenn sowohl im Luthertum wie auch im Kalvinismus die Arbeit zur Mortifikation des Fleisches verlangt wird, wie z. B. LUTHER sagt, daß die Arbeit »für den Menschen seine Übung sein solle in diesem Leben, das Fleisch zu zwingen«, – so wird dadurch keine Brücke zur mittelalterlichen Askese geschlagen; denn in eben diesem Sinn muß auch der katholische Laie sein »Fleisch töten«. Die sog. »asketischen« Züge des Kalvinismus: – sie entstammen teils den eschatologischen Bestandteilen seiner Lehre, teils sind sie Eigentümlichkeiten, die sich, wie bei den Hugenotten und den Kirchen »unter dem Kreuz« insgesamt, unter dem stetigen harten Druck der Leiden und Verfolgungen um Christi Willen entwickelt haben. Teils sind sie, wie im Genf CALVINS selbst und im englischen Puritanismus, Äußerungen eines moralischen Rigorismus, der auf allen mit gleichem Zwang lastete. Wenn man aber die kalvinistische Berufsethik »Askese« nennen will, so darf man nie vergessen, daß sie mit der katholischen Askese, deren konsequentester Ausdruck das Mönchtum ist, durchaus inkommensurabel ist, indem sie mit ihr nichts gemeinsam hat als den Namen, so daß man am besten täte, ihn fallen zu lassen.

IV

Welches nun ist der Zusammenhang des »kapitalistischen Geistes« der Gegenwart, wie man ihn auch immer verstehen möge, mit der »innerweltlichen Askese« oder, unzweideutig gesagt, mit der Berufsethik des Kalvinismus? Und welches war überhaupt der Einfluß des Kalvinismus auf die Entwicklung des Kapitalismus?

Es kann kein Zweifel darüber obwalten, daß zwischen Kalvinismus und Kapitalismus innere Beziehungen bestehen; es gilt eben, quellenmäßig den Nachweis ihrer Existenz zu führen, sowie ihre besondere Art und ihren Umfang zu ermitteln. Mit dieser Aufgabe aber haben es sich WEBER und TROELTSCH ziemlich leicht gemacht. WEBER zeigt wohl, wie wir wissen, an der Hand BAXTERS, daß bei den Puritanern des 17. Jahrhunderts das Streben nach Reichtum zu Gottes Ehre und zum

Nutzen der Gesamtheit unter Verbot des Ausruhens zum Zweck des Genusses als religiös-ethische Maxime gepredigt wurde, und er fügt hinzu: »die religiöse Wertung der rastlosen, stetigen, systematischen weltlichen Berufsarbeit als schlechthin höchsten asketischen Mittels und zugleich sicherster und fruchtbarster Bewährung des wiedergeborenen Menschen und seiner Glaubensechtheit mußte ja der denkbar mächtigste Hebel der Expansion jener Lebensauffassung sein, die wir hier als ›Geist des Kapitalismus‹ bezeichnet haben«. Aber wir müssen uns begnügen mit dieser Versicherung, daß es so sein »mußte«. Wir vermissen eine eingehende und zusammenhängende Prüfung des Sachverhalts in den einzelnen Ländern, die unter der Herrschaft des Kalvinismus standen, – nämlich ob und inwieweit der hier schließlich vorhandene Kapitalismus und hier wirksame kapitalistische Geist ihre Wurzel in der kalvinistischen Berufsethik, im Streben nach Reichtum zu Gottes Ehre haben. Indem WEBER vom Einfluß des Kalvinismus auf die Kapitalbildung spricht, bemerkt er nur: »Wie stark diese Wirkung gewesen ist, entzieht sich ziffernmäßig naturgemäß jeder exakten Bestimmung.« Immerhin hätte der Versuch einer approximativen Schätzung wohl gemacht werden können.

Aber nicht nur spärlich und unzulänglich sind die Angaben von WEBER und TROELTSCH über den Einfluß des Kalvinismus auf die kapitalistische Entwicklung, sondern auch oft zweideutig, unbestimmt und widerspruchsvoll. Was den Geltungsbereich dieser Einwirkung anbelangt, so handelt es sich nach WEBER vornehmlich um das puritanische England und Neu-England, um das hugenottische Frankreich und bis zu einem gewissen Grade um Holland. Bei TROELTSCH lesen wir: »Der Kalvinismus schafft gerade durch seine rationale Anspannung der Arbeitsleistung ohne genießende Hingabe an den Arbeitsertrag den Boden für die kommende Blüte des Kapitalismus, der von Holland, dem hugenottischen Frankreich und vor allem von England und Amerika ausgeht.« Hiernach muß doch dem Kalvinismus zum mindesten eine vorbereitende Rolle für die kapitalistische Entwicklung in Holland und im hugenottischen Frankreich zugeschrieben werden. Und ähnlich sagt er an einer anderen Stelle: »Auf diesem Boden (sc. der kalvinistischen Askese) ist denn auch der hugenottische, holländische, englische und amerikanische Frühkapitalismus entstanden, und mit ihm hängt heute noch in dem kalvinistischen Amerika und Schottland sowie bei den englischen Dissenters der Hochkapitalismus ersichtlich (!) zusammen.« Damit stimmt es nun freilich keineswegs überein, wenn es an einem dritten Ort heißt: »Immerhin aber ist aus dieser allgemeinen Disposition (nämlich der kalvinistischen Askese) die eigentlich kapitalistische Gesinnung nur im englischen Puritanertum und in den kleinen, von der Welt sich trennenden asketischen Gemeinschaften entstanden, die bei der Trennung von der Welt neben der Religion nichts als die ökonomische Arbeit überbehielten. Hier bildete sich jener Geschäftsgeist, der die rationale, arbeitsteilige Wirtschaft, die systematische Ausnützung der Zeit, möglichste Steigerung des ehrlichen Gewinnes und Verwertung für allgemeine Zwecke zur Aufgabe des frommen Christen und guten Bürgers machte und eben damit freilich auch Gott von der Höhe des prädestinierenden Weltwillens herabzieht auf das Niveau des die Berufstreue seiner Erwählten mit irdischem und jenseitigem Segen lohnenden Arbeitgebers. Gegenüber dem alten Genfer Kapitalismus ist das mit seiner Werkheiligkeit, seiner Gesetzlichkeit und seiner Messung mit Geschäftsmaßstäben freilich eine starke Veräußerlichung. ... In Genf selbst, in dem immer zugleich stark politisch und intellektuell interessierten Hugenottismus, in dem arminianisch gesinnten und der Renaissancebildung erliegenden Reichtum Hollands und vollends in dem agrarisch-aristokratischen Ungarn ist diese Entwicklung nicht eingetreten. Dagegen hat sie allerdings den Charakter der englisch-amerikanischen Welt durchgreifend bestimmt.« Mit anderen Worten: nur in der englisch-amerikanischen Welt hat sich die Säkularisation der reformierten »Berufs-Askese« vollzogen, und nur hier ist als Produkt dieses Prozesses die Entstehung und Ausbildung des »kapitalistischen Geistes« zu konstatieren.

Ist es möglich, sich nach solchen Äußerungen eine klare, widerspruchslose, alle wesentlichen Momente umfassende Vorstellung von der Einwirkung der reformierten Berufsethik auf die ökonomische Entwicklung derjenigen Gebiete zu machen, die unter dem Zeichen der Lehre des Genfer Reformators standen? In Genf selbst müßte man nach den letzten Ausführungen von TROELTSCH auf der kalvinistischen Vorbereitungsstufe geblieben sein, ohne daß der Übergang zum kapitalistischen Geist vollzogen worden wäre; eben dasselbe müßte der Fall sein bei den französischen Hugenotten. Nun hat Frankreich eine beträchtliche Entwicklung von Handel, Industrie und Kapitalismus schon vor dem Auftreten des Hugenottentums, gerade im Jahrhundert von 1450 bis 1550, vornehmlich unter der Ägide LUDWIGS XI., zu verzeichnen; ich erinnere nur an JACQUES COEUR aus Bourges, an den großen Aufschwung der Seiden- und Metall-Industrie, an die Börse von Lyon. Alles das nun hat sich vollzogen, ohne daß dabei »kapitalistischer Geist«, oder wenigstens der richtige, im Sinne WEBERS, irgendwelche Rolle gespielt hätte! Und dasselbe gilt vom Kapitalismus Frankreichs im 18. Jahrhundert, an dessen Existenz doch, wenngleich die französische Volkswirtschaft durch das tyrannische Vorgehen LUDWIGS XIV. gegen die Hugenotten aufs schwerste geschädigt wurde, nicht gezweifelt werden kann: denn in Frankreich hat sich ja die kalvinistische Askese nicht zum kapitalistischen Geist säkularisiert, und wenn ihn die nicht hugenottischen Kapitalisten nicht von ihren hugenottischen Berufsgenossen rezipieren konnten, woher dann? Aber noch gibt es einen Ausweg! War nicht LAW von Herkunft schottischer Kalvinist? Also hat er den »asketischen Lebensstil« des »Unternehmers neuen Stils« in Frankreich importiert und das Frankreich des 18. Jahrhunderts damit infiziert?

Das allergrößte Rätsel bietet Holland. Wie wir sahen, kommt hier dem Kalvinismus nach TROELTSCH eine vorbereitende Bedeutung zu: zum mindesten ist der holländische »Frühkapitalismus« auf dem »Boden« der kalvinischen Askese entstanden. An einem andern Ort aber lehrt er, daß sich diese hier nicht zu »kapitalistischem Geist« umgebildet habe, weil Hollands Reichtum arminianisch gesinnt war und der Renaissancebildung erlag (!). Wie reimt sich das zusammen? Wenn man diese Angaben in einen vernünftigen Zusammenhang bringen will, muß man die folgende Entwicklung konstruieren: zuerst entsteht in Holland auf Grund der kalvinistischen Berufsethik der Frühkapitalismus; sie aber stirbt ab, ohne aus sich heraus den »kapitalistischen Geist« zu gebären: also ist der »Reichtum« Hollands beim Auftreten des Arminianismus, zu Anfang des 17. Jahrhunderts, nicht das Produkt des »kapitalistischen Geistes«, d. h. ohne dessen Zutun ist Holland schließlich zum Hochkapitalismus gelangt. Etwas anders denkt sich WEBER den Verlauf. Auch er läßt den Kapitalismus oder wenigstens den »kapitalistischen Geist« in den Niederlanden mit dem Eindringen des Kalvinismus, also in der Periode des Abfalls von Spanien, einsetzen. Denn ausdrücklich spricht er einmal[21] »Flandern« vor der Reformation den »kapitalistischen Geist« direkt ab, während er eine Äußerung (wenn ich nicht irre) GOTHEINS heranzieht: »Schon die Spanier wußten, daß die ›Ketzerei‹ (d. h. der Kalvinismus der Niederländer) den Handelsgeist befördere.« Aber er läßt die Wirkung des kalvinistischen Geistes hier länger dauern als TROELTSCH und schreibt ihm einen größeren Einfluß auf die Kapitalbildung zu: »Auch in dem vom strikten Kalvinismus aus sieben Jahre (sc. von 1618 bis 1625) wirklich beherrschten Holland führte die in den religiös ernsteren Kreisen herrschende größere Einfachheit des Lebens bei enormen Reichtümern zu einer exzessiven Kapitalaufsammlungssucht«; er schränkt aber selber seine Behauptung wieder ein, indem er eine Anmerkung hinzufügt: »daß diese Kreise aber in den Niederlanden rasch abnahmen, zeigt BUSKEN-HUËTS Darstellung.«

Stimmen die Mitteilungen von TROELTSCH und WEBER über den Gang der Dinge in Holland nicht völlig untereinander selbst überein, so noch viel weniger mit dem historischen Tatbestand. Die Geschichte des holländischen »Frühkapitalismus« läßt sich nur begreifen im Zusammenhang mit dem der Niederlande überhaupt; denn der holländische Kapitalismus um die Wende vom 16. zum 17. Jahrhundert ist nur zum Teil bodenständig, zum Teil stammt er aus südniederländischer Einwanderung. Der niederländische Kapitalismus im allgemeinen aber ist entstanden vor dem Eindringen des Kalvinismus, dann also freilich nach WEBER ohne Mitwirkung »kapitalistischen Geistes«. Erst neuerdings hat PIRENNE gezeigt[22], wie eben damals im ländlichen Textilgewerbe Flanderns, in der nieuwen draperie, die moderne industrielle Großunternehmung, die freie Konzentration von Kapital und Arbeitskräften emporblühte, wie der Kapitalismus um dieselbe Zeit die ökonomischen und sozialen Verhältnisse Amsterdams und Hollands umformte, lernen wir aus RAVESTEYN kennen[23]: hier ist – ganz abgesehen von der Antwerpener Börse – der niederländische »Frühkapitalismus« zu suchen; er ist jedenfalls aufgetreten, ehe Einflüsse kalvinistischen Geistes spielten. PIRENNE führt in seiner ausgezeichneten Geschichte Belgiens[24] die Ausbreitung des Kalvinismus gerade darauf zurück, daß hier bereits der Kapitalismus zur Aufnahme gelangt war; er betrachtet das Aufkommen des Kalvinismus als eine Wirkung der Existenz des Kapitalismus, der hier auf dem Grunde einer weiten Ausdehnung der soeben erst geschaffenen Hausindustrie besonders schnell und kräftig gedieh. Trotzdem – noch fehlte dieser neuen Hausindustrie, diesem jugendfrischen Kapitalismus der echte «kapitalistische Geist«? Betrachten wir die Zusammensetzung der Kapitalistenklasse beim Ausbruch des Aufstandes, so finden wir, daß sich ihre Mitglieder aus allen Bekenntnissen rekrutierten. Wohl ist es wahr, daß sich viele von ihnen, zumal die flandrischen Großunternehmer und die in Antwerpen sitzenden Marranos (judenchristlicher Herkunft) dem Kalvinismus anschlossen: aber erwachte in ihnen der kapitalistische Geist erst aus diesem Anlasse? Die größten Kaufleute und Bankiers Antwerpens sind katholisch, allerdings von einer stark indifferenten Färbung. Amsterdam, die Hochburg des speziell holländischen Kapitalismus, hat sich von den Städten Hollands am längsten auf der spanischen Seite gehalten, und zwar gerade deshalb, weil die damals herrschende Vroedschap, d. h. derjenige Teil der kaufmännischen Aristokratie, der die Stadt regierte, katholisch war. Politische Momente, die im Zusammenhang mit dem Abfall standen, brachten es zuwege, daß zum Ende des 16. Jahrhunderts die kapitalistische Entwicklung in den Südprovinzen zum Stillstand kam, in den sich befreienden nördlichen Landschaften aber bestehen blieb und enorme Fortschritte machte. Wir können hier nicht näher auf die wechselseitige Beeinflussung des religiösen und wirtschaftlichen Elementes in der niederländischen Geschichte um die Wende des 16. und 17. Jahrhunderts eingehen, sondern nur eines konstatieren: der holländische Kapitalismus dieser Epoche ist keineswegs als etwas spezifisch Kalvinistisches anzusehen. Im wesentlichen lebte in der Kapitalistenklasse, auch nachdem sie sich förmlich dem Kalvinismus angeschlossen hatte, der alte Geist relativer konfessioneller Indifferenz weiter; Abweichungen davon sind zum guten Teil wirtschaftlichen Momenten, dem Gegensatz zwischen den bodenständigen Elementen und den eingewanderten Südniederländern und den Konkurrenzkämpfen zwischen den einzelnen Kapitalistenkliquen zuzuschreiben, in welchen die ostindische Kompagnie eine sehr wichtige Rolle spielte. Mit diesen Konkurrenzkämpfen hängt es zusammen, wenn eine gewisse kleine Amsterdamer Kapitalistengruppe, »teils aus ausgesprochener Profitsucht, teils ihre privaten Interessen hüllend in eine religiöse Maske«, sich mit der kalvinischen Orthodoxie verband und bewirkte, daß die Stadt Amsterdam von der Mehrheit der holländischen Stände abschwenkte und sich mit dem Prinzen Moritz verbündete: so wurde der sogenannte »Sieg« der Orthodoxie über die Arminianer bewirkt; sie verdankt ihn ganz und gar nicht eigener Kraft, sondern nur einer Allianz mit Machtfaktoren, nämlich dem Statthalter und einer Kapitalistenklique, die mit ihr nichts gemein hatten, die dabei ihre Sonderziele verfolgten und sich ihrer nur als Waffe zur Vernichtung zufällig gemeinschaftlicher Gegner bedienten; daher konnte ihr der »Sieg« auch keine Früchte von Dauer bringen. Man denke auch an das kurzsichtige Eifern der Prediger gegen den Handel der einheimischen Kaufmannschaft mit Spanien und den spanischen Niederlanden: sollte nicht der wahre »kapitalistische Geist« auf der Seite derer sein, die, wie ihnen die Glaubensstrengen vorwarfen, um ihres Handelsgewinnes willen nicht nur das Vaterland, sondern auch Gott verrieten? Wenn WEBER die Äußerung der Spanier, die »Ketzerei begünstige den Handelsgeist«, so interpretiert, daß er »Ketzerei« gleichsetzt mit Kalvinismus, so wird dadurch nur bewiesen, daß er von der eigentlichen Art der holländischen »Ketzerei« wenig weiß. Jedenfalls ist für das erste Auftreten eines wahren Großkapitalismus in einem Land offiziell kalvinistischer Observanz Entstehung und Ausbildung aus dem Geist spezifisch kalvinistischer Religiosität heraus im wesentlichen nicht nachweisbar. Und jedenfalls kalvinische Askese, auch im Sinne einer Abwendung von der Welt, ihrer Kultur, ihren Gütern und ihren Genüssen, hatte in Holland keine Stätte gefunden. In vollstem Maß hat sich hier Reichtum mit unbeschränktem Lebensgenuß verbunden: davon legt jedes Blatt der holländischen Kultur- und Sittengeschichte sprechendes Zeugnis ab. Eben darum und wegen der Art seiner Entstehung muß somit WEBER dem holländischen Kapitalismus den »kapitalistischen Geist« absprechen: wir haben somit den merkwürdigen Fall einer großartigen kapitalistischen Kultur, der aber leider der »kapitalistische Geist« mangelt.

Noch bleiben England und die Vereinigten Staaten von Nordamerika übrig, und TROELTSCH gibt ja in der Tat zu, daß sich hier allein »durchgreifend« die Einwirkungen der kalvinistischen Askese auf die wirtschaftlichen Verhältnisse geäußert haben. Für das englische Puritanertum hat WEBER den Nachweis geführt, daß in ihm die kalvinistische Berufsethik in einer Richtung fortgebildet oder präzisiert worden ist, die den kapitalistischen Geist, wenngleich nicht zu erzeugen, aber religiös zu legitimieren und dadurch zu befördern geeignet war. Aber das ist ein noch ungelöstes Problem: welches ist der Anteil des Puritanismus an der Entwicklung von kapitalistischem

Geist und Kapitalismus in England? Zweifellos hat sich der englische Wohlstand im 17. Jahrhundert ungemein gehoben, nicht nur der Handel, sondern auch, zumal in den letzten Zeiten der Stuarts, die Industrie; es lag weiterhin die Stärke des Dissentertums im städtischen Gewerbestand und in der seefahrenden Bevölkerung, wie auch dazu zahlreiche Kaufleute und Kapitalisten gehörten. Die Wahrscheinlichkeit ist also sehr groß, daß auch die kalvinistische Berufsethik der Entwicklung kapitalistischen Geistes und der Kapitalbildung Vorschub geleistet hat. Aber wer kann sagen, ob für die Träger der kapitalistischen Entwicklung Englands im 17. Jahrhundert, insofern sie Puritaner oder Quäker waren, das spezifisch religiöse Moment, das Streben nach Bewährung im Beruf zur Ehre Gottes, das eigentlich treibende Motiv war? Zum mindesten konnte es sich sehr wohl mit anderen Beweggründen kombinieren, – oder ihnen auch als sehr willkommene Verbrämung dienen; ich erinnere nur an die Ausführungen Webers selbst, wie schnell sich bei ihnen das »pharisäisch-gute Gewissen« beim Gelderwerb herausgebildet habe, daß sie »recht oft zur Verleugnung der alten Ideale bereit waren«. Er setzt auseinander, wie ihre »Askese« zwar Luxus und Lebensgenuß perhorresziert, ihnen aber keineswegs Kasteiung auferlegt habe, sondern Gebrauch ihres Besitzes für notwendige und praktisch nützliche Dinge im Sinne des »comfort«: »Dem Flitter und Schein chevaleresken Prunks ... setzten sie die saubere und solide Bequemlichkeit des bürgerlichen home entgegen.« Ich fürchte, daß sich im allgemeinen die Grenze zwischen dem Komfort des »bequemen home« und dem behaglichen Lebensgenuß, den doch sowohl die reformierte Berufsethik als auch der auf alle »eudämonistische und hedonistische« Lebensführung verzichtende Unternehmer »neuen Stils« verschmähen, in der Praxis sehr schwer wird ziehen lassen. Und jedenfalls würde es auf die Kraft des religiösen Grundmotivs ein sehr bedenkliches Licht werfen, wenn der kapitalistische Geist in seiner, nunmehr direkt dem ganzen Geist des Protestantismus widersprechenden Gestaltung wirklich durch eine so schnelle und vollständige Säkularisation reformierter Berufsethik hervorgegangen wäre.

Nur eine Episode in der politischen Geschichte Englands war die volle Herrschaft des Puritanismus, und keineswegs ist die Frage vollkommen spruchreif, welches seine Bedeutung für die englische Wirtschaftsgeschichte ist, ob er auch auf diesem Gebiet jemals eine so absolute Herrschaft ausgeübt hat, wie das nach WEBER der Fall sein müßte. Daß der »Kapitalismus« als solcher in England älter ist als das Puritanertum, wird auch WEBER nicht leugnen wollen. Eine ganz unbewiesene Behauptung ist es jedenfalls, wenn TROELTSCH bezüglich des englischen Kapitals nicht-puritanischer Provenienz bemerkt: der »mit der lutherischen und katholischen Ethik vielfach näher verwandte Anglikanismus« habe sich schließlich dem vom kalvinischen Berufsstil geschaffenen »kapitalistischen Geist geöffnet«. Das heißt einfach, die Dinge auf den Kopf stellen. Da soll doch erst gezeigt werden, daß der Geist, der einen THOMAS GRESHAM und die merchant adventurers im Zeitalter der ELISABETH beseelte, ein anderer war als der der hochkirchlichen Kapitalisten der nachpuritanischen Zeit, daß der Geschäftsgeist des Kaufmannsstandes anglikanischen Bekenntnisses durch puritanische Einflüsse wesentlich modifiziert worden ist. Solche Konstruktionen, die aller quellenmäßigen Begründung entbehren, können nicht mehr als wirkliche Geschichtsforschung gelten. Im übrigen ist es bekannt, daß die Hauptexpansion des englischen Kapitalismus im Zusammenhang mit der kolonialen Entwicklung und dem enormen Wachstum der Industrie in eine spätere Zeit fällt, d. h. für England in das Zeitalter eines undogmatisch-moralistisch gerichteten Christentums, der Vorherrschaft des Rationalismus in Theologie und Predigt, der Durchdringung der englischen Kirche mit einem weitgehenden Latitudinarismus, der Geltung von Skepsis und Deismus in den führenden, auch in kapitalistischen Schichten der Gesellschaft. WEBER würde nun freilich sagen: das eben ist ja die Wirkung der Säkularisation der »innerweltlichen Askese des Puritanismus«; wir glauben, daß die Existenz des kapitalistischen Geistes und Kapitalismus in England auch ohne dieses Moment zu begreifen ist, wenngleich wir keineswegs seinen Einfluß leugnen wollen. Und wenn er erklärt, daß »die Macht puritanischer Lebensauffassung wesentlichster und einzig konsequenter Träger der Tendenz bürgerlicher, ökonomisch-rationaler Lebensführung war« und daher »an der Wiege des modernen Wirtschaftsmenschen stand«, so werden wir das als eine Übertreibung kennzeichnen müssen. Denn das, was WEBER als die Eigenart des »modernen Wirtschaftsmenschen« ansieht, ist keineswegs ein konstitutives Merkmal des kapitalistischen Geistes, und dieser ist keineswegs aus der reformierten Berufsethik hervorgegangen. Wohl war ein Zusammenwirken beider imstande, die kapitalistische Entwicklung vorwärts zu treiben; in welchem Grade das geschehen ist, bedarf freilich noch näherer Untersuchung.[25]

Als ein besonders beweiskräftiges Beispiel für die Richtigkeit ihrer These führen WEBER und TROELTSCH die englischen Kolonien in Nordamerika an. WEBER erklärt geradezu den Zustand der puritanischen Neu-England-Kolonien mit ihren Eisenwerksgesellschaften und ihrer Tuchweberei, mit ihrer hohen Blüte des Handwerks schon in der ersten Generation nach der Gründung, rein ökonomisch betrachtet, als Anachronismen, die im Gegensatz zum katholischen Maryland, dem episkopalischen Süden und dem interkonfessionellen, völlige Gewissensfreiheit genießenden Rhode-Island stünden. Wenn sogar die »hohe Blüte des Handwerks« für die kraftvolle Existenz »kapitalistischen Geistes« zeugen soll, so muß man ja wohl, um das nebenbei zu bemerken, auch das deutsche Mittelalter als eine »Glanzzeit kapitalistischen Geistes« ansehen. Im übrigen scheint mir das Urteil WEBERS allzu optimistisch gefärbt.[26] Über die Eisenindustrie hören wir für die zweite Hälfte des 17. Jahrhunderts, daß ihre Entwicklung den großen Bemühungen der ersten Ansiedler[27] nicht entsprach; ähnliches gilt von der Industrie insgesamt.[28] Von einer auch noch so schwachen Entfaltung des Kapitalismus kann nicht die Rede sein; machte sich doch noch lange der Mangel an barem Gelde fühlbar; der Naturalaustausch der Produkte überwog; es herrschte fast noch das System der Naturalwirtschaft.[29] Irgendwelche nennenswerten Vermögen waren im 17. Jahrhundert noch nicht vorhanden.[30] Die industrielle und die kapitalistische Bewegung setzten in den amerikanischen Kolonien Englands im wesentlichen erst im 18. Jahrhundert ein, als auch hier bereits der Rationalismus eingedrungen war[31], und man kann auch gar nicht behaupten, daß die puritanische Orthodoxie an ihnen einen besonders hervorspringenden Anteil gehabt hätte: das wird ein Überblick über die Lage der einzelnen Kolonien beim Ausbruch des Aufstandes erweisen.[32]

Am strengsten hatten sich puritanische Orthodoxie und Sittenstrenge erhalten in den Staaten Neu-Englands; aber sie waren vorwiegend agrarisch gerichtet, und man sagte von ihnen, es gäbe keinen anderen Fleck auf Erden, wo so wenig Reichtum und so wenig Armut zu finden sei. Äußerste Armut war unbekannt; »dagegen stellte es Burke, der amerikanisches Leben vorzüglich kannte, in Frage, ob in Massachusetts oder Connecticut zwei Personen zu ermitteln seien, die imstande wären, wenn sie nicht auf ihren Gütern lebten, jährlich 1000 Pfund auszugeben«. Wo sind denn da die kapitalistischen Wirkungen »innerweltlicher puritanischer Askese«? New Yorks Handel blühte nach dem Pariser Frieden kräftig auf, »und große Kapitalien wurden aufgehäuft; aber in der Stadt herrschte weniger Sittenstrenge und mehr Üppigkeit, als in Neu-England«. Der Kapitalismus tritt somit hier auf, aber keineswegs im Gefolge und als Wirkung puritanischer Einfachheit und puritanischen Sparzwanges. New York wird also kapitalistisch und zu einem der Hauptträger kapitalistischer Entwicklung in Amerika; aber es entbehrt des »kapitalistischen Geistes«, sei es in der religiös-ethischen Prägung des Kalvinismus, sei es, da wir ja auch hier nichts von den »idealtypischen« Eigenschaften des modernen Kapitalismus finden, im Sinne einer inzwischen erfolgten Säkularisation! Am wichtigsten von den Mittelstaaten war die industrielle Kolonie Pennsylvanien. »Ein fruchtbarer Boden, ein großer Reichtum an Mineralien, eine für den Handel ausnehmend günstige Lage und eine wunderbar energische und betriebsame Bevölkerung hatten zur Entwicklung dieser Provinz zusammengewirkt, die alle übrigen Kolonien in der Vollkommenheit ihres Ackerbaues und in der Mannigfaltigkeit, dem Umfang und Gedeihen ihrer Fabriken übertraf«; die Sitten und das gesellschaftliche Leben gewähren uns freilich »das Bild eines Staates, der sich von der Einfachheit, Armut und herben Strenge seiner quäkerischen Gründer schon weit entfernt hatte.« Wir könnten es also hier mit einer »Säkularisation protestantischer Askese« zu tun haben; aber ihr Resultat zeigt nicht die »idealtypischen« Züge modernen »kapitalistischen Geistes«; das hat freilich die kapitalistische Entwicklung Pennsylvaniens seit damals bis heutzutage wenig beeinträchtigt. Ganz verschieden vom puritanischen Typus Neu-Englands und dem industriellen Pennsylvanien war der episkopalische Süden. Hier gab es wenige Fabriken, und das städtische Leben stand auf ziemlich primitiver Stufe; es fehlte aber hier nicht an kapitalistischer Entwicklung. Denn der Süden war das Gebiet der landwirtschaftlichen Großunternehmung.[33] Es gab hier reiche, hochkirchliche und (in Maryland) katholische Großgrundbesitzer, in Virginia zum Teil Abkömmlinge der Kavaliere des STUARTschen Zeitalters. Man sieht aus dieser kurzen Zusammenstellung, daß sich um die Mitte des 18. Jahrhunderts in den Vereinigten Staaten Nordamerikas kräftig der Erwerbstrieb regte; man kann aber nicht sagen, daß er puritanisch gebunden war, und auch nicht, daß er die Eigentümlichkeiten aufweist, die WEBER dem kapitalistischen Stil der Gegenwart zuweist, nämlich Verzicht auf alle eudämonistischen und hedonistischen Rücksichten.

Schon aus unseren bisherigen Ausführungen, zumal aus denen über Holland und England, erhellt, daß das Auftreten des Kapitalismus älter ist als die »asketischen Richtungen« der Reformation, und schon daher auch von ihnen unabhängig. Das Gleiche gilt natürlich erst recht von Deutschland und den katholischen Ländern des Südens und Westens von Europa. Aber ist vielleicht trotzdem der »kapitalistische Geist« hier erst von den kalvinistischen Gebieten her eingeführt worden? Troeltsch scheint dieser Meinung zu sein: denn dieser Geist widerstrebt ja so sehr der menschlichen Natur, daß er nur durch eine so gewaltige Geistesmacht, wie den Kalvinismus mit seiner »Askese«, erzeugt werden konnte; »damit erst war die seelische Verfassung geschaffen, auf deren Boden die gewaltige und im Grunde so naturwidrige Entfaltung des Kapitalismus erst stattfinden konnte, was natürlich nicht hinderte, daß diese Macht sich dann (!) auch über Menschen ausbreitete, die mit dem Kalvinismus nichts zu tun haben; die kalvinistische Askese hat ihn groß werden lassen, und dann (!) war er stark genug, seine eigenen Wege zu gehen, im eigenen Namen die Welt zu erobern«. Nur schade, daß uns der phantasievolle Autor nicht diesen Siegeszug des kapitalistischen Geistes von den kalvinistischen Ländern her durch die übrige Welt an der Hand der geschichtlichen Tatsachen näher schildert, daß wir uns mit der einfachen Versicherung begnügen müssen! Und was noch merkwürdiger ist: selbst wenn diese Invasion jemals stattgehabt hat, so hat sie doch in den von ihr betroffenen Ländern nicht erst den Kapitalismus geschaffen; sondern dieser war in ihnen schon vorher vorhanden und sogar teilweise in größerem Umfang. Seine Entstehung muß sich also auch hier wieder vollzogen haben ohne den richtigen »kapitalistischen Geist«. Ausdrücklich vindiziert sich Weber das Verdienst[34], konstatiert zu haben, »daß auch in dem Gebiet der Höchstentwicklung der kapitalistischen Wirtschaft vor der Reformation: in Italien (ebenso ist es in Flandern) der kapitalistische Geist (in meinem Sinne des Wortes) fehlte«. Damit stimmt es freilich nicht ganz überein, wenn Troeltsch die Ansicht Webers mit den Worten wiedergibt[35], der kapitalistische Geist habe sich »in der spätmittelalterlichen Geldwirtschaft, in dem Kapitalismus der Renaissance und in der spanischen Kolonisation nicht stark entwickelt«. Oder gebraucht Troeltsch den Ausdruck »kapitalistischer Geist« etwa hier einmal nicht in Webers »Sinne«? Damit würde er freilich eingestehen, daß der Weber'sche »Sinn« nicht ganz paßt. Und so ist es in der Tat.

Wenn WEBER dem Kapitalismus der Renaissance in Italien, Frankreich, Deutschland, Spanien und den Niederlanden den »kapitalistischen Geist« abspricht, so beweist das eben nur, daß seine »idealtypische« Bestimmung dieses Begriffes falsch ist. Um nur auf Oberdeutschland[36] zu verweisen: wie enorm war hier damals der Aufschwung des Waren- und noch mehr des Geldhandels? Wie zahlreich waren damals die strebsamen Kaufleute, denen es gelang, ohne großen Kapitalbesitz von Hause aus doch schließlich kolossale Reichtümer zu sammeln? Man denke an die Riesenvermögen, die damals entstanden: und das alles ging vor sich, ohne daß der »kapitalitische Geist« dabei mitwirkte?

Aber WEBER hat spezielle Beweise für seine Behauptungen. Es war eben nicht der richtige kapitalistische Geist; denn er war einmal noch »traditionalistisch« gebunden, und er hatte weiterhin noch nicht den Charakter einer »ethisch gefärbten Maxime«, wie ihm auch die irrationelle Idee einer besonderen Berufspflicht mangelte. Nun würde auch dies wieder höchstens beweisen, daß WEBERS Begriffsbestimmung verfehlt ist; aber wir wollen doch zum Überfluß noch die beiden Hilfshypothesen WEBERS auf ihre Stichhaltigkeit hin prüfen. Wollten denn (das soll doch das Wesen des »Traditionalismus« sein) die Kapitalisten der Frührenaissance wirklich nur soviel gewinnen, wie nötig war, um ihren »traditionellen Bedarf« zu decken? Ebensogut, wie jetzt, gab es unzweifelhaft Menschen, die erwerben wollten, sei es um zu erwerben, sei es um mit dem Schaffen höheren Lebensgenuß zu verbinden; daß in dieser Hinsicht ein Unterschied gegen jetzt bestand, das soll doch erst nachgewiesen werden. Und das kanonische Zinsverbot hat sie dabei wenig geniert; sie wußten sich damit trefflich abzufinden. Hatte doch schon eine so große Kirchenleuchte wie THOMAS von Aquino seine Umgehung empfohlen, indem er es dahin erklärte: man dürfe Geld bei einem Wucherer deponieren, der schon mit anderem Gelde Wucher treibe; denn dann sündige man nicht selbst, sondern man bediene sich nur eines sündigen Menschen. Es gab nicht viele Sünden, die leichter wogen.

Indem sich die Kurie selber darüber hinwegsetzte, sanktionierte sie, daß es faktisch beiseite geschoben wurde. Und wenn sich ein Kapitalist dadurch wirklich so weit geniert fühlte, daß er durch fromme Stiftungen sein Gewissen beschwichtigen zu müssen meinte, – ist das nicht gerade ein Beweis dafür, daß seine Grundanschauung eine antitraditionalistische war? Denn der Erwerbstrieb war ja in ihm so mächtig, daß er nicht einmal ein Vehikel religiöser Ethik, wie später die protestantischen »Asketen«, brauchte, um sich zum Geldverdienen getrieben zu fühlen; er überwand nicht nur das »natürliche« Streben nach ruhigem Lebensgenuß, sondern er achtete auch die Gefahr gering, seines Seelenheils verlustig zu gehen!

Aber, so wird Weber noch einwenden, auch das war noch nicht der richtige »kapitalistische Geist«; denn es mangelte noch der Charakter einer ethischen Maxime, die Idee der Berufspflicht. Er zieht dafür eine Äußerung Jakob Fuggers heran. Als diesem ein Berufsgenosse, der sich zur Ruhe gesetzt hatte, das gleiche anriet, da Fugger doch genug gewonnen habe und auch andere gewinnen lassen müsse, verwies der Bankier dem Freunde das als »Kleinmut«, indem er hinzufügte, »er hätte viel einen anderen Sinn, wollte gewinnen, dieweil er könnte«. Weber bemerkt dazu, das sei nur »Ausfluß kaufmännischen Wagemuts und einer persönlichen, sittlich indifferenten Neigung«, trage aber nicht den Charakter einer ethisch gefärbten Maxime der Lebensführung und sei daher nicht ein Ausfluß »kapitalistischen Geistes«. Jedenfalls zeigen die Worte Fuggers, daß er nicht »traditionalistisch« gesonnen war: er wollte mehr verdienen, als er brauchte; er wollte gewinnen des Gewinnes halber; er hatte Abscheu vor bloßem Genusse ohne geschäftliche Arbeit. Und das sollte keine ethische Maxime der Lebensführung sein? Woher weiß denn Weber, daß sich Fugger nicht seinem Berufe gegenüber innerlich verpflichtet fühlte, daß nicht auch ihm die Idee vorschwebte, der Mensch habe die Pflicht, seine Aufgabe treu und gewissenhaft zu erfüllen, vor die ihn das Leben nun einmal gestellt hätte? Und wenn das der Fall war, so wird sich Fugger durch den Gedanken an das kanonische Zinsverbot schwerlich haben stören lassen, – er der Bankier jener Instanz, bei der die Gewalt stand, zu binden und zu lösen. Ich will hier nicht auf WEBERS Ausführungen über das Aufkommen von Wort und Bedeutung von »Beruf« näher eingehen. Beruf und Berufsethik sind jedenfalls nicht erst Produkte der Reformation; es gibt eine Berufssittlichkeit, die überhaupt nicht religiös gefärbt zu sein braucht; jeder Beruf hat seine Ethik, losgelöst von allen religiösen Beziehungen, die sich aus seinem eigenen inneren Wesen ergibt. Schon im Mittelalter treffen wir in den Städten ein kräftiges Selbstbewußtsein der Laienstände mit intensiver Wertschätzung der eigenen beruflichen Tätigkeit. Und keineswegs entbehrte die mittelalterliche Berufsethik so gar der religiösen Färbung; mit Recht betont TROELTSCH, daß die christliche Rechtfertigung des Erwerbslebens nicht erst von LUTHER herstammt, »daß diese Berufslehre als Lehre von dem geordneten Beitrag jedes Arbeitenden zu dem de lege naturae gesetzten Gesellschaftszweck schon lange katholische Lehre war, und daß für LUTHER nur die mönchisch-asketischen Einschränkungen wegfallen«. Der Einfluß der Reformation besteht eben bekanntlich darin, daß sie die Betätigung im Berufe als das schlechthin höchste Gebot sittlicher Lebensführung statuierte; aber eine ethische Auffassung des Berufes sogar mit religiöser Motivation gab es auch schon früher, und von ihr waren unzweifelhaft, ob mit oder ohne religiöse Beimischung, die Kapitalisten der Renaissance ebensogut getragen, wie die der Gegenwart. Oder sollte die Berufsethik des modernen Handelsstandes nur entstanden sein können als Säkularisation »innerweltlicher Askese des Kalvinismus«? Auch den Männern der Renaissancezeit, wie FUGGER, lag ihr Geschäft am Herzen; auch sie strebten nach Bewährung in ihrem Berufe, und der Ausspruch FUGGERS dürfte heute gewiß mehr als Devise für den »kapitalistischen Geist« gelten, als irgendwelche Lehren CALVINS und BAXTERS, und es wird daher schwerlich nötig sein, ihn da, wo er heutzutage in Kraft ist, abzuleiten aus einer Säkularisation puritanischer Morallehre. Der moderne Kapitalismus wird sich mehr als Erbe des Geistes eines FUGGER, wie eines BAXTER wissen; es wird schwerlich ein qualitativer Unterschied zwischen dem Geist bestehen, von dem er getragen ist, und dem, der die FUGGER und ihre Berufsgenossen im Zeitalter des Überganges vom Mittelalter zur Neuzeit beseelte – Rationalisierung der Geschäfts- und ganzen Lebensführung –: das Geschäft wird berufsmäßig aufgefaßt und rückt in den Vordergrund des Lebensinteresses, so daß die übrigen Beziehungen zwar keineswegs absorbiert werden, aber sich doch bis zu einem gewissen Grade unterordnen oder anpassen müssen; die Rücksicht auf das Geschäft bildet ein konstantes Motiv, welches kontrollierend und regulierend auf die ganze Lebensführung einwirkt; damit verbindet sich zweckmäßige Geschäftsführung, deren höchste Bewährung in der spezifischen Tugend des »kapitalistischen Geistes« gipfelte, im spekulativen Kalkül, in der schnellen und richtigen Erfassung der Konjunktur, verbunden mit entsprechender Abschätzung der für die Erreichung des Zweckes, d. h. des geschäftlichen Erfolges, erforderlichen Mittel; das eben ist es ja, was SOMBART die »Rechenhaftigkeit« nennt. Dieser »kapitalistische Stil« aber ist nicht erst ein Produkt der Säkularisation reformierter Sittlichkeit, und ebensowenig ist das der Fall bei einem bis zur Überspannung gesteigerten Erwerbstrieb, der alle anderen Triebe und Interessen im Menschen unterdrückt und ihn zu einer bloßen »Erwerbsmaschine« herabdrückt; er ist auch gar nicht konstitutiv für den Begriff des »kapitalistischen Geistes«, auch nicht einmal sein Idealtypus, sondern lediglich sein Extrem.

Wir haben somit gezeigt, daß die kapitalistische Geist, richtig verstanden, älter ist als die »asketischen Richtungen der Reformation«; noch eine weitere Frage müssen wir nunmehr erörtern: liegt der »kapitalistische Geist«, in welchem Sinne man ihn auch immer fassen möge, wirklich derart im Wesen der kalvinistischen Berufsethik, daß er aus ihr heraus geboren werden konnte? War die kalvinistische Ethik, als Ganzes betrachtet, überhaupt imstande, ihn hervorzubringen? WEBER findet die Übereinstimmung zwischen der protestantisch-asketischen und der modern-kapitalistischen Berufsauffassung eben darin, daß für beide der Genußzweck bei der wirtschaftlichen Arbeit gänzlich in Wegfall kommt, daß der Erwerb sich selber Zweck ist; aus dieser behaupteten Übereinstimmung erschließt er den Kausalzusammenhang, demzufolge das konstitutive Moment für das eine aus dem anderen stammt. Ist es nun wirklich der Fall, daß nach der reformierten Ethik der Gewinn ausschließlich um seiner selbst willen gesucht wurde? War auch bei den Puritanern die Arbeit um der Arbeit willen unter Ausschluß des Genußzweckes religiöses Gebot, so ist doch damit nicht gesagt, daß nicht auch vorhandene Motive sowohl als religiöses Gebot gelten konnten, als auch einen mächtigen Einfluß ausüben durften und tatsächlich ausübten: Selbsterhaltungstrieb, Sorge für die Familie, für die öffentliche Wohlfahrt u. a. m. Daß speziell dieses letzte Moment in der BAXTERschen Lehre enthalten war, erwähnt ja WEBER selbst; er erkennt darin allerdings bereits einen utilitaristischen Gesichtspunkt, der den späteren Umschlag zur utilitaristisch-liberalen Theorie vorbereitete; aber sollte er (wir kommen bald darauf zurück) nicht vielmehr gerade »genuin-kalvinistisch« sein? Sehr treffend führt der sonst der WEBERschen These unbedenklich beipflichtende SCHULZE-GAEVERNITZ vom englischen Kaufmann des 17. und 18. Jahrhunderts aus: auf seinem Kontorbock sitzend, sei er vom Bewußtsein erfüllt gewesen, der britischen Weltherrschaft zu dienen: »wenn er Seehandel treibt und Matrosen beschäftigt, legt er die Grundlage zu Englands Kriegsflotte zur Verteidigung des Protestantismus.« Man sieht daraus: aus dem Geist des Kalvinismus folgt selbst für die Tätigkeit des Kapitalisten noch mehr, als der Erwerb nur um des Erwerbes willen. Auch hier wird die Totalität der Zwecke geopfert zugunsten eines einzigen Motivs, welches künstlich und sinnwidrig isoliert wird. Und damit wird uns offenbar, worauf WEBERS Verfahren im letzten Grunde hinausläuft: es wird ein »Idealtypus« konstruiert, nicht nur für die Gegenwart, wie wir schon früher zeigten, sondern auch für die Vergangenheit, und zwar dadurch, daß alle anderen wirklich vorhandenen Momente zugunsten eines einzigen eliminiert werden; indem nun dieses zum Range eines »konstitutiven Faktors« für beide Erscheinungskomplexe erhoben wird, wird die Entstehung des einen aus dem andern geschlossen unter willkürlicher Leugnung der Existenz noch älterer Kausalzusammenhänge. Sieht man sich den »Unternehmer neuen Stils« an, wie er wirklich ist, nicht durch die Brille des »idealtypischen Begriffs« Webers, so wird man, was seine Stellung zu den Kulturgütern anbelangt, mehr Ähnlichkeit zwischen ihm und dem »Frühkapitalisten« im Zeitalter und unter dem Einflusse der Renaissance entdecken, als mit dem Kapitalisten, der unter der Herrschaft »reformierter Askese« steht.

Eines ist sicher: Niemals hätte den Intentionen der Väter und Führer des Kalvinismus eine Berufsethik entsprochen, die nicht orientiert war an den Grundsätzen ihrer allgemeinen Ethik. Daher lag auch der Hauptnachdruck ihrer Berufsauffassung auf der Arbeit, nicht auf Gewinn und Reichtum; diese waren in ihr nur Faktoren von akzessorischer Bedeutung, und eben dadurch unterscheidet sie sich von dem »Lebensstil« sowohl eines Fugger als auch des modernen Großkapitalismus. Mit welchen Restriktionen, nämlich in Rücksicht auf die Armen und das allgemeine Wohl, Calvin das Zinsnehmen umgab, haben wir schon kennengelernt, desgleichen seine Abneigung gegen die großen Industriestaaten. Im letzten Grunde stand auch er auf dem Standpunkt, daß leichter ein Kamel durch ein Nadelöhr gehe, als ein Reicher in das Himmelreich. »Der Reichtum«, so sagt er, »ist an und für sich seiner Art nach nicht zu verdammen, und es heißt, Gott arg lästern, wenn man den Reichtum derart verwirft, daß es scheint, als ob der Reiche von Grund aus verdorben sei; denn woher rührt der Reichtum, wenn nicht von Gott? ... Aber die Reichen mögen sich keine Illusionen machen, sondern erkennen, daß sie sich gleichsam auf Glatteis bewegen, wo sie sehr schnell zu Fall kommen können, daß sie gleichsam in einem Dornbusch sitzen, und daß sie sich sorgsam in acht nehmen müssen, um nicht gestochen zu werden.« Aus seinem eschatologischen Gedankenkreis heraus hat er die abnegatio sui gepredigt und befohlen, man solle sich und alles das, was man sein nenne, ganz und gar außer acht lassen, sein Hab und Gut, da man es hier doch nicht lange genießen kann, den Armen geben, da man also davon größeren Genuß im Himmel haben werde.[37] Cromwell schrieb an das lange Parlament: »Stellt die Mißbräuche aller Berufe ab, und gibt es einen, der viele arm machte, um wenige reich zu machen, das frommt dem Gemeinwesen nicht!« Und wenn, wie einst Calvins Geheiß gelautet hatte: »prendre le gaing qui nous viendra comme de la main de Dieu«, so später Baxter die »Profitlichkeit« des Kapitals predigte, so liegt in seiner Zweckangabe »zur Ehre Gottes und zur allgemeinen Wohlfahrt« doch auch eine Beschränkung: die sittlichen Gebote Gottes, die Pflichten der Rücksicht auf das Ganze, der christlichen Nächstenliebe, das sind die Schranken, die unserem Erwerbstriebe gesetzt sind. Das ist, wie schon gesagt, nicht ein posthumer utilitaristischer Zug, der die Säkularisation vorbereitet, sondern ein »genuiner« Zug der kalvinistischen Ethik, die sich vom modernen kapitalistischen Geiste doch noch recht unterscheidet; auf die Aussprüche Calvins, Cromwells und Baxters hin ließe sich wohl eher eine sozialpolitische Gesetzgebung begründen, welche den »kapitalistischen Geist« einzudämmen bestimmt wäre. Und gewisse Eigenschaften, die Weber bereits im puritanischen Kapitalismus feststellt, wie selbstgerechte und nüchterne Legalität, Bewußtsein der Tadellosigkeit, formalistisch harter Charakter, pharisäisch gutes Gewissen usw., sind, wenn sie wirklich von ihren Trägern aus der kalvinischen Berufsethik abgeleitet [wurden], oder wenn diese von ihnen als Rechtfertigung und Basis solcher Handlungsweise herangezogen wurde, als Auswüchse und Verzerrungen zu bezeichnen, als eine Verkennung und Mißachtung des wahren Wesens reformierter Sittlichkeit; die Reformation hätte alle Ursache, die geistige Urheberschaft einer solchen »Berufsethik« abzulehnen.

So ungeheuerlich ist die Einseitigkeit und Übertreibung des WEBERschen Schemas, daß sich selbst TROELTSCH diesem Eindruck nicht ganz entziehen kann. Die Macht der Tatsachen öffnet ihm die Augen dafür, daß für die Entwicklung des kapitalistischen Geistes doch wohl noch andere Faktoren maßgebend waren, als die reformierte Berufsethik; es gibt ihm auch zu denken, daß sich schon sehr früh, ehe noch die Invasion vom kalvinistischen Verbreitungsherd her möglich ist, ein protestantischer Kapitalismus nichtkalvinistischer Provenienz konstatieren läßt, und daß der Kalvinismus keineswegs überall Kapitalismus in seinem Gefolge hatte. Indem er bemerkt, daß »seines Erachtens« WEBER der Nachweis seiner These »vollständig gelungen« sei, fügt er eine Einschränkung hinzu, die, richtig betrachtet, eine Zurückziehung dieser Erklärung bedeutet: »Man dürfte vielleicht stärker betonen, daß diese besondere Art der reformierten Arbeitsaskese doch auch durch die besonderen Bedingungen der weltlichen Geschäftslage und besonders durch das Zurückdrängen des Dissent vom Staat und der staatlichen Kultur mitbestimmt worden ist, wie andererseits das Luthertum seine traditionalistische Haltung in dem wirtschaftlichen Niedergang Deutschlands noch verschärft hat. In Ungarn, Ostfriesland, auch in den bäuerlichen Provinzialstaaten der Niederlande hat der Kapitalismus m. W. eine bedeutende Entwicklung nicht gefunden, und andererseits hat das gut lutherische Hamburg die günstigen Gelegenheiten der atlantischen Verhältnisse eifrig mitbenutzt, hat auch der mit der lutherischen und katholischen Ethik vielfach näher verwandte Anglikanismus sich diesem Geiste geöffnet.«

Eine Zerpflückung dieses Satzes in allen seinen Bestandteilen würde hier zu weit führen; über die Behauptung bezüglich des Anglikanismus haben wir ja auch bereits gehandelt. Die Hauptsache ist für uns, daß TROELTSCH selber zugesteht: es gibt einerseits große kalvinistische Gebiete, wo kapitalistischer Geist und Kapitalismus entstanden, und zwar keineswegs nur auf der Grundlage reformierter Askese; wir haben andererseits zwar protestantische, aber nicht kalvinistische Gebiete, wo sich aus eigener Wurzel kapitalistischer Geist regte und kapitalistische Blüte entfaltete. Da liegt doch die Frage nahe: Sollte es nicht einfacher sein, die Entstehung des Kapitalismus, wo immer er sich findet, und die doch ohne Mitwirkung kapitalischen Geistes nicht denkbar ist, auf andere Ursachen zurückzuführen, wie günstige Verkehrslage, Reichtum an natürlichen Produktionsmitteln, Anlage vor allem der Bevölkerung oder bestimmter ihr zugehöriger Klassen und anderes mehr, wobei bereitwilligst zugestanden werden soll, daß die reformierte Berufsauffassung als ein mächtiger Hebel der Entwicklung zu dienen vermochte? Daß man damit der Wahrheit erheblich näher kommt, zeigt eine Betrachtung des ja auch von TROELTSCH herangezogenen lutherischen Norddeutschland. Jedermann weiß, daß der Niedergang der deutschen Volkswirtschaft seit der Mitte des 16. Jahrhunderts nichts mit religiösen Momenten (wenigstens als unmittelbar wirkenden Triebkräften) zu tun hat; das gilt sowohl für die oberdeutschen Städte, als auch für die des Hansabundes. Wie wenig Hamburg in das TROELTSCH-WEBERsche Schema paßt, muß TROELTSCH selber anerkennen, und diese Stadt steht keineswegs so ganz vereinzelt als Trägerin kapitalistischer Entwicklung im Bereiche des lutherischen Bekenntnisses da; ich erinnere nur an die ökonomische Blüte Danzigs auf Grund seines polnischen Hinterlandes, an die Landwirtschaft von Nordostdeutschland, die zur selben Zeit mit der Ausbildung der Großunternehmung und der unfreien Arbeitsverfassung des platten Landes ausgesprochen »kapitalistische« Züge annimmt.[38] In diesem zuletzt erwähnten Falle handelte man nicht nur nicht im Sinne lutherischer Berufsethik, sondern auch gegen die Lehre LUTHERS von den Pflichten der Obrigkeit gegen ihre Untertanen; trotzdem glaubten die ritterlichen Patrimonialobrigkeiten des deutschen Nordostens gute Lutheraner zu sein. Man sieht daraus, wie wenig sich die Mitglieder eines bestimmten Bekenntnisses, wo ihre realen Interessen ins Spiel kamen, um die Lehren ihrer Theologen kümmerten, insofern diese die Sphäre des rein Religiösen überschritten. Nach TROELTSCH ist die Wirtschaftsauffassung des Luthertums »bei der Deutschland beherrschenden naturalwirtschaftlichen Reaktion des 16. und 17. Jahrhunderts« immer konservativer geworden. Mir ist von einer solchen »naturalwirtschaftlichen Reaktion« nichts bekannt; ich weiß wohl, daß in einem bestimmten historischen Werke[39] davon oft die Rede ist, würde dieses aber für Theologen, die das Grenzgebiet der Geschichtswissenschaft streifen, nicht gerade als Orientierungsmittel empfehlen.

Die Übertreibung des Einflusses religiöser Momente und Lehren auf die reale Entwicklung – das ist der charakteristische Zug der TROELTSCH-WEBERschen These. Auch sonst zeigen beide Autoren eine gewisse Neigung zu solchem Verfahren. Man lese nur die Ausführungen von TROELTSCH über das Verhältnis des Luthertums zu Merkantilismus und Absolutismus; ebenso kühn wie falsch kennzeichnet er den aufgeklärten Absolutismus und den alles bevormundenden Polizeistaat als Kinder des Luthertums; es ist nur wunderbar, daß sich diese Erscheinungen auch in den katholischen Ländern finden. Eine weitere Wirkung des Luthertums erblickt er »in der Erziehung einer demütigen und geduldigen Arbeiterschaft, die bei dem Wiedereindringen des Kapitalismus nach Deutschland ihm ein widerstandsloses Arbeitermaterial lieferte«. Ähnliches rühmt WEBER der protestantischen Askese nach, die ja seiner Ansicht zufolge das Luthertum nicht mit einschließt: »sie macht die Arbeiter arbeitswillig, indem sie ihnen als mächtigen Antrieb die Auffassung der Arbeit als Beruf suggeriert, als einzigen Mittels, des Gnadenstandes sicher zu werden«. Ich will natürlich nicht bestreiten, daß örtlich und zeitweise religiöse Motive dieser Art einen erheblichen Einfluß auf das Verhältnis der Arbeiter zur Arbeit ausüben konnten; aber man soll sie doch auch nicht überschätzen. Die weltlichen Dinge gehen im großen und ganzen ziemlich selbständig ihren Weg; sie werden durch religiöse Momente wohl beeinflußt, je nach der momentanen Kraft, die das religiöse Prinzip zu einer bestimmten Zeit entfaltet, bald stärker, bald schwächer; ihre Wirkung ist bald eine fördernde, bald eine hemmende, aber in beiden Fällen doch nicht ganz unbegrenzt. Wirken sie hemmend, so können sie doch die Entwicklung selten aufhalten; man findet sich dann eben mit ihnen irgendwie ab, wie das Beispiel des kanonischen Zinsverbots bezeugt; wirken sie fördernd, so sind in der Regel schon in den Dingen selbst liegende Triebkräfte an der Arbeit, denen sie nur zu sekundieren brauchen, so beim Kapitalisten der ihm innewohnende Erwerbstrieb, beim Arbeiter ökonomischer Zwang, Streben nach besserem Verdienst u. a. m. Wo sich religiöses Prinzip und Wirklichkeit stoßen, da ist es nicht immer jenes, welches siegt, und mag es auch eine noch so gewaltige Kraft im Menschen entfalten, so sieht es sich doch auch oft genug zu Kompromissen mit der Praxis gezwungen. Wieviel mußte nicht LUTHER selbst, durch die Übermacht der realen Verhältnisse gezwungen, im Lauf der Zeit von den Lehren opfern, die er zuerst vertreten hatte, und die unmittelbar aus dem Kern seiner Religiosität herausgewachsen waren! Selbst CROMWELL konnte, als er erst zur Macht gelangt war und den Staat lenken sollte, nicht in den Bahnen der »Heiligen« verharren, als deren Führer er emporgekommen war. Noch manches andere steht auf diesem Blatt. Wir haben ja schon darauf aufmerksam gemacht, wie getreulich die Lehre LUTHERS von den Pflichten der Obrigkeit durch die Grundobrigkeiten des deutschen Nordostens befolgt wurde. LUTHER hat bekanntlich den Christen die Anrufung der Obrigkeit untersagt, auch wenn ihnen Unrecht geschähe: haben deshalb in den lutherischen Territorien die Gerichte ihre Tätigkeit eingestellt? Er hat den aktiven Widerstand gegen die gottlose Obrigkeit perhorresziert; aber so, wie er sich selber damit schließlich mehr und mehr befreundete, so haben sich in der Folgezeit seine Anhänger um sein Verbot nicht eben immer gekümmert; man denke nur an die Lutheraner in den habsburgischen Ländern zu Beginn des 17. Jahrhunderts! Aus alledem erhellt doch eins: wie wenig sich die politische, wirtschaftliche und weltliche Entwicklung überhaupt durch religiöse Lehren binden läßt, wenn diese das rein religiöse Gebiet überschreiten.

Welches nun waren, um das Ergebnis dieser Untersuchungen kurz zusammenzufassen, die Wirkungen des Kalvinismus auf die wirtschaftliche Entwicklung? Er war geeignet, dem Berufsleben durch seine Ethik, durch die religiöse Sanktion, die er ihm gab, indem er es für die höchste Betätigung menschlicher Sittlichkeit erklärte, Vorschub und Förderung zu leisten, und daher auch dem Beruf des reinen Erwerbes, d. h. dem Kapitalismus, und dem Geist, von dem dieser getragen ward, d. h. dem kapitalistischen Geist in seinem richtigen Sinne – das jedoch eben nur im Rahmen seiner allgemeinen Ethik, also unter gewissen Beschränkungen. Und eben dieser Einschränkungen halber und entsprechend dem Geiste kalvinistischer Religiosität überhaupt hatte er nicht minder die Tendenz, dem Nutzen des mittleren und kleineren Kaufmanns, des Gewerbemannes, des Angestelltenpersonals und der Arbeiterschaft zu dienen, deren Interesse doch dem des Kapitalisten relativ entgegengesetzt ist. LANG in seiner trefflichen Biographie CALVINS konstatiert als das Resultat der ökonomischen Entwicklung Genfs zur Zeit CALVINS[40]: »So blieb zwar Genf bei Lebzeiten CALVINS nur eine mäßig begüterte Stadt. Aber in der Redlichkeit und Gewissenhaftigkeit, der Arbeitsamkeit und Bescheidenheit der Lebenshaltung, die sich in der nach CALVINS Grundsätzen geleiteten Bevölkerung nunmehr ausprägten, war der beste Grund auch für den wirtschaftlichen Fortschritt gelegt.« Und wo immer die Grundsätze CALVINS, richtig verstanden, zur Anwendung gelangten, da dürfte die tatsächliche Wirkung des Kalvinismus auf das Wirtschaftsleben die gleiche gewesen sein. Indem er den sittlichen Segen der Arbeit so entschieden betonte, wie das noch nie zuvor der Fall gewesen war, stärkte er Fleiß und Ausdauer, Ehrlichkeit und Sparsamkeit. Das kam natürlich dem ökonomischen Fortschritt zugute, trug aber nicht gerade von vornherein eine ausgeprägte kapitaltische Tendenz; das wirtschaftliche Leben blieb der religiösen Idee untergeordnet, indem Zucht, Sitte, Ordnung, Rücksicht auf das Wohl des Nächsten und der Gesamtheit die leitenden Gesichtspunkte waren. So ist denn vielleicht durch den

Kalvinismus der mittlere Wohlstand mehr gefördert worden als der Kapitalismus im großen Stile: wenigstens spricht dafür das Beispiel der puritanischen Neu-England-Kolonien in Amerika, wenn man es richtig deutet. Immerhin soll die Möglichkeit nicht in Abrede gestellt werden, daß auch der Reichtum auf dem Boden der kalvinistischen Berufsethik Begünstigung fand; gemäß den Zügen, mit denen sie durch CALVIN und seine Nachfolger im Puritanismus ausgestattet wurde, kann sehr wohl durch sie eine Intensitätssteigerung schon vorhandenen »kapitalistischen Geistes« verursacht worden sein, der, nunmehr getragen von dem Bewußtsein religiöser Sanktion, um so stärker sich auszuwirken vermochte: Die englische Wirtschaftsgeschichte des 17. Jahrhunderts dürfte dafür bei näherer Betrachtung und Durchforschung mancherlei Belege zu liefern imstande sein. Es läge also hier der Fall vor, daß religiöse Momente einer schon im Wesen der Dinge liegenden Entwicklung befreiend und helfend zur Seite standen.

Damit kommen wir zu einem Problem, das anscheinend WEBER zu seinen Studien, mit denen wir uns hier beschäftigten, die Anregung gab; es lautet: »Konfession und soziale Schichtung«: wie ist der vorwiegend protestantische Charakter des Kapitalbesitzes und des Unternehmertums zu erklären? Schon der Engländer PETTY berechnete in seiner 1687 erschienenen Schrift Political Arithmetic, daß Großbritannien, Holland, Dänemark, Schweden, Norwegen, die Hansestädte und die protestantischen Teil Deutschlands zusammengenommen drei Viertel des Welthandels innehätten; im Vordergrunde dieser kommerziellen Geltung des Protestantismus standen natürlich England und Holland. In der Folgezeit, im 18. Jahrhundert, hat sich der Schwerpunkt von Handel, Industrie, Unternehmung und Kapitalismus noch viel mehr zu ungunsten der katholischen Teile Europas verschoben. Die Unterschiede, welche durch die natürliche Lage, durch die besonderen Neigungen und Fähigkeiten der Einwohner, durch die aus der Bodenbeschaffenheit und den Bodenschätzen des Landes fließenden Hilfsmittel begründet werden, können allein diese auffallende Tatsache nicht erklären; die Lösung des Rätsels muß tatsächlich in der Verschiedenheit des Bekenntnisses zu suchen sein. Aber auch da läßt sie sich nicht auf eine einzige bestimmte Formel reduzieren, wie auf die »innerweltliche Askese« des Protestantismus. Vielerlei Umstände kamen zusammen, um das Endergebnis zu erzielen; wir können sie hier nicht in ihrer Totalität aufzählen und in ihrem inneren Zusammenhange aufdecken und würdigen; mit einigen wenigen Andeutungen müssen wir uns begnügen: Bei den Protestanten fehlte jenes angeblich weltentsagende Mönchstum, das, im allgemeinen unproduktiv lebend, am Marke des Volkes zehrte und die Güter der Welt in der toten Hand aufhäufte. Hier herrschte nicht die Besorgnis, daß die zunehmende Intelligenz der Bevölkerung der Priesterherrschaft gefährlich werden könnte; daher war hier eine Volksbildung möglich, welche die breiten Massen für den wirtschaftlichen Wettbewerb der Nationen besser ausrüstete, und mit der höheren Bildung und Intelligenz verbanden sich größere Rührigkeit und Energie. Die Weltverneinung, welche im letzten Grunde das höchste Ideal katholischen Christentums war, mußte in seinen Angehörigen einen relativ höheren Grad der Indolenz gegenüber den weltlichen Dingen erzeugen, die von der protestantischen Berufsethik ganz anders gewertet wurden. An und für sich ein Prinzip des Fortschrittes in sich schließend, von der Tendenz getragen, das Individuum auf eine selbständige Basis zu stellen, entfesselte und stählte der Protestantismus alle im Menschen wirksamen Triebe, Kräfte und Anlagen. Es läßt sich auch nicht leugnen, zumal wenn man die katholischen Nationen des Südens mit den protestantischen des Nordens vergleicht, daß hier der allgemeine moralische Habitus ein überlegener war. Alles das konnte nicht des Einflusses auf die ökonomische Prosperität entbehren; in allen diesen Stücken wirkte der Protestantismus auf das Wirtschaftsleben befreiend und fördernd, der Katholizismus mehr bannend und hemmend.

Wie hoch man aber auch immer die Bedeutung dieser Faktoren anschlagen möge, das Entscheidende war doch das Verhältnis von Politik und Religiosität, sowohl was das innere als auch was das äußere Leben der Staaten anbelangte. In einem viel höheren Grade verschmolzen in den katholischen Ländern Religion und Politik; wiewohl jene dieser äußerlich in der Form des Staatskirchentums untergeordnet war, stellte sie weit höhere Ansprüche an den Staat, beutete sie diesen für ihre besonderen konfessionellen Zwecke ungescheuter aus. Indem der Katholizismus Tendenz und Prätention einer alleinseligmachenden Religion von universaler Bedeutung aufrechterhielt, zwang er die Machtmittel der ihm ergebenen, von seiner Idee innerlich gebundenen Völker und Staaten in seinen Dienst zur Wiederherstellung seiner Alleinherrschaft, und eben dadurch ruinierte er sie: das beste Beispiel dafür ist ja Spanien. Anders die einmal protestantisch gewordenen Völker: wenn sie aus religiösen Motiven in die Weltpolitik eingriffen, dann doch mehr zu defensivem Zweck, zur Abwehr der Angriffe der katholischen Staaten und höchstens zum Schutz der im Machtbereich des Katholizismus lebenden und hier unterdrückten Glaubensgenossen. Aber es ist bekannt, wie lau man dabei verfuhr, wenn man sich wirklich einmal dazu aufschwang, und jedenfalls war auf katholischer Seite die Bereitwilligkeit, in diesem Punkt Gleiches mit Gleichem zu vergelten, viel lebhafter und glühender wirksam. Niemals trat die Neigung zu einer weltumspannenden Offensive zum Behuf der konfessionellen Propaganda im Bereich des Protestantismus so energisch und rücksichtslos auf, wie etwa bei Philipp II. und den Spaniern; die äußere Politik der protestantischen Mächte vermied es, fanatischen Expansions-Utopien nachzujagen und hielt sich viel mehr in den Grenzen des Erreichbaren und Realen.

Nicht anders war es auf dem Gebiete des inneren Staatslebens. Ihrer und ihrer Anhänger in höherem Grade sich sicher fühlend, ihres inneren Wertes sich wohl bewußt, stellte die protestantische Religiosität viel geringere Ansprüche an den Staat als das katholische Bekenntnis; sie brauchte ihn annähernd nicht im gleichen Maße. Anfangs konnte sie nicht umhin, damit sie überhaupt erst gegenüber der alten Kirche emporkäme und festen Fuß fasse, in natürlichem Instinkt, um der Zersplitterung und dadurch der Ohnmacht sowie der Unterdrückung durch den Katholizismus vorzubeugen, gewisse Einschränkungen an dem individualistischen Prinzip vorzunehmen, auf dem sie beruhte, mit Zwang und Gewalt gegen so manchen, scheinbar allzu exzessiven Dissent im Schoß der Reformation selbst vorzugehen; sobald ihre äußere Existenz aber erst gerettet und sichergestellt war, mußte sich ihr Wesen in der Richtung eben des individualistischen Prinzips entfalten, aus dem heraus sie geboren war, nämlich in der Richtung von Glaubens-, Religions- und Denkfreiheit: das war freilich eine Entwicklung, für die humanistisch-rationalistische und politische Motive gegenüber dem spezifisch konfessionellen Moment mit seiner retardierenden Tendenz die Bahn brechen mußten.

Die Hauptträger des modernen Kapitalismus sind vom 16. bis zum 18. Jahrhundert unter den protestantischen Völkern die Holländer und Engländer; sie aber sind zugleich die beiden Nationen, bei denen sich das Prinzip der Toleranz zuerst erfolgreich durchsetzte und dauernd behauptete, wenngleich mit Restriktionen, die freilich zum Teil auch wieder Reaktion gegen Restaurationsversuche der alten Kirche waren; sie dachten nicht daran, eine äußerliche Glaubenseinheit künstlich auf Kosten des materiellen Wohlstandes bei sich zu erzwingen. Was das in Verbindung mit allen den anderen Faktoren protestantischer Religiosität, die das Wirtschaftsleben mehr begünstigten, als der Katholizismus, zu bedeuten hatte, das zeigt ein Blick auf die Geschichte der Niederlande seit ihrer Trennung von Spanien. Was sind bei gleicher Basis des Ausgangs die Generalstaaten des Nordens durch den Protestantismus, was die Südprovinzen durch den Katholizismus geworden! Und dabei kann man nicht einmal behaupten, daß die spezifisch katholische Wirtschaftslehre in Belgien eine Rolle gespielt und umgekehrt in Holland die spezifisch reformierte Wirtschaftslehre einen sicher erkennbaren und einigermaßen beträchtlichen Anteil am Emporblühen des Wohlstandes hierselbst gehabt hätte. Der Republik der Vereinigten Niederlande kam es sogar direkt zustatten, daß sie, wenngleich ein protestantisches, so doch ihrem innersten Wesen zufolge nie ein eigentlich kalvinistisches Gemeinwesen war; die Geschichte der Religiosität und des gesamten Geisteslebens ist hier, im letzten Grunde, ein Kampf zwischen CALVIN und ERASMUS, in welchem selbst die Dordrechter Synode dem Kalvinismus keinen wirklichen, geschweige denn einen dauernden Sieg brachte. Zwar gab es eine Staatskirche, aber diese war hier tatsächlich »Staatskirche«, d. h. sie entbehrte der theokratischen Stellung im Sinne der Genfer Ansprüche; alle fanden hier Duldung, die Anhänger der verschiedenen protestantischen Bekenntnisse im engeren Sinne, die Täufer, die Juden, die Katholiken. Man war soweit davon entfernt, durch Unterdrückung oder Vertreibung aller dieser dissentierenden Elemente das wirtschaftliche Gedeihen zu schädigen, daß man sie nicht nur ganz frei gewähren ließ, sondern auch zur ökonomischen Mitarbeit heranzog und auf den Posten stellte, wo sie dem Wohl der Gesamtheit nützen konnten. Ich erinnere nur daran, daß STEVEN VAN DER HAGHEN, einer der ersten und erfolgreichsten Pioniere maritimer und kolonialer Expansion des jungen Freistaates, der als Flottenkommandant der Ostindischen Kompagnie für diese Amboina gewann, katholisch war; mag das immerhin eine Ausnahme sein, so ist es doch bezeichnend, daß hier solche Ausnahmen überhaupt möglich waren: man denke sich doch einmal als Gegenstück einen offenbaren Ketzer an der Spitze einer Flotte PHILIPPS II. oder III.!

Gälte es, das Maß des Einflusses festzustellen, den reformierte Berufsethik oder Toleranzprinzip auf die Entwicklung der Volkswirtschaft Englands ausgeübt haben, ich weiß nicht, auf welche Seite die Waagschale sinken würde. Es ist ja bekannt, welch unvergleichliche Rolle die religiösen Exulanten des Kontinents in der englischen Wirtschaftsgeschichte seit den Zeiten der TUDORS bereits spielten. Was hat nicht die englische Textilindustrie zur Zeit HEINRICHS VIII., EDUARDS VI.

und ELISABETHS den niederländischen Flüchtlingen zu verdanken! Nur einmal ist seit den Tagen ELISABETHS, damals, als LAUD in Canterbury residierte, der Versuch gemacht worden, die eingewanderten Protestanten unter Anwendung von Druck zur Staatskirche zu bekehren. In der Regel hielten sie sich zu den Dissenters, und aus dem toryistischen Lager erschallten später bittere Klagen darüber, daß sie stets die Wighs verstärkten. Allerdings war England nicht so das Land der Duldung par excellence wie Holland: das zeigt vor allem die Lage der Katholiken. Gegen sie bestand formell die strenge und barbarische Strafgesetzgebung aus dem Zeitalter der Reformation; aber zur selben Zeit, als in Frankreich nach hundertjähriger Geltung das Toleranzprinzip wieder beseitigt, das Edikt von Nantes aufgehoben wurde, unter den letzten STUARTS, erfreuten sich die Katholiken entschiedener Begünstigung. Im Gefolge der zweiten Revolution und der sich daran anschließenden STUARTschen Restaurationsversuche wurden die Zügel gegen die Katholiken wieder schärfer angezogen, zeitweise sogar wider sie, zumal in Irland, mit unentschuldbarer Härte und Grausamkeit eingeschritten; im allgemeinen jedoch blieb die Praxis eine sehr milde. Übrigens kamen die Katholiken, was Zahl und wirtschaftliche Bedeutung anlangte, in Großbritannien selbst kaum in Betracht. Sie betrugen höchstens 1–2 v. H. der Gesamtbevölkerung, und noch zum Ende des 18. Jahrhunderts hatten in der kaufmännischen Welt nur zwei bis drei Katholiken eine große Position.

Ganz anders war die Stellung der Hugenotten in Frankreich. Das Vorgehen LUDWIGS XIV. gegen sie brachte der französischen Volkswirtschaft in der Tat eine empfindliche Schädigung, und ihre Auswanderung mußte das schon bestehende ökonomische Übergewicht der protestantischen über die katholische Welt nur noch mehr verstärken, indem es jener Kräfte zuführte, die dieser entzogen wurden. Was die großen Reiche und Nationen betrifft, so war es eben in der Hauptsache der Unterschied in der Beeinflussung der Politik durch Momente religiös-konfessionellen Charakters, der den Unterschied in ihrer wirtschaftlichen Stellung schaffen und vertiefen half: dafür spricht auch der Umstand, daß in den katholischen Ländern, seitdem sich in ihnen der Geist der »Aufklärung« der Staatsleitung bemächtigte und jedenfalls das konfessionelle Element seine allesbeherrschende Geltung verlor, Kapitalismus und Unternehmertum mit verstärkter Betätigung einsetzten, daß seitdem die katholischen Völker Europas den protestantischen gegenüber erheblich an Konkurrenzfähigkeit gewonnen haben. Wo die Überspannung des religiös-konfessionellen Prinzips einen alles andere Leben erdrückenden Rückhalt an der Staatsgewalt findet, da ist auch dem wirtschaftlichen Leben die Freiheit der Entwicklung verschränkt, die Erreichung höchster Blüte versagt, deren es sonst fähig wäre.

So werden wir denn dem religiösen Momente für die Entwicklung der ökonomischen Verhältnisse gewiß eine große Bedeutung zugestehen müssen; wir werden sie allerdings nicht gerade in derselben Richtung suchen, zum mindesten nicht so ausschließlich, wie WEBER; wir werden ihre Einflüsse in ihrem ganzen Umfange zu ermitteln trachten, wie sie teils hemmend, teils fördernd gewirkt haben, und wir werden zur Ansicht gelangen, daß der ökonomische Vorsprung des Protestantismus im wesentlichen darauf beruht, daß hier die hemmenden Kräfte fehlten, welche im Geltungsbereich des Katholizismus das ökonomische Wachstum einschnürten und unterbanden. Zu den fördernden Elementen aber gehört unzweifelhaft die Berufsethik der Reformation: können wir uns auch WEBER nicht anschließen, wenn er sie als »Askese« kennzeichnet, schlagen wir ihre Wirkungen auch bei weitem nicht so hoch an, wie er es tut, – es bleibt sein Verdienst, auf diesen Faktor auch als Triebkraft »kapitalistischen Geistes« (ein Gesichtspunkt, unter dem er noch nie gewürdigt worden ist), zumal in England, aufmerksam gemacht zu haben, und insofern hat ihm die Religions- und Wirtschafts-Geschichte eine wertvolle Anregung zu verdanken.

V

Einige Wochen sind seit der Feier der vierhundertsten Wiederkehr von CALVINS Geburtstag vergangen; sie hat eine geradezu unübersehbare Literatur von Festschriften und Festartikeln angeregt und zutage gefördert. Man hat darin Charakter, Eigenart und Bedeutung des Mannes und seines Werkes zu zeichnen versucht, man hat seinen Einfluß auf die weltgeschichtliche Entwicklung beschrieben und gepriesen. Was ist nicht alles mit ihm und mit seiner Lehre in Zusammenhang gebracht worden: die Existenz und Erhaltung des Protestantismus in Westeuropa und Europa überhaupt, indem der Kalvinismus dem siegreichen Vordringen der katholischen Restaurationspolitik Einhalt gebot, die Entstehung des kapitalistischen Geistes, die Prinzipien der politischen Freiheit und der Demokratie: hat man doch die Erklärung der Menschenrechte und die amerikanische Revolution auf die Genfer Reformation zurückgeführt.[41] Sogar auf das Gebiet der Künste sollen sich die Ausstrahlungen des Geistes des Patriarchen von Genf erstreckt haben: indem er das historische Gemälde, das Genre- und das Landschaftsbild sowie das Porträt empfahl, habe er, so lesen wir[42], »das Programm im voraus entworfen, das nachher die holländische Kunst des 17. Jahrhunderts verwirklichte«.

Gewiß bestehen manche dieser Zusammenhänge; nur ist es die Frage, ob sie auch immer von CALVIN gewollt waren oder doch wenigstens seinen Intentionen entsprachen. Wie es mit seinem Verhältnisse zur Entwicklung des Kapitalismus steht, haben wir ja eingehend untersucht. Ähnlich ist es bestellt mit seinem Anteil an der Ausbildung individueller und politischer Freiheit; er ist begrenzt und lag nicht ohne weiteres in seiner Absicht und in seinem System. Für sich selber nahm er das Recht unbeschränktester Subjektivität in Anspruch, indem er sich für den Träger unmittelbarer göttlicher Inspiration hielt: »Gott hat mir die Gnade erwiesen, mir zu erklären, was gut und böse ist«. Wohl erwog er alles bei sich genau: »Ich habe nicht die Gewohnheit, etwas als Wort Gottes zu billigen, ohne es vorher reiflich überlegt zu haben«; aber das Ergebnis, zu dem er schließlich gelangte, war ihm Gottes Wort, und er wollte es als solches angesehen und geachtet wissen. Nur bedingt gestand er dem Individualismus sein Recht zu, nämlich nur für den Anfang der Reformation, wie er sie predigte. »Und das soll nur gelten für dieses Mal, für den rechten Anfang der Kirche.« Nur bei der Gründung oder in den Momenten der Krise steht es dem Einzelnen zu, sich dem Glaubensbekenntnis anzuschließen; aber verschieden von Gründung und Krisen sind das gewöhnliche Leben und die Ergänzung der Kirche: einmal gegründet, ergänzt sich die Kirche durch Geburt, wie Familie und Staat; da ist die Zugehörigkeit zu ihr nicht mehr ins Belieben des Individuums gestellt, und ist man der Gemeinschaft unwürdig, so wird man verflucht und verstoßen; das eben ist die Aufgabe der Kirchenzucht.[43] Zwar sagt CALVIN, er fordere nicht Herrschaft für seine Person, sondern für die Bibel, wie CHOISY[44] das ausdrückt: »Ce n'est donc CALVIN comme personnalité autoritaire qui a régné à Genève.... C'est la bible«; aber er muß hinzufügen: »interprétée par lui«. Eben weil er verlangt, daß seine Schriftauslegung die alleingültige ist, läuft diese Bibliokratie auf eine Theokratie hinaus, deren Träger er selbst ist; er ist der Hierarch. Er beansprucht nicht nur für sich das Recht christlicher Subjektivität, sondern er fordert auch, daß seine subjektive Meinung zugleich objektive Norm für die ganze Christenheit sei; denn ihn regiert der Hl. Geist, und wenn ein anderer zu anderer Deutung gelangt, so ist das ein Beweis dafür, daß nicht Gott aus dem andern spricht, sondern Eigendünkel, Unwissenheit, Verblendung und satanische Bosheit.[45] Nimmt man noch hinzu, daß die straffe Kirchenzucht alle Mitglieder der Gemeinde, ob Erwählte oder Verworfene, aufs engste einschnürte und aller Freiheit der Bewegung beraubte, so wird man zugeben müssen, daß das individualistische Prinzip, mochte auch aus ihm heraus der Kalvinismus geboren sein, dennoch im Rahmen des kalvinistischen Systems praktisch vernichtet wurde: immerhin war die bloße Tatsache seiner Existenz mächtig genug, so daß es sich auf die Dauer zu behaupten vermochte.

Was der Kalvinismus gegen die auf der Tradition von Jahrhunderten fußende alte Kirche in Anspruch nahm und durchsetzte, das konnte er den mit ihm selbst gleichaltrigen übrigen Richtungen der Reformation nicht auf die Dauer versagen, und als sich gar diese, nämlich das humanistisch-rationale Christentum der Renaissance und das Täufertum, bei denen das individualistische Prinzip von vornherein durchgeführt ward, mit ihm vermischten, als er dadurch in eine Entwicklungsphase trat, die eine Zersetzung und Auflösung seines ursprünglichen Wesens bedeutete, da erlangten auch in ihm die Grundsätze der Duldung, der Gewissens- und Denkfreiheit die Oberhand.

Wer freilich kann bestreiten, daß diese Prinzipien dem genuinen Kalvinismus fremd waren, daß sie von seinem Stifter nicht nur nicht gewollt waren, sondern daß sie sogar seinen Intentionen direkt zuwider liefen? Der echte Kalvinismus wollte keine Toleranz gewähren, wie das Vorgehen des Reformators selbst gegen Servet zeigt, und wenn er sie heischte, dann nur für sich selbst, wie die kurpfälzische Forderung der »Freistellung« auf den Reichstagen des 16. Jahrhunderts beweist[46], nämlich »unbedingter Religionsfreiheit protestantischer Untertanen unter katholischer Obrigkeit, ohne das entsprechende Recht an die Katholiken«. Ja sogar, ehe sie Toleranz mit Antitrinitariern und Baptisten teilen wollten, eher wollten sie selber leiden: so wenigstens war es das Gebot der Genfer Väter, der Hüter des wahren Kalvinismus, an ihre niederländischen Glaubensgenossen bei deren erster Erhebung. Sie kannten kein Paktieren mit anderen Überzeugungen; wenn sie eine allgemeine protestantische Union befürworteten, dann mit dem Anspruch, daß sich die anderen ihnen im wesentlichen fügten. Und doch wird niemand über Calvins Intoleranz den Stab brechen wollen. Die Religiosität, wie er sie lehrte, mußte, wenn sie eine Macht werden sollte, die der alten Kirche gewachsen, die ihr gegenüber dem Protestantismus Halt und Widerstandskraft zu verleihen geeignet war, zunächst vor innerer Auflösung bewahrt werden; rein und unversehrt mußte ihr

Kern erhalten werden. Denn sonst hätte sie die gewaltige Triebkraft eingebüßt, die sie ihren Bekennern einflößte; nimmermehr wäre sie das stolze Palladium geblieben, um dessen willen man das Herzblut vergoß. Es war eine tragische Notwendigkeit, daß der Protestantismus, wenngleich ein Kind des Individualismus und der Gewissensfreiheit, sie doch zuerst mit Gewalt niederhalten mußte, um sie für spätere Zeiten möglich zu machen: denn hätte er sie schon in seinen ersten Anfängen ungestört schalten und walten lassen, so wäre er eben nie eine Macht geworden. Durch das System des Zwanges, das er schuf, hat CALVIN schließlich die Freiheit gerettet. Das war der Erfolg seines Wirkens; aber er war nicht von ihm gewollt. Ein hervorragender Reformationshistoriker[47] hat das Urteil gefällt: »Der Scheiterhaufen SERVETS hat CALVINS Werk erhalten.« Dazu bemerkt ein reformierter Theologe[48]: »So hat allerdings CALVIN selber die Sache aufgefaßt; aber wenn sein Werk nur durch eine solche Tat zu retten war, so verdiente es vielmehr unterzugehen.« Gewiß kann man nicht sagen, daß eben diese Tat notwendig war, um den Bestand des Kalvinismus zu sichern. Warum hätte man nicht, anstatt SERVET zu verhaften, ihm unter der Hand einen Wink geben können, daß er sich aus dem Staub mache: dadurch wäre das Werk CALVINS schwerlich gefährdet worden. Aber man darf nicht mit den Männern der Geschichte rechten; man muß sie nehmen, wie sie sind; die Schatten gehören zu ihrer Größe so gut wie ihre Tugenden. Die düstere Energie und Leidenschaft, die CALVIN die Fackel in die Hand drückte, mit dem er SERVETS Scheiterhaufen in Flammen steckte, hat ihn auch die Stadt der Heiligen schaffen lassen, in der es die Protestanten Westeuropas lernten, dem Rom LOYOLAS die Stirn zu bieten. Der Sieg, den er gegen Rom gewann, kam schließlich allen Gegnern Roms zugute, auch denen, die er [zugleich] als die seinigen betrachtete und unbarmherzig verfolgte.

Und eben vor diesen seinen Widersachern, denen sein Kampf gegen Rom Luft und Licht zur Erhaltung ihrer Existenz und zur Entfaltung ihrer Kräfte gewährt hatte, mußte der Kalvinismus schließlich kapitulieren. In Holland begann seine Verschmelzung mit dem Renaissance-Christentum humanistischer Aufklärung erasmianischer Prägung; als ihre theologische Formulierung stellte sich der Arminianismus dar. Dadurch mußte er über sich Veränderungen in seinem Wesen im Sinne des Rationalismus und der Toleranz ergehen lassen; noch viel mehr als in der Theologie kamen sie zum Ausdruck in der praktischen Religiosität des holländischen Volkes, zumal seiner höheren Stände. Was England anlangt, so hat WEINGARTEN[49] in seinem klassischen Buch über die englischen Revolutionskirchen gezeigt, wie hier durch die Synthese kalvinistischer und täuferischer Religiosität das Prinzip der Toleranz erzeugt und in einem großen, gewaltigen Anlauf zum Sieg geführt und statuiert wurde. Bei dem Abflauen des religiösen Enthusiasmus, dem es seinen Triumph verdankte, konnte es freilich für England nur durch den Einzug und die Verbreitung von Rationalismus und natürlicher Theologie auf die Dauer sichergestellt werden. Sie aber, wie das Täufertum, wurden England mitgeteilt von Holland aus, wo ja auch der Kongregationalismus zuerst eine Heimstätte gefunden hatte, ganz ebenso wie der Antitrinitarismus; es ist bekannt, welche Rolle dieser letzte, der sogenannte »Arianismus«, später in der englischen Theologie spielte. Das Resultat aller dieser Einflüsse auf den Kalvinismus und den »genuinen« Protestantismus überhaupt aber ist das, was man jetzt wohl auch den »Neuprotestantismus« nennt. Er ist vom Kalvinismus ausgegangen, ist aber seine innere Umkehrung, insofern als das individualistische Prinzip, auf dem dieser ursprünglich beruhte, dem aber CALVIN sofort Einhalt setzte, in der Richtung der Gewissens- und Denkfreiheit, der Freiheit jeglicher Religionsübung, der Autonomie der Vernunft und des vernunftmäßigen Erkennens konsequent fortgebildet wurde.

Wie also CALVINS Einfluß auf die Entwicklung einer freieren christlichen Religiosität auf der Grundlage wirklicher Durchführung des individualistischen Prinzips ein recht bedingter und indirekter, diese vielmehr im wesentlichen die geistige

Erbschaft des von ihm verabscheuten Täufertums und Libertinismus ist, so auch muß man sich hüten, seine direkte Einwirkung auf den Werdegang des modernen Staates zu überschätzen. CALVIN wollte Staat und Kirche nur begrifflich sauber geschieden wissen, sie keineswegs tatsächlich trennen. Bei aller Betonung des besonderen Charakters des Staates, der Notwendigkeit eines »freien« Zusammenwirkens von Kirche und Staat zur Durchführung von Gottes Wort sah er im letzten Grunde doch den Staat als den Knecht der Kirche an, deren Oberhaupt er oder seine Mitbrüder und Nachfolger am Worte Gottes in Wahrheit waren. Denn eben darauf lief ja das Prinzip der Bibliokratie hinaus, dem er, wie alle weltlichen Dinge, so auch den Staat unterworfen wissen wollte: so fiel er in die mittelalterliche Theokratie zurück. Erst durch die in den englischen Revolutionskirchen vollzogene Durchsetzung des Kalvinismus mit täuferischen Gedanken (für die ja von Anfang an das Streben nach bloßer Duldung, der Verzicht auf jede Herrschaft über den Staat als Konsequenz der vollkommenen Abwendung vom Staat und daher auch die prinzipielle Trennung des kirchlichen Lebens vom Staat charakteristisch waren) ist die Proklamation wie des Grundsatzes der Toleranz so auch des der faktischen Scheidung staatlichen und religiösen Lebens zustande gekommen.

Niemand wird freilich verkennen, daß dieses Postulat dem genuinen Kalvinismus widersprach, und daß es für die Frühzeit der Reformation, für das Genf CALVINS selber ein Unding war. Denn ganz abgesehen davon, daß auch der Staat damals der engsten Verbindung mit der Kirche noch nicht entraten zu können vermeinte, so war eine faktische Trennung von Staat und Kirche im Interesse des Protestantismus selber unmöglich. Denn dieser brauchte zur Behauptung seiner Existenz gegen die alte Kirche die innigste Verquickung mit dem Staat, und mußte er sich sonst, in den deutschen Territorien und in den schweizerischen Stadtrepubliken, dem Staat unterordnen, so war es für ihn von denkbar höchstem Wert, daß er in Genf eine Stätte fand, wo er dem Staat nicht dienend, sondern selbständig und sogar herrschend gegenüberstand. Denn so wurde in ihm die innere Freiheit der Gesinnung gegenüber dem Staat gefestigt, woran es die Epigonen des Luthertums nur allzuoft fehlen ließen; so ward ihm der moralische Mut eingeflößt, sich mit allen Kräften und Mitteln auch da zur Geltung zu bringen, wo er um seine Existenz mit dem Staat ringen mußte, d. h. in den katholischen Ländern, frei von jeglichem inneren Bedenken und lauer Halbheit, kühn und trotzig der Gegenreformation unter staatlich-moderner Ägide die Stirn zu bieten. Wie sich CALVIN als der faktische Leiter des souveränen Freistaates von Genf in gewissem Sinn den Potentaten Europas gegenüber als gleichberechtigt erachten konnte, so lernten sich die Kalvinisten eben durch die Beziehung auf Genf als ihren von aller Welt unabhängigen Mittelpunkt als Glieder einer Gemeinschaft fühlen, die dem staatlichen Organismus gegenüber allüberall ihre absolute Existenzberechtigung zur Geltung zu bringen befugt und berufen sei. Darin lag gleichsam der erzieherische Wert der Genfer Theokratie für den westeuropäischen Protestantismus; es wurde ihm dadurch ein Geist mitgeteilt, der ihn schwerlich, wenn er sich ausnahmslos staatskirchlich gebunden hätte fühlen müssen, in solcher Stärke erfaßt haben würde. Im wesentlichen aber blieb die theokratische Stellung des Kalvinismus beschränkt auf seine engste Heimat, auf die Wirkungsstätte seines Stifters. Die kalvinistische Kirche in Holland erinnert, was ihr Verhältnis zum Staat anbelangt, trotz ihrer Synodalverfassung mehr an das Staatskirchentum der anderen schweizerischen Stadtrepubliken. In England ist die Herrschaft des Staates über die kirchlichen Organisationen, welcher Art und welchen Bekenntnisses sie auch immer waren, nie dauernd angetastet worden, und in Frankreich hat sich der Kalvinismus lediglich eine Zeitlang die Stellung eines tolerierten Sonderstaates im Staate zu erkämpfen vermocht; wo er in Deutschland eindrang, mußte er sich dem hier herrschenden System des Territorialkirchentums einfügen. Mit dem modernen Staat und seinem Verhältnis zur Kirche hat der genuine Kalvinismus nichts zu tun; aber er hat diesen Zustand schaffen helfen, indem er zwar nicht den Anspruch auf Herrschaft, wohl aber auf Existenz und sogar auf eine bevorzugte Stellung, auf die Erklärung zur Staatskirche vielerorts durchsetzte: auf dieser Grundlage und unter den Einwirkungen von Täufertum, Toleranz, Rationalismus und moderner Weltanschauung erwuchsen die Zustände, wie sie heute das Verhältnis zwischen Staat und protestantischem Kirchentum in den verschiedenartigsten Modifikationen in der alten und neuen Welt kennzeichnen.

Noch mehr: man hat sogar bestimmte Prinzipien und Formen des modernen Staatslebens aus dem Kalvinismus abgeleitet, – Demokratie und Volkssouveränität, die Lehre von den unveräußerlichen Menschenrechten: »Der Ausgangspunkt hierfür«, so hört man sagen, »ist die kalvinistische Gemeindeverfassung.«[50] Nun kann darüber kein Zweifel bestehen, daß CALVIN die Aristokratie als die beste Verfassungsform für Staat und Kirche ansah, wenngleich er anerkannte, daß unter bestimmten Umständen eine andere Staatsform vorgezogen werden könnte.[51] Jedenfalls hält er die Herrschaft des Volkes, die Austeilung gleicher Rechte an alle für schädlich: die mechanische Gleichheit, nämlich das Prinzip der Zahl, auf der die Demokratie beruhe, schade der gesunden und edlen Entwicklung des Staates; nicht selbst regieren solle das Volk, sondern regiert werden. Es ist sogar in Genf die Verfassung, die ursprünglich eine demokratische war, unter CALVINS Ägide allmählich mehr und mehr aristokratisiert worden.[52] Und was die Gemeindeverfassung CALVINS anlangt, so ist die ältere Ansicht von deren demokratischer Grundlage neuerdings durch RIEKER bekämpft worden, unter dem Hinweis darauf, daß die Ältesten nach CALVINS Meinung nicht Vertreter des Willens der Gemeinde seien, sondern Träger eines selbständigen, von Gott geordneten Amtes, Funktionäre Christi. Die Doktrin von der Volkssouveränität ist erst in der zweiten Generation des Kalvinismus benutzt worden; sie ist ihm auch nicht originär, sondern ist, wie ihre Voraussetzungen, die Lehren vom Naturrecht und vom Staatsvertrag, ein Erbteil der antiken Philosophie, das schon längst Gemeingut der abendländischen Publizistik war; machten sie doch auch die Jesuiten zur selben Zeit für ihre Zwecke nutzbar. Sie wurde von den Kalvinisten also nur rezipiert, und zwar wurde sie von ihnen in einer aristokratisch-ständischen Färbung vorgetragen; unter Heranziehung der kalvinischen Lehre von den Befugnissen und Pflichten der magistrats inférieurs gegenüber dem gottlosen Herrscher erklärte man nämlich das Recht des Volkes als absorbiert durch die Stände.

Weder in der Kirche noch auch im Staat begünstigte also der Kalvinismus CALVINS selber die Demokratie. Mag diese auch theoretisch in CALVINS Gemeindeverfassung gelegen haben, so ging es damit ähnlich wie mit dem individualistischen Prinzip auf dem Gebiet seiner Religiosität. Das demokratische Gemeindeprinzip mochte eine gewisse Rolle spielen bei der Gründung der Kirche oder bei der Bildung neuer Gemeinden, indem bei dieser Gelegenheit die ersten Gemeindeorgane aus Wahlen durch die Gemeinde hervorgingen; eine weitere Entfaltung aber lag nicht im Sinne CALVINS und widersprach direkt seinem System. Es hat sich auch tatsächlich erst durchgesetzt, als sich im Kongregationalismus des 17. Jahrhunderts eine wirksame Synthese kalvinistischer mit täuferischen Ideen vollzog: wie die Grundsätze der Toleranz und der Trennung von Staat und Kirche, so auch ist das demokratische Gemeindeprinzip nicht genuin-kalvinistisch, sondern erst durch das Täufertum in den Kalvinismus eingedrungen, und auch dadurch wurde dieser etwas ganz anderes, als die Schöpfung CALVINS ursprünglich gewesen war. Und was die politische Demokratie angeht, so ist diese nicht ohne weiteres als eine Art von Säkularisation des demokratischen Gemeindeprinzips im täuferisch beeinflußten Kalvinismus zu betrachten. Gewisse Beziehungen sind vorhanden; aber im wesentlichen ist die moderne Demokratie in Amerika und Europa von selbst emporgewachsen, teils aus den tatsächlichen Verhältnissen, unter denen sich die Festsetzung der ersten Ansiedler jenseits des

Ozeans vollzog, teils im Zusammenhang mit der Ausbildung der politischen Theorie, indem nämlich die Lehre von der Volkssouveränität der unlogischen aristokratischen Verbrämung entkleidet wurde, die sie sich noch bei den kalvinistischen Monarchomachen hatte gefallen lassen müssen: kam der Staatsvertrag, aus dem die Volkssouveränität floß, durch Übereinkunft aller zustande, so war eben die Demokratie seine logische Konsequenz. Und dasselbe gilt von den unveräußerlichen Menschenrechten; sie sind hervorgegangen aus den naturrechtlichen politischen Theorien des 17. und 18. Jahrhunderts, insbesondere aus LOCKE, indem daraus in den amerikanischen Kolonien Englands ein Katalog spezialisierter individueller Freiheitsrechte abgeleitet wurde, an denen selbst die Staatsgewalt ihre Grenze zu finden hätte. Auch hier ist somit der Zusammenhang mit dem genuinen Kalvinismus teils sehr locker, teils ein indirekter; denn er stellt sich, insoweit er überhaupt besteht, dar als eine Fortbildung des Kalvinismus, die nicht dem Geist CALVINS entsprach, ihm wohl auch geradezu widersprach und durch das Eindringen von Elementen bewirkt wurde, die CALVIN sogar ohne Zweifel perhorresziert hätte. Mit anderen Worten: die größten weltgeschichtlichen Wirkungen, die dem Kalvinismus zugeschrieben werden, und unter deren Einfluß noch jetzt das moderne Leben steht, sind ihm, insoweit er tatsächlich daran beteiligt ist, nur durch seine Kapitulation vor seinen ursprünglichen Todfeinden, Täufertum und rationalistischem Libertinismus, möglich geworden.

Daß von allen Richtungen des Protestantismus der Kalvinismus den Kampf gegen die katholische Restauration am mutigsten aufgenommen und ihr den nachhaltigsten und erfolgreichsten Widerstand geleistet hat, das wird vor allem der Staatslehre CALVINS zugeschrieben – wie HÄUSSER das negativ ausdrückt: »Mit dem passiven Widerstande LUTHERS konnte man den KARAFFAS, den PHILIPPS, den STUARTS nicht entgegenwirken.« Das ist wieder einmal die Überschätzung kirchlicher Lehren, wo sie über das rein Religiöse hinausgehen; im übrigen ist die Formulierung des Gegensatzes zwischen Kalvinismus und Luthertum, wonach dieser sich rein auf die passive Resistenz beschränkt, jener den aktiven Widerstand gegen die ungläubige und gottlose Obrigkeit gepredigt habe, weder für die Lehre noch auch für die Praxis richtig, und man darf doch auch die Bedeutung des Luthertums für die Erhaltung des Protestantismus in Europa nicht zu gering anschlagen. Schon LUTHER ist, worauf wir bereits aufmerksam machten, über die Lehre vom passiven Widerstand weit hinausgegangen, und auch die Lehre von der Befugnis der niederen Obrigkeit zu aktivem Widerstand findet sich beim Luthertum. Die lutherischen Fürsten Norddeutschlands in der zweiten Hälfte des 17. Jahrhunderts, damals die Träger der politischen und militärischen Machtmittel, die dem Luthertum zur Verfügung standen, waren freilich ein schwaches, tatenscheues Geschlecht, das die Ruhe liebte und den Frieden nach Möglichkeit erhalten wissen wollte: das gab dem Luthertum jener Zeit einen Zug passiver Resignation, der aber nicht aus seiner speziellen Lehre vom Widerstandsrecht erklärt werden darf, sondern aus der individuellen Eigenart jener Generation der lutherischen Machthaber. In den habsburgischen Staaten haben die lutherischen Elemente, worauf wir gleichfalls schon hinwiesen, nichts weniger als Neigung zu stummem Dulden und zaghaftem Leiden an den Tag gelegt, und GUSTAV ADOLF zeigt zur Genüge, daß lutherische Religiosität mit aktivem Heroismus sehr wohl vereinbar war. Das soll man doch nicht vergessen, daß die Rettung des deutschen Protestantismus und damit die Erhaltung der ganzen Machtstellung des Protestantismus in Europa und der Welt – abgesehen von dem rein politischen Moment der habsburgisch-französischen Rivalität – in erster Reihe ein Werk lutherischer Tatkraft und Heldenhaftigkeit war.

Die Lehre CALVINS vom Widerstandsrecht ist bekannt: auch der schlechten Obrigkeit ist man Gehorsam schuldig, selbst wenn sie Gewalt tut, nur daß dann die *magistratus inferiores* ihr entgegenzutreten verbunden sind. Wenn die Befehle der Obrigkeit mit dem Gebot Gottes zusammenstoßen, dann freilich hört die Pflicht des Gehorsams auf; aber der Gläubige muß das Unrecht, das eine tyrannische Regierung über ihn verhängt, mit Geduld ertragen; Gott wird ihm, wenn die Zeit erfüllt ist, Hilfe bringen: das ist dem Kern nach dasselbe, was LUTHER vorschrieb. Das Prinzip vom duldenden Gehorsam und des nur passiven Widerstandes gegen die Obrigkeit wurde von der Genfer Mutterkirche selbst nach CALVINS Tod noch vertreten, und durch BEZA wurde sogar seine praktische Durchführung gefordert. Als die niederländischen Geusen sich zu ihrer ersten Erhebung anschickten und dazu einer theoretischen Rechtfertigung bedurften, ließen sie nach einer solchen nicht die Gebrüder MARNIX in dem Arsenal der kalvinistischen Literatur suchen, sondern ihr Führer HAMES bat den Grafen LUDWIG von Nassau, er möchte ihnen eine gewisse Abhandlung aus Deutschland mitbringen, die er ihnen versprochen habe, und in der die Gründe angeführt seien, auf welche hin die niedere Obrigkeit die Waffen ergreifen dürfe, wenn die höhere schlafe oder Gewaltherrschaft ausübe.[53] Und sie wußten sehr wohl, warum sie sich nicht in Genf Rates erholten. Die erste religiöse Insurrektion gegen das katholische Glaubensjoch PHILIPPS II. in den Niederlanden ist, wie die Briefe BEZAS beweisen, nicht nur unabhängig von Einwirkungen seitens der Genfer Zentrale des Kalvinismus entstanden; sondern sie hat hier auch entschiedene Verurteilung gefunden, und zwar sowohl deshalb, weil sie den Charakter einer Toleranzbewegung zu Gunsten aller Richtungen des Protestantismus trug, als auch an und für sich, nämlich als ein Akt der Gewalt und der bewaffneten Auflehnung wider die Majestät des Königs: lieber sollen seine Glaubensbrüder, so rät BEZA, ihre Unschuld Gott und der Majestät des Königs empfehlen und alles leiden, was Gott ihnen schickt; denn das ist Gott wohlgefälliger, als eine Gewissensfreiheit zu erstreben, die sie mit allen anderen Ketzereien und Blasphemien teilen. Gewiß darf man von dem »unbeugsamen Mut und Starrsinn der Genfer Kampfeskirche« sprechen; aber man muß dabei im Auge halten, daß es sich dabei, insofern aktiver Widerstand in Frage kommt, nicht immer um die Genfer Mutterkirche, sondern um den Kalvinismus im allgemeinen handelt. Ihm gehörte in den Ländern Westeuropas eine Generation von Bekennern an, die nicht saturiert und schlaffen Mutes waren wie die lutherischen Fürsten von Norddeutschland; sondern es stachelte sie trotz der warnenden Beschwörungen der Genfer Väter das aus ihrer äußersten Bedrängnis entspringende Bedürfnis, der Selbsterhaltungstrieb, die Reaktion gegen die Jahrzehnte lang währende blutige Unterdrückung und, wie in den Niederlanden, der nationale Geist zu aktivem Widerstand gegen ihre Regierungen auf. Diese Motive waren für sie mächtiger, als der »duldende Vorsehungsglaube«, der ihnen von Genf aus gepredigt wurde. Auch lag in den Niederlanden die Sache keineswegs so, daß der Kalvinismus, wenn er im Kampf gegen die Krone allein gestanden hätte, den Sieg zu erringen vermochte; es waren noch andere Kräfte am Werke. Und was Schottland anlangt, das zweite Land, wo sich im 16. Jahrhundert der Kalvinismus gegen den katholischen Herrscher durchsetzte, so ist es allgemein anerkannt, daß die Lehren von Knox über das Verhältnis von Fürsten und Volk weit über die genuinen kalvinischen Ideen hinausgingen, und dasselbe gilt von der gesamten Staatslehre der kalvinistischen Monarchomachen.

Trotz alledem, wenn sie auch in diesen Stücken über die eigentlichen Lehren Calvins weit hinausgingen, wenn sie sogar direkt den Weisungen zuwiderhandelten, die sie von Genf empfingen, es war doch der Geist kalvinischer Religiosität, von dem sie getragen wurden, der sie erfüllte in allen ihren Leiden und Taten, und dieser Geist wirkte in ihnen um so stärker, als ihm der Reformator in seiner Gemeindeverfassung die denkbar zweckmäßigste und erfolgverheißendste Form der Organisation zur Verfügung gestellt hatte, die alle Kräfte aller in seinen Dienst spannte, die auf dem Prinzip der engsten und durchgreifendsten sozialen Kooperation beruhte. Nicht erfüllt vom Geist der Demokratie war die kalvinistische Gemeindeverfassung; sie hatte nicht zur Voraussetzung eine Gleichheit der Rechte; sie legte vielmehr allen Mitgliedern eine Gleichheit der Pflichten auf, nämlich allen die Verpflichtung zur Einsetzung aller ihrer Kräfte zum Wohl der Gesamtheit, zum Dienst und zur Ehre Gottes. Der Kalvinismus war wie eine große Armee; jeder Einzelne war seinem besonderen Fähnlein zugewiesen, nämlich der Gemeinde seines Bereichs. Beitritt zur Gemeinde des Ortes und Gemeindebildung war seinen Bekennern vorgeschrieben; jeder war verbunden, Mitstreiter zu werben und mit ihnen sich durch das Band der Gemeinde fest und unverbrüchlich zu verbinden. Niemandem war es erlaubt, sich davon in vornehmer Reserve oder in individualistischer Vereinzelung fernzuhalten; soziales Zusammenwirken in einem Geiste, das war die Losung, der sich jedermann beugen mußte. Und eine treffliche Disziplin wurde unter diesen Kämpen für Gottes Ruhm und Größe gehandhabt, die Kirchenzucht, geübt durch die Vorsteher der einzelnen Gemeinden, das aus den Geistlichen und den Laienältesten zusammengesetzte Konsistorium. Die Kirchenzucht, gipfelnd im Bann, war für CALVIN »der Nerv der Kirche«, und es war die Pflicht des Staates, ihr hierfür seinen Arm zu leihen.

Hierin das Beispiel Genfs nachzuahmen, das war allerdings für diejenigen Länder unmöglich, wo sich der Kalvinismus nicht dauernd zu einer theokratischen Stellung emporzuschwingen vermochte, wo er nur geduldet wurde oder gar verfolgt war, bei den Kirchen »unter dem Kreuz«. Aber gerade bei diesen, die sich über weite Flächen erstreckten, vollzog sich eine Fortbildung der Kirchenverfassung, die eine weitere und noch viel stärkere Konzentration der Kräfte bedeutete: die Gemeinden schlossen sich auf provinzieller Grundlage zu Provinzialsynoden zusammen, über ganze Länder hin zu Generalsynoden. Bei den Hugenotten vollzog sich zuerst diese Krönung der Gemeinde- und Konsistorial-Verfassung durch die Synodalverfassung; von ihnen her wurde sie nach den anderen Verbreitungsgebieten des Kalvinismus übernommen, zuerst, schon um 1561, nach den Niederlanden. Damit waren große, umfassende und mächtige Organisationen geschaffen, welche alle Gemeinden, die zu ihnen gehörten, einer einheitlichen, planvollen und energischen Leitung unterstellten; an ihrer Spitze standen kühne, zähe und verschlagene Männer, in deren Hand alle Fäden zusammenliefen, wie der Advokat Me. Gilles Le Clerq aus Tournai, der geschickte Sekretär der niederländischen Synode. Im Bewußtsein dessen, was sie vermochten, wenn sie nur wollten, erfüllten sich diese Verbände mit dem Geist eines aktiven Widerstandes gegen die Regierungen, den die Genfer Mutterkirche weder lehrte, noch auch immer billigte. Nicht Calvins Lehre vom Staat und insonderheit vom Widerstandsrecht hat die Erhaltung und die Fortschritte des Kalvinismus in Westeuropa bewirkt, sondern neben der ihm eigentümlichen Religiosität vor allem seine Kirchenverfassung, die straffe Organisation der Gemeinde, durch die der Einzelne aufs stärkste gefaßt, innerlich gefestigt und äußerlich geschoben wurde, die das denkbar intensivste Zusammenwirken der Mitglieder zum gemeinsamen Ziel begünstigte, die alle in ihnen vorhandenen Kräfte erweckte, konzentrierte und für die Sache des Evangeliums nutzbar machte: so ward ein festes und unzerreißbares eisernes Band um die Massen geschmiedet, und es entstanden Machtorganisationen, die ebenbürtig den Mächten gegenübertraten, welche das Schwert für die alte Kirche schwangen. Auch da ist freilich ein wesentlicher Fortschritt, zwar auf der Grundlage von Calvins Werk, seiner Kirchenverfassung, aber doch darüber und über ihn hinaus wahrnehmbar, nämlich die Synodalverfassung und die Durchdringung dieser Synodalverbände mit aktivem Kampfesmut: damit erst hebt die Epoche der großen Glaubenskriege an.

Aber eines gibt es, das stammt im Kalvinismus allüberall, wo immer er auftritt, von Calvin selbst; das ist das beste, was er der Kirche einflößte, die nach ihm benannt wurde, sein Größtes, und darauf beruht seine universale Wirkung: jene eigentümliche Religiosität, die, aus seiner Prädestinationslehre herausgewachsen, doch nicht mit ihr steht und fällt, deren einziger und unverrückbarer Zielpunkt die Wahrung von Gottes Ruhm und Ehre ist, das Wirken in seinem Dienst, die Entzündung und Unterhaltung jenes brennenden und leidenschaftlichen Glaubenseifers, der vor nichts zurückschreckt, der keine Kompromisse und Nachgiebigkeit kennt. Die Religion wurde bei ihm zur Leidenschaft, die alles andere beherrschte und mit sich fortriß. Ein Ideal evangelischen Glaubens und evangelischer Sittlichkeit hatte er in seinem Genf aufgerichtet, das alle seine Anhänger zur Nacheiferung anspornte, ein Beispiel, das mit unwiderstehlicher Anziehungskraft dem Protestantismus immer wieder neue Gottesstreiter warb, mochten auch ihre Reihen in immer wieder neuen Schlachten durch Fall und Abfall gelichtet werden. Manch einer von ihnen hielt in der Marter der letzten Stunde nicht stand, so jener Guy de Brés, Calvins eifrigster und erfolgreichster Apostel in den südlichen Niederlanden, der Schöpfer der ältesten belgischen Konfession von 1561. Aber die Verbindung von tiefster und glühendster Religiosität mit strengster sittlicher Lebensführung und lebhaftestem Gemeinschaftsgefühl, die er seiner Kirche einpflanzte, erzeugte in ihr Helden, die sich um die Restriktionen nicht kümmerten, mit denen der Meister das Recht aktiven Widerstandes verschränkte: so hat er der Reformation die Bahn gebrochen, wie Luther durch den Heroismus seiner Person, durch den heroischen Geist, den er seiner Kirche als ihr höchstes Gut, als ihr sichtbares Merkzeichen mitteilte. Eines solchen aktiven Heroismus waren das moralistisch und rationalistisch gerichtete Reformchristentum eines Erasmus, das nach der Münsterschen Katastrophe friedfertige, weltabgewandte, alles Blutvergießen scheuende und nur im Leiden starke Täufertum nicht fähig.

Wie großartig und erhaben auch immer diese heroische Religiosität des Kalvinismus war, so liegt es doch auf der Hand, daß sie eine Anspannung des religiösen Prinzips involvierte, wie sie wohl für Zeiten der Gärung, da das Neue sich durchzuringen trachtet, notwendig, aber nicht auf die Dauer möglich ist und nicht die Norm für die Allgemeinheit sein kann: die menschliche Natur ist wohl im Moment der Gefahr, da es sich um Sein oder Nichtsein handelt, eines Aufschwunges zu ungeheurer Energie fähig; aber wenn der Sturm vorüber ist, so macht sich das Bedürfnis nach einer Lösung der enormen seelischen Spannung geltend. Schon im genuinen Kalvinismus lagen solche Elemente der Überspannung, seine Grundlehren von der totalen Verderbtheit der menschlichen Natur, vom ewigen Ratschluß Gottes mit seiner Verwerfung der Vielen und der Erwählung nur Weniger, sein moralischer Rigorismus; sie stellen an die Kräfte des Gemüts und des Willens Anforderungen, die über das Durchschnittsmaß menschlicher Veranlagung und menschlichen Könnens weit hinausgehen. Die extreme Religiosität des Kalvinismus wurde, als sich im Puritanismus seine Synthese mit dem Täufertum vollzog, durch das Eindringen der enthusiastischen Ideen bis zur Siedehitze des Fanatismus gesteigert; da war der Rückschlag unvermeidlich. Auch der Katholizismus involvierte eine Überspannung des religiös-transzendenten Prinzips. Die strenge Unterordnung aller irdischen Ordnungen, Verhältnisse und Interessen unter den jenseitigen Zweck der Menschheit, wie sie ihn lehrt, das war das Joch, welches die katholische Kirche des Mittelalters ihren Gläubigen auferlegte. Vor dem transzendenten Ziel der Menschheit und dem ausschließlichen Mittel zu seiner Erreichung, der Alleinherrschaft des Dogmas, mußten alle anderen Zwecke und Werte zurücktreten; sie hatten nur Geltung, insofern sie sich mit der katholischen Idee, d. h. letztlich mit dem Gebot der Kirche im weitesten Umfang, vertrugen. Gewiß vermochte die Kirche diesen Anspruch den realen Mächten des Lebens gegenüber keineswegs immer durchzusetzen, und zeitweise ist sie auch in seiner Verfolgung erlahmt. Das eben ist die Bedeutung des Zeitalters der Renaissance, daß sich in ihm eine selbständige Wertung der irdischen Dinge anbahnte, die zwar den offenen Kampf gegen die katholische Idee vermied, aber eine innere Loslösung, eine wachsende Emanzipation von ihrer Vormundschaft bewirkte: das adogmatische und moralistisch gerichtete Renaissance-Christentum eines Erasmus war die Form christlicher Religiosität, die sich dieser Entwicklung, innerhalb des Katholizismus verbleibend, anzupassen trachtete. Unter dem Einfluß der Reformation aber wurde im Katholizismus das dogmatisch-transzendente Prinzip wieder neu belebt; nicht minder ward es tätig im Protestantismus und zumal im Kalvinismus: er war derjenige Zweig der Reformation, der der Darstellung und Auswirkung dieses Prinzips geradezu gewidmet war, und eben daher wurde er ein ebenbürtiger Gegner der katholischen Restauration. Und im Vergleich mit dem Katholizismus stellte er viel höhere Ansprüche. Denn dieser begnügte sich schließlich, wenn auch nicht im Kern seiner Lehre, aber in der Praxis mit der förmlichen und ostensibeln Unterwerfung unter Dogma und Kirchengebot und deren unvermeidliche politische und gesellschaftliche Konsequenzen; seine doppelte Moral gab ihm die Möglichkeit, die Anforderungen an die Laien erträglich zu gestalten. Anders der Kalvinismus; er kannte keine laxe Praxis, kein Paktieren und keine Kompromisse; er verlangte eine stetige Anspannung aller sittlichen Kräfte von allen seinen Mitgliedern in allen Stücken, und zwar im Geist eines extremen moralischen Rigorismus; zumal nach seiner Verschmelzung mit der enthusiastisch-täuferischen Idee war sein Ziel die sichtbare Darstellung der Gemeinschaft der Heiligen auf Erden.

Das war eine Überspannung des religiös-transzendenten Prinzips, die wohl eine einmalige ungeheure Explosivwirkung auslösen, die sich aber nicht auf die Dauer behaupten konnte. Eine Reaktion trat ein, die der Aufnahme und der Verbreitung der rationalistisch-moralistischen Tendenzen des duldsamen Renaissance-Christentums günstig sein mußte, wie sie insbesondere von jeher in Holland gehütet, gepflegt und fortgebildet worden waren: sie drangen mehr und mehr in die Theologie ein, noch viel tiefer und stärker jedoch in die praktische Religiosität in den verschiedensten Lagern des protestantischen Bekenntnisses. Es ist der Geist jener freien christlichen Religiosität, die, dogmatisch relativ uninteressiert oder doch wenigstens nur das Fundamentale betonend, das freilich verschieden bemessen werden kann, die Welt und ihre Ordnungen als etwas Göttliches und doch als unabhängig von der transzendent-religiösen Idee anerkannt, für welche die Grundsätze autonomer Vernunfterkenntnis, individualistisch gerichteter Weltanschauung und daher vollkommener Toleranz feststehen, und die sich vor allem in einer christlichen Lebensführung zu bewähren trachtet. Und mit ihm war sehr wohl vereinbar das, was der Nachwelt als das beste Erbteil des genuinen Kalvinismus überkommen ist, – unermüdliches Schaffen und Wirken in tief innerlichst empfundenem Streben nach Gottes Dienst, Ruhm und Ehre als höchstes Ideal christlicher Sittlichkeit; es hat seine unverrückbare Geltung.

Anmerkungen zu: Felix Rachfahl, Kalvinismus und Kapitalismus

1 Der französische »Adam Riese«.

2 »Die protestantische Ethik und der Geist des Kapitalismus«, erschienen im Archiv für Sozialwissenschaft und Sozialpolitik, XX. und XXI. Bd., 1905 [Wiederabdruck der von Max Weber überarbeiteten Fassung (1920) in: Siebenstern-Taschenbuch, Bd. 53/54: Max Weber, Die protestantische Ethik I, hrsg. v. Johannes Winckelmann, München und Hamburg 1965. Den in diesem Band zusammengefaßten Kritiken und Antikritiken lag die Fassung von Max Webers Aufsätzen zur »Protestantischen Ethik« aus den Bdn. XX und XXI des Archivs für Sozialwissenschaft zugrunde. Sofern in Anmerkungen und Zitierungen auf sie Bezug genommen wird, wurden die Zitate ergänzt durch die Angabe der Fundstelle in eckigen Klammern aus der Neuausgabe in den Siebenstern-Taschenbüchern. Beispiel: Archiv, XXI. Bd., S. 10 [STB 53/54, S. 37]. Angaben von Seitenzahlen in eckigen Klammern ohne den Zusatz STB beziehen sich auf die Kritiken und Antikritiken in *diesem* Band. Beispiel: [oben S. 14]. (Hrsg.)]

3 Protestantisches Christentum und Kirche in der Neuzeit. In: Die Kultur der Gegenwart I,4: Die christliche Religion, hrsg. v. Paul Hinneberg. Berlin und Leipzig 1905, S. 253–458. 2. Aufl. (stark erweitert) 1909 a. a. O.

4 Die Bedeutung des Protestantismus für die Entstehung der modernen Welt [Vortrag auf der IX. Versammlung Deutscher Historiker, vom 17.–21. 4. 1906 in Stuttgart], in: Historische Zeitschrift, 97. Bd., 1906, S. 1–66. 2. stark erweiterte Auflage in der Historischen Bibliothek, 24. Bd., München 1911. Nach dem 1907 erschienenen Bericht über die Versammlung (S. 36) hat der Vortrag weder im allgemeinen noch im einzelnen irgendwelchen Widerspruch gefunden.

5 Staat und Gesellschaft des Zeitalters der Gegenreformation. In: Die Kultur der Gegenwart, II,5: Staat und Gesellschaft der Neueren Zeit; hrsg. v. Paul Hinneberg, Berlin und Leipzig 1908, S. 226.

6 Hans von Schubert, Calvin. In: Calvinreden aus dem Jubiläumsjahr 1909, Tübingen 1909, S. 32.

7 Vgl. zu ihrer Kritik Bernhard Harms, Darstellung und Kritik der Wirtschafts- und Betriebssystematik im Sombartschen Kapitalismus. In: Schmollers Jahrbuch, 29. Jg., 3. Heft, 1905, S. 179 ff.

8 Vgl. Max Weber, Die »Objektivität« sozialwissenschaftlicher und sozialpolitischer Erkenntnis, in: Archiv für Sozialwissenschaft, 19. Bd., 1904, S. 76 [Wiederabdruck in: Gesammelte Aufsätze zur Wissenschaftslehre, 3. Aufl., Tübingen 1968, S. 202].

9 Vgl. Ludwig Elster, Johann Calvin als Staatsmann, Gesetzgeber und Nationalökonom, in: Jahrbücher für Nationalökonomie und Statistik, XXXI. Bd., 1878, S. 196 ff.

10 Max Weber, Archiv, XXI. Bd., S. 76 [STB 53/54, S. 167].

11 F. W. Kampschulte, Johann Calvin, seine Kirche und sein Staat in Genf, 2 Bde., Leipzig 1869–1899, I. Bd., S. 429.

12 Ebenda, S. 430.

13 Emile Doumergue, Jean Calvin, Les hommes et les choses de son temps. 7 Bde., Lausanne 1899–1927, III. Bd., S. 535.

14 M. Schulze, Meditatio futurae vitae. Ihr Begriff und ihre herrschende Stellung im System Calvins, 1901; Calvins Jenseits-Christentum in seinem Verhältnis zu Erasmus, 1902; W. Lüttge, Die Rechtfertigungslehre Calvins, 1909, S. 104 ff.; A. Lang, Johannes Calvin, 1909, S. 76 f.

15 Protestantisches Christentum und Kirche in der Neuzeit, a. a. O., S. 263.

16 Friedrich Loofs, Luthers Stellung zum Mittelalter und zur Neuzeit, in: Deutsch-Evangelische Blätter, N. F., 7. Jg., 1907, S. 513 bis 538.

17 Es wäre dafür neben TROELTSCH und WEBER noch REINHOLD SEEBERG [in der Realencyklopädie f. Prot. Theologie und Kirche, 3. Aufl., Artikel »Askese«, II. Bd., 1897, S. 139 ff.] zu nennen, der unter Askese dasjenige sittliche Handeln versteht, welches sich auf die natürlichen Kräfte und Gaben des Menschen richtet mit dem Zweck, diese zu Organen des neuen sittlichen Lebens zu gestalten, und den Menschen zur Tragung des von Gott geschickten (nicht mutwillig selbst auferlegten) Leidens zu stählen; das ist eine »Übung«, die eine Disziplinierung der natürlichen Kräfte anstrebt behufs Ausübung des Guten, und dieses Ziel erreicht der Christ durch die Stetigkeit und Regelmäßigkeit guten Handelns.

18 PRUNER im Katholischen Kirchenlexikon, Bd. I, 2. Aufl., S. 1460.

19 So auch faßt ganz neuerdings SCHEEL den Begriff der Askese (Artikel »Askese« in: Religion in Geschichte und Gegenwart, 1. Aufl., 1909, I. Bd., Sp. 730): nicht jedes zielstrebige (also nicht jedes methodische und auf Selbstkontrolle beruhende) Handeln, so führt er aus, kann als asketisch charakterisiert werden. Die Abgrenzung gegen die Planlosigkeit (in der WEBER gerade den asketischen Charakter der calvinistischen gegenüber der lutherischen Ethik begründet findet) ist doch nur ein Moment. Das asketische Handeln ist ein besonderes neben dem übrigen. Es ist charakterisiert durch den Anspruch, eine besondere Qualität zu besitzen, durch die man das Ziel besser erreicht; es sind auch daran besondere Verheißungen geknüpft, die dem gewöhnlichen Handeln nicht beschieden sind. Es neigt zu weltabgewandter Stimmung in den verschiedensten Nuancen bis zu vollkommener Weltflucht und Weltverneinung: »Stets legt es dem instinktiven und natürlichen Seelenleben eine Beschränkung auf und Zurückhaltung in der Berührung mit dem Weltleben.« – Nach diesen Kriterien kann der WEBER-TROELTSCHsche Begriff der calvinistischen resp. altprotestantische Askese überhaupt nicht bestehen.

20 Vgl. vorige Anmerkung.

21 MAX WEBER, Bemerkungen zu der vorstehenden »Replik«, in Archiv für Sozialwissenschaft, XXVI. Bd., 1908, S. 277 [oben S. 47].

22 HENRI PIRENNE, Une crise industrielle au 16me siècle, 1905.

23 W. VAN RAVESTEYN, Onderzoekingen over de economische en sociale ontwikkeling van Amsterdam gedurende de 16de en het eerste kwart des 17de eeuw, 1906.

24 HENRI PIRENNE, Geschichte Belgiens, 1906, III. Bd., S. 530 f.

25 Die Darstellung, welche GERHARD VON SCHULZE-GAEVERNITZ (Bri-

tischer Imperialismus und englischer Freihandel, 1906) von den Grundlagen der britischen Weltmacht gibt, ist ganz beherrscht von der WEBERschen These.

26 Vgl. bei W. B. WEEDEN (Economic and Social History of New England, 1620–1789, Boston und New York 1890, I. Bd., S. 115) die zusammenfassende Charakteristik der Entwicklung der ersten Generation: We may now recount briefly these beginnings of the economy of our forfathers; they are small in each detail ... The planting of Indian corn was their first and most pregnant industry.

27 Ebenda, S. 307.

28 Ebenda, S. 303.

29 Ebenda, S. 199, 314.

30 Vgl. die Mitteilungen ebenda, S. 290 ff.

31 Ein interessantes Beispiel dafür, wie sich der Wandel hinsichtlich der religiösen Auffassung im Geschäftsleben widerspiegelt, nämlich in der Instruktion der Reeder für ihre Kapitäne, gibt WEEDEN, a. a. O., II. Bd. S. 580.

32 Nach WILLIAM E. H. LECKY, Geschichte Englands im 18. Jahrhundert, 4 Bde., Leipzig und Heidelberg 1879–1883, III. Bd., S. 293 ff.

33 Wie der Großgrundbesitz Virginias eine Folge des Tabakbaues war, zeigt PHILIP ALEXANDER BRUCE, Economic History of Virginia in the 17. Century, 2 Vols., New York und London 1896. Über die Größe der Vermögen in Virginia bereits im 17. Jahrhundert vgl. die Angaben ebenda im II. Bd., S. 254 f.

34 Archiv, XXI. Bd., 1908, S. 277 [oben S. 47].

35 Die Bedeutung des Protestantismus für die Entstehung der modernen Welt, a. a. O., S. 43.

36 Über die ungeheure Vermögenszunahme, z. B. in Augsburg um diese Zeit, vgl. (nach den Forschungen JAKOB STRIEDERS) RUDOLF HÄPKE, Die Entstehung der großen bürgerlichen Vermögen im Mittelalter, in: Schmollers Jahrbuch, 29. Bd., 1905, S. 1072.

37 M. SCHULZE, Meditatio futurae, a. a. O., S. 12 und 28.

38 Den Charakter des Rittergutes als kapitalistischer Unternehmung hat für Ostholstein jüngstens sehr energisch MAX SERING betont: Erbrecht und Agrarverfassung in Schleswig-Holstein, 1908; vgl. *meine* Besprechung des Werkes unter dem Titel »Schleswig-Holstein in der deutschen Agrargeschichte«, in: Jahrbuch für Nationalökonomie und Statistik, 93. Bd., 1909, S. 433 ff.

39 Vgl. *meine* Besprechung von LAMBRECHTS Deutscher Geschichte, Bd. V, in: Mitteilungen des Instituts für österreichische Geschichtsforschung, 17. Jg., 1896, S. 471 f.

40 A. LANG, Johannes Calvin, 1909.

41 [Vgl. GEORG JELLINEK, Die Erklärung der Menschen- und Bürgerrechte. 2. Aufl., 1904, S. 190 (Hrsg.).]

42 EMILE DOUMERGUE, Jean Calvin, a. a. O., II. Bd., S. 485.

43 Ebenda, S. 239.

44 EUGÈNE CHOISY, La Théocratie à Genève au temps de Calvin, Genève 1897, S. 177.

45 JAKOB KREUZER, Zwinglis Lehre von der Obrigkeit, Kirchenrechtliche Abhandlungen, Heft 57, hrsg. von U. STUTZ, Tübingen 1909, S. 2.

46 GUSTAV KAWERAU und WILHELM MOELLER, Lehrbuch der Kirchengeschichte, 2. Aufl., Tübingen 1899, III. Bd., S. 432.

47 MORIZ RITTER, Deutsche Geschichte im Zeitalter der Gegenreformation, Stuttgart 1889, I. Bd., S. 129.

48 FRITZ BARTH, Calvin und Servet, Bern 1909, S. 21 f.

49 [HERMANN WEINGARTEN, Die Revolutionskirchen Englands, Leipzig 1868.]

50 So EBERHARD GOTHEIN, Staat und Gesellschaft im Zeitalter der Gegenreformation, a. a. O., S. 220.

51 Vgl. LUDWIG ELSTER, Johann Calvin als Staatsmann, Gesetzgeber und Nationalökonom, a. a. O., S. 177 ff.

52 Ebenda, S. 207.

53 MORIZ RITTER, Über die Anfänge des niederländischen Aufstandes, in: Historische Zeitschrift, 58. Bd., 1887, S. 425. Er vermutet unter dieser »Abhandlung« die »Vermahnung der Pfarrherrn in Magdeburg« vom April 1549, »eine Schrift, welche den Ausgang für eine theoretisch wie praktisch gewaltig eingreifende Literatur vom Recht des Widerstandes und seinen Schranken gebildet hat«.

MAX WEBER

Antikritisches zum »Geist« des Kapitalismus

In der »Internationalen Wochenschrift« (3. Jahrgang, 1909, Nr. 39–43) [s. oben Seite 57 ff.] veröffentlichte Professor RACHFAHL eine Kritik meiner Aufsätze über die protestantische Ethik und den »Geist« des Kapitalismus (siehe dazu ferner den Artikel in der »Christlichen Welt« 1906[1] [Siebenstern-Taschenbuch (STB), Band 53/54] sowie die oben abgedruckten Antikritiken), auf welche, soweit sie sich (nebenher) auch gegen meinen Freund E. TROELTSCH richtete, dieser am gleichen Ort antworten wird. Meinerseits ebenfalls – wie es das Natürlichste und für mich Zweckmäßigste gewesen wäre – an der gleichen Stelle zu antworten, fühlte und fühle ich mich leider, trotz aller Schätzung des namentlich als Leiter der »Deutschen Literaturzeitung« verdienstvollen Herausgebers, behindert. Darüber, daß die von F. ALTHOFF begründete Internationale Wochenschrift gewisse redaktionelle Gewohnheiten hat, denen ich mich nicht anzupassen geneigt sein würde, hätte ich hier, wo es sich um bloße Polemik handelt, natürlich ebenso, wie E. TROELTSCH es tut, hinweggesehen. Aber die Redaktion hat es vorgezogen, gegenüber diesem fast ganz gegen *mich* gerichteten Artikel *lediglich* meinem, nur nebenher betroffenen Kollegen TROELTSCH anheimzustellen, ob eine Antwort beliebt werde. Auch diese Unhöflichkeit – denn das ist sie unter den gegebenen Umständen – würde ich natürlich ignorieren. Allein dazu hat mein Herr Kritiker die Gepflogenheit angenommen, uns beide als Kollektivität zu behandeln, um uns für einander verantwortlich machen zu können, – was den Vorteil bot, daß wirkliche (oder angebliche) Irrtümer des Einen den Anderen mitzutreffen scheinen. Und er hat sich dabei andererseits doch auch den weiteren Vorteil nicht entgehen lassen, je nach Bedarf auch wieder den Einen von uns gegen den Anderen auszuspielen, so daß nun jene Kollektivität »WE-

BER-TROELTSCH«, welche als Träger der Ansichten sowohl des Einen wie des Anderen hingestellt ist, sich in offenbarem inneren Widerspruch zu befinden scheint. Angesicht dieser, beiläufig bemerkt, wenig loyalen, Praxis scheint es mir zweckmäßig, auch äußerlich meine eigenen Wege zu gehen und überdies ausdrücklich, ebenso wie TROELTSCH dies zweifellos seinerseits tun würde, jede Verantwortung für das, was nicht *ich* gesagt habe, abzulehnen. Es sei gestattet, noch folgendes hinzuzufügen. Wer unsere beiderseitigen Aufsätze wirklich gelesen hat, weiß, daß TROELTSCH für *seine* Zwecke und Aufstellung *meine* Resultate (abgesehen von dem von RACHFAHL gar nicht miterörterten *Sekten*begriff – vgl. Archiv XXI, S. 63, 64 [STB 53/54, S. 157 und 279 ff.], und den zit. Artikel in der »Christl. Welt«) *überhaupt nicht* benötigt. Seine Resultate könnten richtig sein, auch wenn die meinigen falsch wären und umgekehrt. Er entwickelt den historischen Prozeß des Aufbaues der *Soziallehren* der christlichen Kirchen, – ich habe bisher nur ein bestimmtes Phänomen der *Lebensführung* in seiner (ursprünglich) religiösen Bedingtheit verständlich zu machen gesucht. Wenn er gelegentlich sich auf Darlegungen von mir bezogen hat[2], so handelte es sich (außer in jenem hier gar nicht zur Debatte stehenden einen Fall: Kirche und Sekte) stets um für sein Problem peripherisch liegende Berührungen seiner Resultate mit den meinigen. Und es scheint mir am Platze, hier auch sehr nachdrücklich festzustellen, daß überhaupt keinerlei, auch keine latente, Kollektiv-Arbeit vorliegt. Meine Arbeiten über diese Dinge, die ich z. T. schon vor 12 Jahren [1897] im Kolleg vortrug, sind nicht (wie RACHFAHL nach TROELTSCH annimmt) erst durch SOMBARTS »Kapitalismus« veranlaßt worden (s. darüber meine ausdrückliche Bemerkung: Archiv XX, S. 19 Anm. 1 [STB 53/54, S. 90, Anm. 36]). Es mag schon sein, daß TROELTSCH, der auf völlig eigenen Wegen ebenfalls schon lange vorher dem *ihn* interessierenden Thema nachging, wie durch andere Schriftsteller, so auch durch einzelne Bemerkungen meiner Aufsätze zum Überdenken mancher seiner Probleme unter ökonomisch-soziologischen Gesichtspunkten mit angeregt wurde, wie er dies gelegentlich ausgesprochen hat. Aber keinerlei »Übernahme« einer »Theorie« des Einen durch den Anderen, sondern einfach die *Sache*: der Umstand, daß Jeder, der diese Zusammenhänge überhaupt einmal sieht, zu einer ähnlichen Betrachtungsweise gelangen muß, ist es, welcher dazu geführt hat, daß allerdings die Resultate TROELTSCHS auf seinem weit umfassenderen Problemgebiet derartige sind, daß die wesentlichen Züge dessen, was ich für mein Problem ausgeführt habe, sich recht gut als *Ergänzung* einfügen lassen. Hätte ich meinen Aufsatz fortgesetzt, so würde ich die Aufgabe gehabt haben, große Teile des jetzt von TROELTSCH bearbeiteten Gebiets mitzubehandeln. Ich würde das, als Nicht-Theologe, sicherlich niemals in der Art haben durchführen können, wie es durch TROELTSCH geschehen ist. Soweit aber meine eigenen früheren Studien mir ein Urteil gestatten, sehe ich keine irgendwie entscheidenden Punkte, wo ich einen Grund zum Widerspruch gegen seine Darstellung hätte. Am allerwenigsten kann ich einen solchen aus den Trivialitäten entnehmen, die RACHFAHL ihm entgegenhält. Aber die wissenschaftliche *Verantwortlichkeit* für das von ihm Gesagte gegenüber der Kritik wird TROELTSCH natürlich ebenso ausschließlich zu tragen haben, wie, für meine Ausführungen, ich. Ich habe die vorhergehende Bemerkung über TROELTSCHS Artikel nur um deswillen gemacht, damit Kritiker von der Eigenart RACHFAHLS nun aus dieser Trennung der Verantwortungen nicht eine *Ablehnung* der TROELTSCHschen Resultate durch mich herauslesen. Damit zur Sache.

Die Schiefheiten der RACHFAHLschen Polemik beginnen schon mit dem ersten Wort der Überschrift seines Aufsatzes: »*Kalvinismus* und Kapitalismus«. Bei mir ist vom erstenmal an[3], daß der Calvinismus überhaupt (im Gegensatz gegen Katholizismus und Luthertum) genannt wird, von ihm in vollster Gleichstellung mit denjenigen *Sekten* (oder sektenartigen Bildungen innerhalb der Kirche) die Rede, welche ich in der Überschrift zum zweiten Kapitel meines Aufsatzes und durchweg innerhalb desselben als »*asketischen* Protestantismus« zusammengefaßt habe. In denkbar größter Breite polemisiert nun (um dies vorweg abzumachen) RACHFAHL – es ist dies eigentlich das einzige, was *er selbst* am Schluß seiner seltsamen »Kritik« von dieser letzteren unbedingt aufrechterhält – gegen den *Namen* »Askese« für diejenige Art der Lebensführung, die ich zu analysieren versucht habe. Zwar hat *er selbst* am Beginn seiner Artikel [siehe oben Seite 57] nicht wohl umhin gekonnt, den gleichen Ausdruck für die gleiche Sache zu gebrauchen[4]. Allein wir werden sehen, daß diese sich in seiner »Kritik« stetig wiederholende Verschiedenheit des Maßstabes für sich und Andere ihn niemals stört, – und es ist ja schließlich auch ein Unterschied, ob der historische »Fachmann« oder der outsider, der die Geschichte »konstruiert«, ein und dasselbe sagen! Askese ist nach ihm »Weltflucht«, und da die Puritaner (im weiten, alle »asketischen« Sekten einschließenden Sinn) keine Mönche oder ähnliche kontemplative Existenzen gewesen sind, so ist eben das, was ich »*inner*weltliche Askese« nenne, schon an sich ein »falscher« Begriff, der vor allem eine Verwandtschaft mit der katholischen Askese irrtümlich voraussetzt. Ich kann mir nun schwer eine sterilere Polemik denken als eine solche um *Namen*. Der *Name* ist mir für jeden andern feil, der besser paßt. Solange wir uns aber nicht entschließen, jedesmal ad hoc gänzlich neue Wörter zu prägen oder aber, nach Art der Chemie oder der AVENARIUSschen Philosophie, mit Buchstabenbezeichnungen zu operieren[5], müssen wir für einen Sachverhalt, der noch keine Bezeichnung trägt, die möglichst nächstliegenden und bezeichnendsten Wörter der traditionellen Sprache nehmen und nur besorgt sein, sie – wie ich es bezüglich der »innerweltlichen Askese« m. E. genugsam getan habe – unzweideutig zu *definieren*. Was aber die Sache – die innere Verwandtschaft mit der katholischen Askese – anlangt, so erinnere ich nur beiläufig daran, daß ein Mann wie RITSCHL in der Identifikation der (in *meinem* Sinn) asketischen Züge des »Pietismus« (bei ihm weit gefaßt) mit »katholischen« Resten im Protestantismus so weit gegangen ist, daß ich seine Darstellung in dieser Hinsicht ausdrücklich *einzuschränken* versuchte. Und wenn schon unter den Zeitgenossen der Reformation ein Mann wie der von TROELTSCH mit Recht zitierte SEBASTIAN FRANCK geradezu eine ihrer Leistungen darin erblickte, daß fortan nicht mehr nur die Berufsmönche, sondern *jeder Mensch* sein Leben lang eine Art Mönch sein müsse – so meinte er damit in der Sache durchaus das gleiche wie ich und verdient also von RACHFAHL ebenso wie ich die ernste Mahnung, doch zu bedenken, daß ein Mönch ja keine Frau haben, kein Geld erwerben, überhaupt nicht sich an die Dinge dieser Welt hängen dürfe, also jener Ausdruck höchst unpassend sei. Nun weiß aber doch jeder, daß, wenn wir *heute* von »Askese«, sei es nun speziell auf sexuellem Gebiet oder dem des »Lebensgenusses« überhaupt, sei es hinsichtlich des Verhaltens etwa zu ästhetischen oder sonstigen, nicht »ethischen« Werten reden, wir ja damit eine, dem Wesen der Sache nach ganz ebensolche Lebensführung meinen, wie sie der gesamte Puritanismus (*nicht* eben nur: der Calvinismus, sondern erst recht: das Täufertum und was ihm nahestand) zur Pflicht machte. Ein Lebensideal also, welches – nur eben mit dem Unterschied, daß die »Askese« sich *innerhalb* der Ordnungen der Welt: Familie, Erwerbsleben, soziale Gemeinschaft, zu bewegen hat und folglich in ihren materiellen Anforderungen entsprechend modifiziert ist – in der Tat jenen protestantischen Richtungen mit den *rationalen* Formen der als Lebens*methodik* geregelten mönchischen Askese dem »Geiste« nach gemeinsam war: ich habe das ja für verschiedene, auch außerhalb des »Erwerbs« liegende Lebenssphären skizzenhaft, aber doch immerhin wohl soweit unmißverständlich dargelegt, daß ich hier auf eine Wiederholung verzichten darf.[6] Selbst die *Mittel*, mit denen die protestantische Askese arbeitet, gehen, wie ich (XXI, S. 77 ff. [STB 53/54, S. 167 ff.]) bemerkt habe, gänzlich parallel. Ich habe andererseits [daran] erinnert, daß gerade die Askese der Klöster es war, welche sie zu ihren ökonomisch so erheblichen Leistungen befähigte: – ich hätte noch hinzufügen können, daß die rational-asketischen Sekten oder sektenartigen

Gebilde des Mittelalters in der Eigenart ihrer bürgerlichen Gebarung sehr regelmäßig schon ganz ähnliche Züge aufweisen wie (namentlich) die täuferischen Sekten später und wie die entsprechende Kategorie der russischen Sekten (nicht alle gehören dazu!) bis in die letzte Zeit. Daß »*der* Altprotestantismus« *als Ganzes* die Askese »vom mittelalterlichen Katholizismus übernommen« habe [oben S. 92], ist eine der zahlreichen törichten Behauptungen, die RACHFAHL mir unterschiebt. Es steht bei mir ausführlich zu lesen, wie scharf und rücksichtslos von seiten des lutherischen, anglikanischen und sonstigen (in meinem Sinn) *nicht* »asketischen« Alt-Protestantismus jene von mir analysierten Züge als »Werkheiligkeit« – genau wie das Mönchtum des Katholizismus – angegriffen wurden. Der Protestantismus ist sehr weit davon entfernt gewesen, in der Stellung zur Askese (in meinem Sinn) eine Einheit zu bilden. Ich weiß vorerst zur *gemeinsamen* Charakterisierung der von mir behandelten Gruppen gegenüber dem Luthertum, dem Anglikanismus und den abgeblaßteren Spielarten der reformierten Konfession kein besseres Wort als »asketisch«. Jene *gemeinsamen* Unterschiede aber sind *vorhanden.* Und die Entwicklung, welche jene »asketischen« Gruppen nahmen, ist *genau* ebenso ein Produkt der unter dem Namen der »Reformation« zusammengefaßten Vorgänge wie etwa das »Gnesioluthertum«, dessen »Geist« sich übrigens von dem des LUTHER der 1520er Jahre weiß Gott nicht weniger unterschied als – *was ich selbst nachdrücklich hervorgehoben habe*[7] und, wie fast immer, trotzdem (oder auch: eben deshalb) von RACHFAHL belehrend entgegengehalten bekomme – der mich interessierende »Calvinismus« von den persönlichen Ansichten CALVINS selbst. Was aber ist das für eine Art von »Historiker«, der, weil eine Erscheinung (die puritanische Erwerbsethik) von immerhin (wie er selbst zugibt) mächtiger Tragweite ihm, als nicht »ethisch« [oben S. 79 u. 113] und *antipathisch,* nicht in das – *begriffliche* – Schema hineinpaßt, welches er sich von dem Gang der Entwicklung der protestantischen Ethik gemacht hat, wie er – eigentlich hätte sein *sollen* (denn *darum* handelt es sich hier in Wahrheit), nun jene Erscheinung (NB.! die Erscheinung *selbst*, nicht etwa meine Darstellung derselben) mit *Werturteilen* wie: »Verzerrung« u. dgl. bewirft?[8] Was ist das für ein Methodiker, der [oben S. 103] die sonderbare These aufstellt: in England sei die Existenz des kapitalistischen Geistes »auch ohne dies« (das religiöse) »Moment zu *begreifen*«, obschon »wir *keineswegs* seinen Einfluß leugnen wollen«. Also: ein »Moment«, welches kausal wichtig war für einen bestimmten Zusammenhang, welches aber *dennoch* der »Historiker« auch als irrelevant beiseite lassen kann, wenn er jenen Zusammenhang »begreifen« will. Statt »begreifen« dürfen wir hier doch wohl »konstruieren« sagen, und finden so bei RACHFAHL, mit seinem ressortpatriotischen Eifer gegen die nicht zünftigen »Geschichtskonstrukteure«, einen »Idealtypus« jenes so häufigen Verfahrens, welches Historikern zu passieren pflegt, wenn sie *ungeklärte*, mit Vorurteilen und Werturteilen durchsetzte *Begriffe* verwenden, ohne dies zu bemerken.

Einen abgestempelten »Askese«-Begriff gibt es nicht.[9] Daß man den Begriff sehr viel weiter fassen kann, als ich es getan habe, wo ich die von mir als »*inner*weltliche« Askese bezeichnete Art der Lebensführung mit der »außerweltlichen« Askese des Mönchtums verglich, ist einigermaßen selbstverständlich und von mir selbst zugegeben: ich spreche bei der katholischen Askese *ausdrücklich* von der *rationalisierten* Askese (wie sie in höchster Potenz der Jesuitenorden aufweist) im *Gegensatz* z. B. zu »planloser Weltflucht« (auf katholischer Seite) und bloßer Gefühls-»Askese« (auf protestantischer Seite). Mein Begriff ist daher z. B. ein von dem TROELTSCHschen ausdrücklich *abweichender*, wie jedermann, bei irgendwelchem guten Willen, sehen muß – auch RACHFAHL. Dieser *hat* es auch »gesehen«. Er redet[10] sogar von »*fundamentalen*« Gegensätzen unserer beiderseitigen Auffassung. *Trotzdem* aber, wo es ihm gerade paßt, schlägt er sich mit einem »TROELTSCH-WEBERschen« Begriff der Askese herum, und trägt zu dessen »Widerlegung« allerlei untereinander verschiedene

»Askese«-Begriffe anderer Schriftsteller zusammen, die für *deren* Zwecke passend sein mögen, nicht aber für die meinigen. Daß man ferner die »Rationalisierung« des Lebens unter sehr verschiedenen Gesichtspunkten vornehmen, also darunter auch sehr Verschiedenes verstehen kann, steht ausführlich am Anfang meiner Erörterungen (XX, S. 35 [STB 53/54, S. 65 f.]) und ist zum Überfluß auch später (XXVI, S. 278 [oben S. 54]) scharf hervorgehoben worden. – Trotzdem (oder vielmehr eben deshalb) hält mir RACHFAHL [oben S. 91] auch dies als »Einwand« entgegen – obwohl auch hier, wie ihm genau bekannt ist, alles, was ich für *meine* Zwecke darunter verstehe, hinlänglich deutlich gesagt war. Ich gestehe, daß ich eine solche Art der Diskussion für ziemlich wertlos halte und es ein etwas starkes Stück finde, wenn ein Schriftsteller, der in solchem Maße von der durch bloße *Wort*-»Kritik« künstlich und absichtsvoll angerichteten Konfusion lebt, die Befürchtung äußert, mein bestimmter, deutlich ad hoc geschaffener Sprachgebrauch könne »grundlegende Unterschiede verwischen«. Man versuche doch, das Positive aus den RACHFAHLschen verschwommenen Plaidoyers herauszuschälen und frage sich dann: wo denn *hier* noch »grundlegende« Unterschiede zu finden sind?

Doch kehren wir zum Ausgangspunkt zurück. RACHFAHLS ganz willkürliche Beschränkung des Themas auf den »Calvinismus« bleibt fast für die gesamte Argumentation gegen mich maßgebend.[11] Gleich das eigentliche Thema der Polemik wird [oben S. 57] darauf abgestellt, und an zahlreichen Stellen der Aufsätze kehrt die gleiche Verdrehung des Diskussionsobjekts wieder, wie sie denn auch für die einzige ernsthafte These, die mir entgegengehalten wird, überhaupt erst die Möglichkeit bietet.

Diese These möge zunächst erledigt werden. R. ist überzeugt von der überragenden Rolle, welche die *»Toleranz«* als solche für die ökonomische Entwicklung besessen habe. Nun befinde ich mich, wie jeder Leser meiner Aufsätze weiß, in dieser Hinsicht keineswegs im Gegensatz zu ihm, habe vielmehr selbst diese – in meine Darstellung, soweit sie bisher reicht, im einzelnen noch nicht hineingehörigen – Zusammenhänge erwähnt (XXI, S. 42 Anm. 1 [STB 53/54, S. 224, Anm. 111]). Aber dabei liegt der für mich entscheidende Punkt darin: daß zwar ganz gewiß jede Art von Toleranz unter den damaligen Verhältnissen dazu beitragen mußte, »das Land zu peuplieren«, auswärtige *Vermögen*, auswärtige Gewerbe zu importieren – daß mich aber *diese* Seite der Sache nicht interessiert. Für die Entwicklung desjenigen *Habitus*, den ich (ad hoc und lediglich für meine Zwecke) »kapitalistischen Geist« getauft habe, kam es ganz offenbar darauf an, *wem die Toleranz im konkreten Falle zugute kam*. Waren dies z. B. Juden oder (in dem von mir – XXI, S. 28 f. [STB 53/54, S. 134 f.] – gebrauchten Sinn des Wortes) »asketische« christliche Denominationen, *dann* wirkte sie regelmäßig im Sinn der Verbreitung dieses »Geistes«, – aber natürlich war dann diese Wirkung nicht einfach Folge der »Toleranz« als solcher. Und vollends ist ganz generell der *Grad* der »Toleranz« sehr weit davon entfernt gewesen, maßgebend zu sein für den Grad der Entwicklung »kapitalistischen Geistes« (immer: in meinem Sinn). Denn es ist ja gerade umgekehrt bekannt (vgl. XX, S. 5 [STB 53/54, S. 32]), daß *unvollständige* Toleranz, namentlich: der systematische Ausschluß konfessioneller Minoritäten von der staatlichen und sozialen Gleichberechtigung, die Deklassierten sehr häufig in besonders *starkem* Maße auf die Bahn des ökonomischen Erwerbes zu treiben sich geeignet zeigte, und dem entspricht es, daß die »Kirchen unter dem Kreuz« am *meisten* daran beteiligt erscheinen. Gerade diese Tatsache hebt denn auch der von Rachfahl zitierte Sir William Petty (Political Arithmetic, Ausgabe London 1691, S. 26) nachdrücklich hervor: überall seien es die Heterodoxen, welche das »Geschäft« in der Hand haben, insbesondere seien in den von der römischen Kirche beherrschten Ländern »drei Viertel« des Geschäfts in ketzerischer Hand. Nun aber stehen wir – und diese Ergänzung gibt der Situation erst die Pointe – vor der *Tatsache*, daß entrechtete oder doch zurückgesetzte *katholische* Minoritäten – wie ich sofort hervorgehoben hatte (XX, S. 6 [STB 53/54, S. 33] – diese Erscheinung in irgend unzweideutiger Weise *nirgends* gezeigt haben, *bis heute nicht*[12], daß ferner jene Erscheinung auch bei lutherischen Minderheiten in solcher Weise wie bei den »asketischen« Denominationen nirgends zu konstatieren gewesen ist, – während andererseits keineswegs nur in der Minorität befindliche, sondern ganz ebenso auch *herrschende* calvinistische, quäkerische, baptistische Schichten die sonst für ihre ökonomische Gebarung und Lebensführung charakteristischen Eigentümlichkeiten aufzuweisen pflegen. Und wo »asketische« protestantische mit anderen christlichen Denominationen gleichberechtigt konkurrieren, war die Regel, daß die ersteren die Träger des Geschäftslebens sind. Noch bis in die letzte Generation hinein war auf dem klassischen alten Industrieboden des Wuppertals die Art der Lebensführung der »Reformierten« einerseits, der Nichtreformierten andererseits grundverschieden, und zwar *gerade in den hier entscheidenden Zügen.* Die geschäftliche Aktivität des »Berufsmenschen«, verbunden mit dem, was ich (ad hoc) »asketischen Sparzwang« genannt hatte, stach bei den reformierten und pietistischen Kreisen – der Pietismus ist reformierter Provenienz – trotz aller von RACHFAHL ad hoc erfundenen »gemeinchristlichen Sittlichkeit« stark und auffällig ab, wie jeder, der dort heimisch war, bestätigen muß. Der ganze Inhalt jener Lebensführung entsprach, so unvollkommen zweifellos mein Versuch geblieben ist, doch immerhin so weit dem, was ich darüber sagte, daß mir aus der Mitte jener Kreise selbst heraus – und zwar nicht etwa nur von einer Seite – direkt versichert wurde: sie verständen die spezifische Eigenart ihrer eigenen Traditionen aus diesen Antezedenzien erst jetzt vollständig. Und wenn mir z. B. von RACHFAHL das lutherische Hamburg entgegengehalten worden ist als eine Stätte, wo der »kapitalistische Geist« *ohne* Mitwirkung »asketisch«-protestantischer Einflüsse geblüht habe und blühe, so darf ich für jetzt mich begnügen, von einer freundlichen brieflichen Mitteilung des Herrn Kollegen ADALBERT WAHL in Hamburg Gebrauch zu machen: darnach reicht in charakteristischstem Gegensatz zu den ihm von früher bekannten Verhältnissen in dem reformierten Basel mit seinem sparsam festgehaltenen Reichtum des alten Patriziates, in Hamburg *keines* der jetzt bedeutenden Familienvermögen, auch der als altererbt geltenden, in das 17. Jahrhundert zurück, – mit *einer* einzigen Ausnahme: und diese bildet eine bekannte *reformierte* Familie. Doch genug von solchen Einzelheiten, die ich durch manche ähnliche persönliche Mitteilungen von anderen Seiten über die Stellung der Baptisten usw. ergänzen könnte. Meine entscheidende »These« über die Bedeutung des »Berufes« enthielt – wie ich nachdrücklich betonen möchte – nur in der Art der Durchführung »Neues«. In der Sache selbst wird es, denke ich, doch wohl bei dem bleiben, was der gleiche hervorragende Zeitgenosse: Sir W. Petty, den Rachfahl recht gut kennt und den er als Autorität anerkennt, wo er seine Äußerungen über den ökonomischen Segen der Toleranz – wie man sieht: sehr verkehrter Weise – *gegen* mich verwenden zu können glaubt, nur 2 *Seiten vorher* (S. 23, 24) über die *Gründe* gesagt hat, aus denen die Toleranz (speziell in Holland, mit dem er sich dort beschäftigt) so günstig auf das »Geschäft« wirke: »I now come to the first policy of the Dutch, viz.: liberty of Conscience... Dissenters of this kind« – gemeint sind: die Träger des holländischen Freiheitskampfes, in erster Linie: Calvinisten – are for the most part thinking, sober and patient Men, and such as believe *that Labour and Industry is their Duty towards God* (How erroneous soever their Opinions be)«[13]. Mir scheint fast, daß die Stelle so sehr geeignet ist, eine der Grundthesen meines Aufsatzes zu einem, leider unbewußten *Plagiat* an Petty[14] zu stempeln, daß ich dem Leser die Wahl zwischen der Autorität Pettys und derjenigen moderner Kritiker überlassen darf[15], und scheide also meinerseits aus dieser Diskussion aus. – Dies um so lieber, als ich überdies noch eingestehen muß, daß auch Groen van Prinsterer, ein Schriftsteller, dem man, bei aller sonstigen Schätzung Rachfahls, denn doch eine wesentlich gründlichere und originalere Beschäftigung mit der Eigenart seines holländischen Heimatlandes zutrauen wird, gelegentlich über die Gründe der Reichtumsbildung dort (Verhältnis des – relativ! – geringen Verbrauches zum Verdienst) der Sache nach schon ganz dasselbe gesagt hat wie ich.

Die Fortsetzung der Stelle bei Petty erläutert dann noch einen ferneren Punkt, den Rachfahl zum Gegenstand einer jener vielen Scheinkontroversen mit mir gemacht hat, von denen sein Aufsatz fast gänzlich lebt: »These people (nämlich die puritanischen Dissenter) believing the Justice of God, and seeing the most Licentious persons to enjoy most of the world and its best things, will never venture to be of the same religion and profession with voluptuaries and Men of extreme Wealth and Power, who they think have their portion in this World.«

Es sind eben *nicht* die, in *allen* Zeitaltern kommerzieller oder kolonialer Expansion immer wiederkehrenden ganz großen Konzessionäre und Monopolisten: ökonomische »Übermenschen«, sondern deren *Gegner*, die wesentlich breiteren Schichten bürgerlicher *aufsteigender Mittelstände*, welche typische Träger der puritanischen Lebensauffassung waren, – wie ich das meinerseits recht nachdrücklich hervorgehoben habe und, obwohl Rachfahl dies weiß (denn er zitiert es), von ihm, wie immer, wo es ihm paßt, als »Einwand« entgegengehalten bekomme.[16] Die Bemerkungen Pettys, im Zusammenhalt mit der früher zitierten Stelle, sind aber offensichtlich auch geeignet, um, durchaus entsprechend dem, was ich anderen Quellen und vor allem den in ihren Ausläufern bis auf die Gegenwart fortwirkenden Prinzipien der asketischen Denominationen entnommen hatte, die (scheinbar!) so paradoxe Attitüde der »protestantischen Askese« (in meinem Sinn des Worts) zum Reichtum zu illustrieren. Der Reichtum als solcher ist, als Quelle der Genuß- und Machtgier, nicht nur eine, sondern *die* Gefahr schlechthin, das Streben nach den Gütern dieser Welt ist – ich könnte die von mir zitierten Stellen beliebig vermehren – an sich schlechthin verwerflich: das besagt auch PETTY. Und doch hatte PETTY selbst soeben erst die »industry« dieser den reichen Leuten und dem Reichtum so *feindselig* gesonnenen Elemente als eine besonders wichtige Quelle der Reichtumsbildung hingestellt und ihren überwältigenden Anteil am Unternehmertum betont, – wiederum schon ebenso, wie ich es auch getan habe. Wie einfach sich die scheinbare Paradoxie lösen läßt, ist jedem, der meine Aufsätze wirklich gelesen hat, erinnerlich. Auch RACHFAHL weiß es, wenn auch die Form, in der er in diesem Punkte meine Darstellung wiedergibt, mehr als seltsam ist.[17] Denn er ist gut bekannt mit meinen doch ziemlich ausführlichen Erörterungen über das gewiß eigentümliche, für uns heutige Menschen schwer ohne den Verdacht von Heuchelei und Selbstbetrug vorstellbare, aber für Menschen, die zwischen Diesseits und Jenseits eine Brücke finden mußten, keineswegs so besonders »komplizierte« Verhältnis der Puritaner (im weiten Wortsinn) zum Erwerb. Er kennt ferner auch die von mir vorgenommene ausdrückliche *Scheidung* gegenüber dem Habitus, welcher in der von SOMBART zitierten Äußerung FUGGERS zum Ausdruck kommt.[18] Ebenso kennt er meine ausdrückliche Erinnerung daran, daß der ganze *Typus*, wie ihn die großen italienischen, deutschen, englischen, holländischen und überseeischen Finanziers darstellen, eben ein Typus ist, den es, wie ich notgedrungen abermals wiederhole[19], gegeben hat, *solange wir überhaupt eine Geschichte kennen*, der in seiner Eigenart schlechterdings *gar nichts* dem »Frühkapitalismus« der Neuzeit irgendwie Charakteristisches ist, der vielmehr gerade im entschiedensten Gegensatz steht zu denjenigen Zügen in dessen Antlitz, deren Aufdeckung mir nun einmal am Herzen lag, weil sie sich dem Auge leichter entziehen und doch zu den allerwichtigsten zählen. Aber diese seine genaue Kenntnis meiner Ansichten hindert RACHFAHL nicht, mir jenen, wie auch er wissen könnte, schon seit der Pharaonenzeit bekannten Typus von Kapitalisten, dem der von mir als »asketisch« bezeichnete Zug *fehlt*, als Argument gegen mich vorzuhalten. Obwohl bei mir mit größter Deutlichkeit zu lesen steht, daß ich mich mit ihm nicht beschäftige, also z. B. in Holland[20] *nicht* mit jenem mir so gut wie jedermann bekannten Typus »erwerbsgieriger« Händler, die – *ich hatte dies wohlgemerkt selbst zitiert*[21] – »um Gewinnes willen durch die Hölle fahren würden, auch wenn ihnen dabei die Segel ansengten«, wird mir die Frage entgegengehalten: ob *das* denn nicht der »eigentliche« kapitalistische Geist sei? Für einen *Leser* meiner Aufsätze darf ich die Antwort wohl schuldig bleiben. Ähnlich steht es, wenn sich RACHFAHLS Eifer auf die Suche nach allerhand Gebieten mit kräftiger Entwicklung kapitalistischer Wirtschaft begibt, in denen die »protestantische Askese« eine entscheidende Rolle (wirklich oder angeblich) nicht spielte oder in dem sie umgekehrt eine solche spielte, ohne daß, als Resultat, großkapitalistische Wirtschaft sich eingestellt hätte. Über die Einzelheiten dieser Kritik ist schon oben geredet worden. Prinzipiell hatte ich mich zwar auch darüber schon, und zwar wiederholt, hinlänglich deutlich ausgesprochen, will aber gern nochmals darauf eingehen. Denn vielleicht sind wir damit bei einem Punkt angelangt, wo der Versuch einer Konfrontierung der beiderseitigen Standpunkte möglich zu werden scheint?

Ich sage: *scheint*. Denn in Wahrheit hat leider RACHFAHL einen eigenen Standpunkt, mit dem man sich auseinandersetzen könnte, *überhaupt nicht*. Man kaut bei ihm auf Sand. Vergebens fragt man sich vor allem, was denn eigentlich seine durch fünf Artikel dauernde wunderliche Kanonade gegen mich bezweckt hat, wenn er selbst schließlich als Ergebnis erklärt, man werde den von mir erörterten religiösen Momenten [oben S. 129] »für die Entwicklung der ökonomischen Verhältnisse gewiß eine große Bedeutung zugestehen müssen«? Nur, heißt es weiter, »nicht gerade in derselben Richtung«, oder – was dann sofort doch wieder zugegeben wird: – *wenn* in derselben Richtung, dann in dieser wenigstens nicht so ausschließlich, wie ich es – ich wüßte beim besten Willen nicht: wo? – getan hätte. Überdies aber heißt es dann noch: zu den die ökonomische Entwicklung fördernden Elementen (und gleich darauf geradezu: zu deren »Triebkräften«) gehörte »*unzweifelhaft* die Berufsethik der Reformation«, wobei sogar (irrtümlicherweise: s. o.) behauptet wird, daß ich sie zuerst in dieser ihrer Bedeutung analysiert hätte. Sein einziger substantiierter Vorbehalt betrifft die von ihm in seinen Artikeln breit kritisierte *Bezeichnung* dieser Berufsethik als »asketische«, – wovon schon oben die Rede war. Ich könnte mich mit diesen Zugeständnissen meines Herrn Zensors durchaus zufrieden geben, denn ich selbst hatte so nachdrücklich, wie wohl überhaupt nur möglich, hervorgehoben, daß es mir nicht in den Sinn komme, *mehr* als eben das Vorhandensein dieser »*Triebkraft*« anzunehmen.

An welchem Maße sie, verglichen mit anderen Komponenten, faktisch in der ihr adäquaten Richtung gewirkt hat, habe ich in der Tat nicht versucht, »im Einzelnen« (wie RACHFAHL es wünscht) zu ermitteln, so gewiß auch das eine wichtige, aber nur für die einzelnen Länder je besonders in Angriff zu nehmende und schwerlich leicht lösbare[22] Aufgabe ist. RACHFAHLS Zumutung vollends, hier eine Art Statistik zu treiben, halte ich meinerseits – und das muß jeder, der aus einiger Erfahrung weiß, welche unerhörten Schwierigkeiten sich heute, am noch lebenden Objekt, dem Versuch, die Tragweite eines bestimmten, noch so zweifellos vorhandenen und wirksamen »weltanschauungsmäßigen« Motivs zu *messen*, entgegentürmen, – für etwas reichlich harmlos.[23] Die von *mir* gewählte Aufgabe war – sie ist als solche in meinem Aufsatz so deutlich wie nur möglich umschrieben worden: – zunächst einmal festzustellen, nicht wo und wie stark, sondern *wie*, durch welche seelischen Motivationsverknüpfungen, bestimmte Formuungen des protestantischen Glaubens in den Stand gesetzt wurden, so zu wirken, wie sie dies – auch nach RACHFAHLS Ansicht – taten. *Daß* sie so wirkten, wurde natürlich zunächst einmal an einer Anzahl von Beispielen *illustriert*, im übrigen aber – weil es ja gar keine »Neuigkeit« war – als bekannt vorausgesetzt. Auch RACHFAHL setzt es [oben S. 93][24], genau wie ich, ausdrücklich als *zweifellos feststehend* voraus, – wozu sich freilich (wohl nicht nur für den Nichthistoriker!) der alsbald folgende Nachsatz seltsam genug ausnimmt[25], in dem es heißt: es gelte nun erst, den Nachweis der Existenz dieser Zusammenhänge – über die doch, hörten wir, »kein Zweifel« besteht – zu führen. Von *dieser* »Aufgabe« – die ich mir, wie gesagt, gar nicht gestellt hatte – erklärt dann RACHFAHL: ich hätte sie mir »leicht« gemacht. Ich muß abwarten, ob andere Leser den Eindruck haben, daß ich die mir *wirklich* vorschwebende Leistung allzu »leicht« genommen habe. Aber man fragt angesichts solcher immerhin recht anmaßenden Bemerkungen nun auch weiter: wie »schwer« sich denn der anspruchsvolle Kritiker seinerseits jene von mir – nach seiner Erklärung – nicht gelöste Aufgabe gemacht habe? Und angesichts des Umstandes, daß über die Beziehung auch nur zwischen Calvinismus (von dem R. allein spricht) und Kapitalismus in seinen gesamten fünf Aufsätzen nichts, *schlechterdings nichts*, beigebracht wird – oder bitte: was? –, das nicht schon genau ebenso in meinem Aufsatz stände, darf ich mich wohl einer Replik enthalten. Es bleibt mir in dieser Hinsicht natürlich in der Hauptsache nichts anderes übrig als die einfache, aber freilich anspruchsvolle Bitte an etwaige Interessenten, sie möchten *nach* der RACHFAHLschen »Kritik« meine Aufsätze erneut vornehmen und – hierin liegt die hauptsächlichste Unbescheidenheit – *vollständig* lesen. Sie werden dann finden, nicht nur 1. daß ich die Unterstellung, man könne das kapitalistische *Wirtschaftssystem* aus religiösen Motiven überhaupt, oder aus der Berufsethik des von mir so genannten »asketischen« Protestantismus ableiten, in meinem Aufsatz selbst »töricht« genannt habe, und [daß ich] dabei *selbst* auf das Ausführlichste, ja geradezu zur *Begründung* meiner Problemstellung hervorhob, daß es *sowohl* »kapitalistischen Geist« *ohne* kapitalistische *Wirtschaft* (FRANKLIN) wie auch das Umgekehrte gegeben hat (was alles RACHFAHL zwar selbst zitiert, aber, sobald es ihm paßt, alsbald wieder vergißt und dann als »Einwand« *gegen* mich vorbringt)[26]; – 2. daß es mir nicht eingefallen ist, jene, nach meiner Ansicht ursprünglich religiös bedingten Motive »asketischen Charakters« mit dem kapitalistischen »Geist« zu *identifizieren* (wie es bei Rachfahl von A bis Z – schon in dem Resumé meiner Aufsätze [oben S. 58 f.] – seinen Lesern vorgetäuscht wird), sondern daß ich sie (XXI, S. 107 [STB 53/54, S. 187]) nur als *einen* konstitutiven Bestandteil dieses »Geistes« (und übrigens daneben, ausdrücklich, noch *weiterer* moderner Kultureigenarten!) *neben anderen* in Anspruch nehme (was Rachfahl nach endlosem Hin- und Herreden schließlich, wie gesagt, selbst als richtig zugibt); – 3. daß ich über das Verhältnis des sogenannten »*Erwerbstriebs*« zum »kapitalistischen Geist« so eindeutig mich ausgesprochen habe, daß die Bemerkungen Rachfahls über diesen Punkt nur ein weiterer Beweis dafür sind, daß er entweder *nicht* dazu neigt, polemische Auseinandersetzungen mit dem guten Willen zu führen, bei dem Gegner – ich will nicht einmal sagen: den möglichst vernünftigen Sinn, sondern: – überhaupt *irgend* einen vernünftigen Sinn seiner Äußerungen vorauszusetzen, – *oder* daß er im Moment der Niederschrift seiner »Kritik« sich nicht mehr erinnerte, was in der kritisierten Arbeit gesagt war.

Ob man die höchst heterogenen psychischen Tatbestände, welche dem Streben nach Geld und Gut zugrunde liegen können, überhaupt mit dem, einer sonst längst überwundenen Art der »Psychologie« entnommenen einheitlichen Namen »Erwerbstrieb« bezeichnen sollte, bleibe unerörtert. Ganz entbehrlich ist er wohl nicht. Daß dieser sogenannte »Trieb« sich, und zwar *gerade* recht eigentlich in *trieb*hafter: irrationaler, ungezügelter Form, in allen Stadien der Kulturentwicklung und in allen möglichen sozialen Schichten: beim neapolitanischen barcajuolo, beim antiken und modernen orientalischen Krämer, beim »biederen« kleinen Tiroler Gastwirt, beim »notleidenden« Agrarier, beim afrikanischen Häuptling in kolossalstem Maßstab findet, – dagegen gerade in dieser naiv triebhaften Form beim »Typus« des Puritaners oder bei einem so streng »respektabel« denkenden Mann wie dem von mir zitierten B. Franklin *nicht*, – dies ist einer der ausgesprochensten

Ausgangspunkte meiner Darstellung, und ich durfte erwarten, daß wenigstens dies einem Mann, der sie »kritisieren« wollte, nicht aus dem Gedächtnis kommen würde. Und, um es nun *noch* einmal zu wiederholen: wo immer großkapitalistische Entwicklung sich je gefunden hat, im fernen Altertum sowohl wie in unseren Tagen, da hat es selbstverständlich jenen Typus von skrupellosem money-maker gegeben, welcher in der Exploitierung der römischen Provinzen ebenso wie in den Raubkolonien der italienischen Seestädte und den weltumspannenden Spekulationen der Florentiner »Geldgeber«, in den Plantagen der Sklavenhalter und den Goldfeldern aller Erdteile ebenso wie in den amerikanischen Eisenbahnen oder den großfürstlichen Praktiken im fernen Osten oder den ebenfalls weltumspannenden Spekulationen der »Imperialisten« der City sich auswirkt. In den technischen Möglichkeiten und Mitteln, *nicht* aber in der Erwerbs-*Psychologie* ist hier ein Unterschied. Solche erstaunlichen Wahrheiten allerdings, wie: daß das Streben nach »Glück«, nach »Nutzen«, nach »Genuß«, »Ehre«, »Macht«, »Zukunft der Nachkommen« und dergleichen bei der Auslösung des Strebens nach dem Höchstmaß von Gewinn immer und überall in sehr verschiedenen Kombinationen mitbeteiligt waren und sind, hätte RACHFAHL, glaube ich, sich sparen können, da schwerlich Jemand zu finden sein wird, der sie bestreitet.[27] Ich habe jene Motive nur dann (dann aber *ausdrücklich*) erwähnt[28], wo sie in ihrer Tragweite in *Spannung* gegenüber der mich interessierenden asketischen »Berufsethik« traten. Von einer ebenso erstaunlichen Richtigkeit ist das breite Plädoyer RACHFAHLS dafür, daß es von allen den verschiedenen Arten von innerlichen Beziehungen zum Erwerb zu derjenigen, mit welcher ich mich befaßt habe, psychologische Übergänge gebe, daß ferner das von mir »isoliert« *dargestellte*[29] Motiv in der Realität »nicht rein abzulösen«, meist »mit anderen kombiniert«, »selbst heute nicht«[30] erschöpfend usw. sei. Dies dürfte für alle nur irgend erdenklichen Motive menschlichen Handelns zutreffen und hat noch niemanden gehindert, wenn es sich um den Versuch handelt, die *spezifischen* Wirkungen eines bestimmten Motivs [darzustellen], dieses in möglichster »Isoliertheit« und innerer Konsequenz zu analysieren. Wen nun diese ganze »Psychologie« nicht interessiert, sondern nur die äußeren Formen der Wirtschafts*systeme*, den darf ich bitten, meine Versuche ungelesen zu lassen, ebenso aber auch, *mir* dann gefälligst anheimzustellen, ob ich meinerseits mich gerade für diese seelische Seite der modernen Wirtschaftsentwicklung interessieren will, welche im Puritanismus die großen inneren Spannungen und Konflikte zwischen »Beruf«, »Leben« (wie wir uns heute gern ausdrücken), »Ethik«, im Stadium eines eigentümlichen Ausgleichs zeigen, wie er in dieser Art weder vorher noch nachher bestanden hat. Und zwar auf einem Gebiet, wo die Traditionen der Antike und des Mittelalters andere Wege wiesen, und wo wir heute mitten in erneuten Spannungen leben, die – weit über den Kreis der von mir herausgegriffenen Sphäre hinaus – sich zu Kulturproblemen ersten Ranges auswachsen, wie sie, in dieser Art, nur unsere »bürgerliche« Welt kennt. Es ist eben einfach nicht richtig, wenn RACHFAHL ins Blaue hinein – und überdies ebenso wie in seiner ganzen Polemik im schreiendsten Widerspruch gegen seine eigenen früher zitierten Zugeständnisse am Schlusse seiner »Kritik« – behauptet, die »Berufsethik«, wie sie die (in meinem Sinn) »asketischen« Richtungen des Protestantismus kannten, sei ebenso schon im Mittelalter herrschend gewesen. Bei dem Gegensatz gegen das Mittelalter sind solche mehr äußerlichen Punkte, wie die Stellung der kirchlichen Doktrin zum »Wucher« für mich keineswegs das Entscheidende, wie jeder Leser meines Aufsatzes weiß, während allerdings die Bemerkungen RACHFAHLS gerade hierüber zu den klassischen Zeugnissen seiner völligen Verständnislosigkeit für das gehören, worum es sich bei diesen Problemen handelt. Hören wir ihn: »Und wenn sich ein Kapitalist dadurch (durch das Zinsverbot) wirklich so weit geniert fühlte, daß er durch fromme Stiftungen sein Gewissen *beschwichtigen* zu müssen meinte, – ist das nicht gerade ein Beweis dafür, daß seine *Grundanschauung* eine antitraditionalistische war? Denn der *Erwerbstrieb* war in ihm so mächtig, *daß er nicht einmal ein Vehikel religiöser Ethik, wie später die protestantischen »Asketen«, brauchte, um sich zum Geldverdienen getrieben zu fühlen ...«*[31]. Der »Erwerbstrieb« aller jener Gründer und Spekulanten, die »mit dem Ärmel an das Zuchthaus streifen«, um die Millionen zu verdienen, der »Erwerbstrieb« des in den Reisezentren der Riviera zur Schamlosigkeit erzogenen Kellners, der die Gäste gewohnheitsmäßig mit der Rechnung betrügt, braucht noch weit weniger »Ethik« als »Vehikel«, – und käme es auf die Konstruktion einer Stärke-Skala des »Erwerbs*triebs*« an, so würde der Puritanismus ganz gewiß nicht an der Spitze marschieren, auch nicht jener Typus von Rationalisten des Gelderwerbes, als den ich Benjamin Franklin gewählt hatte.[32] Aber nicht um die triebmäßige Gier nach Geld, nach Glück, nach dem splendor familiae usw. handelt es sich – alles Dinge, die den *ernsten* Puritanern gerade ferner liegen als anderen: ihrer Weltabgewandtheit *zum Trotz* werden sie reich –, sondern darum, daß der »asketische« Protestantismus für den Kapitalismus auch die entsprechende »Seele« schafft, die Seele des »Berufsmenschen«, der solche Mittel wie der Mensch des Mittelalters *nicht braucht,* um sich einig zu fühlen mit seinem Tun. – Das war der Kaufmann der Florentiner Frührenaissance nicht. Es ist hier nicht der Ort, die tiefe Zerrissenheit, welche bei aller strotzenden Kraft und scheinbaren Geschlossenheit durch die Ernstesten unter den Menschen jener Tage ging, zu analysieren. Nur eine, und gewiß eine mehr an der Oberfläche liegende, Erscheinung, die sich diesem Bilde einfügt, sind jene Restitutionen »wucherisch« erworbenen Gutes. Aber allerdings gehört sie in dieses Bild. Ich – und wohl eigentlich jeder einigermaßen Unbefangene – kann in jenen »Beschwichtigungsmitteln« nur eines der zahlreichen Symptome für die *Spannung* zwischen »Gewissen« und »Handeln«, für die Unvereinbarkeit des auch von Luther nicht überwundenen »Deo placere non potest«, der Ideale gerade der *ernstlich* katholisch gestimmten Menschen mit dem »kaufmännischen« Gewinnstreben auffassen, und die zahllosen praktischen und theoretischen »Kompromisse«[33] – eben als »Kompromisse«. Es ist eben nicht richtig, daß eine jede Art der Tätigkeit sich ihre »Berufsethik« einfach – wie RACHFAHL behauptet und wie es ja das »Nächstliegende« zu sein scheint – zu allen Zeiten in gleicher Art geschaffen habe. Meine Aufsätze hätten gerade einen Beitrag zur Erkenntnis liefern mögen, in wieweit diese (im Wesen »geschichtsmaterialistische«) Auffassung, deren triviales Recht an sich selbstverständlich kein Mensch, am allerwenigsten ich, anficht, in der historischen Entwicklung ihre *Schranken* hat.[34]

Um das Gesagte zusammenzufassen: bei meinen Ausführungen handelte es sich darum, eine bestimmte, konstitutive Komponente des *Lebensstils*, der an der Wiege des modernen Kapitalismus stand, an dem sie – mit zahlreichen anderen Mächten – mit gebaut hat, zu analysieren und in ihren Wandlungen und ihrem Schwinden zu verfolgen. Ein solcher Versuch kann sich nicht die Aufgabe stellen, zu ermitteln, was zu *allen* Zeiten und überall, wo Kapitalismus existierte, vorhanden war, sondern sie hat gerade umgekehrt das *Spezifische* der einmaligen Entwicklung zu ermitteln.[35] Dafür verantwortlich zu sein, wenn andere die von mir *ausdrücklich* und mit denkbar größtem Nachdruck als eine *Einzel*komponente bezeichneten religiösen Momente verabsolutieren und mit dem »Geist« des Kapitalismus *überhaupt* identifizieren oder gar den Kapitalismus daraus *ableiten*, habe ich schon einmal mit aller Schärfe abgelehnt, – ohne daß RACHFAHL die Pflicht fühlte, dies, obwohl er es weiß, zu berücksichtigen. Mein Versuch mag nun geglückt oder auch mißglückt sein. Wenn aber ein Historiker ihm nichts Besseres entgegenzuhalten weiß als die Aufzählung einer Reihe *anderer* Komponenten, die – wie kein Mensch bezweifelt – zu *jeder* Zeit kapitalistische Expansionen begleitet haben, so dient er den Aufgaben und Interessen seiner Disziplin wenig: wozu sich denn eigentlich für »Geschichte« interessieren, wenn diese nur den Finger darauf legt, daß im Grunde »Alles schon dagewesen« sei? –

Genug davon und nur noch einige Bemerkungen über die Beziehungen zwischen dem »Geist« des Kapitalismus und dem kapitalistischen Wirtschafts*system*.

Werner Sombart hat diesem Thema (im XXIX. Bande des Archivs für Sozialwissenschaft, S. 689 ff.) eine Studie gewidmet, welche mich bei der großen, namentlich *methodischen*, Übereinstimmung[36] in allen wesentlichen Punkten der Pflicht überhebt, ausführlich zu werden. Sowohl der Begriff: »Kapitalismus« wie, erst recht, der andere: »Geist des Kapitalismus« sind nur als »idealtypische«[37] Denkgebilde konstruierbar. Und zwar beide entweder *abstrakt*, so, daß das *dauernd* Gleichartige in begrifflicher Reinheit herausdestilliert wird: alsdann wird der zweite der beiden Begriffe ziemlich inhaltsleer und fast reine Funktion des ersten. Oder *historisch*: so also, daß »idealtypische« gedankliche Bilder der – für eine bestimmte Epoche im *Gegensatz* zu anderen – *spezifischen* Züge gebildet, die *generell* vorhandenen dabei also als ebenfalls gegeben und bekannt vorausgesetzt werden. Dann kommt es natürlich gerade auf die, in dieser Art in den anderen Lebensepochen des Gebildes nicht oder dem Grade nach spezifisch *verschieden* vorhanden gewesenen Züge an. Für den »Kapitalismus« des Altertums als Wirtschafts*system* habe ich dies in einer übrigens sicherlich noch sehr unvollkommenen Art (im Handwb. d. Staatswiss., 3. Aufl. 1. Bd. 1909, Artikel »Agrarverhältnisse im Altertum«) zu tun versucht[38]; – für das, was ich *»Geist«* des *modernen* Kapitalismus nennen wollte, hatte mein Aufsatz den *Anfang*[39] einer Ausführung darstellen sollen, welche zunächst die neuen, durch die Reformationszeit eingewebten Fäden verfolgen wollte.

Und nun die Frage: was kann man unter dem »Geist« des Kapitalismus im Verhältnis zum »Kapitalismus« selbst verstehen? Was den »Kapitalismus« *selbst* anlangt, so kann darunter nur ein bestimmtes »Wirtschafts*system*«, d. h. eine Art des »ökonomischen« Verhaltens zu Menschen und Sachgütern gelten, welches »Verwertung« von »Kapital« ist und welches in seiner Gebarung von uns »pragmatisch«, d. h. durch Feststellung des nach der typisch gegebenen [objektiven] Sachlage »unvermeidlichen« »besten« *Mittels*, analysiert wird, – wie gesagt, entweder: alles, was solchen Wirtschaftssystemen zu allen Zeiten gemeinsam war, oder aber: die Spezifika eines bestimmten historischen Systems dieser Art. Hier geht uns der letztere Fall allein an. Eine historisch gegebene Form des »Kapitalismus« kann sich mit sehr verschiedenen Arten von »Geist« erfüllen; sie kann aber auch – und wird meist – zu bestimmten historischen Typen desselben in, sehr verschieden abgestuften, »Wahlverwandtschaftsverhältnissen« stehen: – der »Geist« kann der »Form« mehr oder minder (oder: gar nicht) »adäquat« sein. Kein Zweifel, daß der *Grad* dieser Adäquanz auf den Gang der historischen Entwicklung nicht einflußlos bleibt, daß auch »Form« und »Geist« sich – wie ich das s. Zt. schon gesagt hatte – aneinander anzugleichen trachten, daß endlich, wo ein System und ein »Geist« von untereinander besonders hohem »Adäquanzgrade« aufeinanderstoßen, eine Entwicklung von auch innerlich ungebrochener Einheitlichkeit einsetzt, von der Art, wie diejenige, die ich zu analysieren begonnen hatte.

Da es sich mithin bei dem entscheidenden Begriff »Geist« des (in meinem Fall: des neuzeitlichen[40]) Kapitalismus um ein historisches, ungemein komplexes Gebilde handelt, so ist so etwas wie eine *Definition* dieses Begriffes, wie bei allen im höchsten Sinne »historischen« Begriffen, nicht etwa als Anfang, sondern [nur] als Abschluß der Untersuchung, als Resultat der Schritt für Schritt vorzunehmenden Synthese möglich, – wie ich selbst am Beginn meiner Aufsätze nachdrücklich hervorgehoben habe. An den Anfang einer solchen Untersuchung kann man nur ein möglichst drastisches *Veranschaulichungs*mittel stellen, und dazu hatte ich ein Beispiel aus halb naturalwirtschaftlichem, jedenfalls (relativ!) sehr *un*kapitalistischem Milieu, B. Franklin, verwertet: ausgesprochenermaßen in der Absicht, das *Eigenleben* des kapitalistischen »Geistes« gegenüber dem ihm adäquaten kapitalistischen »Wirtschaftssystem« zu zeigen. Ich hatte vorher bereits an die

Tatsache, daß der »Geist« auf die Entfaltung des »Wirtschaftssystems« nicht einflußlos sei, illustrativ erinnert, und *ausdrücklich* die Erörterung der umgekehrten Kausalrelation der Fortsetzung der ausdrücklich als unabgeschlossen bezeichneten Aufsätze überwiesen. Zu einem »Abschluß« sind nun – und das ist, wie schon gesagt, mein dauernder Nachteil, – jene Aufsätze aus Gründen, die ich deutlich (auch oben) gesagt habe und die an Gewicht seither nur gewonnen haben, nicht gelangt: es ist in ihnen wesentlich erst ein *Teil* der historischen Entwicklung der »Berufs«-Idee und ihrer Erstreckung auf den Erwerb als solchen dargestellt. Weiter konnten und wollten sie nichts für sich in Anspruch nehmen. Es blieb einem »kritisierenden« Historiker vorbehalten, das Resultat der gesuchten Synthese durch eine »Definition« vorwegnehmen zu wollen. Was dabei herausgekommen ist, mag man [oben Seite 77 f.] nachlesen: daß der »kapitalistische Geist« (d. h. nach RACHFAHL – [oben Seite 78] –, diejenige Triebfeder, welche für die Provenienz eines bestimmten *Kapitals* entscheidend ist) aus einer Mischung von »Erwerbstrieb« mit »noch anderen« Motiven: »Rücksicht« auf »Glück« und »Nutzen«, eigenen oder fremden, »zumal« der Familie, Streben nach Genüssen, Ehren, Macht, glänzender Stellung der Nachkommen *usw.* besteht. In dem »usw.« stecken selbstredend *alle denkbaren* anderen Motive, insbesondere z. B. auch – um einen praktisch recht wichtigen »Zweck« der »Kapitalaufsammlung« zu nennen – karitative. Und da nun RACHFAHL überdies den (subjektiven) »Geist« des Kapitalismus von dem (objektiven) Wirtschafts*system* nicht zu scheiden weiß und beides mit dem »Erwerbstrieb« in eins setzt, so hat er natürlich über meine Feststellung, *was* denn eigentlich das A und O des »Evangeliums des Geizes« bei meinem Beispiel: FRANKLIN, sei (XX, S. 17 [STB 53/54, S. 44/45]), ebenso hinweggelesen, wie über das, was (auf der gleichen Seite) über den *Gegensatz* von Erwerbsgier und Berufspflicht gesagt ist, und dann den *anderen* Gegensatz von »traditionalistischer« und »Erwerbs«-Wirtschaft trotz meiner ausdrücklichen Vorbehalte zum Angelpunkt meiner

Auseinandersetzungen gemacht. Allein: kommt es nur auf den Erwerb von mehr als dem »Bedarf« an, *dann* ist der Wilde, in seiner durch keinerlei rationalistische Erwägungen getrübten Unersättlichkeit nach Weibern und Schätzen, der *Gipfelp*unkt des Erwerbsmenschentums, – der Puritaner aber steht so ziemlich am anderen Ende der Reihe. Ein vom »Geist des Kapitalismus« (in meinem Sinn) getragenes Wirtschaften ist zwar dem Traditionalismus direkt entgegengesetzt – und *dies* hatte ich zunächst festzustellen –; aber es ist sehr weit entfernt davon, mit dem Streben nach dem möglichsten Überschuß über den *Bedarf* identisch zu sein. Es bildet daher zwar einen Gegensatz, aber keinen erschöpfenden, gegenüber der »traditionalistischen« Wirtschaft, – dies um so mehr, als es auch mit einer der *Form* nach kapitalistischen Wirtschaft, wie ich ausdrücklich gesagt (XX, 23 [STB 53/54, S. 51]) und an einem Beispiel (XX, 27 f. [STB 53/54, S. 55 f.]) erläutert habe, *nicht* zusammenfällt. *Diejenige* Komponente des kapitalistischen »Geistes« der Neuzeit endlich, welche ich speziell analysierte: – der Gedanke der »Berufspflicht« mit allem, was an ihm hängt – findet sich innerhalb des vom »Geist« des Kapitalismus (im *generellen* Sinn des Ausdrucks) getragenen Wirtschaftens wiederum nur in einem *bestimmten historischen Ausschnitt* und ragt andererseits über das Gebiet des Ökonomischen hinaus in ganz heterogene Sphären menschlichen Handelns. Die Entwicklung des »*Berufsmenschentums*« in seiner Bedeutung als Komponente des kapitalistischen »Geistes«, – auf dies Thema haben sich meine Auseinandersetzungen zunächst *ausdrücklich und absichtsvoll beschränkt.* Ich kann absolut nichts dafür, wenn liederliche Leser dies zu ignorieren für gut befinden.

Es muß mit diesen Bemerkungen hier genug sein. Denn irgendwelche Teile und Gesichtspunkte meiner Aufsätze, etwa die Ausführungen über die Bedeutung des Sektentums – die *Sekte* ist in einem wichtigen Sinn für die werdende Neuzeit der Archetypos jener gesellschaftlichen Gruppenbildungen, welche heute die »öffentliche Meinung«, die »Kulturwerte«

und die »Individualitäten« prägen – bei dieser Gelegenheit weiter auszubauen oder näher auf die weiten Verzweigungen, welche vom puritanischen Lebensstil zu dem der Gegenwart führen, einzugehen[41], ist bei diesem Anlaß nicht möglich. Es ist bedauerlich, daß die Antwort auf eine ganz sterile, mit dem höhnischen Ton, den sie anschlägt, wie mit ihrem Nichtverstehen*wollen,* einen üblen professoralen Typus darstellende Kritik auch ihrerseits so steril ausfallen mußte, wie es die Umstände bedingten und dem Archiv Raum kostet. Alles, was *hier* gesagt wurde, steht bereits in meinen Aufsätzen, – alles (mit gänzlich irrelevanten Ausnahmen), was RACHFAHL gesagt hat, hat er ihnen entnommen und »verballhornt«. Wer es nach den vorstehenden Ausführungen noch nicht glaubt, den verweise ich wiederholt darauf, *nach* der RACHFAHLschen Kritik meine Ausführungen unbefangen zu *lesen,* an denen ich, gegenüber *dieser* Kritik, *nicht ein einziges Wort* zu ändern habe.

Anmerkungen zu: Max Weber, Antikritisches zum »Geist« des Kapitalismus

1 Diesen, von Troeltsch zitierten, Aufsatz läßt Rachfahl bequemlichkeitshalber ganz beiseite. [Den in diesem Band zusammengefaßten Kritiken und Antikritiken lag die Fassung von Max Webers Aufsätzen zur »Protestantischen Ethik« aus den Bdn. XX und XXI des Archivs für Sozialwissenschaft zugrunde. Sofern in Anmerkungen und Zitierungen auf sie Bezug genommen wird, wurden die Zitate ergänzt durch die Angabe der Fundstelle in eckigen Klammern aus der Neuausgabe der von Max Weber überarbeiteten Fassung (1920) in den Siebenstern-Taschenbüchern, Bd. 53/54. Beispiel: Archiv, XX. Bd., S. 10 [STB 53/54, S. 37]. Angaben von Seitenzahlen in eckigen Klammern ohne den Zusatz STB beziehen sich auf die Kritiken und Antikritiken in *diesem* Band. Beispiel: [oben S. 14]. (Hrsg.)]

2 Dabei sind Troeltsch wohl in einigen wenigen (für *sein* Thema gänzlich irrelevanten) Punkten Formulierungen unterlaufen, die, – wie es bei solchen, notgedrungen stark verkürzten, Wiedergaben fremder Ansichten kaum vermeidlich ist, – nicht ganz meinen Aufsätzen entsprechen. Es blieb der illoyalen Kleinlichkeit einer »historischen« Kritik vorbehalten, diesen Umstand zu fruktifizieren: Rachfahl war über jenen Sachverhalt in *keinem* Punkt im *Zweifel.*

3 Archiv für Sozialwissenschaft, XX, S. 10, 50 unten, 52 unten [STB 53/54, S. 37, 73, 75]. Auf S. 10 ist hervorgehoben, daß wenigstens der direkte Zusammenhang zwischen »Askese« und bürgerlicher Reichtumsbildung bei den asketischen Sekten (Quäkern, Mennoniten usw.) oft »*noch* eklatanter sei« als beim Calvinismus. Warum weiterhin der Calvinismus zuerst und in besonderer Ausführlichkeit (XXI, S. 5–38 [STB 53/54, S. 118–142]) behandelt wurde, ist (XXI, S. 36 [STB 53/54, S. 140]) eingehend motiviert: weil er in bezug auf die Antriebe zur *methodischen* Lebensgestaltung, welche seine Dogmatik enthält, mir, als die »konsequenteste« Antithese zum (Katholizismus und) Luthertum, dazu am geeignetsten erschien. Den 33 Seiten, welche den Calvinismus analysieren, folgen aber alsdann immerhin gerade ebenso viele (XXI, S. 39–72 [STB 53/54, S. 142 bis 165]) über die übrigen asketischen Denominationen.

4 Die Abweichung mir gegenüber besteht lediglich in den dem Wort »asketisch« hinzugefügten Gänsefüßchen. (Um ein Zitat handelt es sich nicht.)

5 Ob wenigstens das Erstere nicht oft nützlich wäre, steht dahin. Ich halte es für ein Verdienst von GEORG FRIEDRICH KNAPP [Staatliche Theorie des Geldes, 1905], daß er den Mut hatte, es umfassend zu tun; ebenso geschieht es z. B. mit augenfälligem Erfolg für die Unzweideutigkeit in ALFRED WEBERS Buch über die Standorte der Industrie [1909]. Allein bei unseren Lesern begegnet es heute noch allzu oft einem ablehnenden Kopfschütteln, und vor allem widerstrebt die Professoreneitelkeit grundsätzlich der Akzeptierung irgendeiner nicht von dem betreffenden *selbst* geprägten Bezeichnung.

6 Wenn RACHFAHL [oben S. 78] sagt: »Dem reichen Geschäftsmann, von dem WEBER erzählt, daß er nur mit Mühe zu dem ihm ärztlich verordneten Austerngenuß zu bewegen war, kann wohl jedermann ... mehr als einen Kapitalisten entgegenstellen, an dessen ›kapitalistischem Geist‹ *im üblichen Sinn* (NB!) ... nicht zu zweifeln ist, ... der sich aber ... die köstlichen Schalentierchen sehr wohl munden läßt. ... Fast möchte ich glauben, daß die Delikatessenhändler, falls in der Sphäre des kapitalistischen Geistes plötzlich asketische Lebensgewohnheiten einzögen, aus Mangel an Kundschaft ihre Läden schließen könnten«, – so ist dies Niveau einer »Kritik« wohl nicht sehr hoch gegriffen. Was der »übliche Sinn« des »kapitalistischen Geistes« ist, kümmert mich nicht, auch nicht, ob das »Tiergartenviertel« oder die »Agrarier« oder Leutnants und andere junge Leute mit üppigem Geldbeutel die meisten Austern konsumieren. Sondern es kam mir bei jenem (gänzlich beiläufig erwähnten!) Beispiel an auf die Illustration einer sehr spezifischen innerlichen Beziehung zum Erwerb und Besitz: des Gefühls der »Verantwortung« gegenüber dem eigenen Vermögen, welches »irrationale« Ausgaben nicht nur ablehnt, sondern wie eine eigentümliche Art von »Versündigung« ansieht (was mit gewöhnlichem Geiz, von dem RACHFAHL an anderer Stelle redet, nichts zu schaffen hat). Es ist ein *asketisches* Bedenken gegen den *Genuß* als solchen.

7 XXI, S. 6, Anm. 5 [STB 53/54, S. 195, Anm. 7].

8 Wie überhaupt, so kommt es auch hier RACHFAHL nicht darauf an, nur zum Zweck effektvoller Polemik jeweils das gerade Gegenteil voneinander zu sagen. Das gleiche Streben nach dem Gewinn um des Gewinnes willen, welches [oben S. 108] (bei Fugger) sehr wohl einer »ethischen Maxime der Lebensführung« entsprungen sein kann, kann [oben S. 79, 84] überhaupt nicht »ethisch« genannt werden, weil es R. verwerflich findet.

9 Man vergleiche nur die ganzen Ausführungen: [oben S. 80].

10 [Oben S. 86]. Freilich töricht genug: es handelt sich einfach um Unterschiede der *Terminologie*, nicht aber der Sache.

11 Obwohl er bei der Inhaltsangabe meines Aufsatzes [oben S. 68 f.] und ganz gelegentlich auch einmal späterhin nicht umhin kann, meine entsprechenden Ausführungen selbst wiederzugeben.

12 Denn die ökonomische Reaktion des Polentums (die ich selbst zitiert habe) ruht auf *nationaler* Basis.

13 Shakespeare – ein Kenner des Puritanismus mit den scharfen Augen des Hasses – wußte also offenbar recht gut, weshalb er die karikierten »Mittelklassen« ihr karikiertes Programm auch aus dem Grundsatz: »It is written: work in your calling« ableiten läßt.

14 Ich hatte seit den Zeiten, wo ich Handelsgeschichte trieb, Petty nicht mehr in der Hand gehabt und bin Herrn Kollegen H. Levy dafür dankbar, daß er mich auf diese, mir gar nicht mehr erinnerliche Stelle aufmerksam machte.

15 Ich darf nur noch – ein Nebenpunkt – bemerken, daß selbstredend, wenn ich das streng *intolerant* calvinistische Neuengland dem in bezug auf die Entwicklung »kapitalistischen Geistes« (s. u.) *anscheinend* minder entwickelten *toleranten* Rhode-Island gegenübergestellt habe, dies ersichtlich in dem Sinne geschah, daß *trotz* der Intoleranz dort und *trotz* der Toleranz *hier* dieser Unterschied zugunsten des (von der Natur weit ungünstiger ausgestatteten) *in*toleranten Gebietes bestanden zu haben scheint, nach meiner Ansicht, *weil* in ihm in stärkerem Maße der »Geist« der protestantischen Askese herrschte. Im übrigen ist dies nur gänzlich beiläufig ausgesprochen worden in Form einer Vermutung, die ich zwar vielleicht noch durch einige Hinweise mehr als die von mir angegebenen stützen könnte, ohne jedoch dadurch – wie ich gern wiederholt bekenne – zu dem Anspruch gelangen zu können, etwas »bewiesen« zu haben. – Um bei dieser Gelegenheit einige der *faktischen* »Einwände« Rachfahls zu erledigen, so scheinen ihm die innere Entwicklung Pennsylvaniens, die tragischen Konflikte der Quäkerethik mit der »Welt« und ebenso die – auch für Newyork (obwohl Manhattan schon seit geraumer Zeit als Einwanderungszentrum an Kirchlichkeit weit hinter Brooklyn zurückstand) bis an die Schwelle der Gegenwart reichende – Intensität der aus Askese und Rationalismus gemischten Lebensluft dort, die allein schon *jede* gute ältere Schilderung europäischer Reisender bezeugt und deren Reste man selbst heute noch überall spüren kann, in ihrer

Rolle für Lebensstil und Berufsauffassung völlig unbekannt zu sein, ebenso die Geschichte und die noch in Resten bis heute nachwirkende Eigenart der Neuengländer. Ich verweise auf meinen (natürlich *sehr* skizzenhaften) Aufsatz in der Christl. Welt. Der landwirtschaftliche »Kapitalismus« der episkopalistischen Südstaaten unterschied sich in den für *mein* Problem relevanten Punkten in *nichts* von der »kapitalistischen« Wirtschaft des Altertums. Ich habe – abgesehen von der bekannten, zum Teil ausgezeichneten Literatur – aus eigener Anschauung bei südstaatlichen Verwandten, die in alten Pflanzerhäusern leben, ein auch in den Äußerlichkeiten leidlich deutliches Bild gewonnen von der, im striktesten Gegensatz zu dem »Geist« des puritanischen Yankeetums stehenden, »seigneurialen« Mischung von powerer Liederlichkeit und aristokratischer Ostentation in Wirtschaft und Leben, welche diese spezifisch *unbürgerliche* Gesellschaft beherrschten. Es hing bekanntlich an einem Haar, so wäre auch Neuengland in die Hände eines der zahlreichen Hof-Günstlinge geraten, welche koloniale Landkonzessionen zu erlangen und zu verwerten suchten, – und wenn auch freilich dort keine Baumwollplantagen hätten entstehen können, so weiß doch niemand, welche Physiognomie Nordamerika dann, also: ohne die Siedlungen der Pilgerväter, denen weiter südlich diejenigen der Baptisten, der Holländer, der Quäker zur Seite traten, angenommen hätte. Jedenfalls nicht die, welche durch den »Geist« dieser Schichten bestimmt wurde und welche in immerhin sehr bedeutsamen Resten bis in die Gegenwart hinein fortgedauert hat. Daß eine »kapitalistische«, ja selbst eine gewerbliche Entwicklung in Neuengland im 17. Jahrhundert nicht nur ein Anachronismus, sondern auch geographisch damals wie später so gut wie unmöglich war, – dies ist freilich kein Zweifel und von mir nie bestritten. Ich selbst habe die dort, nach der puritanischen Einwanderung, *trotzdem* entstandenen Ansätze gewerblicher Entwicklung als *eben deshalb* bemerkenswert zitiert. Da ich sofort am Eingang meiner Arbeit FRANKLIN als Repräsentanten des »kapitalistischen Geistes« zitiere, da ferner jedermann weiß, daß dieser kleine Drucker denn doch sehr weit davon entfernt war, ein »Großkapitalist« à la FUGGER zu sein, und da ich zum Überfluß meinerseits nachdrücklichst auf die für meine Argumentation wichtige Tatsache hingewiesen habe, daß jener »Geist« sich hier in einem Gebiet, dessen Wirtschaft noch in den Kinderschuhen halber Naturalwirtschaft steckte, entwickelt hat (XX, S. 33 [STB 53/54, S. 63]), – so hätte selbst eine Kritik von der Art der RACHFAHLschen darauf verzichten dürfen, mir diese und ähnliche Dinge als »Einwände« entgegenzuhalten. Daß ferner ein Historiker kein Unterscheidungsvermögen für die ökonomischen Existenzbedingungen des Gewerbes in einem *Kolonial*land, wie das alte Neuengland es war, und im europäischen *Mittel*alter hat – wie die höhnische, aber m. E. etwas lächerliche Bemerkung [oben S. 103] zeigt –, ist schlimm genug. Noch schlimmer freilich, daß er von der Bedeutung des Hugenottentums und seinen Beziehungen zur Industrie in Frankreich einfach gar nichts weiß. – Daß der Calvinismus auf der ungarischen Pußta im 17. und 18. Jahrhundert keine kapitalistische Wirtschaft schaffen konnte, muß ich nun schon zum zweiten Mal »zugeben«, ebenso aber betonen, daß er *auch dort* (in der Art der Berufswahl der Reformierten) seine typischen Begleiterscheinungen zeigt, wie gleich eingangs meines Aufsatzes zu lesen steht. – Sogar zu dem ihm eigentlich naheliegenden, höchst verwickelten und interessanten Problem der Eigenart des holländischen Kapitalismus und des inneren Verhaltens der Bevölkerung dazu entwickelt R., dessen Auge stets nur an den, in *nichts* Wesentlichem von den Erscheinungen aller Zeiten und Länder unterschiedenen großen Geldleuten haftet, nur ganz oberflächliche Sentiments. Ich bezweifle auf Grund derselben, daß er hier mehr weiß als – nach seiner dankenswerten Versicherung – ich, der ich in der Tat mit diesen Problemen noch entfernt nicht im Reinen bin. Alles freilich, was er über den Arminianismus der Kaufmannschaft mir entgegenhält, habe ich – wie fast immer – *selbst* gesagt, ebenso auf ganz die gleichen kunsthistorischen Erscheinungen hingewiesen, die RACHFAHL gegen mich heranzieht. Aber damit sind erst die äußersten Peripherien des Problems – welches *ich* ja gar nicht verfolgen *wollte* – gestreift. Um nur ein Moment zu erwähnen, welches tiefer führt, so ist die Eigenart des holländischen »Geistes« damals sicherlich auch dadurch mitbestimmt worden, daß das Einpoldern von Neuland eines der allerrentabelsten Geschäfte war, daß hier die Städte das platte Land – mit einiger Übertreibung gesagt – zum großen Teil aus sich geschaffen haben. Die Kapitalverwertung wurde, neben dem, allem Puritanismus leicht verdächtigen, Kolonialgeschäft sehr stark in diese Bahn der Schaffung von Bauernexistenzen gelenkt, – was für die »Physiognomie« des Landes auch im innerlichen Sinn seine Konsequenzen haben mußte und hatte, speziell in der Richtung, daß die als vorhanden durchaus hinlänglich bezeugte Tendenz des »asketischen« Protestantismus, in seiner Art zu wirken, in wichtigen – aber *nicht*: in allen – Punkten immer wieder gebrochen wurde. Denn daß diese Bauern, welche sogar für den Kunstmarkt ihre Bedeutung hatten: – es kommen bei ihnen Anlagen von Summen in Gemälden vor, welche damals ein kleines Vermögen darstellten (und sicher oft spekulativen Charakters waren) –, zwar etwas sehr anderes waren als die traditionelle Bauernschaft des Kontinents, aber auch etwas anderes als die Bauern Neuenglands, begreift sich. Die Rückwirkung des halbgebrochenen Puritanismus Hollands auf seine Kunst ist ein sehr verwickeltes Problem, und meine hingeworfenen Bemerkungen darüber prätendieren schlechterdings nichts. Immerhin: der Gegensatz von RUBENS und REMBRANDT – man erinnere sich der freilich bezüglich REMBRANDTS zur Karikatur übertreibenden, aber für die Grundstimmung doch charakteristischen Verse BAUDELAIRES – ist zwar ebensowenig für ihre Lebensführung einfach identisch mit den Unterschieden des Milieus beider, aber freilich sehr weit entfernt davon, Zufall zu sein. – Daß ein Historiker von den Dordrechter Dekreten als von etwas historisch für Holland fast Irrelevantem reden kann, ist nur verständlich, wenn er von der modernen holländischen Kirchen- und politischen Geschichte keine Ahnung hat. Der Neo-Calvinismus in Holland ist gewiß ein Gebilde mit sehr modernen Einschüssen, – aber wenn man sieht, wie das für die ganze derzeitige politische Konstellation in Holland noch immer maßgebende KUYPERsche Schisma, eingeleitet durch das echt »puritanische« Verlangen, daß die *Abendmahlsgemeinde* zur Ehre Gottes sich müsse »rein« erhalten dürfen, in allen seinen Stadien, sich auf Rechtsbegriffe und Glaubenslehren stützt, welche vor, in und nach Dordrecht geschaffen wurden, wird man jene Behauptung ziemlich seltsam finden. Ebenso, wenn man auch nur die gedruckt vorliegenden Aktenstücke zur holländischen Kirchenzuchtgeschichte jener alten Zeit und die ungeheure Autorität der »sacrosancta synodus« kennt, welche Jahrhunderte lang von ihren Getreuen nur mit Entblößung des Kopfs genannt wurde. Daß die neucalvinistische Kirchenbildung KUYPERS in dem »ungläubigen« Amsterdam ihren Anfang nahm, könnte ja wieder ein »Zufall« sein, wie, nach RACHFAHL, die Abschwenkung von Amsterdam auf die Seite der calvinistischen Partei gegen OLDENBARNEVELT, – aber es könnte dieser eigentümliche moderne »Zufall« doch vielleicht manchem Anlaß geben, darüber nachzudenken, ob nicht auch jener Vorgang von 1618 in etwas mehr als der *bloßen* Tageskonstellation verschiedener »Kliquen« in der Vroedshap, wie sie überall bestanden, seinen Grund hatte. (In der *Minorität* hat sich das Asketentum in der Welt fast *immer und überall* befunden: in Holland damals und unter KUYPER, in England unter CROMWELL, in Pennsylvanien schon unmittelbar nach PENN, in Frankreich von Anfang an und ebenso in der Zeit des Pietismus in Deutschland.) Die Rolle, welche der puritanische Dissent in England noch in der COBDENschen Anti-Kornzoll-Agitation gespielt hat, ist RACHFAHL – nach seinen Bemerkungen zu schließen – wohl kaum bekannt. – Die interessante Erscheinung, welche in der Beziehung zwischen den *Klassen* und dem religiösen Leben zu beobachten wäre – fast in allen Ländern –, ist die allmähliche Wandlung der anfänglich (oft sogar mit Einschluß des Täufertums) *vertikal* durch die soziale Schichtung gehenden Risse in *horizontale*: *hier* setzt dann das Recht der geschichtsmaterialistischen »Deutung« ein.

16 Wenn RACHFAHL übrigens [oben S. 108] schließlich auch noch fragt, woher ich denn *wisse*, daß der von ihm (nach mir) zitierte Ausspruch JACOB FUGGERS Ausdruck einer *anderen* (als der puritanischen) »Berufsethik« sei, – so antworte ich: weil jeder, der weiß, wie ein Puritaner sich im gleichen Falle ausdrücken würde, auch weiß, daß er – und zwar mit voller subjektiver Wahrhaftigkeit – sich *anders* ausgesprochen haben würde. Bereits [oben S. 112] *weiß* denn auch RACHFAHL selbst – ohne zu sagen: woher? –, daß die Berufsethik der Calvinisten sich von dem FUGGERschen Lebensstil dadurch *unterscheide*, daß bei jenen Gewinn und Reichtum – ganz wie ich es dargelegt habe – »*nur* Faktoren von akzessorischer Bedeutung waren«!

17 [Oben S. 72]: »Allerdings, *so gibt* WEBER *zu*, zeigte sich schließlich die calvinistische Ethik als eine Kraft, die zwar das Gute wollte, aber das Böse schuf, ... den Reichtum mit allen seinen Versuchungen.« Von einem Schriftsteller zu sagen, daß er eine seiner eigenen, fast wörtlich zitierten Grundthesen »zugibt«, ist eine für den Leser mindestens reichlich mißverständliche Umschreibung des Sachverhaltes.

18 XX, S. 15 [STB 53/54, S. 83, Anm. 26].

19 Vgl. Archiv für Sozialwissenschaft, XXV, S. 247 bei Anm. 10 [oben S. 36]. RACHFAHL kennt auch diesen Aufsatz, da er ihn selbst gelegentlich zitiert.

20 Über den Arminianismus in den führenden Schichten des holländischen Großbürgertums habe ich geredet, im übrigen auf BUSKEN-HUËT verwiesen. Es ist ein starkes Stück, wenn RACHFAHL, der *nichts*

Neues von Belang darüber beibringt, glaubt behaupten zu dürfen, ich »wisse« von diesen Verhältnissen nichts.

21 XX, S. 20 [STB 53/54, S. 48].

22 Denn auf die Verteilung des *Kapitals* u. dgl. käme es dabei natürlich absolut nicht in erster Linie an.

23 Vgl. z. B. meine Bemerkungen im Archiv für Sozialwissenschaft, XXVIII, S. 263, XXIX, S. 529.

24 »Es *kann kein Zweifel* darüber obwalten, daß zwischen Calvinismus« (über diese ganz falsche Begrenzung: s. o.) »und Kapitalismus innere Beziehungen bestehen.«

25 Und natürlich erst recht die von ihm immer wieder unterstrichene Behauptung, daß es die »gemeinchristliche« Reformationssittlichkeit (also doch auch die nicht- und anticalvinistische) gewesen sei, die fortbestanden habe.

26 Ich habe aus dem Auftauchen des »kapitalistischen« Geistes (in meinem Sinne!) an einer Stelle, wo die ökonomischen Bedingungen (*damals* noch!) so ungünstig wie möglich waren, gerade geschlossen, daß die Methodik der Lebensführung, welche (damals) Neuengland und Pennsylvanien beherrschte, von *sich* aus die Antriebe dazu in sich barg. Daß ein solcher Keim dann der erforderlichen [objektiven] »Bedingungen« bedurfte, um zur Entstehung eines kapitalistischen »Wirtschaftssystems« mitwirken (*mit*wirken!) zu können, – diese Selbstverständlichkeit habe ich zwar der Sicherheit halber *auch* noch (XX, S. 53, 54; XXI, S. 110 [STB 53/54, S. 76, 77 und 189/190]) gesagt, aber allerdings in der (wie ich sehe: irrigen!) Meinung, daß dies eigentlich überflüssig sei.

27 Wo ich von einer *»absoluten«* Herrschaft des Puritanismus im englischen Wirtschaftsleben gesprochen haben soll, ist mir unverständlich. Der Kampf der bürgerlich-kapitalistischen Mittelklassen hatte zwei Fronten: gegen die »Squirearchie« [auf der einen Seite] beginnt er als ein ganz ausdrücklicher Kampf der »Askese« mit dem »fröhlichen alten England«, ein Kampf, in welchen die Krone durch das book of sports eingriff; – gegen die (im 17. Jahrhundert höfischen) Monopolisten und Groß-Finanziers auf der anderen Seite (vgl. die bekannten Schritte des »langen Parlaments« in dieser Richtung) war er – das würde ich bei Fortsetzung meiner Artikel zu zeigen gehabt haben – von einer sehr bestimmten Theorie des »justum pretium« getragen, welche die puritanische Ethik erfüllte [s. Wirtschaft und Gesellschaft 5, S. 501 (Hrsg.)].

28 Vgl. z. B. XXI, S. 98, Anm. 65 [STB 53/54, S. 267, Anm. 273].

29 Aber doch weiß Gott nicht, wie [oben S. 78] behauptet wird, als in jedem oder auch nur den meisten Trägern von »kapitalistischem Geist« (in meinem Sinn) in absoluter Einzigkeit wirgend *hin*gestellte.

30 Da doch sogar Rachfahl nachweislich bekannt ist, daß ich ausführlich das *Geschwundensein* jener in den Zeiten der Blüte des asketischen Protestantismus wirksamen Motivationsverknüpfung zu erklären gesucht habe – er polemisiert ja gegen meine Art der Erklärung –, so ist dies »selbst heute« wiederum ein Beispiel für die Art seiner, keinerlei möglicherweise eindrucksvolle Wendung verschmähenden, »Kritik«. Dazu tritt, um das Bild zu vervollständigen, noch, daß *er selbst* [oben S. 112] den *heutigen* Großkapitalismus in seinem Lebensstil in *Gegensatz* stellt zu dem calvinistischen, – und zwar genau in dem Sinn, in dem er es bei mir gelesen hat, nur mit etwas anders gesetzten *Worten.*

31 Die Sperrungen hier und – wie nachträglich bemerkt sei – auch früher bei Zitaten aus den R.schen Artikeln rühren von *mir* her.

32 Sombart (Archiv für Sozialwissenschaft, XXIX, S. 701) eignet sich ganz mit Recht die Äußerung eines Großunternehmers wie Rathenau (in dessen »Reflexionen«) an, der »noch niemals einen wahrhaft großen Geschäftsmann und Unternehmer« gekannt haben will, »dem das Verdienen die Hauptsache seines Berufs war, und ich möchte behaupten, daß, wer am persönlichen Geldgewinn hängt, ein großer Geschäftsmann überhaupt nicht sein kann.« (Ganz dies würde auch Franklin, ganz unbeschadet seiner »Predigt«, gesagt haben und erst recht die Puritaner. Der Reichtumsgewinn ist ihnen allen – mit Rachfahl zu reden – »etwas Akzessorisches«.)

33 Ich habe dafür weit drastischere Beispiele angeführt als »fromme Stiftungen«, die – nur aus *gänzlich* anderen, in charakteristischer Art anderen, Motiven! – gerade z. B. auf dem Boden des Calvinismus und des Reformiertentums überhaupt in mindestens gleichem Maße gang und gäbe waren.

34 Ich hatte sehr nachdrücklich betont, daß ich im Fall einer Vollendung meiner Aufsätze, wo dann die umgekehrte Kausalbeziehung – Bedingtheit des Religiösen durch die ökonomischen Verhältnisse – zur Geltung gelangen müßte, wahrscheinlich der »Kapitulation vor dem Geschichtsmaterialismus« ganz ebenso geziehen werden würde, wie, nach dem was vorliegt, der »Übertreibung des Einflusses religiöser Momente«, – bei R. [oben S. 113] findet sich für meine an-

gebliche »These« sogar der Ausdruck« ungeheuerlich«, freilich nicht gerade im Einklang damit, daß R. den Inhalt derselben, wie schon bemerkt, *sich selbst aneignet.* – Beiläufig: jener Einfluß ist denn doch auch auf *politischem* Gebiet von ganz anderer, fundamentalerer, Bedeutung als nach dem Eindruck der »Nichts-als-Politiker« unter den Historikern, die unter den »großen Mächten« nur die großen Bataillone verstehen, mit denen freilich der liebe Gott auf dem *Schlachtfelde* zu gehen pflegt. Noch so viele »Mächte« dieser Art haben z. B. den einen Satz der Bibel: »Man soll Gott mehr gehorchen als den Menschen«, – *solange* er den Glauben entschlossener Männer, und seien es auch kleine Minderheiten, wie die Puritaner fast überall es waren, beherrschte, – nicht außer Gefecht zu setzen vermocht. An ihm scheiterten die »Kulturkämpfer« des 17. und des 19. Jahrhunderts, und beide Male hatte ihre Niederlage Konsequenzen von einer in Generationen nicht zu überwindenden Tragweite. Er ist selbstredend sehr weit davon entfernt, das einzige Fundament des politischen Individualismus (ich nehme an, daß dieser Ausdruck in diesem Fall unzweideutig ist) gewesen zu sein. Aber der Umstand, daß dem heutigen politischen Individualismus dieser Einschlag fehlt und fehlen *muß,* – in Deutschland, dank unter anderem auch dem Luthertum, von jeher teils gefehlt *hat,* teils nur mit *passiven* Konsequenzen ausgestattet wurde, – ist für weit mehr verantwortlich, als jene klugen Leute sich träumen lassen.

35 Schier unglaublich ist es, wenn Rachfahl [oben S. 80] die »agonalen Triebe«, von denen *ich* hervorgehoben habe, daß sie heute vielfach *an die Stelle* des erloschenen asketischen »Geistes« getreten sind, mir als einen von mir übersehenen Bestandteil im Begriff vom »Geist« des Kapitalismus entgegenhält. Was das Wesen dieser »agonalen« Triebe ist – denn hier *kann* man von »Trieben« sprechen –, das veranschaulicht ebenso wie das von mir (XXI, S. 109, Anm. 85a [STB 53/54, S. 276, Anm. 305]) zitierte Beispiel sehr gut Rockefellers Aussage vor der Industrial Commission (cf. die Bemerkungen von Sombart dazu: Archiv für Sozialwissenschaft, XXIX, S. 710).

36 Denn daß Sombart (S. 709) die aus dem *Zwang der »Sache«:* der [objektiven] Situation, entspringenden, typischen »Tendenzen« im zweckbewußten Handeln der Unternehmer zur »Psychologie« des Unternehmertums rechnet, während ich alle derartigen kausalen Komponenten als »pragmatische« oder »rationale« (weil aus dem unvermeidlichen Mittel zum Zweck: ökonomische Selbstbehauptung, ableitbar) bezeichne, ist ein rein terminologischer Unterschied, da in der

Sache gerade SOMBARTS Darstellung die entscheidenden Punkte sehr schön hervorhebt. Warum ich meinerseits gewisse terminologische Bedenken gegen den Ausdruck »Psychologie« für jene Art von Analyse des Handelns habe, ist von mir im Archiv für Sozialwissenschaft (XXVII, S. 546 ff. [Ges. Aufsätze zur Wissenschaftslehre 3, S. 384 ff.]) entwickelt [worden]. Man pflegt z. B., wenn man von »Börsenpsychologie« redet, gerade an »irrationale«, aus der geschäftlichen Lage *nicht* rational ableitbare Erscheinungen zu denken.

In der Sache lassen sich natürlich zu SOMBARTS Ausführungen noch eine Fülle von Erläuterungen und Beispielen geben. Z. B. über die »pragmatisch« bedingten Schranken der »Rechenhaftigkeit«: Mir wurden zufällig einmal die inneren Verhältnisse eines allergrößten, aus einem Familienkonzern erwachsenen Geschäfts bekannt, welches in drei großen Handelsplätzen Europas und zwei ausländischen fast alle denkbaren Formen des Großhandels betrieb. Die einzelnen »Sitze« hatten *sehr* verschieden intensiv zu arbeiten – fast unglaublich verschieden nach Quantität und Intensität –, und ihr Beitrag zum Gesamtprofit, der, wie im Mittelalter, in *eine* Kasse ging, war ebenfalls höchst verschieden, ebenso der Kapitalbedarf. Einer der Verwandten, der genialste Kaufmann, hatte überdies das Kontor satt bekommen und wohnte in Paris, von wo er jeweilig, wenn etwas Wichtiges vorlag, zur Konferenz an den betreffenden Ort fuhr. Gleichwohl ging der sehr hoch in die großen Zahlen laufende Gewinn einfach in Kopfteile, so zwar, daß nur der eine Unterschied: doppelte oder einfache Teilquote, gemacht wurde. Doppelten Anteil erhielten: der Chef der größten, mit einem wahren Monster-Kontor arbeitenden Filiale, und ein anderer, der an einem spezifisch antipathischen überseeischen Ort zu residieren hatte, einfache alle anderen, auch der in Paris residierende »Gelegenheits«-Arbeiter. Eine Verteilung auf Grund genauerer Verrechnung wurde zwar als durchaus möglich, aber schon wegen der *Höhe* des Gewinns zu »unbequem«, »kleinlich« und »unnötig« bezeichnet. Dagegen einem nahen, sehr geschätzten und intim befreundeten, dabei für das Geschäft fast unentbehrlichen Verwandten der Chefs, dessen kleinerer Geschäftsanteil in einer Krise durch Zubußen verloren war und der nun als »Angestellter« (Prokurist) »diente«, das Gehalt besonders hoch, höher als üblich und für ihn *anderweit* erlangbar, anzusetzen, galt als gegen alle »Geschäftsgrundsätze« [verstoßend] und schon deshalb unmöglich, weil die anderen Angestellten Ähnliches fordern könnten. Vor allem: er habe eben »nichts anderes zu erwarten«. *Sein* Gehalt war eben Teil der *Kosten* und daher von rein ökonomischen, »rechenhaften« Gesichtspunkten beherrscht. Der einmal über die Schwelle des Bilanzstriches entkommene »Gewinn« dagegen *nicht*. Bei *ihm* erreichte die Rechenhaftigkeit ihr Ende, weil sie »pragmatisch«, für die Existenz des Geschäfts, nicht unentbehrlich war. *Solche* Erscheinungen, deren es viele gibt, lassen sich aus dem »Wesen« des »Kapitalismus« ohne alle und jede »Psychologie« rational mit Hilfe der Kategorien »Mittel« und »Zweck« erklären. Aber für die *historische* Betrachtung reicht diese rationale Ableitung allein *nicht aus*, denn es vermählen sich solche aus dem Wirtschafts*system* als solchem erklärbaren Bestandteile mit anderen von heterogenster Provenienz und schaffen an dem »Geist«, der es jeweils beseelt. – »Erwerbtrieb«, »Profitwut« u. dgl. vollends sind jedenfalls – das hat gerade auch SOMBART sehr zutreffend hervorgehoben – *keinerlei* ausreichende Kategorien für die Analyse des »kapitalistischen Geistes«, *wie immer* man diesen Begriff fasse.

37 Über den Begriff »Idealtypus« s. meinen Aufsatz im XIX. Bande des Archivs für Sozialwissenschaft [Ges. Aufsätze zur Wissenschaftslehre, S. 190 ff. (Hrsg.)].

38 Ich habe dabei gegen früher insofern eine Änderung der Terminologie vorgenommen, als ich s. Zt. nicht geneigt war, mehr als vereinzelte Erscheinungen der antiken Wirtschaft als »kapitalistisch« zu bezeichnen, daher Bedenken trug, von antikem »Kapitalismus« zu reden. Darüber denke ich jetzt anders, wie dies aus meinem Artikel »Agrarverh. im Altertum« im Hdwb. d. St. W., 3. Aufl., 1. Bd. 1909, hervorgeht.

39 Ich habe (Archiv für Sozialwissenschaft, XXVI, S. 279, Anm. 3 [oben S. 54, Anm. 3]) selbst hervorgehoben, daß ich durch die Nichtvollendung in den Nachteil versetzt bin, daß »flüchtige Leser diese Artikel leicht als etwas in sich Abgeschlossenes ansehen können«. Ein »Kritiker« hat aber nicht das Recht, ein solcher flüchtiger Leser zu sein. Schon die bloße Berücksichtigung meiner kleinen Skizze in der »Christl. Welt« muß jedem zeigen, daß das Problem in meinen Aufsätzen im Archiv absichtlich zuerst von der am *schwersten* greifbaren und »beweisbaren«, den inneren Habitus angehenden Seite angeschnitten war und der mächtige Einfluß der Erziehung, der Zucht in den Sekten usw. – noch bis zur Schwelle der Gegenwart – noch gar nicht erörtert, sondern nur angedeutet war. Wenn RACHFAHL seiner-

seits die Bedeutung der *Erziehung* betont, so gehört nur wenig Kenntnis von der Rolle, welche speziell die *pietistischen* Erziehungsgrundsätze in diesem Zusammenhang gespielt haben, dazu, um zu wissen, daß auch hier ganz spezifische Einflüsse des »asketischen« Protestantismus im Sinn der von mir geschilderten Entwicklung im Spiel waren.

40 Denn nur von diesem ist ja bei mir die Rede. Ich hätte natürlich klug getan, dies auch in der Überschrift und im Text überall in der Nomenklatur ausdrücklich anzudeuten, tat dies bei Abfassung der Aufsätze aber nicht – aus dem oben (Anm. 38) angegebenen Grunde.

41 Recht subaltern – man kann es kaum anders nennen – ist die Art, wie Rachfahl an meinen kurzen Bemerkungen über die Entwicklung des bürgerlichen »Komfort« im Gegensatz zum seigneurialen Lebensstil herumkrittelt. Die Existenz dieses Gegensatzes kennt jeder kulturhistorische Anfänger. Daß die »Grenzen« zwischen historischen Erscheinungen von noch so großer Gegensätzlichkeit *überall* flüssige sind, ist gewißlich wahr. Daß man eben *deshalb* begrifflich scheiden muß, scheint einzelnen Historikern durchaus nicht einzugehen. Ich verweise auf das, was ich im Handwörterbuch der Staatswissenschaften, 3. Auflage, 1. Band 1909, S. 183, rechte Spalte, darüber gesagt habe [zu vgl. Ges. Aufsätze zur Sozial- und Wirtschaftsgeschichte, S. 280 (Hrsg.)].

ERNST TROELTSCH

Die Kulturbedeutung des Calvinismus

I

In einer Abhandlung über »Kalvinismus und Kapitalismus« hat FELIX RACHFAHL in der Internationalen Wochenschrift für Wissenschaft, Kunst und Technik, 3. Jg., 1909, Nr. 39–43 [oben S. 57 ff.], sich gegen MAX WEBER und mich gewendet. Er hat gleichzeitig dabei v. SCHULZE-GAEVERNITZ, GOTHEIN und v. SCHUBERT gestreift und sie, wenigstens mit ihren dieses Thema berührenden Sätzen, unter das gleiche Urteil gestellt. Es ist also eine Art Kollektiv-Verurteilung bei der freilich MAX WEBER und ich allein ausdrücklich vernommen werden.

Nun hat in der Tat eine besonders glücklich sich ergänzende Arbeitsgemeinschaft in Heidelberg eine Anzahl von Gelehrten zu verwandten wissenschaftlichen Neigungen und Problemstellungen geführt. Sie verknüpfen sich in dem Interesse an soziologischen Problemen. So schwankend die Definitionen der Soziologie sind, und so chaotisch bis jetzt noch die Methoden durcheinander gehen, so unzweifelhaft ist doch schon heute die ganze Einstellung des Interesses und des Horizontes auf diese Betrachtungsweise von der fruchtbarsten Wirkung, sowohl auf die historischen als auf die systematischen Disziplinen. Derartige Interessen und Fragestellungen sind es, die bei den genannten Forschern mitunter besonders deutlich hervortreten. Selbstverständlich soll nicht gesagt sein, daß die soziologische Befruchtung des wissenschaftlichen Denkens gerade dieser Südwestecke Deutschlands eigentümlich sei, die Bewegung geht allenthalben durch die ganze Wissenschaft. Aber wie es bei jungen wissenschaftlichen Richtungen zu geschehen pflegt, wo fertige Lehrbücher und überhaupt eine große literarische Tradition noch nicht vorliegen, so hat allerdings der persönliche Austausch der Gedanken und die Zufälligkeit der persönlichen Nähe eine gewisse Bedeutung, die denn auch in den Arbeiten selbst erkennbar wird. Vielmehr soll damit nur erklärt werden, wie es zu einer derartigen auffallenden Kollektivpolemik kommen konnte.

Von einem solchen Gedankenkreis aus ist es neben vielem anderen ein besonders brennendes Problem, das Verhältnis des realen, wirtschaftlich-sozialen »Unterbaues« der neuzeitlichen Entwicklung zu ihrem ideologischen wissenschaftlich-ethisch-religiösen »Überbau« klar zu machen, eine Fragestellung, die durch das geschichtsphilosophische Dogma der Sozialdemokratie eine ganz außerordentliche theoretische und praktische Bedeutung erlangt hat. Es ist dabei stets die Frage, wie weit ideelle Elemente schon in jenem enthalten sind, und wie viel reale Elemente sich in diesen hineinerstrecken; und zwar wird das aller Wahrscheinlichkeit nach bei jedem besonderen Gegenstand auf besondere Weise der Fall sein. Die Berechtigung und Fruchtbarkeit der Fragestellung ist heute außer allem Zweifel, die Beantwortung steckt überall noch in den ersten Anfängen der Untersuchung.

Aus diesem Zusammenhang sind die Arbeiten von MAX WEBER über den »Geist des Kapitalismus und die protestantische Ethik«[1] zu verstehen, denen RACHFAHLS Angriffe in erster Linie gelten. Aus dieser ganzen Lage ist es aber auch zu verstehen, daß meine durchaus andere Ziele ins Auge fassenden Arbeiten über die Geschichte des Protestantismus vielfach mit denen von WEBER sich berühren, nicht nur im Stoff, sondern auch in der wissenschaftlichen Denkweise, und daß es so für RACHFAHL möglich wurde, trotz aller Unterschiede meine Arbeiten mit denen WEBERS gleichzeitig in diese Kritik hineinzuziehen.

Indem ich mit dieser Kritik im folgenden mich näher auseinandersetze, möchte ich vor allem meine und WEBERS wissenschaftliche Arbeit voneinander trennen, da wir beide sehr verschiedene Gegenstände und sehr verschiedene Erkenntnisziele haben. Es ist durchaus irreführend, wenn wir, WEBER und ich, bei RACHFAHL beide als eine gemeinsame wissenschaftliche Firma erscheinen, wo man jeden mit den wirklichen oder vermeintlichen Passiven des anderen belasten kann.

Webers Arbeit geht von einer rein wirtschaftsgeschichtlichen Fragestellung aus und behandelt hier gerade das große Problem, wie weit wirtschaftliche und soziale Erscheinungen ihrerseits in einem konkreten Fall etwa selbst schon ideell beeinflußt und durchwirkt sind, ehe sie rückwirkend wieder das ideologische Element unter ihren Bann bringen. Er wählte als Spezialfall für die Veranschaulichung und Lösung dieses Problems das große, in den verschiedensten Richtungen heute hervortretende Problem des modernen Kapitalismus und zeigte, wie – neben anderen, längst bekannten und analysierten Ursachen – auch die innere religiös-ethische Verfassung des Calvinismus bedeutsam in dieser Richtung gewirkt habe und einen der wichtigsten Haupttypen des modernen Kapitalismus, den bürgerlich-puritanischen Kapitalismus, vor allem Englands und Amerikas, wesentlich mitbestimmt habe. Es galt, den modernen Arbeits- und Berufsmenschen zu erklären, der die Verpflichtung gegen seine Arbeit und sein Vermögen wie eine objektive Notwendigkeit empfindet und damit innerhalb des modernen Kapitalismus einen besonders bedeutsamen Grundstock bildet. Um die dabei treibenden Motive herauszustellen, wies Weber einerseits auf die Gegensätze des Katholizismus und des Luthertums, andererseits auf die Analogien in der Entwicklung klösterlicher Wirtschaft und der Sekten hin. Den ganz entsprechenden Sachverhalt beim Pietismus behandelte er so ausführlich wie den ganzen Calvinismus. Dabei hob er ausdrücklich hervor, daß es sich nicht um eine unmittelbare Wirkung des primitiven Genfer Calvinismus, sondern um eine solche des späteren puritanischen Calvinismus handele, daß hier nicht von einer bewußt gewollten, sondern von einer tatsächlich sich ergebenden Entwicklung zu reden sei, die denn auch dem religiösen Element auf die Dauer sehr gefährlich geworden ist.

Man wird in alledem nichts als das Ziel eines psychologisch-genetischen Erkenntnisversuchs gewisser Hauptformen des Kapitalismus erkennen können, neben denen verschiedene andere nachdrücklich anerkannt wurden und der zu allen Zeiten wirksam gewesene »Erwerbstrieb« als nichts spezifisch Modern-Kapitalistisches außer acht bleiben konnte. Ich halte meinerseits den Nachweis WEBERS heute noch, auch nach RACHFAHLS Kritik, für glänzend gelungen und das Ganze für ein Meisterstück historisch-genetischer Analyse, das gerade für das schon genannte prinzipielle historisch-soziologische Problem von lehrreichster methodologischer Bedeutung ist.

Den Absichten und Zielen WEBERS gegenüber haben nun aber meine eigenen Untersuchungen, wie sie in der Rede auf dem Stuttgarter Historikertag, in der eingehenden Entwicklungsgeschichte des Protestantismus in HINNEBERGS »Kultur der Gegenwart« und in den zuletzt erschienenen Studien zu den »Soziallehren der christlichen Kirchen«[2] niedergelegt sind, ein völlig anderes Stoffgebiet und ein völlig anderes Erkenntnisziel. Es sind wesentlich religionsgeschichtliche Untersuchungen, wenn sie naturgemäß auch freilich die Abhängigkeiten des religiösen Elements von den realen Lebensbedingungen wie umgekehrt die Wirkung jener auf diese sich zum Gegenstand machen müssen. Hier habe ich nun gegenüber landläufigen Überschätzungen der Kulturwirkungen des Protestantismus diese in ihrer Abhängigkeit und in ihrer Begrenzung nachzuweisen gesucht, andererseits aber auch wieder ihre positive Wirkung hervorgehoben, wo sie meines Erachtens unleugbar zutage liegt. In dieser letzteren Hinsicht versuchen namentlich meine Untersuchungen über das Aufklärungszeitalter zu zeigen, wie dieses zwar einen radikalen Gegensatz gegen die bisherige kirchliche Welt bedeutet, aber doch zum großen Teil gerade aus gewissen Grundelementen dieser selbst herauswächst. Bei einer solchen Untersuchung habe ich natürlich von den allgemeinen methodologischen Ergebnissen WEBERS gelernt, und konnte ich insbesondere seinen sachlichen Ergebnissen betreffs des Calvinismus nicht aus dem Wege gehen. Da ich sie in allem Wesentlichen für richtig hielt und halte, habe ich sie übernommen ohne jeden Anspruch auf selbständige wissenschaftliche Förderung der Erkenntnis dieser Zusammenhänge. Ich habe seine Ergebnisse lediglich in einen anderen, von meinem Erkenntnisziel aus bestimmten Zusammenhang eingestellt. Die bescheidenen Bedenken, die ich dabei betreffs einzelner Punkte äußerte, und der Versuch, mit Hilfe der mir bekannten Literatur den – von WEBER absichtlich nicht dargestellten – Gang der Dinge anzudeuten, haben in meinem Zusammenhang ganz peripherische Bedeutung und beanspruchen keinerlei fachwissenschaftliche Autorität. Darin mögen Irrtümer enthalten sein, wie auch RACHFAHL bei dem – übrigens unvermeidlichen – Betreten eines ihm nicht fachwissenschaftlich vertrauten Gebiets solche untergelaufen sind. Darüber später mehr. Jedenfalls aber lagen meine Aufgabe und Erkenntnisziele in der Darstellung des religiösen Elements des Protestantismus und seiner Stellung zu den kulturgeschichtlichen Umgebungszusammenhängen. Bedeutung und Wirkung des religiösen Zentrums positiv und negativ zu zeigen, war meine Aufgabe, wobei dann freilich WEBERS allgemeine Ergebnisse über das Verhältnis wirtschaftlicher und religiöser Elemente wie seine besondere Durchleuchtung des Calvinismus für mich von hoher Bedeutung sein mußten. Aber es handelte sich für mich doch um das Verständnis des Protestantismus in dem großen Gesamtumfang seiner Beziehungen, nicht um ein wirtschaftsgeschichtliches Problem. Was bei WEBER das zentrale Thema ist, das ist bei mir nur ein in das Ganze einzuarbeitendes Einzelphänomen. Das erste ist eine fachwissenschaftliche Arbeit, das zweite eine Benützung durch den Nicht-Fachmann und unter anderen Gesichtspunkten und Zusammenhängen. Ich hätte erwarten dürfen, daß RACHFAHL das mehr berücksichtigt.

II

Es kann mir daher nicht einfallen, WEBERS Darstellung, d. h. die von ihm unternommene Erklärung des tatsächlich vorliegenden engen Zusammenhanges von Calvinismus (zugleich aber auch Sekten und Pietismus) mit gewissen Formen kapitalistischer Entwicklung, hier verteidigen zu wollen. In seiner Theorie handelt es sich im Hauptpunkt um die Kenntnisse des nationalökonomischen Fachmanns. WEBER hat dementsprechend auch bereits selbst in seinem »Archiv« geantwortet. Auf diesen Aufsatz »Antikritisches zum Geist des Kapitalismus«[3] sei daher hier lediglich verwiesen. Ich habe meinerseits bei der Wiedergabe der WEBERschen Sätze vielleicht manchmal unzulässig generalisiert, wie in dem von RACHFAHL [oben S. 84] angeführten Satz, und insbesondere bei dem Versuch einer Darstellung von der Art der Durchsetzung und Ausbreitung des calvinistischen Kapitalismus vielfach auch zu allgemein geurteilt. Allein mit diesen Irrtümern, so groß oder klein sie sein mögen, darf WEBERS Theorie nicht belastet und widerlegt werden. WEBER hat über den Gang der Dinge im einzelnen nichts geäußert, aus Gründen, die er nun in seiner Antikritik deutlich ausspricht, und hat manches derartige inzwischen ebendort nachgeholt. Seine Theorie ist in ihrer Richtigkeit oder Unrichtigkeit völlig unabhängig von diesen bei mir sich findenden Sätzen. Ich habe die erwähnten Bemerkungen über den Gang der Dinge meinerseits nur aufgenommen, weil man bei einer Gesamtdarstellung eben auch Gegenstände berühren muß, die man nicht fachmännisch beherrscht, und RACHFAHL hat diesen Versuchen des Nicht-Fachmanns ein Gewicht für die Beurteilung der WEBERschen Lehre beigelegt, das ihnen nicht zukommt. Bei mir bedeuten ja diese Dinge nur einen peripherischen Zug meiner Darstellung und fallen für das, was ich zur Erkenntnis bringen will, nicht entscheidend ins Gewicht. Denn an der Hauptursache, der Tatsache, daß der Calvinismus in einem eigentümlich nahen Verhältnis zur modern-kapitalistischen Entwicklung steht, zweifelt ja auch RACHFAHL nicht.

Dagegen kann ich allerdings eintreten für denjenigen Teil von WEBERS Untersuchungen, der sich mit meinem Fachgebiet berührt, für die dogmatischen und religionspsychologischen Analysen des Calvinismus. Diese sind durchaus zutreffend, und eben, weil ich sie für so schlagend richtig halte, konnte ich auch die daraus gefolgerten Übergänge zur Psychologie des ökonomischen Verhaltens in diesen Kreisen so einleuchtend finden. Überdies unterscheidet WEBER vollkommen scharf den primitiven Genfer Calvinismus von dem späteren englisch-puritanischen, zeigt aber auch an diesem deutlich, wo er mit der Religion CALVINS zusammenhängt. Um die praktische Bedeutung dieses Puritanismus handelt es sich allein. Warum WEBER bloß »meinen« soll, daß die bei BAXTER niedergelegte seelsorgerische Weisheit das praktische Leben »entscheidend beeinflußte« [oben S. 70], dafür gibt RACHFAHL keinen Grund an. Er hat, wie gleich näher zu zeigen, eben ein unüberwindliches Mißtrauen gegen die praktische Wirksamkeit religiöser Lehren. Jedenfalls hat er ihre Unwirksamkeit in diesem Fall nicht bewiesen, und die Übereinstimmung von Theorie und Praxis, für die WEBER Beispiele genug bringt, braucht daher hier gar nicht in Frage gestellt zu werden. Dieser wichtigsten Frage geht aber auch RACHFAHL gar nicht weiter nach. Es erscheint ihm von vornherein bedenklich und unwahrscheinlich, und er behält sich für später eine andersartige, die Religion weniger in Anspruch nehmende Erklärung der Beziehung von Calvinismus und Kapitalismus vor. Er begnügt sich vielmehr bei der Bestreitung der religiösen Herleitung lediglich damit, WEBERS Auffassung CALVINS und des primitiven Genfer Calvinismus zu bemängeln und zu behaupten, daß von diesem aus keine besondere Disposition des Puritanismus für den Kapitalismus gefolgert werden könne [oben S. 82, 93]. CALVIN habe nur eine »*freiere* Betrachtung der ökonomischen Verhältnisse« gehabt, damit »einer *freieren* Berufsethik auch für die kapitalistische Unternehmung die Bahn geebnet«. Damit sei er aber nur der in Genf schon immer üblichen Praxis gefolgt, im übrigen habe er diese Freiheit mit den schärfsten Einschränkungen umgeben und habe das Volk in Armut erhalten wissen wollen, damit es im Gehorsam bliebe. Unter Berufung auf ELSTER[4] faßt er die Wirtschaftsethik CALVINS dahin zusammen, daß die »Durchdringung der Arbeit mit dem *Geist christlicher Sittlichkeit* dasjenige gewesen sei, was in CALVINS Lehre eine Entwicklung des kapitalistischen Geistes und der volkswirtschaftlichen Verhältnisse im kapitalistischen Sinn fördern konnte, aber ihnen auch, im Zusammenhang seiner Lehre und seines Wirkens, hin und wieder hemmend in den Weg treten mußte.« Das ist nun aber eine sehr schiefe und ungenügende Zeichnung des Sachverhaltes, die zudem offenbar nur auf KAMPSCHULTE[5] und ELSTER beruht. Die Bedeutung der Wirtschaftsethik CALVINS ist eine viel größere und hängt sehr viel innerlicher, trotz aller großen Unterschiede, mit der des von WEBER geschilderten Puritanismus zusammen. Hier darf ich mich auf meine demnächst in den »Soziallehren« erscheinende Darstellung des Calvinismus berufen. Im Folgenden seien nur die Hauptpunkte hervorgehoben.

CALVIN »hat eine freiere Betrachtung der ökonomischen Verhältnisse«. Gewiß, aber was heißt das? Freier als wer?, und frei wovon? Und kann man eine solche größere Freiheit an einem einzelnen Punkt haben, ohne daß davon die organische Einheit des gesamten ethischen Denkens betroffen wird? Um solche Frage zu beantworten, muß man sich an den Vergleich mit LUTHER halten, von dessen Ideenwelt CALVIN überall ausgeht. LUTHER hatte entwickelte ökonomische Verhältnisse gleich denen der Genfer genug vor Augen. Allein er blieb beim kanonischen Zinsverbot und bei der scholastischen Geldlehre, bei einem agrarisch-handwerkerlichen Gesellschaftsideal, nicht aus mangelnder Einsicht oder geringerer Geistesfreiheit, sondern aus innerlichsten Gründen der christlichen Ethik, wie er sie verstand. Sie forderte ihm die Ausscheidung des Kampfes ums Dasein, die möglichste Stillstellung der sozialen Bewegung, die möglichste Unmittelbarkeit der Produktion und den Zusammenhang mit den Gaben der Natur, weil das Vertrauen auf die Vorsehung und die christliche Liebe ihm dies unbedingt zu verlangen schienen. Er stellte sich damit der tatsächlichen ökonomischen Bewegung aus Gründen einer Ethik entgegen, die, ähnlich wie der Katholizismus, in der Geldwirtschaft die Entfesselung der Habsucht, die Unpersönlichkeit des Verkehrs, das Vertrauen auf menschliche Kunst und die willkürliche Zerrüttung der geordneten ständischen Gliederung sah. Wenn nun CALVIN freier war als LUTHER, und zwar frei von der scholastischen Geld- und Zinslehre, so steht das bei ihm in der Tat damit im Zusammenhang, daß seine ganze Ethik trotz aller Verwandtschaft anders orientiert war. Sie ging nicht auf die Gewinnung der inneren Rechtfertigungsseligkeit und auf deren Betätigung in einer der Bergpredigt entsprechenden radikalen Liebesgesinnung, sondern auf die Verherrlichung Gottes in einer das Gesamtleben umfassenden und organisierenden Gemeinde, wobei sie nicht sowohl auf den Radikalismus der von Person zu Person zu erweisenden Liebe, als auf die gesunde, strenge und ernste, solidarische und sich gegenseitig ergänzende Verfassung des Gesamtlebens abzielte. Eben daher hielt sie sich an die Bergpredigt nur so, wie sie mit der alttestamentlichen Moral identisch ist und aus ihr gedeutet werden kann. Von einer solchen Moral aus konnte die Genfer Wirtschaft akzeptiert und christianisiert werden, was LUTHER nicht hätte tun können. Die bekannten Einschränkungen bleiben dabei selbstverständlich; in ihnen setzte CALVIN nur die christliche Liebesmoral fort, so wie sie auf dieser Basis sich dann gestalten mußte. Macht man sich das klar, dann wird ersichtlich, wie überaus wichtig und organisch bedeutsam für den ganzen ethischen Gedanken die »freiere« Haltung CALVINS ist. Dann ist aber auch deutlich, wie nichtssagend die Phrase ist, CALVIN habe nichts gelehrt als die »Durchdringung der Arbeit mit dem Geist christlicher Sittlichkeit«. Welches ist denn der »Geist christlicher Sittlichkeit« und vor allem in Hinsicht auf die ökonomisch-produktive Arbeit? Jeder Kenner weiß, daß es hier einen einheitlichen christlichen Geist nicht gegeben hat und heute noch nicht gibt. Das Verhältnis der christlichen Persönlichkeits- und Liebesmoral gerade zu Arbeit und Besitz ist von Anfang an eines der schwierigsten Probleme des christlichen Ethos gewesen, und gerade in der Lösung dieses Problems scheiden sich soziologisch vorzugsweise die verschiedenen Gruppen. CALVIN hatte keinen allgemeinen Geist christlicher Sittlichkeit, mit dem er die Arbeit durchdringen konnte. Er konnte sie mit dem katholischen, mit dem lutherischen, dem täuferischen oder dem humanistisch-christlichen Geist durchdringen, wenn er nicht etwa vielleicht zufällig einen eigenen Geist hatte. Diesen aber hatte er in der Tat, und dessen Wesen und Wirkung ist das eigentliche Problem, von dem Rachfahl nichts zu ahnen scheint.

Unter diesen Umständen ist dann der Zusammenhang der von Calvin eingeschlagenen Richtung mit dem puritanischen Geist wohl etwas durchsichtiger, als er Rachfahl erscheint, und es bedarf gar nicht der komplizierten Auseinandersetzung über die »Askese«. Weber hatte an diesem Begriff in seiner besonderen reformierten Gestaltung den Umschlag einer rigoros überweltlichen Denkweise in ökonomisch-kapitalistische Betriebsamkeit religionspsychologisch klar gemacht. Auf Worte kommt es nicht an. Der Sachverhalt ist klar. Eine Askese oder Selbstopferung für Gott, der die Berufsarbeit zum methodischen Mittel der Bändigung des Fleisches und der Sinne, der Zerstreutheit und Genußsucht, der Gefühlsweichheit und Unstetigkeit wird, kann da, wo der kapitalistische Erwerb mit unter die erlaubten Berufe gehört, sehr leicht zur Hypertrophie des Erwerbslebens führen, vor allem zu jenem Berufs- und Arbeitsbewußtsein einer objektiven Verpflichtung gegen Arbeit und Besitz. Das ist schon in den arbeitenden Klöstern so gewesen und ist bei einer Überweltlichkeit, die prinzipiell in der Strenge des Berufsgehorsams sich bewegt, erst recht der Fall. Hier scheint mir alles klar und deutlich.

Undeutlichkeiten treten erst ein, wenn man diese lediglich die Arbeits- und Besitzpsychologie betreffende Deutung der Askese mit dem viel allgemeineren Problem zusammenwirft, das ich als das Problem der Stellung des Protestantismus überhaupt zur Kultur aufgeworfen habe, und wo ich im Altprotestantismus aller Konfessionen die altchristliche und katholische Jenseitigkeit als fortwirkend, aber in die Kulturarbeit selbst eindringend bezeichnete. An diesem Punkt liegt einer der Hauptunterschiede der gesamten genuin christlichen und der modernen Welt, wie ihn begreiflicher Weise Rachfahl selbst bemerkt, wenn er in der letzteren »die Welt und ihre Ordnungen als etwas Göttliches und doch unabhängig von der transzendenten religiösen Idee anerkannt« [oben S. 143] sein läßt. Es ist ein längst eingebürgerter Sprachgebrauch, jene überweltliche Richtung des christlichen Denkens als »Askese« im weiteren Sinne im Unterschied von den asketischen Übungen im engeren Sinn zu bezeichnen. Der Protestantismus hat nun die Eigentümlichkeit, einerseits im Zusammenhang mit den Sünden-, Erlösungs- und Jenseitslehren einen stark pessimistisch weltabgewandten Zug zu haben und gleichzeitig doch das innerweltliche Leben selbst mit diesem Zug durchdringen zu wollen. Darin besteht seine Doppelstellung in der europäischen Kulturgeschichte, und RACHFAHL wird nicht leugnen, daß es sehr angebracht ist, gegenüber der landläufigen Verherrlichung des Protestantismus als Kulturprinzip diese negative Seite des Altprotestantismus stark zu betonen. Das ist nun aber etwas anderes als WEBERS Verwertung des Begriffs der Askese für die psychologische Analyse der besonderen Arbeits- und Wirtschaftsethik des Calvinismus und der Sekten. RACHFAHL hat den Unterschied dieser beiderseitigen Darlegungen wohl bemerkt, aber er hat ihn nicht auf seine Gründe in einer ganz verschiedenen Problemstellung zurückgeführt, sondern kritisch ausgebeutet als angeblichen Selbstwiderspruch unserer Auffassungen. Es ist eben sein Prinzip, WEBER und mich zusammen zu behandeln und den einen dieser Heidelberger Konstrukteure durch den andern abzutun.

Dabei aber bedenkt er nicht, daß seine eigenen Kenntnisse der Entwicklungsgeschichte des Christentums höchst unbestimmt sind, und daß er über Probleme, wie das der Askese, kaum zu urteilen imstande ist. Man bedenke folgenden Satz: »Die Askese des Mittelalters war eine *Sondermoral*, die der Protestantismus nicht übernommen, sondern verworfen hat. Er hat vielmehr die *allgemeine christliche Ethik*, wie sie für jedermann ohne Ausnahme gilt, nach *bestimmten Richtungen* fortgebildet; dazu gehört es, daß die Berufslehre auf einem neuen *Fundament* aufgebaut wurde, indem die Arbeit eine neue Wertung erhielt, indem sie zur *höchsten sittlichen Betätigung des Menschen* erklärt und allen zur Pflicht gemacht wurde« [oben S. 92]. Also der Katholizismus ist allgemein christliche Ethik plus Sondermoral der Askese, der Protestantismus ist dasselbe ohne hinzukommende Sondermoral, überdies aber eine Fortbildung in bestimmten Richtungen, die trotzdem gleichzeitig doch auch ein neues Fundament sind; und das Ergebnis von alledem ist die Arbeit als höchste sittliche Betätigung! Hier ist jeder Satz falsch und geht alles drunter und drüber. Ich könnte RACHFAHL die Worte vom »phantasievollen Autor« und von dem »Nicht-mehr-Geschichte-sein« solcher Darstellung zurückgeben, wenn ich nicht bedächte, daß er hier sich auf einem ihm fachwissenschaftlich nicht vertrauten Gebiet befindet, und daß er außerdem noch die religiösen Ideen für etwas historisch verhältnismäßig Unwichtiges hält. Dann ist es ja freilich auch nicht nötig, viel von ihnen zu wissen. Aber daß die Berufsarbeit für den Protestanten nicht höchste sittliche Leistung ist, wie er mehrfach angibt, sondern nur die natürliche Form, innerhalb derer die eigentlich sittliche Leistung der Gottesliebe und Nächstenliebe sich zu bewegen hat, das dürfte er schon aus den theologischen Schriften entnehmen. In der Art, wie diese eigentliche Leistung der christlichen Sittlichkeit sich zu ihrer Betätigungsform in der Berufsarbeit verhält, liegt dann der Unterschied der beiden Konfessionen; hier hat das Luthertum einen Zwiespalt offen gelassen, den der Calvinismus überbrückt hat. Auch die Meinung, daß jeder Beruf sich seine Ethik mit Leichtigkeit selber schaffe und so auch der Kapitalismus sie ohne religiöse Anlehnung wohl selber geschaffen haben werde, ist nicht sehr tiefsinnig. In Wahrheit liegt in solchen Fällen stets eine Heranziehung allgemeiner ethischer oder metaphysischer Vorstellungen für diese bestimmten Zwecke vor. Die RACHFAHLschen Sätze würden zum barsten Geschichtsmaterialismus führen, der doch bei den starken allgemein moralischen Allüren seiner Abhandlung nicht seinem Sinn zu entsprechen scheint. Über solche Probleme ist er offenbar nicht gewohnt, viel nachzudenken. Er mag das nicht für die Aufgabe des Historikers halten.

III

Damit sei das wirtschafts-geschichtliche Gebiet überhaupt verlassen, und ich komme zur Erwiderung auf diejenigen Punkte, wo nicht Webers, sondern meine Thesen vor allem angegriffen sind, die nun freilich wiederum Rachfahl nicht von denen Webers gesondert hat. Das Wesentliche dieser liegt einerseits in der Einschränkung der Kulturbedeutung des Protestantismus für die Bildung des modernen Staates, der modernen Gesellschaft und Wirtschaft, der Wissenschaft und Kunst. Hier habe ich behauptet, daß alle diese Dinge bereits in einer eigenen selbständigen Entwicklung begriffen waren und durch den Wegfall der kirchlich-hierarchischen Bindung zwar freigestellt und befördert, aber nicht positiv hervorgebracht worden sind. Das religiöse Element habe seinen Lauf und seine Bedeutung daneben selbständig und eigentümlich für sich. Gegen diese von anderen viel angefeindeten Sätze hat Rachfahl nichts einzuwenden, sie sagen ihm höchstens noch nicht genug. Denn andererseits ist meine wesentliche Grundbehauptung, daß dieses zwar an sich selbständige und in ein bereits eröffnetes Kräftespiel eintretende religiöse Element nun doch wieder jene von ihm selbst nicht geschaffenen Entwicklungen stark mit seinem Geist durchdrungen und – auf jedem Kulturgebiet übrigens in verschiedener Art und Stärke – in gewisse Richtungen gelenkt habe. Besonders habe ich hier die konfessionellen Unterschiede hervorgehoben. Das Luthertum habe einen Typus politischer Passivität und agrarisch-konservativer Gesellschaftsauffassung erzeugt, der heute noch in der Gestaltung der deutsch-preußischen Dinge sehr fühlbar sei. Dagegen habe der Calvinismus sich mit der politisch-liberal-demokratischen und der modern bürgerlich-kapitalistischen Gesellschaft innerlich verschmolzen und damit den calvinistischen Völkern bis heute eine religiös gerechtfertigte und begründete soziale Haltung ganz eigener Art gegeben. Das Täufertum und der Spiritualismus schließlich habe das Freikirchentum vorbereitet und mit diesem Ideal den Calvinismus erobert und gründlich verwandelt, der Spiritualismus insbesondere in seiner Verbindung mit dem Humanismus den modernen religiösen Individualismus unserer Intellektuellen vorbereitet.

In der zweiten Gruppe dieser Behauptungen erkennt nun RACHFAHL die Neigung zur Überschätzung des religiösen Elements in der Geschichte. Es sind ihm Übertreibungen und Konstruktionen. Leben und Bedürfnisse, meint er, kümmern sich nicht soviel um die religiöse Idee und bahnen sich ihre Wege selbst. Insbesondere der Calvinismus des ersten Jahrhunderts war eine naturwidrige, beinahe pathologische Exaltation, die nicht dauern konnte, und der daher allzu tiefe Wirkungen nicht zuzuschreiben sind. »Die Übertreibung des Einflusses religiöser Momente und Lehren auf die reale Entwicklung – das ist der charakteristische Zug der Troeltsch-(Weber)schen These« sagt RACHFAHL [oben S. 116]. Ähnlich wird gegen HÄUSSERS Satz, daß der passive Widerstand LUTHERS den CARAFFAS, PHILIPPS und STUARTS nicht hätte entgegenwirken können, eingewandt: »das ist wieder einmal die Überschätzung kirchlicher Lehren, wo sie über das rein Religiöse hinausgehen« [oben S. 135]. Anderwärts heißt es: »Man sieht daraus, wie wenig sich die Mitglieder eines bestimmten Bekenntnisses, wo ihre realen Interessen ins Spiel kamen, um die Lehren ihrer Theologen kümmerten, insofern diese die Sphäre des rein Religiösen überschritten« [oben S. 115]. So ist auch der Sieg der Orthodoxie zu Dordrecht »gar nicht der eigenen Kraft« zu verdanken, »sondern nur einer Allianz mit Machtfaktoren, nämlich dem Statthalter und einer Kapitalistenklique, die mit ihr nichts gemein hatten, die dabei ihre Sonderziele verfolgten und sich ihrer nur als Waffe zur Vernichtung zufällig gemeinschaftlicher Gegner bedienten« [oben S. 99]. Daher besteht auch das eigentlich Neue und Eigene, was RACHFAHL in seinem Aufsatz bringt, in dem Versuch, nun seinerseits die Beziehungen von Kapitalismus und Calvinismus (Sekten und Pietismus fallen dabei ganz unter den Tisch) richtig zu erklären, die WEBER und ich infolge unserer Übertreibung der Religion falsch erklärt hätten. Das Geheimnis ist erstens die Emanzipation des Staates von der kirchlichen Herrschaft im Protestantismus, der damit seine eigenen Interessen ungehemmter verfolgen kann, und zweitens die Toleranz, die bei Zurückdrängung der religiösen Leidenschaften die natürlichen Bedürfnisse wieder zur Geltung kommen läßt und den Wettbewerb der verschiedensten Gruppen freigibt. Also gerade die religiöse Indifferenz, der Humanismus und das Täufertum, sofern das letztere zur Toleranz wirkte, sind die Ursachen der höheren Entwicklung der protestantischen Völker, und der Calvinismus ist zu allgemeiner Kulturbedeutung überhaupt erst vermöge seiner Zersetzung durch täuferische Toleranz und humanistischen Latitudinarismus gelangt. Die Niederlande insbesondere sind zu ihrem ihnen eigentlich natürlichen Geist, der erasmischen Aufklärung, und damit zu historischer Größe erst durch den Arminianismus gelangt, dessen Beseitigung durch die Orthodoxie bloß ein »sogenannter Sieg«, ein Scheinsieg war. Damit man aber aus dieser Anschauung doch nicht ganz klug werde, krönt RACHFAHL diese Äußerungen durch den salomonischen Satz: »Die weltlichen Dinge gehen im großen und ganzen ziemlich selbständig ihren Weg; sie werden durch die religiösen Momente wohl beeinflußt, je nach der momentanen Kraft, die das religiöse Prinzip zu einer bestimmten Zeit entfaltet, bald stärker, bald schwächer; ihre Wirkung ist bald eine fördernde, bald eine hemmende, aber in beiden Fällen doch nicht ganz unbegrenzt. Wirken sie hemmend, so können sie doch die Entwicklung selten aufhalten, man findet sich dann eben mit ihnen irgendwie ab ...; wirken sie fördernd, so sind in der Regel schon in den Dingen selbst liegende Triebkräfte an der Arbeit, denen sie nur zu sekundieren brauchen ... Wo sich religiöses Prinzip und Wirklichkeit stoßen, da ist es nicht immer jenes, welches siegt, und mag es auch eine noch so gewaltige Kraft im Menschen entfalten, so sieht es sich doch auch oft genug zu Kompromissen mit der Praxis gezwungen« [oben S. 117]. Das letztere ist einigermaßen selbstverständlich, und »eine ganz unbegrenzte Wirkung« religiöser Kausalitäten habe ich wahrlich nie behauptet. Allein der eigentliche Sinn auch dieses Satzes ist doch wohl die Empfehlung möglichsten Mißtrauens gegen jede Heranziehung religiöser Kausalitäten als Maxime des echten, menschenkundigen Historikers, der sich von Doktrinären und Idealisten nicht so leicht etwas vormachen läßt. Seine Zusammenfassung von allem ist daher: »Aus alledem erhellt, wie wenig sich die politische, wirtschaftliche und weltliche Entwicklung überhaupt durch religiöse Lehren binden läßt, wenn diese *das rein religiöse Gebiet überschreiten*« [oben S. 117].

Alles das geht aus Rachfahls Aufsatz in dieser Zeitschrift und aus seiner großen Darstellung der niederländischen Kämpfe in seinem »Wilhelm von Oranien« [2 Bde., 1906–1908] deutlich hervor. Es ist daran unverkennbar eine persönliche Auffassung der religiösen Dinge beteiligt, derzufolge die Wirkung der Religion auf das Leben nicht bloß heute, sondern auch früher eine verhältnismäßig geringe ist und positive Kulturwirkungen nur von einem dogmenfreien und aufgeklärten Toleranz- und Moralchristentum ausgehen können.

Demgegenüber möchte ich nun zunächst feststellen, daß das schon für die Gegenwart nicht zutrifft. Freilich in den Kreisen unserer Intellektuellen ist die Bedeutung der Religion für das praktische Leben überaus gering. Das ist eine altbekannte Tatsache. Aber man darf daraus auf das analoge Verhältnis in anderen Volkskreisen nicht ohne weiteres schließen. Es genügt doch, die politische Lage in Deutschland allein ins Auge zu fassen, um sich vom Gegenteil zu überzeugen. Hier ist alles beherrscht durch das Zentrum einerseits, das ganz unzweifelhaft wesentlich durch religiöse Motive zusammengehalten ist und sein besonderes Programm der Verbindung von Demokratie und Autorität, von Sozialreform und ständischer Gebundenheit gerade aus der Überlieferung seiner Ethik und Soziologie herleitet. Ich glaube, das in meinen »Soziallehren der christlichen Kirchen«[6] deutlich und unwiderleglich gezeigt zu haben. Auf der anderen Seite ist die Lage beherrscht durch die lutherischen Konservativen, denen erst ihr Zusammenhang mit der Orthodoxie die starke populäre und ideelle Grundlage gibt, und deren politisch-soziales Programm ebenso historisch aufs engste mit allen Instinkten und Grundgefühlen des Luthertums zusammenhängt, wie ich gleichfalls[7] völlig klar gemacht zu haben glaube. Was nun aber den modernen Calvinismus betrifft, so stellt auch dieser gerade auf dem Grunde seiner religiösen Eigentümlichkeiten eine besonders starke und eigentümliche politische, soziale und wirtschaftliche Kulturmacht dar. Man braucht nur TOCQUEVILLES heute noch wunderbares Buch über die »Démocratie en Amérique« zu lesen oder MORLEYS Biographie von GLADSTONE, die diesen großen Staatsmann vom toryistisch-anglikanischen Standpunkt zu dem freikirchlichen und politisch-liberalen der Dissenter übergehend und auf diese vor allem sich stützend zeigt. Dabei ist das Freikirchentum allerdings eine täuferische Einwirkung. Aber das Freikirchentum bedeutet nicht Toleranz an sich, sondern nur die Preisgabe des Staatskirchentums und des Staatszwanges, den Rückgang auf die Selbständigkeit der Einzelkirche, innerhalb deren dann aber erst recht die strengste dogmatische Kontrolle geübt wird. Es ist die gegenseitige Duldung verschiedener Kirchen nebeneinander, aber die dogmatische Strenge und Gebundenheit nach innen. Auch von einer Verbindung dieses mächtigen gegenwärtigen Calvinismus mit dem Humanismus und der Aufklärung ist nicht die Rede. Denn die Anwandlungen des Rationalismus des 18. Jahrhunderts sind im modernen Calvinismus wieder ausgeschieden, er ist unter dem Einfluß des Methodismus und Pietismus wieder orthodox geworden. Bloß den politisch-sozialen Liberalismus hat er beibehalten, eine Verbindung, die in England und Amerika den deutschen Besucher in der Regel vor allem zu befremden pflegt. Auch ein Mann wie GLADSTONE ist bei allem politisch-sozialen Liberalismus doch religiös in einer Weise orthodox gewesen, die dem gebildeten deutschen Professor unfaßbar zu sein pflegt. Ein neuerer Darsteller des englischen Liberalismus[8] sagt bei Gelegenheit des Methodismus: »Dès le moment où l'âme individuelle se fut réveillée pour s'affirmer en face de Dieu et de la société, l'homme était entré sur la scène sociale et politique de l'Angleterre pour ne plus la quitter. Il est entré en Angleterre par l'ouverture de la morale, comme il a pénétré en France par celle de la logique.« MORLEY[9] schildert das 19. Jahrhundert: »Philantropic reform still remained with the evangelical school that so powerfully helped to sweep away the slave trade, cleansed the prisons and aided in humanising the criminal law. It was they who helped to form a conscience, if not an heart, in the callous bosom of English politics.« Außerdem sei erinnert an des niederländischen Exministers KUYPERS Vorlesungen über den Calvinismus, die er an der Hochburg calvinistischer Orthodoxie, an der Princeton University, gehalten hat[10], und deren Ideen auch nicht auf dem bloßen Papier geblieben sind. Die heißen niederländischen Kämpfe drehen sich um sie bis heute, obwohl die Dordrechter Synode nach RACHFAHL wirkungslos geblieben ist und ERASMUS den niederländischen Nationalgeist darstellt. Das letztere muß ich meinerseits für eine unbegreifliche Übertreibung halten. Wer im Arminianismus den Geist der Niederlande zu sich selber kommen sieht, könnte ebenso gut behaupten, daß der deutsche Geist erst im Altkatholizismus sich erfaßt habe. Jedenfalls lebt im heutigen Holland eine starke, auch politisch und kulturell höchst einflußreiche Orthodoxie. Es kann also sogar für die Gegenwart gar keine Rede davon sein, daß »kirchliche Kräfte ihre Wirksamkeit über das eigentlich Religiöse nicht hinaus zu erstrecken pflegen«.

Überhaupt dürfte es RACHFAHL schwer fallen, zu sagen, was denn dies »eigentlich Religiöse« sei, über das kirchliche Kräfte nicht hinauswirken. Gehört die religiöse Ethik mit ihren Anschauungen über Familie, Staat, Gesellschaft, Wirtschaft und Kultur zum »eigentlich Religiösen«, dann sind dessen Grenzen schwer festzustellen. Es ist das überhaupt eine ganz unmögliche Vorstellung von der Sache. Wer den absoluten Wahrheitsanspruch der kirchlichen Dogmen, die einschneidenden Konsequenzen der christlichen Ethik in ihren verschiedenen kirchlichen Ausprägungen kennt, wer die alles beherrschende Tendenz dieser leidenschaftlichen Gefühlsmächte in der Nähe gesehen hat, der wird sich nicht wundern, wenn all das über die Grenzen der bloßen Kultgemeinschaft hinaus auf das allgemeine Leben zu wirken strebt. Dieses Streben ist wahrhaftig nicht erfolglos, wie die immer erneuerten sogenannten Kulturkämpfe zeigen, und die praktische Rolle, die das tolerante dogmenfreie Moralchristentum spielt, ist, so hoch man es schätzen mag, zwischen den kirchlichen Absolutisten und den radikalen Kirchenfeinden doch eine sehr bescheidene.

Das geistige Leben, besonders in Hinsicht der Religion, bewegt sich in Pendelschlägen. Auf Zeiten höchster Energie und Konzentration folgen solche der Ermattung und der Ausweitung. Etwas Derartiges mag auch wieder auf unsere gegenwärtige Periode der unzweifelhaften Ermattung folgen, worüber bei Jacob Burckhardt in seinen »Weltgeschichtlichen Betrachtungen« lehrreiche Andeutungen zu lesen sind. Jedenfalls aber ist die Gegenwart eine Zeit der Religionsschwäche. Wenn nun aber schon hier die weit über das kirchliche Gebiet hinausreichende Wirkung religiöser Energien unverkennbar ist, so war das erst recht der Fall in jenen Zeiten, die, wie das 16. Jahrhundert, ganz und gar von der religiösen Leidenschaft erfüllt sind. Freilich wird ein skeptischer Menschenkenner auch hier zeigen können, daß nichts so heiß gegessen wird, wie es gekocht ist, daß das Leben über Theorien und Dogmen sich unter Umständen hinwegsetzt, daß die religiöse Motivierung oft ein Mäntelchen ist, das die Zeit verlangt, und das oft sehr äußerlich höchst weltlichen Dingen umgehängt wird. Und auch eine dem Gegenstand innerlich verwandtere Betrachtung wird darauf hinweisen müssen, daß zwar die Dogmen vollständig zum Siege kamen, daß aber gerade die ethischen Kulturideale meist so hoch gegriffen, die realen Lebensbedingungen so weit überfliegende Utopien waren, daß sie praktisch nur sehr gebrochen durchführbar waren. Immerhin, das Zeitalter hat sie doch in sehr erheblichem Umfang verwirklicht. Für beides, für die unumgänglichen Kompromisse mit einer dem lutherischen Ideal gar nicht entsprechenden Wirtschaftsethik und für die rücksichtslos alles opfernde Behauptung des religiösen Systems im Ganzen gibt Gotheins Schilderung der »Markgrafschaft

Baden im 16. Jahrhundert« (1910) ein charakteristisches Beispiel. Vollends der Calvinismus, wenn man ihn nicht bloß aus dem ihm innerlich abgeneigten KAMPSCHULTE studiert, hat mit einer rücksichtslosen Energie die Einzelheiten des Lebens nach seinen Idealen geformt. Hier ist CALVINS Briefwechsel ein den modernen Menschen immer von neuem erschütterndes Beispiel, und die beiden Schriften von CHOISY[11] zeigen bis ins einzelne die christlich-soziale Durcharbeitung des Genfer Staates. Ich kann und brauche das im einzelnen gar nicht näher zu beweisen. Ich wende mich nur gegen die einzelnen Beispiele, in denen RACHFAHL mit einem an sich gewiß schätzenswerten gesunden Menschenverstand die Unwirksamkeit des religiösen Elements gegenüber dem allgemeinen Leben veranschaulichen wollte.

RACHFAHL weist darauf hin, daß LUTHER den Christen die Anrufung der Obrigkeit untersagt habe, auch wenn ihnen Unrecht geschähe. »Haben deshalb«, fragte er, »in den lutherischen Territorien die Gerichte ihre Tätigkeit eingestellt?« [oben S. 117]. Gewiß nicht. Allein LUTHER hat jenen aus seinen spiritualistischen Anfängen stammenden Satz später ausdrücklich widerrufen, und die Rechtfertigung des ordentlichen Gerichts und seiner Anrufung gehört zu den Grundlagen seiner reifen Staats- und Berufslehre. LUTHER habe den aktiven Widerstand gegen die gottlose Obrigkeit perhorresziert, aber, wie er sich selbst damit mehr und mehr befreundet habe, so hätten seine Anhänger um sein Gebot sich nicht eben immer bekümmert [oben S. 117]. Hierzu lese man bei v. SCHUBERT[12] nach über die heißen Kämpfe, die es gekostet hat, und über den Ausweg, den man gefunden hat, indem man den Widerstand nur für den Fall erlaubt erklärte, wo auch das positive Recht eine Handhabe für solchen bietet. Das religiöse Gewissen hat sich so leicht mit diesen Dingen nicht abgefunden. Die Nürnberger blieben gar bei der Opferung für den Satz von der Nichtresistenz. Wenn RACHFAHL weiter als Beweis der Gleichgültigkeit religiöser Theorien für die Praxis erzählt, daß die niederländischen Geusen sich statt an den abmahnenden BEZA an ein deutsches Buch gehalten hätten, das die Resistenztheorie mit den Mitteln der Schmalkaldener rechtfertigte [oben S. 137], so ist das doch wiederum nur ein Beweis dafür, daß das Gewissen eine religiöse Rechtfertigung und Grundlage wollte. Diese deutschen Theorien sind zudem auch von Genfern übernommen und insbesondere von Beza in seiner berühmten (anonymen) Schrift »De jure magistratuum« als Grundlage reformierter Auffassungen systematisch entwickelt worden. Gustav Adolf hat gewiß eine sehr wenig quietistische Angriffspolitik getrieben, allein seine Grundsätze waren in diesem Punkt auch nicht wesentlich lutherisch; er berief sich auf des Grotius »De jure belli ac pacis«, welches Buch er Tag und Nacht bei sich gehabt haben soll. Die Motivierungen, die der österreichische Adel seinen Aufständen gab, sind mir allerdings unbekannt, aber ich vermute, daß sie wie die Hugenotten das positive ständische Recht für sich angerufen haben werden. Wenn die Lutheraner in alledem nur im Notfall das positive Recht geltend gemacht, die Reformierten aber die Kontrollinstanz der unteren Behörden zu einer systematischen Christianisierung der Politik ausgebaut haben, so liegt der Grund dafür ganz offenkundig in den Grundunterschieden von Genf und Wittenberg, und es ist mir unbegreiflich, wie Rachfahl die ganz überwiegende Passivität des Luthertums auf den Zufall zurückführen will, daß an seiner Spitze gerade einige schlaffe und unfähige Fürsten standen [oben S. 137], zu denen übrigens der Hauptträger des sächsisch-lutherischen Konservatismus, Kurfürst Friedrich August, sicherlich nicht gehörte. Ähnlich bestreitet Rachfahl den Zusammenhang des lutherischen wirtschaftsethischen Konservatismus mit der naturalwirtschaftlichen Reaktion des 16. und 17. Jahrhunderts und macht mich besonders darauf aufmerksam, daß Lamprechts »Werke für Theologen, die das Grenzgebiet der Geschichtswissenschaft streifen, nicht gerade als Orientierungsmittel zu empfehlen seien«. Gewiß, Bedenken gegen Lamprecht sind auch mir nicht ganz ungeläufig, wie Rachfahl inzwischen beobachtet haben wird; aber die Tatsache einer Steigerung des agrarischen Charakters in den lutherischen östlichen Landen und die Entstehung des Großbetriebes entnehme ich auch dem großen Artikel GOTHEINS über Agrargeschichte[13], und wer den lutherischen Patriarchalismus kennt, der wird nicht leugnen, daß er der Erweiterung der Untertänigkeiten günstig war. Um eben dieses Patriarchalismus willen habe ich auch – »ebenso kühn wie falsch« nach RACHFAHLS Meinung – den alles bevormundenden Polizeistaat und den patriarchalischen Absolutismus als ein echtes Kind des Luthertums bezeichnet; die Analogien in Frankreich waren mir nicht unbekannt; allein die katholische Ethik kennt auch ihrerseits den Patriarchalismus ähnlich wie das Luthertum, während auf dem Boden des reformierten Individualismus meines Wissens derartige Entwicklungen nicht eingetreten sind. Das ist sicherlich kein Zufall. Man braucht nur SECKENDORFFS Fürstenstaat zu lesen, um die Übergänge mit Händen zu greifen.[14] Es mag an diesen Beispielen genug sein, ich glaube, in keinem Fall hat hier RACHFAHL gegen mich die Bedeutungslosigkeit der religiös-ethischen Ideale für die Praxis des Lebens erwiesen.

Sein Haupttrumpf ist nun freilich die neu von ihm vorgelegte Theorie über die Gründe des unleugbar engen Verhältnisses von Kapitalismus und Calvinismus. Die Gründe liegen nach seiner Meinung gerade in der Bändigung der religiösen Energien durch die Weltlichkeit eines hierarchisch nicht mehr gefesselten Staates, in der Aufklärung und Toleranz, die aus dem ursprünglichen, durch Orthodoxie und Staatskirchentum zwar gebundenen, aber doch nicht erdrückten protestantischen Individualismus hervorgehen mußten [oben S. 120]. Aus eigenem habe der Calvinismus zu alledem nur die »allgemein christliche Ethik« des Fleißes, der Treue, der Ordnung und der Solidarität mitgebracht, was ja allerdings für den Kapitalismus günstig gewesen sei. Es ist das auch bei RACHFAHL reine Konstruktion, deren sicherstes Beweisstück das vorher an allerhand Beispielen erprobte Mißtrauen gegen die Überschätzung religiöser Kausalitäten ist. Konstruieren ist in solchen Fällen gewiß unumgänglich, auch für den »Historiker«. Aber ich halte diese Konstruktion für falsch. Unrichtig ist schon der Satz, daß der Protestantismus wesentlich religiöser Individualismus ist. Er ist ebensosehr kirchliches Denken und als solches die Einbefassung des Staates und der gesamten Kultur nicht unter hierarchische Mächte, aber unter religiöse Normen. RACHFAHLS »verweltlichter Staat« arbeitet immer noch von religiösen Voraussetzungen aus, es sind nur eben andere als die des Katholizismus. Nicht von der religiösen Ungebundenheit des Staates, sondern von seiner religiösen Auffassung und Beeinflussung des Staates her erwächst dem Calvinismus da, wo er überhaupt nicht im Kampf mit der Staatsgewalt lag, die Richtung auf die Selbstverständlichkeit und das Recht der wirtschaftlichen Arbeit. Übrigens sind nun aber die stärksten Träger des bürgerlichen Kapitalismus gerade die im Kampf mit dem Staat befindlichen Gruppen der Hugenotten und der englischen Dissenter, daneben die bloß geduldeten Sekten- und Täufergruppen, bei denen allen also nicht der Staat, sondern gerade ihre Abdrängung vom Staat die Wendung zu wirtschaftlicher Arbeit bewirkt. Weiterhin ist die Toleranz unzweifelhaft ein Mittel der ökonomischen Förderung gewesen. Aber nicht die Toleranz an sich bewirkt Intensität der wirtschaftlichen Arbeit, sondern die Eigenart der Menschen, denen die Toleranz zugute kommt, und es bleibt immer noch die Frage, woher diesen die besondere Art und Richtung ihres wirtschaftlichen Charakters zukommt. Wenn heute in Spanien die volle Toleranz eingeführt würde, so würde sie vermutlich an dem wirtschaftlichen Charakter der Bevölkerung wenig ändern; und zöge damit vielfach ein die wirtschaftliche Arbeit begünstigender Geist ein, so würde hier noch die Frage nach dessen Herkunft und Bildung übrigbleiben samt allen Verwicklungen, in welche die Beantwortung einer solchen Frage hineinführt. Daß die Toleranz als Wegfall kirchlicher Bindungen dann einem natürlichen und normalen, überall vorhandenen Erwerbstrieb damit eo ipso Raum schaffen würde, das wäre doch eine sehr kindliche, längst überwundene »Psychologie«. Überdies hat es mit der calvinistischen Toleranz ihre besondere Bewandtnis. Sie ist auch nach meiner Meinung aus dem Täufertum erst eingedrungen, was RACHFAHL aus dem glänzenden Buch WEINGARTENS gelernt haben will, wo jedoch gerade davon nichts steht; es ist von LEZIUS[15] und von mir ausgeführt worden. Aber diese Toleranz ist, wie bereits bemerkt, Mehrheit und Nebeneinander verschiedener Kirchen nach außen und strengste Gebundenheit nach innen. Mit der rationalistisch-aufklärerischen Toleranz, die RACHFAHL so hoch schätzt, hat sie nichts zu tun, und die englischen und amerikanischen Mittelklassen, an die beim calvinistischen Kapitalismus vor allem zu denken ist, sind orthodox, aber nicht aufgeklärt. Wie weit die Aufklärung vor den physiokratischen, merkantilistischen und schottischen Theorien das Wirtschaftsleben beeinflußt hat, weiß ich nicht zu sagen. Doch glaube ich, den Satz wagen zu dürfen, daß sie für den Charakter jener Mittelklassen bedeutungslos war und jedenfalls ist. Es bleibt also bei RACHFAHLS neuem Erklärungsversuch das Problem ungelöst, und das Durchdenken seiner Konstruktion führt wieder erst recht dazu, nach den ethisch-religiösen Komponenten jenes Verhältnisses von Kapitalismus und Calvinismus zu suchen, um so mehr, als die Erscheinung – wie stets zu wiederholen – ja nicht dem Calvinismus allein eigentümlich ist. Ähnlich steht es aber auch mit den anderen Kulturwirkungen des Calvinismus und der Sekten wie der Demokratisierung des politischen Denkens und der Ausbildung der Idee der Kirchenfreiheit und der Menschenrechte, für die RACHFAHL die Anführung eines Versuchs der Erklärung aus religiösen Motiven sich glaubt verbitten zu dürfen. Ich kann darauf hier nicht näher eingehen und verweise auf FIGGIS »From Gerson to Grotius«, 1907, sowie auf die ausführliche Darstellung in meinen »Soziallehren«. Das Problem ist allerdings verwickelt, aber in allen Verwicklungen leuchtet doch die mitbestimmende Macht des religiösen Gedankens stark hervor.

Noch eines ist zum Schluß in Kürze zu erwähnen. RACHFAHL bestreitet kultur*fördernde* Wirkungen des Calvinismus und der Konfessionen überhaupt. Der erstere ist für ihn wie für KAMPSCHULTE ein widernatürlicher Erregungszustand, der nicht dauern konnte und, wie ich in seinem Sinn wohl hinzufügen darf, nichts Dauerndes hervorbringen konnte. Ich habe aber nicht von Förderungen, sondern von Bestimmungen der Kultur oder von Einflüssen des religiösen Elements auf die Gestaltung nicht-religiöser Elemente gesprochen. Ob diese Einflüsse fördernde waren oder zu beklagen sind, ist mir gleichgültig. Ich wollte nur den tatsächlichen Einfluß und die tatsächliche Bedingtheit klar machen, wobei für mich das Wort »Kultur« ein neutraler Terminus ist und nicht meine sachliche Zustimmung bedeutet. Denn Kultur bedeutet nicht Kulturideal. Was für ein Kultur*ideal* man hat, ist natürlich Sache persönlicher Lebensanschauung, und so würde ich meinerseits niemals ohne weiteres sprechen von einer Förderung des Kulturideals durch den Calvinismus und die Konfessionen. Ich meine bei meiner Fragestellung nur die Abmessung der Einwirkung auf das, was gerade als Kultur bezeichnet wird, gleichviel ob sich das mit dem deckt, was die Kultur nach unserer Meinung sein sollte. Daß aber nichtreligiöse Lebensgebiete im weitesten Umfang von der religiösen und konfessionellen Seelenverfassung bestimmt waren und noch sind, das, glaube ich, ist völlig unbestreitbar. Umgekehrt scheint mir, daß RACHFAHLS These von einer allein wirklich kulturfördernden Macht der Toleranz und Aufklärung mehr sein persönliches Kulturideal betrifft als die tatsächliche Kultur, die wir leben, und die bekanntlich unter uns sehr verschieden gedeutet wird. Das sagt sein übrigens auch viel Unbestimmtes enthaltender Schlußsatz deutlich: »Es ist der Geist jener freien christlichen Religiosität, die, dogmatisch relativ uninteressiert oder doch wenigstens nur das Fundamentale betonend, das freilich verschieden bemessen werden kann, die Welt und ihre Ordnungen als etwas Göttliches und doch als unabhängig von der transzendent-religiösen Idee anerkennt, für welche die Grundsätze autonomer Vernunfterkenntnis, individualistisch gerichteter Weltanschauung und daher vollkommener Toleranz feststehen ... Und mit ihm war wohl vereinbar das, was der Nachwelt als das beste Erbteil des genuinen Calvinismus überkommen ist – unermüdliches Schaffen und Wirken in tief innerlichst empfundenem Streben nach Gottes Dienst, Ruhm und Ehre als höchstes Ideal christlicher Sittlichkeit; es hat seine unverrückbare Geltung« [oben S. 143]. Das ist offenbar RACHFAHLS Kultur*ideal*. Daß es in der Gegenwart nicht eigentlich herrscht, liegt auf der Hand. Es kann also nicht so bleiben, aber es könnte vielleicht so werden. Ich hätte dagegen – vorausgesetzt, daß Toleranz und Aufklärung dabei nicht zu seicht und oberflächlich verstanden werden – gewiß nichts einzuwenden. Auch würde ich niemals sagen, daß die Heraufführung *dieses* Ideals in erster Linie das Werk der christlichen Konfessionen sei. Aber darauf muß ich bestehen bleiben, daß die Konfessionen zwar für *dieses* Ideal nicht entscheidend waren und sind, wohl aber vielfach für die *tatsächliche* Gestaltung der heutigen, ja recht uneinheitlichen Kultur, und daß umgekehrt die tatsächlichen wirtschaftlichen, politischen und sozialen Entwicklungen der Gegenwart von den auf RACHFAHLS Ideal zusteuernden historischen Kräften der Aufklärung und Toleranz nicht ausschließlich und wohl auch nicht einmal wesentlich bestimmt worden sind. Es gibt jedenfalls große und bedeutsame Gruppen innerhalb unserer Kultur, die direkt oder indirekt von den religiösen und ethischen Ideen her verstanden werden müssen, wie sie die Kirchen und Sekten ausgebildet haben, und es gibt indirekte Wirkungen der religiösen Gestaltungsperiode des 16. Jahrhunderts, die sich auch dahinein erstrecken, wo man von diesem Zusammenhang nichts mehr ahnt.

Ich darf vielleicht die Sache umkehren und von RACHFAHL sagen, daß er die Wirkungen der Toleranz überschätzt. Die Intoleranz der Kirche war und ist wenigstens zum Teil ihre Größe und ihre Kraft, und auch die heutigen wissenschaftlichen, philosophischen, ethischen und politischen Richtungen sind in dem Maß, als sie an sich selbst glauben, intolerant. Auch die heutige wie die frühere Aufklärung ist keineswegs durchaus tolerant. Ja, ich möchte glauben, daß die Animosität, die RACHFAHLS Aufsätze durchzieht, nicht bloß in der von mir bereitwillig anerkannten Überlegenheit seines historischen Wissens, sondern auch ein ganz klein wenig in der Intoleranz seiner Aufklärung ihren Grund hat.

Anmerkungen zu: Ernst Troeltsch, Die Kulturbedeutung des Calvinismus

1 Archiv für Sozialwissenschaft und Sozialpolitik, XX. und XXI. Bd., 1905. [Den in diesem Band zusammengefaßten Kritiken und Antikritiken lag die Fassung aus dem Archiv zugrunde. Sofern in Anmerkungen und Zitierungen auf sie Bezug genommen wird, wurden die Zitate ergänzt durch die Angabe der Fundstelle in eckigen Klammern aus dem Wiederabdruck der von Max Weber überarbeiteten Fassung (1920) in: Max Weber, Die Protestantische Ethik I, hrsg. von Johannes Winckelmann, Siebenstern-Taschenbuch, Bd. 53/54, München und Hamburg 1965. Beispiel: Archiv, XX. Bd., S. 10 [STB 53/54, S. 37]. Angaben von Seitenzahlen in eckigen Klammern ohne den Zusatz STB beziehen sich auf die Kritiken und Antikritiken in *diesem* Band. Beispiel: [oben S. 14]. (Hrsg.)]

2 Die Bedeutung des Protestantismus für die Entstehung der modernen Welt. Rede, gehalten auf dem Stuttgarter Historikerkongreß, abgedruckt in der Historischen Zeitschrift. 97. Bd., 1906, S. 1–66; [2., stark erweiterte Auflage in der Historischen Bibliothek, 24. Bd., 1911]. – Protestantisches Christentum und Kirche in der Neuzeit, in: Die Kultur der Gegenwart I,4: Die christliche Religion; hrsg. v. Paul Hinneberg. Berlin und Leipzig 1905, S. 253–458. 2. Aufl. (stark erweitert) a. a. O., 1909. – Die Soziallehren der christlichen Kirchen, in: Archiv für Sozialwissenschaft und Sozialpolitik, XXVI.–XXX. Bd., 1908–1910 [diese Aufsätze erschienen in erweiterter Form bald darauf als Buch: Ernst Troeltsch, Die Soziallehren der christlichen Kirchen und Gruppen, Tübingen 1912].

3 Archiv für Sozialwissenschaft und Sozialpolitik, XXX. Bd., 1910, S. 176–202 [oben S. 149 ff.].

4 Ludwig Elster, Johann Calvin als Staatsmann, Gesetzgeber und Nationalökonom, in: Jahrbücher für Nationalökonomie und Statistik, XXXI. Bd., 1878, S. 196 ff.

5 F. W. Kampschulte, Johann Calvin, seine Kirche und sein Staat in Genf, 2 Bde., Leipzig 1869–1899.

6 Archiv für Sozialwissenschaft, XXVII.–XXVIII. Bd., 1908–1909.

7 Archiv für Sozialwissenschaft, XXIX. und XXX. Bd., 1910.

8 M. Ostrogorski, La démocratie et l'organisation des partis politiques, Paris 1903, I. Bd., p. 93.

9 John Morley, The Life of William Ewart Gladstone, 3 Bde., London 1903, I. Bd., p. 163.

10 Deutsch von Jäger: Reformation wider Revolution, 1904.

11 La théocratie à Genève au temps de Calvin, Genève 1897; und besonders L'état chrétien calviniste à Genève au temps de Théodore de Bèze, Genève 1902.

12 Bündnis- und Bekenntnisbildung 1529/30, in: Zeitschrift für Kirchengeschichte, 1909.

13 Eberhard Gothein, Artikel »Agrargeschichte, II: Mittelalter und Neuzeit«, in: Die Religion in Geschichte und Gegenwart, 1. Aufl., I. Bd., 1909, Sp. 237–286.

14 [Veit Ludwig v. Seckendorff, Der deutsche Fürstenstaat, Gotha 1655 (Hrsg.).] Vgl. dazu Georg Jäger, Politische Ideen Luthers und ihr Einfluß auf die innere Entwicklung Preußens, in: Preußische Jahrbücher, 113. Bd., 1903, S. 210–275.

15 Friedrich Lezius, Der Toleranzbegriff Lockes und Pufendorfs, Leipzig 1900.

FELIX RACHFAHL

Nochmals Kalvinismus und Kapitalismus

Auf meinen Einspruch[1] gegen die Art und Weise, wie die Heidelberger Gelehrten WEBER und TROELTSCH einen kausalen Zusammenhang zwischen dem die ökonomische Entwicklung der Neuzeit beherrschenden »kapitalistischen Geist« und gewissen Richtungen der Reformation feststellen zu dürfen vermeinten, haben sich nunmehr beide Autoren zum Worte gemeldet.[2] Indem sie beide heftig dagegen protestieren, daß ihre Ausführungen zu diesem Thema »Kollektivarbeit« seien, haben sie sich in die Aufgabe, mich zu widerlegen, im großen und ganzen geteilt: WEBER wendet sich ausschließlich gegen meine Kritik der von ihm behaupteten Herleitung »kapitalistischen Geistes« aus Kalvinismus und anderen protestantischen Sekten, TROELTSCH in der Hauptsache gegen den letzten Teil meiner Abhandlung[3], der dazu bestimmt war, häufig auftretende Vorstellungen über die Beziehungen des Kalvinismus zu bestimmten Entwicklungsreihen der modernen Kultur auf ein richtiges Niveau zurückzuführen. Ausdrücklich überläßt er das Problem »Kalvinismus und Kapitalismus« seinem Kollegen WEBER als dem »nationalökonomischen Fachmann« und begnügt sich hier mit einigen Einwendungen, die ihm als Theologen besonders nahe liegen. Der Schwerpunkt meiner Replik wird also in der Auseinandersetzung mit WEBERS Aufsatz liegen, und sie gliedert sich von selbst in drei Abschnitte. Zuerst werde ich den übereinstimmenden Protest von WEBER und TROELTSCH dagegen, daß bei ihnen eine »Kollektivarbeit« vorliege, beleuchten müssen; dann werde ich auf die Ausführungen von TROELTSCH bezüglich der »Kulturbedeutung des Kalvinismus« antworten. Zum Schluß kommt als letzter und Hauptteil nochmals eine Erörterung über die Frage »Kalvinismus und Kapitalismus«; er wird sich im wesentlichen mit WEBER beschäftigen und daneben die hierher gehörigen Bemerkungen von TROELTSCH auf ihre Stichhaltigkeit hin prüfen.

I

Mit großer Energie protestieren WEBER und TROELTSCH dagegen, daß man ihre Ausführungen über den konfessionellen Ursprung des modernen kapitalistischen Geistes als »Kollektivarbeit« behandele, um beide »für einander verantwortlich zu machen«, – oder wie TROELTSCH sagt, es ist »durchaus irreführend«, wenn sie beide bei mir »als eine gemeinsame wissenschaftliche Firma erscheinen, wo man jeden mit den wirklichen oder vermeintlichen Passiven des andern belasten kann«. WEBER bezeichnet das sogar als »eine, beiläufig bemerkt, wenig loyale Praxis«. Demgegenüber stellen sie vielmehr fest, daß bei ihnen »keinerlei, auch keine latente, Kollektivarbeit vorliege: beide seien sie ganz selbständig, bei durchaus unabhängiger Forschung, von völlig verschiedenem Ausgangspunkt und bei völlig verschiedener Fragestellung zu den gleichen Ergebnissen gelangt«. Und für sich selber fügt WEBER noch hinzu, daß er schon seit langen Jahren Ausführungen im Kolleg vertreten habe, die seiner jetzigen These entsprächen, und daß er die Anregung dazu nicht erst aus SOMBARTS »Kapitalismus« geschöpft habe.

Wie es sich gebührt, nehme ich von diesen Äußerungen Notiz. Daß SOMBARTS Kapitalismus Einfluß auf WEBERS These ausgeübt hätte, berichtete TROELTSCH selber: wie hätte ich auf die Vermutung kommen können, daß er in einem für die Herkunft von WEBERS These so wichtigen Punkt so vollkommen falsch orientiert wäre? In seiner Rede auf dem Historikertage von 1906[4] hat TROELTSCH die Entdeckung »der eigentlichen Bedeutung des Kalvinismus für den Aufschwung des modernen Kapitalismus«, nämlich durch die Einflüsse der protestantischen Askese, ausdrücklich auf das Verdienstkonto von WEBER gesetzt; er hat über Ursprung, Wesen und Bedeutung dieser Entdeckung in einer Weise gesprochen, die niemand anders als dahin auffassen konnte, daß er sich hier lediglich referierend verhalte, und zwar zustimmend; nirgendswo findet sich eine Zeile oder auch nur ein Sterbenswörtchen, worin die leiseste Andeutung steckt, daß er auch seinerseits, und zwar unabhängig, zur selben »Entdeckung« gelangt sei. Im Gegenteil; er sagt sogar noch jetzt [oben S. 191], er habe bei seinen speziellen Studien »den sachlichen Ergebnissen WEBERS betreffs des Kalvinismus nicht aus dem Wege gehen können«, und fährt fort: »da ich sie in allem wesentlichen für richtig hielt und halte, habe ich sie *übernommen*.« Ganz anders freilich stellt Weber den Sachverhalt dar (Antikritik, S. 177 [oben S. 150]): »Es mag schon sein, daß TROELTSCH, der auf völlig eigenen Wegen ebenfalls schon lange vorher dem *ihn*[5] interessierenden Thema nachging, wie durch andere Schriftsteller, so auch durch einzelne Bemerkungen meiner Aufsätze zum Überdenken mancher seiner Probleme unter ökonomisch-soziologischen Gesichtspunkten mit angeregt wurde, wie er dies gelegentlich ausgesprochen hat. Aber keinerlei ›*Übernahme*‹ einer Theorie des einen durch den andern.«

Man sieht den Widerspruch, in den die beiden wiederum gefallen sind. WEBER lehnt jede Übernahme irgendeiner »Theorie« des einen durch den andern ab, also auch der Theorie von der Entstehung des »kapitalistischen Geistes« der Neuzeit aus der reformierten Berufsethik. TROELTSCH dagegen sagt nur, daß es ganz andere Probleme sind, die im Mittelpunkt seines Interesses stehen, wie das bei WEBER der Fall ist, und daß das, worauf WEBERS Augenmerk hauptsächlich gerichtet ist, für ihn eine nur peripherische Bedeutung habe, daß er aber eben deshalb WEBERS »sachliche Ergebnisse« in diesem Falle »übernehme«, zumal da er sie auch für richtig halte. Wer hat nun recht von beiden? Wo es sich um Vorgänge im Innern Webers handelt, da muß ich, wo die Aussagen beider auseinandergehen, wie z. B., was das Verhältnis von WEBERS These zu SOMBART betrifft, mich schon an die Erklärungen von WEBER selber halten, nicht aber da, wo TROELTSCH Aussagen darüber macht, wie sich die Dinge in seinem Geiste entwickelt haben; da ist er doch schließlich ein besserer Gewährsmann als WEBER. Und da TROELTSCH noch jetzt ausdrücklich versichert, er habe die These über die Provenienz des »kapitalistischen Geistes« von WEBER »übernommen« und eben hier dessen »Ergebnisse lediglich« in einen andern, von seinem eigenen »Erkenntnisziel aus bestimmten Zusammenhang eingestellt«, so nehme ich das unbedenklich als unumstößlich sicher an. Inwieweit man in einer solchen »Übernahme« eine »Kollektivarbeit« erblikken will, lasse ich dahingestellt. Ich habe diesen Ausdruck nie gebraucht, und noch viel weniger ist es mir eingefallen, eine »Kollektivarbeit« der beiden Autoren in irgendeinem anderen Punkt als eben in der sogenannten »WEBER-TROELTSCHschen Hypothese« zu behaupten. Wenn die Kritik die »Übernahme« einer These eines Autors durch einen andern feststellt und zwar auf Grund der eigenen Äußerungen dieses zweiten, wenn dieser zweite auch noch ausdrücklich nachher die Richtigkeit dieses Sachverhaltes anerkennt und bestätigt – inwiefern darf man das als eine »wenig loyale Praxis« brandmarken? Ist sich WEBER der Schwere dieses Vorwurfes wohl überhaupt bewußt geworden?

Selbst wenn den Versicherungen von TROELTSCH zuwider eine »Übernahme« nicht vorläge, wenn zwischen ihm und WEBER in diesem Punkt nicht der geringste Zusammenhang bestünde (unmöglich wäre es ja keineswegs, daß TROELTSCH auch in diesem Punkt sich selber noch einmal in Zukunft desavouiert), so wäre ich doch berechtigt gewesen, auf die Unterschiede aufmerksam zu machen, die sich – bei aller Gleichheit des Resultats – zwischen beiden Autoren in der Begründung und in der Ausführung der Einzelheiten konstatieren lassen. Das ist ein gutes Recht der Kritik bisher jederzeit gewesen, das zu bestreiten noch niemandem eingefallen ist. Nehmen wir an, daß zwei Gelehrte ganz unabhängig voneinander zum gleichen Ergebnis gelangt sind – eine Prüfung darauf hin, was bei ihnen miteinander übereinstimmt, und worin sie voneinander abweichen, ist dann nicht nur zulässig, sondern geradezu geboten; denn es ist der sicherste Weg, um zu einer Gewißheit über die Stichhaltigkeit des gemeinsamen Resultats zu gelangen. Es handelt sich ja darum, die sachliche Richtigkeit eines bestimmten Satzes zu ermitteln, nicht etwa darum, festzustellen, ob der oder jener recht oder unrecht hat. Und darin soll ein Mangel an Loyalität liegen? Es müßte denn überhaupt illoyal sein, die Geistesprodukte eines MAX WEBER mit demselben Maßstab zu messen, wie er an die Erzeugnisse anderer angelegt wird, worauf er offensichtlich Anspruch macht. Nicht eine illoyale Usurpation der Kritik ist hier also im Spiel, sondern der Anspruch WEBERS auf ein Privileg, auf ein Ausnahmerecht in der kritischen Behandlung seiner Expektorationen, und ich wüßte nicht, welchen Grund er für die Bewilligung eines solchen geltend machen könnte – er, der doch selber sonst mit andern nicht eben sehr sänftiglich umzugehen pflegt. Oder meint er, daß, wenn er sich zu einer Befruchtung der Historie herbeiläßt, dieser nichts anderes geziemt, als in stummer und ehrfürchtiger Bewunderung den ungeahnten Segen in sich aufzunehmen?

Das Schönste aber ist: indirekt gibt WEBER selber zu, daß eine »Übernahme« seiner Ansichten bei TROELTSCH vorliegt, – freilich nur, um dabei abermals gegen mich den Vorwurf der Illoyalität schleudern zu können. Er bemerkt nämlich (XXX, S. 177 Anm. 2 [oben S. 175 Anm 2]) wörtlich: »Dabei sind TROELTSCH wohl in einigen wenigen (für *sein* Thema gänzlich irrelevanten) Punkten Formulierungen untergelaufen, die, wie es bei solchen notgedrungen stark verkürzten Wiedergaben fremder Ansichten kaum vermeidlich ist, nicht ganz meinen Aufsätzen entsprechen. Es blieb der illoyalen Kleinlichkeit einer »historischen« Kritik vorbehalten, diesen Umstand zu fruktifizieren. RACHFAHL war über jenen Sachverhalt in *keinem* Punkt im *Zweifel*.« Man sieht: WEBER gibt hier zu, daß es sich bei den Ausführungen von TROELTSCH über die Provenienz des »kapitalistischen Geistes« (denn etwas anderes kann dabei nicht in Betracht kommen, und es ist ganz gleichgültig, ob es sich dabei für TROELTSCH um Fragen von nur peripherischem Wert handelt; für WEBER sind sie von zentraler Bedeutung) um eine »Wiedergabe fremder Ansichten« handelt, und gerade in den Fällen, wo ich auf Differenzen zwischen beiden aufmerksam machte. Aber eine »Wiedergabe fremder Ansichten« ist um Gottes willen keine »Übernahme«, und »kleinlich« und »illoyal«

ist meine Gegenüberstellung dieser Differenzen auf jeden Fall! Ich meine freilich, daß die Kritik nicht nur das Recht, sondern auch die Pflicht hatte, hier »den einen gegen den andern auszuspielen« – und das um so mehr, als ich nie daran gezweifelt habe, daß es sich bei diesen Differenzen keineswegs nur um ungenaue Exzerpte handelt, vielmehr um Korrekturen, die TROELTSCH stillschweigend, aber bewußt an WEBERS Ausführungen vornahm, wo sie ihm mit der historischen Wirklichkeit in allzu grellem Widerspruch zu stehen schienen.[6] Durch eine inzwischen erfolgte Erklärung von TROELTSCH hat sich zu meinem großen Erstaunen gezeigt, daß diese Auffassung irrig war; ich komme darauf alsbald noch näher zu sprechen. Trotzdem bleibt bestehen, daß ich sie gehabt habe, und niemand, der den darauf bezüglichen Passus meiner Abhandlung unbefangen gelesen hat, wird eine andere Ansicht vom Sachverhalt haben. WEBER freilich – derselbe, der sich noch jetzt nicht einmal über das Verhältnis der Ausführungen von TROELTSCH zu seinen eigenen zur Gewißheit durchgerungen hat – hegt keinen Zweifel daran, daß ich die Abweichungen bei TROELTSCH für irrige Exzerpte gehalten habe; wenn er nun also auch über die Vorgänge, die sich in mir abspielten, besser Bescheid weiß als ich selber, so geht es wohl doch etwas zu weit, wenn er dem Gegner Illoyalität beimißt, wo für diesen höchstens eine sehr beklagenswerte Ignoranz in Dingen seines eigenen Selbst gelten könnte. Ich mußte »den einen gegen den andern ausspielen«, weil es meine Aufgabe war, zu zeigen, daß jeder Versuch, auch der von TROELTSCH, die These WEBERS für die historische Wirklichkeit durchzuführen, mißglückt ist, und darin eine »illoyale Kleinlichkeit« zu erblicken, dazu gehört wieder der Anspruch WEBERS auf besondere Schonung durch die Kritik. Schwerlich wird er auch auf allgemeine Zustimmung für seinen lapidaren Satz rechnen dürfen, daß bei der »Wiedergabe fremder Ansichten« im Exzerpte »Formulierungen kaum vermeidlich sind«, die der Vorlage nicht entsprechen. Die historische Kritik wenigstens wird bei der »Kleinlichkeit«, die ihr nun einmal anhaftet, nicht so schnell, wie ich fürchte, den Mut haben, sich auf diesen ebenso erhabenen wie angenehmen Standpunkt emporzuschwingen.

Die Frage der »Kollektivarbeit« von WEBER und TROELTSCH dürfte somit zur Genüge geklärt sein; ich knüpfe daran nur noch einige Bemerkungen über die Art und Weise, wie TROELTSCH speziell sein Verhältnis zur WEBERschen These jetzt aufgefaßt wissen will.

Unumwunden erklärt er sich, was die These WEBERS anlangt, jetzt als nicht kompetent; er gibt seine früheren Ausführungen, durch die er sie zu stützen und auszugestalten versuchte, rückhaltslos preis, und er läßt, wie schon erwähnt wurde, für ihre Verteidigung WEBER als »dem nationalökonomischen Fachmann« das Wort. Er betont, ich hätte mehr berücksichtigen sollen, daß seine Ausführungen, insofern sie sich auf »den Gang der Dinge«, d. h. auf die tatsächliche historische Entwicklung, beziehen, für das Hauptthema seiner Untersuchungen, die Geschichte der christlichen Soziallehren, nur von peripherischer Bedeutung sind, keinerlei fachwissenschaftliche Autorität beanspruchen, und daß ihm daher Irrtümer im einzelnen unterlaufen sein können. Aber er erachtet doch die sachlichen Aufstellungen WEBERS, betreffend die Herkunft des modernen kapitalistischen Lebensstils, im wesentlichen für richtig; er beteuert, daß er seinerseits »den Nachweis, heute noch, auch nach RACHFAHLS Kritik für glänzend gelungen und das Ganze für ein Meisterstück historisch-genetischer Analyse« hält. Er geht noch viel weiter: er gesteht ein, daß er bei der Wiedergabe der WEBERschen Sätze »vielleicht manchmal unzulässig generalisiert, und insbesondere bei dem Versuch einer Darstellung von der Art der Durchsetzung und Ausbreitung des kalvinistischen Kapitalismus vielfach auch zu allgemein geurteilt« hat. Trotzdem sei, dabei beharrt er, WEBERS Theorie in ihrer Richtigkeit oder Unrichtigkeit völlig unabhängig von den Irrtümern, die sich bei ihm selber fänden, nämlich in seinem Versuch, mit Hilfe der ihm bekannten Literatur den von WEBER absichtlich nicht dargestellten Gang der Dinge anzudeuten: diesen Irrtümern nun hätte ich »ein Gewicht für die Beurteilung der WEBERschen Lehre beigelegt, die ihnen nicht zukommt«.

Mit anderen Worten: TROELTSCH bekennt sich, was »den Gang der Dinge«, d. h. die tatsächliche historische Entwicklung, anlangt, als Nichtfachmann; er gesteht ein, in dieser Richtung Irrtümer begangen, ja sogar WEBER nicht immer ganz richtig verstanden und wiedergegeben zu haben. Sollte nicht unter diesen Umständen die unumwundene Zustimmung und Anerkennung, die er WEBER von neuem auszusprechen sich gedrungen fühlt, etwas an Wert verlieren? Kommt sie doch von einem Mann, der als Einziger den Versuch gemacht hat, die WEBERsche These wirklich an der Hand des geschichtlichen Materials durchzuführen, und der nunmehr rund aussprechen muß, daß er dabei gescheitert ist! Die gesamte Erörterung zeugt aber auch von einer völligen Verkennung der für die historische Arbeit maßgebenden methodologischen Gesichtspunkte. WEBERS These gipfelte, wie TROELTSCH einmal[7] ganz richtig sagt, im Versuch, »die eigentliche Bedeutung des Kalvinismus für den Aufschwung des modernen Kapitalismus« zu ermitteln. Da muß denn doch zuerst festgestellt werden, ob und in welchem Umfang ein »Aufschwung des Kapitalismus« unter dem Einfluß des Kalvinismus stattgefunden hat; dann erst kann untersucht werden, welchen speziellen Faktoren innerhalb des kalvinistischen Systems diese Wirkung zuzuschreiben ist. Aber nur der zweiten Aufgabe dieses Doppelproblems hat sich WEBER zugewandt, indem er die reformierte Berufsethik als eine *mögliche* Triebfeder für die Entwicklung des kapitalistischen Geistes nachwies; die erste hat er durchaus vernachlässigt. Das gibt auch TROELTSCH nunmehr zu; er sagt ausdrücklich, WEBER habe zunächst (in seinen Aufsätzen über die protestantische Ethik usw.) »über den Gang der Dinge im einzelnen nichts geäußert« und auch jetzt (d. h. in seiner »Antikritik«) »nur manches derartige inzwischen nachgeholt«. Trotzdem erklärt er »den Nachweis WEBERS für glänzend gelungen«. Fühlt er denn nicht selbst den klaffenden Widerspruch, der in solcher Argumentation liegt?

Um so weniger wird seine erneute Zustimmung eine andere Bedeutung als die einer bloßen, sachlich belanglosen, weil unbegründeten Sympathiebezeugung beanspruchen können. Denn für Thesen und Theorien auf dem Gebiet der historischen Forschung gibt es nur eine Form des »Nachweises«: an der Hand des geschichtlichen Materials zu zeigen, daß für die Entwicklung tatsächlich eben der Gesichtspunkt maßgebend war, von dem die Theorie das supponiert, und zwar in der von ihr behaupteten Intensität. Daran hat sich WEBER überhaupt zunächst nicht gewagt, und die Versuche, die er jetzt neuerdings in seiner »Antikritik« in dieser Richtung gemacht hat, sind vereinzelt, ungenügend und teilweise verfehlt, wie noch gezeigt werden wird. Nur TROELTSCH ist im Zusammenhang an diese Aufgabe herangetreten; aber er selber hat seine Lösung als unrichtig preisgegeben und widerrufen.

Was WEBER »gelungen« ist, das habe ich von vornherein ausdrücklich konstatiert: der Nachweis, daß die kalvinistische Berufsethik (und zwar nicht nur die puritanische, sondern worauf ich noch zu sprechen komme, auch die KALVINS selber) Elemente enthält, die der Entwicklung des kapitalistischen Geistes Vorschub zu leisten geeignet waren. Darüber hinaus hat er nichts bewiesen, sondern lediglich manches angedeutet, wovon einiges wahr sein kann, das meiste aber falsch und übertrieben ist. Und da nach TROELTSCHS eigenem Eingeständnis eine Rekonstruktion des »Ganges der Dinge« vom Autor der These selbst nicht vorliegt, sollte es da nicht das gute Recht des Kritikers sein, falls eine solche von anderer Seite gemacht ist, und zwar unter ausdrücklicher Berufung auf WEBER eben als den Autor dieser These, sich damit zu beschäftigen, um zu zeigen, daß der einzige zusammenhängende Versuch, das WEBERsche Schema dem historischen Verlauf als zu Grunde liegend aufzudecken, keineswegs als geglückt anzusehen ist, welches auch immer die Bedeutung sein möge, die ihm im Verhältnis zu dem eigentlichen Thema der Studien von TROELTSCH zukomme? Wie recht ich dabei hatte, zeigt ja der Erfolg, nämlich der Widerruf, zu dem sich TROELTSCH für seine

Rekonstruktion der Entwicklung verstanden hat. Jedenfalls hat TROELTSCH durch seine Argumentation weder die Position der WEBERschen Theorie gefestigt und gebessert, noch auch für meine Kritik seiner Ausführungen über Kalvinismus und Kapitalismus irgendwelchen Mangel an Berechtigung dargetan.

II

In der Hauptsache ist die Polemik von TROELTSCH wie schon bemerkt wurde, dem Problem der »Kulturbedeutung des Kalvinismus« gewidmet. Er meint, daß ich hier seine Thesen bekämpft habe, ohne sie freilich von denen WEBERS gesondert zu haben. Darin täuscht er sich; ich habe gar nicht daran gedacht, ihn im Schlußkapitel meines Aufsatzes zur Zielscheibe irgendwelcher Angriffe zu machen. Ich habe darin lediglich auf Wunsch der Redaktion im Anschluß an meine Kritik der WEBERschen Theorie aus Anlaß des KALVIN-Jubiläums eine allgemeine Charakteristik der geschichtlichen Bedeutung KALVINS und seines Werkes gegeben. Meine Auffassung weicht nun freilich in dieser Hinsicht mehrfach von der von TROELTSCH ab; insbesondere bewerte ich den Einfluß des humanistisch-rationalistischen Elements höher, als das bei TROELTSCH wenigstens zum Ausdruck kommt; ich sehe auch manches nicht als eine Schöpfung der konfessionellen Faktoren an, was TROELTSCH dafür erachtet. Das aber ist noch lange keine Unterschätzung des Kalvinismus und hatte auch keineswegs die Bestimmung einer Polemik gegen TROELTSCH, dessen Name in diesem ganzen Abschnitt auch nicht ein einziges Mal erwähnt worden ist.

Ob nun aber die Ausführungen, an denen TROELTSCH Anstoß genommen hat, als Angriffe von meiner Seite gegen ihn intentioniert waren oder nicht, – ich bin der Letzte, der ihm das Recht absprechen würde, sich mit ihnen auseinanderzusetzen, wenn er die darin enthaltenen Ansichten nicht teilt. Tatsächlich aber ist die ganze Polemik, die TROELTSCH gegen mich entfaltet, nur dadurch möglich geworden, daß er mir Ansichten unterschiebt, die ich nie geäußert habe, und die ich auch gar nicht besitze, sowie daß er unbestreitbare Wahrheiten ausspricht, deren Spitze sich offenbar gegen mich kehren soll, die ich aber nie bestritten habe und auch gar nicht zu bestreiten willens bin. Wenn ich gegen handgreifliche Übertreibungen hinsichtlich des Einflusses der religiösen Lehren auf dem Gebiet des Nichtreligiösen protestiere, so macht TROELTSCH [oben S. 199] daraus, daß ich »die religiösen Ideen für etwas historisch verhältnismäßig Unwichtiges halte«. Wo habe ich denn das – direkt oder indirekt – gesagt? Wo habe ich denn »kultur*fördernde* Wirkungen des Kalvinismus und der Konfessionen überhaupt« [oben S. 195] geleugnet, wo die »These einer allein wirklich kulturfördernden Macht der Toleranz und Aufklärung« aufgestellt? Und wenn mir TROELTSCH darauf erwidern wollte, ich hätte das zwar nicht verbis expressis behauptet, das wäre aber der Grundton, der aus meinen Erörterungen herausklänge, so müßte ich ihm darauf zurückgeben, daß ein solcher Eindruck nur auf Grund einer recht flüchtigen und voreingenommenen Lektüre entstanden sein könnte.

Immerhin könnte man die Entstellung meiner Ansichten in diesen Fällen noch durch eine Annahme solcher Art, nämlich eines unrichtigen Allgemeineindrucks auf Grund flüchtiger Lektüre, einigermaßen erklären. Anders aber steht es, wenn er einen Passus über die Macht, die das konfessionelle Element noch heutzutage entfaltet, mit dem Satz abschließt: »Es kann also sogar für die Gegenwart gar keine Rede davon sein, daß ›kirchliche Kräfte ihre Wirksamkeit über das eigentlich Religiöse nicht hinaus zu erstrecken pflegen‹.« TROELTSCH vindiziert mir hier eine Äußerung als wörtlich von mir getan, die ich vergeblich in meiner Abhandlung suche.[8] Ich könnte sie sogar nach der Grundanschauung, die mir TROELTSCH – fälschlich – zuschreibt, nicht einmal getan haben: denn ich, der ich ja doch, wie er meint, die kulturfördernde Wirkung des konfessionellen Elements in Abrede stelle, werde doch nicht etwa aber deshalb auch jede Wirksamkeit des Religiösen über das eigentlich religiöse Gebiet heraus, also auch einen kulturhemmenden Einfluß, bestreiten wollen? Die Anführungszeichen können doch nur den Zweck haben, den Leser glauben zu machen, daß ich solche Ungereimtheiten tatsächlich behauptet hätte; da ist es freilich leicht, zu polemisieren. Wenn Troeltsch bekennen muß – schüchtern genug, wie aus den Worten »vielleicht manchmal« hervorgeht, – die Sätze seines Freundes Weber ungenau wiedergegeben zu haben, so darf ich mich ja nicht wundern, wenn mir durch ihn ein Gleiches widerfährt; aber von da bis zur Anführung falschen Wortlauts ist es doch noch ein starkes Stück Weges. Mir fällt es übrigens, nebenbei hier noch bemerkt, keineswegs »schwer, zu sagen, was denn dieses ›eigentlich Religiöse‹ sei, über das die kirchlichen Kräfte nicht (vielleicht gestattet mir Troeltsch hier behufs richtiger Wiedergabe der Erörterungen [oben S. 115 f.] meiner Abhandlung die daselbst sich findenden, keineswegs belanglosen, von ihm freilich bezeichnenderweise unterdrückten Wörtchen *›ganz unbedingt‹* einzuschieben) hinauswirken«. Aber das hat wohl seinen Grund darin, daß ich »offenbar nicht gewohnt bin, über solche Probleme nachzudenken, und daß ich das nicht für die Aufgabe des Historikers halten mag«. Um die Tiefe dieses Problems zu würdigen, muß man eben mehr als bloß Historiker sein.

Wie Troeltsch mir bestimmte Ansichten und Urteile mit und ohne Anführungszeichen supponiert, um dagegen mit Mut und Eifer zu kämpfen, so stellt er sich für gewisse Wahrheiten in Verteidigungspositur, gleich als ob ich sie angegriffen hätte, obwohl mir das nie eingefallen ist. »Unrichtig«, so ist bei ihm zu lesen [oben S. 210], »ist schon der Satz, daß der Protestantismus wesentlich religiöser Individualismus ist. Er ist ebensosehr kirchliches Denken und als solches die Einbefassung des Staates und der gesamten Kultur nicht unter hierarchische Elemente, aber unter religiöse Normen.« Das glaubt er, mir vorhalten zu müssen, der ich [oben S. 130] gerade davor gewarnt hatte, den Anteil des Kalvinismus an der Entwicklung einer freieren christlichen Religiosität auf der Grundlage einer wirklichen Durchführung des individuellen Prinzips und an der Ausbildung des modernen, religiös relativ weniger beeinflußten Staates zu überschätzen. Er tritt ein für die »mitbestimmende Macht des religiösen Gedankens« bei der Ausbildung der Idee der Kirchenfreiheit und der Menschenrechte wie bei der Demokratisierung des politischen Denkens, während ich doch nur versucht habe, gewisse Behauptungen, die darüber weit hinausgehen, auf ein bescheideneres Maß zurückzuführen [oben S. 133 f.]. Auf demselben Blatt steht es, wenn TROELTSCH sich nicht genug tun kann, die Rolle der konfessionellen Momente als Kultur- und vollends gar als Machtfaktoren zu unterstreichen. Es soll eben der Eindruck im Leser erweckt werden, als ob ich davon überhaupt nichts wissen wollte, und zu diesem Zweck muß mir die Meinung vindiziert werden, »daß positive Kulturwirkungen nur von einem dogmenfreien und aufgeklärten Toleranz- und Moralchristentum ausgehen können«. Daß ich das nie gesagt und sogar nicht einmal gedacht haben kann, erhellt schon daraus, daß ich die Möglichkeit eines Einflusses reformierter Berufsethik auf die wirtschaftliche Kultur anerkannt habe. Freilich, was das Maß dieser Kulturwirkungen im einzelnen anlangt, so wird zwischen TROELTSCH und mir schwerlich Übereinstimmung herrschen: das gibt ihm aber noch lange nicht die Befugnis, mir schlechthin eine Verneinung alles Einflusses konfessioneller Momente auf die Kulturentwicklung nachzusagen. Und wenn er mir gar die Machtstellung der kalvinischen Orthodoxie des KUYPERschen Schlages in Holland und des Zentrums in Deutschland vor Augen führt, um mich an die Bedeutung des konfessionellen Elements als Machtfaktor zu erinnern, so scheine ich ihm doch wohl der Belehrung etwas allzu bedürftig.

Einen ziemlich breiten Raum in der Polemik von TROELTSCH [oben S. 207 ff.] nimmt der Widerspruch ein, den er gegen die einzelnen Beispiele einlegt, mit denen ich »mit einem an sich gewiß schätzenswerten, gesunden Menschenverstand[9] die Unwirksamkeit des religiösen Elementes gegenüber dem allgemeinen Leben veranschaulichen wolle«. Das ist zunächst wiederum eine durchaus falsche Supposition: ich habe nicht Beispiele zum Beleg für »die Unwirksamkeit des religiösen Elements gegenüber dem allgemeinen Leben« beigebracht, sondern habe lediglich Beispiele für Übertreibung des Einflusses religiöser Momente angeführt: das ist doch wohl etwas ganz anderes. Ich werde die einzelnen Fälle nacheinander prüfen, die er heranzieht; vorher muß ich indes noch einen Einwand allgemeiner Natur gegen diesen Passus bei TROELTSCH erheben. Er wirft nämlich hier zwei ganz verschiedene Dinge durcheinander: meine Zurückweisung des Übertreibens der religiösen Einflüsse und meinen Widerspruch gegen die HÄUSSERsche Formulierung des Gegensatzes zwischen Kalvinismus und Luthertum in ihrem Verhältnis zur Lehre vom Widerstandsrecht. Selbstverständlich habe ich die Berufung der Geusen auf die deutsch-lutherische Publizistik statt auf BEZA nicht als Beleg »der Gleichgültigkeit religiöser Theorien für die Praxis erzählt«. Das ist abermals eine falsche Unterstellung von TROELTSCH, die lediglich beweist, daß er meine Abhandlung mit einer Flüchtigkeit gelesen hat, die denn doch selbst, um mit WEBER zu reden, für die Zwecke einer »effektvollen Polemik« zu weit geht.[10] Und es ist, um nochmals mit WEBER zu reden, geradezu »unerhört«, wenn TROELTSCH den Zweck der »Beispiele«, die ich in diesem Zusammenhang angeführt habe, darin erblickt, »die Bedeutungslosigkeit der religiös-ethischen Ideale für die Praxis des Lebens« zu erweisen. Ich habe bestimmte konkrete Fälle vorgebracht, in denen Übertreibungen des Einflusses religiöser Momente auf dem Gebiet staatlicher und allgemein-kultureller Entwicklung begangen worden sind; daraus habe ich aber keinen allgemeinen Schluß nach der von TROELTSCH behaupteten Richtung hin gezogen, und wenn er mir einen solchen unterschiebt, so ist das ein Verfahren, das ich hier lieber nicht charakterisieren will, da ich dann sehr bittere Worte wählen müßte.

Nun aber zu den einzelnen »Beispielen«! TROELTSCH behauptet, das LUTHERsche Verbot der Anrufung der Obrigkeit durch die Christen, auch wenn ihnen Unrecht geschähe, stamme aus seinen spiritualistischen Anfängen und sei durch ihn später ausdrücklich widerrufen worden. Der größeren Sicherheit halber wandte ich mich um Auskunft an ERICH BRANDENBURG, in dessen spezielles Forschungsgebiet diese Dinge ja fallen; ich gebe seine Ansicht darüber mit seiner Erlaubnis wieder. Darnach findet sich das besagte Verbot in der Schrift »Von weltlicher Obrigkeit« von 1525; in der Auslegung des Matthäus von 1532 statuierte LUTHER davon zwei Ausnahmen, nämlich wenn der zu Unrecht Betroffene durch seine Stellung als Obrigkeit, Gatte, Hausvater, Dienstherr usw. zum Eintreten für andere verpflichtet ist, oder wenn sein Motiv nicht im Streben nach Rache und persönlicher Genugtuung, sondern nach Wiederherstellung des gekränkten Rechtes als solchen besteht. Das ist aber noch kein Widerruf des Verbotes: LUTHER bleibt vielmehr seiner Grundanschauung völlig treu, daß der Christ als solcher und für sich selbst zur Verhütung seines Schadens oder Sicherung seines Vorteiles die Gerichte nicht anrufen soll, sondern nur als Beschützer anderer und als Verteidiger des Rechts als solchen; dabei aber warnt LUTHER selber vor der Gefährlichkeit des letzten Argumentes. – Niemals habe ich behauptet, daß sich die Lutheraner mit ihren religiösen Skrupeln, betreffend das Widerstandsrecht, »so leicht abgefunden hätten«. Auch mir ist es nicht ganz unbekannt, wie sehr durch solche Skrupel die Aktionskraft der deutschen Lutheraner geschwächt worden ist; aber man hat sich schließlich doch damit abgefunden, sogar LUTHER selber: die realen Bedürfnisse waren eben hier einmal stärker als das anfängliche religiöse Postulat. Und wenn man dabei verlangte, daß dazu das positive Recht eine Handhabe biete, so brauchte man da in der Regel nicht lange zu suchen. – Als Beleg dafür, daß auch Luthertum und Heroismus zusammengewirkt und große Erfolge erzielt hätten, verwies ich auf GUSTAV ADOLF. TROELTSCH entgegnet mir darauf, daß die Grundsätze des Königs »in diesem Punkt auch nicht wesentlich lutherisch waren«, daß er vielmehr unter dem Einfluß der Lehren von HUGO GROTIUS stand. Er beweist damit eben nur die Richtigkeit meiner These, daß nämlich religiöse Momente oft da ausgeschaltet werden, wo ihre Befolgung den realen Interessen schädlich sein würde. Gewiß war GUSTAV

Adolf ein guter Lutheraner; aber in seiner Politik ließ er sich durch die lutherische Lehre, wo diese über das »eigentlich Religiöse« hinausging, nicht binden: wo dieses aufhört, dafür haben die handelnden Personen der Geschichte oft einen merkwürdig feinen Instinkt bewiesen, wenngleich dem modernen Theologen die Abgrenzung schwer fallen mag. Im übrigen ist doch Grotius nichts weniger als ein »genuiner Kalvinist«; jedenfalls hatte der Widerstand gegen die katholische Restauration auch noch andere Wurzeln als die kalvinistische Resistenzlehre. – Gegenüber meiner Bemerkung, die Passivität des Luthertums in der zweiten Hälfte des sechzehnten Jahrhunderts sei zum guten Teil auf die Tatenscheu und Saturiertheit der Fürsten jener Generation zurückzuführen, macht Troeltsch geltend, daß doch zu diesen »der Hauptführer des sächsisch-lutherischen Konservativismus, Kurfürst August, sicherlich nicht gehörte«. Er irrt sich; gerade auf diesen bezieht sich mein Urteil in erster Linie. An seinem Mangel an Mut und Energie, an seinem kleinlichen Geiz ist das Bestreben Wilhelms von Oranien, die lutherischen Fürsten Deutschlands in den niederländischen Aufstand hineinzuziehen, vornehmlich gescheitert, und seine religiösen Grundsätze hätten dem Kurfürsten das Eingreifen nicht verboten; hätte es heimlich, ohne Gefahr und Kosten geschehen können, so war er wohl dafür zu haben. Wenn man über den »Gang der Dinge« so wenig orientiert ist, sollte man etwas vorsichtiger sein. – Entstehung landwirtschaftlicher Großbetriebe und Steigerung der agrarischen Produktion waren, wie ich Troeltsch nochmals [oben S. 115 f.] vorhalten muß, keineswegs eine »naturalwirtschaftliche Reaktion«, sondern bedeuteten im 16. Jahrhundert geradezu eine Entwicklung im Sinne kapitalistischer Unternehmung. Worauf es ankommt, das hat er bei diesem Punkt, wie man sieht, immer noch nicht erfaßt. – Daß die lutherische Staatslehre der absolutistischen Tendenz Vorschub zu leisten geeignet war, wird niemand leugnen wollen, aber deshalb darf man noch lange nicht den bevormundenden Polizeistaat des patriarchalischen Absolutismus als »ein echtes Kind des Luthertums« bezeichnen. Wenn von einer Parallelentwicklung in der katholischen Welt gesprochen wird, so wird man in erster Linie nicht an Frankreich denken, sondern an die größeren katholischen Territorien in Deutschland, vor allem die habsburgischen Gebiete und Bayern. In den lutherischen Ländern kommt für diese Institutionen dem religiösen Element eben nur eine »fördernde« Bedeutung zu, und eine solche hat es auch in Ländern reformierten Bekenntnisses gehabt.[11] Wenn der Kalvinismus in Holland, Schottland und England in antimonarchische, republikanische oder ständisch-parlamentarische Bahnen einlenkte, so dürfte die Ursache dafür weniger in seiner speziellen Staatslehre zu erblicken sein, als vielmehr in der Notwendigkeit, sich überhaupt als religiöses Prinzip durchzusetzen, d. h. zunächst seine Existenz gegenüber dem andersgläubigen Herrscher zu behaupten; von da bis zur »politisch-liberal-demokratischen Gesellschaft« [oben S. 200] ist es noch recht weit, so daß ihre und des Kalvinismus »innerliche Verschmelzung«[12] ein Problem ist, das vielleicht doch etwas schwieriger ist, als es nach dem recht bequemen Konfessions-Schema ist, wie TROELTSCH es sich zurechtlegt. Und bekanntlich ist in zahlreichen lutherischen Staaten das »echte Kind des Luthertums«, der absolute Staat, nicht in die Erscheinung getreten, sondern es haben sich hier die Landstände im Besitz einer geschützten verfassungsmäßigen und auch starken politischen Position erhalten. Diese Dinge sind ja so bekannt, daß ich sie für den einigermaßen Kundigen nur anzudeuten brauche.

Man wird es verstehen, wenn ich es vermeide, auf die Schlußbemerkungen von TROELTSCH einzugehen, daß meine These von einer allein wirklich kulturfördernden Macht von Toleranz und Aufklärung mehr mein persönliches Kulturideal betreffe als die »tatsächliche Kultur, die wir leben«, daß nicht nur die Konfessionen intolerant seien, sondern auch die heutige Aufklärung, und daß meine Leugnung der kulturfördernden Wirksamkeit der Konfessionen eben einer intoleranten Animosität rationalistischer Grundauffassung als meines Kulturideals entspringe. Schon die Voraussetzungen sind falsch, nämlich die Behauptung, daß ich Toleranz und Aufklärung als die allein wirklich kulturfördernden Faktoren erklärt, den konfessionellen Elementen dagegen diese Bedeutung abgesprochen hätte[13]; falsch ist daher erst recht, was TROELTSCH aus diesen Prämissen für die Motive und grundlegenden Gesichtspunkte meiner Ausführungen zu folgern unternimmt. Ob diese den »Gang der Dinge« richtig wiedergeben oder nicht, lediglich darauf kommt es an. Die Frage des persönlichen Kulturideals scheidet so lange aus, bis mir schiefe und unrichtige Vorstellungen und Urteile nachgewiesen sind, die sich als unbewußte oder gar als bewußte Ausflüsse meines angeblichen »Kulturideals« entpuppen würden. Es handelt sich hier um eine Kontroverse rein sachlicher Natur; was soll da die Verquickung mit dem Moment der persönlichen Weltanschauung, eine Gewissensriecherei solcher Art? Mit Recht könnten sich WEBER und TROELTSCH beschwert fühlen, wenn jemand z. B. zur Erklärung ihrer Stellungnahme zum Luthertum einerseits, zum reformierten Kirchentum andererseits auch nur auf die Möglichkeit der Existenz persönlicher Beweggründe hinweisen würde.

Eine bequeme, freilich nicht gerade in ihren Mitteln sehr wählerische Polemik ist es, dem Gegner den Vorwurf der »Animosität« wider gewisse Einrichtungen entgegenzuschleudern, die gerade das Objekt der Diskussion sind. Wenn man die Hauptbedeutung eines bestimmten positiven Bekenntnisses in dem erblickt, was von ihm für die Fortbildung christlicher Religiosität geleistet worden ist, wenn man ihm nicht alle diejenigen Wirkungen zuzuerkennen vermag, die ihm auf Gebieten zugeschrieben werden, welche mit dem Religiösen nur in losem und indirektem Zusammenhang stehen – ist das wirklich eine »Animosität«? Je vollkommener sich in einem Bekenntnis das religiöse Prinzip darstellt, um so wohltätiger werden seine Ausstrahlungen auf die übrigen Lebensgebiete sein, auch wo diese ihm gegenüber ihre Selbständigkeit behaupten, und gerade dafür bietet der Kalvinismus genug der Beweise.

Gewiß ist weder die frühere noch auch die heutige Aufklärung »durchaus tolerant«. Aber die Toleranz verdankt nichts anderem in höherem Grade ihre Entstehung, Ausbildung und Aufrechterhaltung, als der Aufklärung, und sie ist hinwiederum das Prinzip, auf dem die Aufklärung beruhte, der Boden, aus dem sie ihre Nahrung saugte. Wenn die Aufklärung nicht tolerant war, dann oft genug nur deshalb, weil es sich um eine notgedrungene Abwehr handelte, da Toleranz nicht gleichbedeutend mit kampfscheuer Kapitulation vor feindlichen Mächten ist. Was die Frage der relativen Intoleranz der Aufklärung mit meinen Aufsätzen zu tun hat, ist mir freilich schlechterdings unfaßbar; denn in ihnen wird kein Unbefangener eine Spur von »Animosität« gegen den Kalvinismus als positivchristliches Bekenntnis finden.

Gewiß, ein scharfer Hauch, das gebe ich zu, mag TROELTSCH aus meinen Blättern entgegengeweht haben. Aber diese »Animosität« hat nichts mit dem Objekt der Diskussion zu tun. Sie ist nichts weiter als der Ausdruck der Stimmung, die den Historiker befällt, wenn er sieht, wie der »Gang der Dinge« zu Gunsten konstruktiver Theorien mitunter vergewaltigt wird. Voreiliges, unbefugtes Generalisieren auf Grund unzulänglicher Kenntnis des Sachverhalts, – das ist das Merkzeichen der Art und Weise, wie sich TROELTSCH auf dem historischen Gebiet betätigt. Und ebenso verhält es sich mit seiner Praxis des literarischen Kampfes: warnt der Gegner davor, den Einfluß des religiösen Moments auf die weltlichen Dinge in einzelnen ganz bestimmten Punkten zu überschätzen, so macht TROELTSCH daraus eine von der Intoleranz der Aufklärung eingeblasene Geringschätzung der positiven Bekenntnisse im allgemeinen, ihrer Macht- und Kulturwirkungen, ja sogar der Bedeutung der religiös-ethischen Ideale für die Praxis des Lebens überhaupt, der Wichtigkeit der religiösen Ideen schlechthin. So konstruiert er sich ein Phantom, gibt es für die Ansicht des Gegners aus und schlägt wacker drauf los. Eine Polemik dieser Art ist zur Unfruchtbarkeit verdammt.[14]

III

Mit TROELTSCH wäre somit in der Hauptsache die Abrechnung vollzogen. Insoweit als noch von ihm Äußerungen zum Thema »Kalvinismus und Kapitalismus« im engeren Sinn vorliegen, werden sie berücksichtigt werden bei der nunmehr folgenden Auseinandersetzung mit WEBER. Bei eben dieser wird es sich vornehmlich um drei Punkte handeln, um die sogenannte protestantische Askese, sodann um das Verhältnis von Toleranz und Kalvinismus für die Entwicklung des neuzeitlichen Kapitalismus und endlich um die Art und Weise, wie WEBER den Begriff des »kapitalistischen Geistes« aufgefaßt wissen will.

Der Ethik gewisser Richtungen innerhalb des Protestantismus, die er als »asketisch« bezeichnet, schreibt WEBER eine bestimmte Bedeutung für die Entwicklung des »kapitalistischen Geistes« zu. Er versteht unter »Askese« eine an Gottes Willen orientierte rationale Gestaltung des ganzen Daseins, eine methodisch gepflegte und kontrollierte Lebensführung, und bezeichnet als asketische Richtungen im Protestantismus Kalvinismus, Methodismus, Baptismus und Pietismus.

Durchaus korrekt hatte ich [oben S. 68] WEBERS Ansicht über den Umfang der »asketischen Richtungen« im Protestantismus mit den Worten wiedergegeben: »Der Kalvinismus ist die bedeutendste, aber nicht die einzige Richtung des Protestantismus, die eine solche methodisch-gepflegte und kontrollierte, d. h. asketische Lebensführung vorschreibt; sie ist auch, wenngleich in verschiedenartiger Begründung und Abstufung ... im Pietismus, im Methodismus, im Baptismus zu finden.« Nur erklärt WEBER, daß ich viel zu lange bei seinen Ausführungen über den Kalvinismus, nicht auch bei denen bezüglich der übrigen asketischen Denominationen verweilt und dadurch ein falsches Bild von seiner These gegeben hätte: »Die Schiefheiten der RACHFAHLschen Polemik beginnen schon mit dem ersten Wort der Überschrift seines Aufsatzes »*Kalvinismus* und Kapitalismus«. Denn er handele, so setzt WEBER auseinander, nicht nur vom Einfluß des Kalvinismus auf die Entwicklung des kapitalistischen Geistes, sondern des asketischen Protestantismus, da den asketischen Sekten in dieser Hinsicht vollste Gleichstellung mit dem Kalvinismus zukomme. Er bezichtigt mich demgemäß [oben S. 156] einer »Verdrehung des Diskussionsobjekts«.

Nicht nur in meiner Kritik, sondern auch in WEBERS These steht tatsächlich der Kalvinismus im Mittelpunkt der Erörterung. Denn aus seinem Schoß ist ja eben die Ethik entsprungen, der WEBER solchen Einfluß auf die Entwicklung des neuen kapitalistischen Stils zuschreibt, – nämlich die Lehre vom Gnadenstand und von der Bewährung und damit des Antriebes für den Einzelnen zur methodischen Kontrolle seines Gnadenstandes in der Lebensführung: das eben ist ja die »Askese« im Sinne WEBERS. Die »asketischen« Sekten, die in England im 17. Jahrhundert entstanden, sind in diesem entscheidenden Punkt einfach die Erben des Kalvinismus, und dasselbe gilt nach WEBERS eigener Auffassung vom Pietismus.[15] Nicht anders wie ich haben WEBERS Freunde und Anhänger, TROELTSCH und GOTHEIN, den Zusammenhang aufgefaßt; sie haben nicht anders wie ich die WEBERsche These in dem Schlagwort »Kalvinismus und Kapitalismus« zusammengefaßt. Und da ich nicht nur gegen WEBERS These allein und an und für sich kämpfen wollte, sondern auch gegen die Art und Weise, wie sie in der wissenschaftlichen Literatur Geltung zu gewinnen begann, mußte ich meinem Aufsatz eben jene Überschrift geben.

TROELTSCH sekundiert anscheinend WEBER in diesem Punkt, wenigstens bis zu einem gewissen Grad. Er bezeugt [oben S. 190], WEBER habe ausdrücklich hervorgehoben, »daß es sich nicht um eine unmittelbare Wirkung des primitiven Genfer Kalvinismus, sondern um eine solche des späteren puritanischen Kalvinismus handele«, und an einer andern Stelle sagt er [oben S. 194]: »Überdies unterscheidet WEBER vollkommen scharf den primitiven Genfer Kalvinismus von dem späteren englisch-puritanischen ... Um die praktische Bedeutung dieses Puritanismus handelt es sich allein.« Aber ob »primitiver Genfer« oder »späterer englisch-puritanischer Kalvinismus«, –

die Berechtigung meiner Überschrift wird dadurch nicht in Frage gestellt; hat doch eben derselbe TROELTSCH vorher (Hist. Zeitschrift 97. Bd., S. 43) schlechthin von einer »eigentlichen Bedeutung des Kalvinismus für den modernen Kapitalismus« gesprochen. Und die Position der WEBERschen These wird durch die neue Einschränkung von TROELTSCH keineswegs gebessert; durch die Einschränkung, daß es sich bei ihr lediglich »um die praktische Bedeutung des Puritanismus handele«, wird der Kreis ihrer Geltung noch mehr eingeengt. Für den Kapitalismus in der reformierten Schweiz, bei den Hugenotten und in den Niederlanden wird dadurch die Provenienz aus der »Askese« revoziert: wir haben hier also den Fall der Koexistenz von Kalvinismus und Kapitalismus, aber ohne kausale Verknüpfung; in diesen Geltungsgebieten reformierter Religiosität ist wohl also der Kapitalismus noch auf Grund des »zu allen Zeiten wirksam gewesenen Erwerbstriebes« ohne »spezifisch modern-kapitalistischen« Habitus entstanden? Oder »belastet« TROELTSCH hier wieder einmal die These WEBERS »mit Irrtümern«? Nimmt man noch dazu, daß, wie wir noch sehen werden, nach dem Geständnis beider Autoren der puritanische Kapitalismus in England und Nordamerika auf die Mittelklassen beschränkt blieb, so muß man allerdings sagen, daß sehr wenig vom modernen Kapitalismus in diesem »spezifisch modern-kapitalistischen« Geist wurzelt. Was bleibt dann überhaupt von den praktischen Wirkungen noch übrig, die er angeblich gehabt hat?

In meiner Kritik hatte ich die Frage gestellt: paßt für eine am Gotteswillen orientierte rationale Gestaltung des Daseins, für eine methodisch gepflegte und kontrollierte Lebensführung der Name »Askese«, den WEBER ihr beilegt? Daß ich sie verneinte, hat WEBER mit Groll erfüllt. Das einzige, so führt er in seiner Antikritik aus, was ich selber zum Schluß meiner »seltsamen« Kritik aufrechterhalte, sei mein Widerspruch dagegen, daß er der von ihm analysierten Lebensführung den Namen »Askese« beilege. Um so steriler sei diese Polemik über den Namen, als ich ihn schließlich für die gleiche Sache anwende, nur daß ich ihn in Gänsefüßchen setze. Er kann sich das nicht anders erklären, als dadurch, daß »die Professoreneitelkeit grundsätzlich der Akzeptierung irgendeiner nicht von dem betreffenden selbst geprägten Bezeichnung widerstrebt«. Als Eideshelfer dafür, daß zwischen der katholischen Askese und der von ihm analysierten »innerweltlichen Askese« des Protestantismus eine innere Verwandtschaft bestehe, zitierte er SEBASTIAN FRANCK mit seinem Ausspruch, daß »jeder Mensch fortan eine Art von Mönch sei«, und RITSCHLS Äußerung von den »katholischen Resten« im Protestantismus. Er betont nochmals, das Eigentümliche in der protestantischen Askese, was zugleich die Anwendung eben dieses Namens rechtfertige, bestehe eben im Bedenken gegen den Genuß als solchen, sowohl gegen den sinnlichen als auch gegen den ästhetischen, und in der rationalen Durchdringung des Lebens innerhalb der Ordnungen der Welt: Familie, Erwerb, soziale Gemeinschaft; er protestiert dagegen, daß ich ihm die Meinung supponiere, der Protestantismus habe diese seine »Askese« einfach vom Katholizismus übernommen, und rügt das niedrige Niveau, auf das ich die Diskussion hinabgezogen habe.

Wenn WEBER meint, die Polemik gegen den Namen »Askese« sei das einzige, was ich zum Schluß selber von meiner Kritik aufrechterhalten habe, so hat er von ihr doch wohl einen allzu optimistischen Eindruck empfangen, und seine übrigen Erörterungen gegen mich stimmen mit dieser seiner Behauptung schlecht überein. Verfehlt ist es, wenn er mir einen Widerspruch insofern zuschreibt, als ich selbst ohne das Wort »asketisch« nicht auszukommen vermöchte, nur daß ich ihm Gänsefüßchen beifüge. Denn diese sind hier das Entscheidende; sie sollen dem Leser natürlich zum Bewußtsein bringen, daß ich den Ausdruck hier in einem Sinn anwende, wie er populär oft vorkommt, wie er aber nur uneigentlich zu verstehen ist, oder eben im Sinne WEBERS. Es ist mir gar nicht eingefallen, das Wort in der von mir reprobierten WEBERschen oder in seiner populär-uneigentlichen Bedeutung von mir aus zu gebrauchen. Oft gebraucht man die Bezeichnung »asketisch«, um irgendwelche Unbequemlichkeiten, ein wenngleich geringeres Maß von Enthaltsamkeit, eine gewisse durch Rücksicht und Einsicht diktierte Diskretion gegenüber dem Lebensgenuß zu charakterisieren. Der starke Raucher redet wohl schon von »Askese«, wenn er sich auf Gebot des Arztes nur noch eine Importe am Tage gönnen darf: solch populären Sprachgebrauch[16] aber darf man nicht in die wissenschaftliche Terminologie einschmuggeln. Bei dieser Gelegenheit, da von Askese in solchem Sinn die Rede ist, will ich mich alsbald mit WEBERS Tadel abfinden, ich hätte das Niveau meiner Kritik »nicht sonderlich hoch gegriffen«. Dem von ihm als Idealtypus der Unternehmer »neuen Stils« herangezogenen reichen Geschäftsmann, der, »asketisch« gestimmt, nur mit Mühe zum ärztlich verordneten Austerngenuß zu bewegen war, hatte ich nämlich die gewißlich größere Zahl von Kapitalisten gegenüber gestellt, die dazu nicht erst ärztlicher Vorschrift bedürfen, ohne doch deshalb »kapitalistischen Geistes« zu ermangeln. Nun, das Niveau der Kritik ist dem Niveau der Argumente, die durch sie bekämpft werden sollen, vollkommen angemessen. Sicherlich gibt es Kapitalisten, die »von asketischen Bedenken gegen den Genuß als solchen« erfüllt sind; aber sie sind nicht typisch für die Kapitalistenklasse der Neuzeit, auch im WEBERschen Sinn des »Unternehmers neuen Stils«, und ihre »asketischen Bedenken« sind nicht charakteristisch für den kapitalistischen Stil der Neuzeit und seine Entstehung. Ich habe jedenfalls nicht damit angefangen, die Modalitäten des Austerngenusses für die Erkenntnis von Entstehung und Wesen des kapitalistischen Geistes zu verwerten.

Handelt es sich hier aber wirklich nur um eine »sterile Namens-Polemik«, und ist von meiner Seite lediglich »Professoreneitelkeit« im Spiel, wenn ich gegen diesen WEBERschen Terminus Einspruch erhebe? Niemals würde ich es wagen, bei WEBER ein gleiches Motiv dafür vorauszusetzen, daß er mit solcher Zähigkeit und Vaterfreude an dem Wort »innerweltliche Askese« festhält. Aber es ist in der Tat nicht nur der Name, der meine Bedenken erregt. Aus WEBERS neuesten Ausführungen [oben S. 152] geht ja abermals hervor, daß er den Namen für sachlich vollkommen berechtigt erachtet, nämlich wegen der inneren Verwandtschaft zwischen katholischer und protestantisch-innerweltlicher Askese: es soll also tatsächlich durch den Namen ein sachlicher Zusammenhang angedeutet werden. Prüfen wir die Gründe, die Weber neuerdings dafür beigebracht hat.

Wenn Sebastian Franck die Leistungen der Reformation dahin kennzeichnet, daß jeder Mensch fortan »sein Leben lang eine Art von Mönch sein müsse« [oben S. 153], so geht schon aus der ganzen Art dieser Äußerung hervor, daß es sich lediglich um einen Vergleich, um eine Redefigur handelt, die er zur Wiedergabe seines subjektiven Eindruckes verwendet; darauf läßt sich keine wissenschaftliche These gründen. Ohne Zweifel hat Ritschl Recht, wenn er von »katholischen Resten« im Protestantismus, zumal im Pietismus spricht; es finden sich hier Züge, die man als »asketisch« bezeichnen kann, und zwar im Sinn der echten katholischen Askese, nämlich in der Richtung zu Weltflucht und zu Erwerbung besonderen Verdienstes: das sind gewiß katholisierende Tendenzen, wenn man so will, »katholische Reste«. Ein gleiches gilt von den Täufern und den von ihnen abgeleiteten Sekten. Was sie vom eigentlichen Protestantismus unterscheidet, das ist ja gerade ihre in des Wortes eigentlichster Bedeutung »asketische« Grundauffassung im Sinn mittelalterlicher Weltflucht, und auch darin findet ein Kenner der Reformationsgeschichte, wie Kawerau[17], den Beweis, daß sie im Gegensatz zum Protestantismus noch von der »katholischen Stufe des Christentums« sich nicht vollständig emanzipiert hatten: gerade der Mangel an »Askese« ist somit nach Kawerau das entscheidende Merkmal, welches die protestantische von der katholischen Religiosität trennt; einer Auffassung dieser Art aber würde die Annahme einer »inneren Verwandtschaft« reformierter Berufsethik mit katholischer Askese wahrlich nicht entsprechen. Weber verwahrt sich dagegen [oben S. 154], daß ich ihm »die törichte Behauptung unterschiebe, daß der Altprotestantismus als Ganzes die Askese vom mittelalterlichen Katholizismus übernommen habe«. Daß ich ihm diese Behauptung nicht untergeschoben haben kann, geht daraus hervor, daß gerade ich auf die Meinungsdifferenz aufmerksam gemacht habe, die zwischen WEBER und TROELTSCH insofern vorliegt, als nur dieser von einer Askese des Altprotestantismus als ein Ganzes spricht, – und was die Berechtigung des schmückenden Beiwortes »töricht« anlangt, so überlasse ich die Äußerung darauf dem Autor des Satzes: »Aber auch noch ein weiteres Hauptcharakteristikum dieser Kultur (sc. der supranaturalistischen Kultur des katholischen Mittelalters) dauert fort, die *Askese*«.[18] Wie sich WEBER mit der von mir konstatierten, soeben erwähnten »Meinungsdifferenz« zwischen ihm und TROELTSCH abfindet, werden wir alsbald erfahren; hier sei nur noch einmal speziell zu WEBERS kalvinistischer »Askese« bemerkt: keineswegs bestehen in der kalvinistischen Ethik Bedenken gegen den Lebensgenuß an und für sich, weder in sinnlicher, noch auch in ästhetischer Hinsicht; weit davon entfernt, ihn zu verbieten, hat KALVIN ihn sogar für geboten erklärt, in Ansehung, daß es sich dabei um Geschenke Gottes handele, insofern nur die Freude an diesen Genüssen das Übermaß vermeide. Eine rationalistisch geregelte Lebenshaltung, die an Gottes Willen orientiert ist, ist keine Askese; sie wird auch vom katholischen Laien gefordert, und noch viel weniger dürfen wir eine unter religiösen Gesichtspunkten methodisch gepflegte und kontrollierte Lebensführung deshalb Askese nennen, weil es im Katholizismus eine besondere Art der Askese gibt, deren Kennzeichen methodische Regelung und Kontrolle ist.

Zur Frage der Askese hat sich auch TROELTSCH sehr eingehend [oben S. 197 f.] geäußert; sie ist fast das einzige Kapitel im Thema »Kalvinismus und Kapitalismus«, das er jetzt noch im Zusammenhang behandelt, und er tut das, weil er sich hier als theologischer Fachmann auf seinem Gebiet fühlt, über das ich als Laie »kaum zu urteilen« imstande bin. Sowohl er wie auch WEBER erkennen an, daß sie mit dem Wort »Askese« verschiedenartige Vorstellungen verbinden. TROELTSCH sucht diese Differenz dadurch zu erklären, daß sie beide »von einer ganz verschiedenen Problemstellung« ausgegangen seien. Das mag ja ganz richtig sein; aber eine Tatsache ist es, daß beide unter »Askese« im Protestantismus etwas ganz anderes verstehen, und ich habe eben lediglich dieses Faktum konstatiert. Noch bequemer findet sich WEBER mit der Schwierigkeit ab; indem er meine Feststellung erwähnt, bemerkt er [oben S. 177, Anm. 10]: »Freilich töricht genug: Es handelt sich einfach um Unterschiede in der Terminologie, nicht in der Sache.« Das ist freilich eine billige Manier, Meinungsverschiedenheiten in grundlegenden Fragen unter einen Hut zu bringen. Für den einen ist jedenfalls die ganze altprotestantische Ethik »Askese«, für den andern nur die des Kalvinismus und bestimmter Sekten: ist das wirklich nur ein Unterschied der Terminologie? Auch TROELTSCH meint freilich: »Auf Worte kommt es nicht an. Der Sachverhalt ist klar.« Ganz kann man doch wohl nicht der passenden »Worte« für die Feststellung des Sachverhalts entbehren. Im übrigen formuliert er jetzt einen Unterschied zwischen »asketischen Übungen im engeren Sinn« und zwischen »Askese im weiteren Sinn«, indem er hierunter »die überweltliche Richtung des christlichen Denkens« versteht; er erklärt, daß das »ein längst eingebürgerter Sprachgebrauch« sei. Da hätten wir nun also glücklich die dritte Art »protestantischer Askese«.

Allerdings über die »Askese« mitzureden, habe ich kein Recht; das ist ein mir »fachwissenschaftlich nicht vertrautes Gebiet«, auf dem mir ebensolche Entgleisungen widerfahren, wie TROELTSCH auf dem meinigen. Er führt das auch dem Leser eindringlich genug vor Augen. In meiner Abhandlung [oben S. 92] hatte ich das Urteil gefällt: »Die Askese des Mittelalters war eine Sondermoral, die der Protestantismus nicht übernommen, sondern verworfen hat. Er hat vielmehr die allgemeine christliche Ethik, wie sie für jedermann ohne Ausnahme gilt, nach bestimmten Richtungen fortbildet. Dazu gehörte es, daß die Berufslehre auf einem neuen Fundament aufgebaut wurde, indem sie zur höchsten sittlichen Betätigung des

Menschen erklärt und allen zur Pflicht gemacht wurde.« Das glossiert TROELTSCH mit den Worten [oben S. 199]: »Also der Katholizismus ist allgemeine christliche Ethik plus Sondermoral der Askese, der Protestantismus ist dasselbe ohne hinzukommende Sondermoral, überdies aber eine Fortbildung in bestimmten Richtungen, die trotzdem gleichzeitig doch ein neues Fundament sind; und das Ergebnis von alledem ist die Arbeit als höchste sittliche Betätigung!« Wenn er hinzufügt: »Hier ist jeder Satz falsch und geht alles drunter und drüber«, so hat er damit ganz recht, wenn er nämlich seine Verdrehung meiner Erörterung meint. Urteile über bestimmte Entwicklungsvorgänge in das Gewand einer arithmetischen Formel kleiden, – das kann nichts anderes als ein Zerrbild geben. Er korrigiert weiterhin die letzte Wendung in dem aus meiner Abhandlung zitierten Passus dahin, die Berufsarbeit sei für den Protestanten nicht die höchste sittliche Leistung, sondern nur »die natürliche Form, innerhalb deren die eigentlich sittliche Leistung der Gottesliebe und Nächstenliebe sich zu bewegen hat«. Ich akzeptiere diese Belehrung sehr gern, wundere mich aber, warum er sie nicht in erster Linie an die Adresse WEBERS gerichtet hat, dem ich in diesem Fall nur gefolgt bin[19]; ich will es mir aber merken, daß nicht einmal auf die Partien WEBERS unbedingter Verlaß ist, die ich bisher im Gefühl meiner Unzuständigkeit nicht angezweifelt habe. Im übrigen bin ich mir der Grenzen meiner Kompetenz sehr wohl bewußt, und ich greife nicht gern auf Gebiete hinüber, wo ich zu den Urteilen eigentlicher Fachleute Stellung nehmen muß. Hier liegt nun die Sache so, daß ich mit meiner Auffassung, insofern ich mich damit in Widerspruch gegen die Autorität von TROELTSCH setze, keineswegs allein als Nichtfachmann dem Fachmann gegenüberstehe; ich schließe mich hier lediglich gegen TROELTSCH anderen Fachleuten an, wie LOOFS, LANG, SCHEEL und KAWERAU, die von einer protestantischen Askese im Sinne von TROELTSCH nichts wissen und sie zum Teil direkt ablehnen[20], und das um so lieber, als sich mein historisches Gefühl gegen die Vermengung zweier so grundverschiedener Erscheinungskomplexe, wie der katholischen Weltverneinung und der protestantischen Ethik, durch das Bindeglied einer gemeinsamen Benennung sträubt. Ich kann es wohl verstehen, wenn gerade bei diesem Problem Troeltsch das Bedürfnis nach einer kleinen Revanche anreizt, nun einmal mir gegenüber den Fachmann herauszukehren; ich fürchte nur, daß die Gelegenheit vielleicht nicht ganz glücklich gewählt ist. Sollte seine Lehre von der protestantischen Askese erst einmal in der theologischen Wissenschaft allgemein anerkannt sein, so will ich mich einer vox communis der Fachmänner schließlich beugen; vorderhand scheint es mir geraten, erst noch ein Weilchen eine abwartende Haltung einzunehmen und nichts zu übereilen.

IV

Nur eine »einzige ernsthafte These«, so dekretiert Weber [oben S. 156], setze ich der seinigen entgegen, und auch für diese, fügt er hinzu, »bietet überhaupt erst die Möglichkeit« die von mir beliebte »ganz willkürliche Beschränkung des Diskussionsobjektes auf den Kalvinismus«. Dieser Zusammenhang leuchtet mir nicht ganz ein; ich halte dafür, daß ich auch, wenn ich statt »Kalvinismus« den Titel »asketische Denominationen im Protestantismus« gesetzt hätte, der Toleranz ganz dieselbe Rolle für die ökonomische Entwicklung hätte zuschreiben können, von der Weber hier spricht. Wenigstens gibt er hier doch zu, daß ich eine »ernsthafte These« aufgestellt habe, wenngleich sie die »einzige« ist und bleibt, und er geht daran, sie zu »erledigen«. Nicht viel später [oben S. 162] hat er dieses kleine Zugeständnis aber schon wieder vergessen, indem er mir vorwirft, ich hätte überhaupt keinen Standpunkt, mit dem man sich auseinandersetzen könnte: »Man kaut bei ihm (sc. Rachfahl) auf Sand!« Wohl bekomm's!

Sowohl Weber wie auch Troeltsch sind mit der Rolle nicht einverstanden, die ich der Toleranz zuschreibe; ihre Argumentation ist ganz dieselbe; ich halte mich hier an die Formulierung bei Troeltsch [oben S. 210]: »Die Toleranz ist unzweifelhaft ein Mittel der ökonomischen Förderung gewesen. Aber nicht die Toleranz an sich bewirkt Intensität der wirtschaftlichen Arbeit, sondern die Eigenart der Menschen, denen die Toleranz zugute kommt... Wenn heute in Spanien die volle Toleranz eingeführt würde, so würde sie vermutlich an dem wirtschaftlichen Charakter der Bevölkerung wenig ändern... Daß die Toleranz als Wegfall kirchlicher Bindungen dann einem natürlichen und normalen, überall vorhandenen Erwerbstrieb damit eo ipso Raum schaffen würde, das wäre doch eine sehr kindliche, längst überwundene ›Psychologie‹.« Und ebenso führt WEBER aus: »Für die Entwicklung desjenigen Habitus, den ich (ad hoc und lediglich für meine Zwecke) ›kapitalistischen Geist‹ getauft habe, kommt es ganz offenbar darauf an, wem die Toleranz im konkreten Fall zugute kam.« Waren das, so fügt er hinzu, die asketischen Richtungen im Protestantismus, so wirkten sie regelmäßig im Sinne der Verbreitung dieses Geistes; aber diese Wirkung war nicht eigentlich Folge der Toleranz als solcher: »wo ›asketische‹ protestantische Denominationen mit anderen christlichen Denominationen gleichberechtigt konkurrieren, war die Regel, daß die ersteren die Träger des Geschäftslebens sind«.

Das ist wieder einmal das bewährte Fechterstückchen, – einen Popanz herzustellen, als Meinung des Gegners auszugeben und wacker drauf los zu pauken. Wo habe ich denn auch nur mit einem Wort die Toleranz als solche als Trägerin »kapitalistischen Geistes« oder als wirkende Ursache kapitalistischer Entwicklung hingestellt? Wer immer meine Abhandlung mit einiger Aufmerksamkeit gelesen hat, wird mir zugestehen, daß ich die Toleranz für die ökonomische Entwicklung lediglich zu den kulturfördernden Faktoren rechne. Ich muß es mir doch sehr verbitten, daß mir eine so »kindliche Psychologie« zugeschrieben wird, als ob ich meinte, es gäbe einen überall gleichmäßig vorhandenen und normalen Erwerbstrieb, der mit dem Wegfall kirchlicher Bindungen sofort eo ipso in Aktion träte. Kann man mit Gegnern, die mit derartigen Suppositionen arbeiten, überhaupt noch diskutieren? Mit solchen Ungereimtheiten haben meine Ausführungen über Toleranz und Wirtschaft nichts gemeinsam. Ich habe lediglich [oben S. 116 ff.] ausgeführt, wie für die ökonomischen Schicksale der großen Nationen das Verhältnis von Einfluß war, in welchem bei ihnen Religion und Politik standen, und wie die freiere Gestaltung dieses Verhältnisses in der Tendenz zur Ausbildung einer staatlichen Toleranz in religiösen Dingen dem wirtschaftlichen Gedeihen der protestantischen Völker Vorschub leistete; sie war der Boden, dessen der kapitalistische Geist bedurfte, um feste Wurzel zu fassen und nicht der Verkümmerung ausgesetzt zu sein, und das ist nicht Konstruktion, sondern historische Tatsache.

Es ist selbstverständlich, daß da, wo die reformierte Ethik unter der Herrschaft des Toleranzprinzips die ökonomische Entwicklung vorwärts getrieben hat, das »nicht einfach Folge der Toleranz als solcher war«. Ich gebe auch weiterhin zu, daß unter der Herrschaft der Toleranz reformierte und pietistische Minderheiten vielfach vor den anderen christlichen Gruppen einen Vorsprung gewonnen haben, Träger kapitalistischer Entwicklung geworden sind, und daß dafür ihre spezielle Berufsethik eine Rolle gespielt haben mag.[21] Aber leugnen muß ich, daß es da, »wo ›asketische‹ protestantische Denominationen mit anderen christlichen Denominationen gleichberechtigt konkurrierten, die Regel war, daß die ersteren die Träger des Geschäftslebens sind«. Wenn Weber jetzt abermals diese Behauptung ausspricht, so ignoriert er einfach denjenigen Teil meiner Abhandlung, worin ich für die Länder Westeuropas und für die Vereinigten Staaten von Nordamerika nachgewiesen habe, daß Weber und Troeltsch die Bedeutung des Kalvinismus, sowohl des genuinen als auch des puritanischen, für die Entwicklung des »Geschäftslebens« übertreiben, daß vielmehr als Träger des kapitalistischen Geistes und der Kapitalbildung libertinistische, rationalistische, indifferente und aufklärerische Elemente in viel größerem Umfang in Betracht kommen, als man nach diesen beiden Autoren annehmen sollte.[22]

Es lohnt sich, die Antikritik WEBERS, insoweit sie sich mit diesem Teil meiner Abhandlung beschäftigt, etwas schärfer unter die Lupe zu nehmen. Ich richte, so hält er mir vor, das Augenmerk viel zu sehr auf die »großen Geldleute, die ökonomischen Übermenschen«, während doch die Repräsentanten des kapitalistischen Geistes vielmehr gerade »in den bürgerlichen aufstrebenden Mittelständen« zu suchen sind, welche die Träger der puritanischen Lebensauffassung waren. Gewiß kann auch ein Flickschuster in der Verwertung seiner Arbeit Gaben entfalten, die man »kapitalistischen Geist« zu nennen sich versucht fühlen möchte: aber sollten sich nicht – wir kommen noch darauf zu sprechen – Untersuchungen über die Geschichte des »kapitalistischen Geistes« lieber solche Verhältnisse zum Objekt wählen, wo wirklich der Kapitalismus das Substrat des »kapitalistischen Geistes« ist? Die »bürgerlichen Mittelklassen«, wie sehr sie auch aufstrebten, ihre ökonomische und soziale Position verbesserten, sind doch als solche nicht zu Trägern des Kapitals und des kapitalistischen Systems geworden, und so dürfte es für Fragen, die im weitesten Umfang mit der Geschichte des Kapitals zusammenhängen, doch geraten sein, den Blick vornehmlich auf die »großen Geldleute« und »auf die ökonomischen Übermenschen« zu lenken, d. h. auf die Entstehung der großen Vermögen[23], und den »Geist« zu ergründen, der dabei wirksam war.

Einen ernsthaften Versuch, meinen Nachweis, daß kapitalistische Entwicklung und »kapitalistischer Geist« in seinem Sinn keineswegs in dem von ihm angedeuteten Verhältnis stehen, im einzelnen zu bestreiten, hat WEBER nicht einmal gewagt. Was Frankreich betrifft, so begnügt er sich mit dem Ausruf: »Noch schlimmer freilich, daß er (sc. RACHFAHL) von der Bedeutung des Hugenottentums und seiner Beziehungen zur Industrie einfach gar nichts weiß!« Noch nie ist mir meine Ignoranz so fürchterlich zum Bewußtsein gekommen. Für England hatte ich darauf hingewiesen, daß Kapitalismus und »kapitalistischer Geist« schlechthin bereits im 16. Jahrhundert wirksam waren, also vor dem Eindringen der reformierten Berufsethik, und daß auch später, unbeeinflußt von dieser, Kapitalismus und kapitalistischer Geist ihre Wege gegangen sind. Das veranlaßt WEBER abermals zu einem Ausruf, der meine ganze Torheit an den Pranger stellt: »Was aber ist das für ein Methodiker, der die sonderbare These aufstellt: in England sei die ›Existenz des kapitalistischen Geistes auch ohne dies‹ (das religiöse Moment) zu *begreifen,* ›obschon wir *keineswegs* seinen Einfluß leugnen wollen‹. Also ein ›Moment‹, welches kausal wichtig war, welches aber *dennoch* der ›Historiker‹ auch als irrelevant beiseite lassen kann, wenn er jenen Zusammenhang ›begreifen‹ will.« Was mit meinem Satz gesagt sein sollte, ist wohl jedermann klar, außer dem wahren »Methodiker« WEBER: der kapitalistische Geist ist nicht einfach, wie WEBER behauptet, in England aus der kalvinistischen Berufsethik hervorgegangen; aber diese kann seine Ausbildung in der Folgezeit gefördert und seine Wirkungen erhöht haben.

Aber nicht nur als »Methodiker« erregte ich WEBERS Anstoß, sondern auch als »Historiker«. Weil mir die puritanische Berufsethik, so läßt sich WEBER vernehmen, nicht sympathisch ist und nicht in das begriffliche Schema hineinpaßt, welches ich mir vom Gang der Entwicklung der protestantischen Ethik gemacht habe, »wie er – eigentlich hätte sein sollen«, bewerfe ich sie mit Werturteilen, wie Verzerrung u. dgl.; entrüstet fragt er: »Was ist das für eine Art von ›Historiker‹?« Der Satz, dem WEBERS Entrüstung gilt, lautete [oben S. 113]: »Und gewisse Eigenschaften, die WEBER bereits im puritanischen Kapitalismus feststellt, wie selbstgerechte und nüchterne Legalität, Bewußtsein der Tadellosigkeit, formalistisch harter Charakter, pharisäisch gutes Gewissens usw., sind, wenn sie wirklich von ihren Trägern aus der kalvinischen Berufsethik abgeleitet, oder, wenn diese von ihnen als Rechtfertigung und Basis solcher Handlungsweise herangezogen wurde, als Auswüchse und Verzerrungen zu bezeichnen, als eine Verkümmerung des wahren Wesens reformierter Sittlichkeit.«

Man erkennt aus dem Wortlaut, aus dem beigefügten Wörtchen »wirklich«, daß ich hier nur hypothetisch spreche[24]; ich lasse deutlich genug den Zweifel durchblicken, ob diese Züge, wenn sie sich gleich im puritanischen Kapitalismus finden, so ohne weiteres auch zur puritanischen Berufsethik gehören. Wenn mir Herr Weber auf diese Sachlage hin die Qualität als »Historiker« abspricht, so werde ich das zu ertragen wissen; darin aber eine »Bewerfung« puritanischer Ethik[25] zu erblikken, dazu gehört eine Aufgeregtheit, die Augenmaß und billiges Urteil ganz und gar geraubt hat.

Nicht minder unsubstantiiert ist Webers Antikritik hinsichtlich der Entwicklung in den Vereinigten Staaten. Er hilft sich hier mit einer längeren Anmerkung [oben S. 177, Anm. 15], worin er sich in Erörterungen ergeht, die mit dem, was ich ihm entgegengehalten habe, zum Teil keine Beziehung haben, und auf die ich einzugehen daher keinen Anlaß habe.[26] Hier insbesondere variiert er das Thema, daß sein Habitus des kapitalistischen Geistes es gar nicht mit dem Großkapitalismus zu tun habe. Für die Existenz eines »kapitalistischen Geistes« in Nordamerika im 17. Jahrhundert, der diesen Namen verdienen würde, bringt er auch jetzt noch keinen Nachweis, sondern nur dafür, daß hier ein Geist des Fleißes, der Sparsamkeit, Strebsamkeit und ernster Berufsauffassung gewaltet hat; darin aber wird man schwerlich schon die Spuren eines »kapitalistischen Geistes« entdecken und höchstens daraus schließen, daß Webers Habitus »kapitalistischen Geistes« gar nicht als »kapitalistischer Geist« gelten kann. Es ist ihm sehr unangenehm, daß ich ihn darauf festgenagelt habe, daß er hier aus der frühen Blüte des Handwerks auf die Existenz kapitalistischen Geistes geschlossen hat. Da zieht er denn flugs wieder meine Historiker-Qualität in Zweifel: »daß ein Historiker kein Unterscheidungsvermögen für die ökonomischen Existenzbedingungen des Gewerbes in einem *Kolonial*land, wie das alte Neuengland es war, und im europäischen *Mittel*alter hat – wie die höhnische, aber meines Erachtens etwas lächerliche Bemerkung [oben S. 103] zeigt – ist schlimm genug«. Hier handelt es sich einfach um die Frage, ob kapitalistischer Geist nachweisbar ist, und aus einer noch so frühen Blüte des Handwerkes darf das eben noch nicht geschlossen werden. Das Handwerk des deutschen Mittelalters mußte sich gleichfalls aus primitiven ökonomischen Bedingungen, aus dem Zustand der Naturalwirtschaft heraus in die Höhe arbeiten, wie das im amerikanischen Kolonialland; im Gegenteil konnten hier durch die Beeinflussung von Europa aus mit seinen entwickelteren Zuständen viel schnellere Fortschritte erzielt werden. Die Quintessenz der Ansichten Webers über das Verhältnis von puritanischem Lebensstil und kapitalistischem System in Nordamerika gibt jetzt der folgende Satz [oben S. 182, Anm. 26]: »Ich habe aus dem Auftauchen des ›kapitalistischen Geistes‹ (in meinem Sinne!) an einer Stelle, wo die ökonomischen Bedingungen dafür (*damals* noch!) so ungünstig wie möglich waren, gerade geschlossen, daß die Methodik der Lebensführung, welche (damals) Neuengland und Pennsylvanien beherrschte, von sich aus die Antriebe dazu in sich barg. Daß ein solcher Keim dann der erforderlichen ›Bedingungen‹ bedurfte, um zur Entstehung eines kapitalistischen ›Wirtschaftssystems‹ mitwirken (*mit*wirken!) zu können... habe ich... gesagt.« Tatsächlich sind für die Entstehung und Entwicklung des kapitalistischen Wirtschaftssystems, als die »Bedingungen« dafür gegeben waren, in Nordamerika in der Hauptsache ganz andere Faktoren maßgebend gewesen, und die Mitwirkung der »Methodik der Lebensführung« war, wenn sie stattfand, eine recht bescheidene.

Am luftigsten sind die Vorstellungen, die sich Weber über den Gang der Dinge in Holland gebildet hat, und der Kommentar, den ich dazu geliefert habe, hat Webers hellsten Zorn entfacht. Ich muß hier etwas länger verweilen, zumal da Weber für Holland – abermals mit Freundeshilfe – ein neues Argument vorgebracht hat, dem er zugleich eine fundamentale Bedeutung für seine These überhaupt zuschreibt. Weil er in dem bekannten Ausspruch, »die Ketzerei« begünstige den Handelsgeist, unter »Ketzerei« schlechtweg Kalvinismus verstand, hatte ich ihm bedeutet, daß er von der eigentlichen Art der holländischen »Ketzerei« wenig wisse. Darüber ist er sehr entrüstet. Er nennt das »ein starkes Stück«, da ich selber »*nichts* Neues von Belang« darüber beigebracht habe, und erwidert, daß er sehr wohl vom Arminianismus in den führenden Schichten des holländischen Großbürgertums geredet habe. Ich kann darauf nur antworten, daß das Problem der »holländischen Ketzerei« mit dem späteren Gegensatz zwischen Arminianismus und kalvinisch-orthodoxer Theologie noch keineswegs erschöpft ist.[27] Mit welcher Kunst es WEBER versteht, aus den Schriften des Gegners etwas ganz anderes herauszulesen, als drin steht, dafür hier ein besonders schlagendes Beispiel. Ich hatte [oben S. 99] von dem »Sieg« gesprochen, den die Orthodoxie mit Hilfe des Prinzen MORITZ und einer bestimmten Amsterdamschen Kapitalistenklique auf der Synode zu Dordrecht über den Arminianismus errang, und hinzugefügt, daß ihr dieser »Sieg«, da sie ihn nicht aus eigener Kraft gewonnen hatte, keine Frucht auf die Dauer zu bringen vermochte: es ist bekannt, daß die Orthodoxie trotz ihres damaligen Triumphes nicht einmal den Arminianismus auszurotten, geschweige denn eine wirkliche Herrschaftstellung durch Unterdrückung aller abweichenden freieren Regungen zu behaupten im Stande war. Damit habe ich natürlich nicht bestreiten wollen, daß sie auch weiterhin noch große Massen hinter sich hatte, ein starker Machtfaktor blieb; aber sie hat weder dem Staat noch auch der Kultur in Holland ihr eigentümliches Gepräge aufzudrücken vermocht. Was macht WEBER [oben S. 177, Anm. 15] daraus? »Daß ein Historiker von den Dordrechter Dekreten als von etwas für Holland fast Irrelevantem reden kann, ist nur verständlich, wenn er von der modernen holländischen Kirchen- und politischen Geschichte keine Ahnung hat.« Jede Bemerkung darauf ist überflüssig. Kurz zuvor hatte er bezweifelt, daß ich über die holländischen Dinge mehr wisse als er. Das ist sehr unvorsichtig, denn das gibt immerhin der Deutung Raum, daß der eine ungefähr soviel wisse wie der andere, und da er mir andererseits hinwiederum vorwirft, daß ich »gar keine Ahnung« habe, so könnte man daraus den Schluß ziehen, daß es nach seinem eigenen Eingeständnis mit seiner Kennerschaft auf diesem Gebiet nicht gerade von sehr weit her ist.

Aber WEBER hat noch einen neuen Beweis nicht nur für die Richtigkeit seiner Auffassung der holländischen Verhältnisse, sondern auch für seine These überhaupt. Er hat ihn nicht selbst gefunden; er verdankt ihn der Mitteilung seines »Herrn Kollegen H. LEVY«, wodurch also die »besonders glücklich sich ergänzende Arbeitsgemeinschaft in Heidelberg« um ein neues Mitglied bereichert worden ist. Das von Herrn LEVY gelieferte Argument stammt aus PETTYS Political Arithmetic (S. 23), einem Werk, das ich, wie WEBER mir strafend vorhält, doch sonst »recht gut« kenne und sogar einmal als Autorität gegen ihn, wenngleich »sehr verkehrter Weise«, verwertet habe. Indem nämlich PETTY davon spricht, daß die Holländer mit Spanien gebrochen hätten, um dem Druck des Klerus zu entrinnen, fährt er fort: »Dissenters of this kind, are for the most part, thinking, sober and patient Men, and such as believe that Labour and Industry is their Duty towards God.« Triumphierend ruft WEBER nun aus: »Mir scheint fast, daß die Stelle so sehr geeignet ist, eine der Grundthesen meines Aufsatzes zu einem, leider unbewußten, *Plagiat an* PETTY zu stempeln, daß ich dem Leser die Wahl zwischen der Autorität PETTYS und derjenigen meines modernen Kritikers überlassen darf, und scheide also meinerseits aus dieser Diskussion aus.« Ich freue mich einerseits, WEBER von diesem Selbstvorwurf des Plagiats entlasten zu dürfen, bedaure aber andererseits lebhaft, nicht zugestehen zu können, daß er aus der Diskussion ausscheidet. Denn was sagt denn PETTY eigentlich? Nichts weiter, als daß die Holländer »Arbeit und Fleiß« als ihre Pflicht gegen Gott betrachten. Das hat aber nichts mit irgendwelcher »asketischer Berufsethik« zu tun; das hat auch LUTHER gelehrt, der dem Christenmenschen den Müßiggang verbot, nicht nur, um der Übung seines Leibes willen, sondern seiner göttlichen Bestimmung halber, weil er »zum Arbeiten geboren ist, wie der Vogel zum Fliegen«.[28] Keinesfalls hat das etwas mit dem »kapitalistischen Geist« von irgendwelchem »Habitus« zu tun; es gilt ebensogut für den Tagelöhner, der von der Hand in den Mund lebt, und hat nicht im geringsten etwa die Bedeutung, wie die von WEBER herangezogenen Aussprüche BAXTERS über die Profitlichkeit des Kapitals. Daß PETTY dabei an Kapitalismus und Kapitalisten nicht denkt, zeigt der bei ihm auf die zitierte Stelle folgende Passus: »These people believing the Justice of God, and seeing the most licentious persons, to enjoy most of the World, and its best Things, will never venture to be of the same Religion, and Profession with Voluptuaries, and Men of extreme Wealth and Power, who they think have their Portion in this World.« WEBER verbirgt diese Stelle keineswegs vor dem Leser; er findet sich aber mit ihr in seiner Weise ab, indem er eben daraus schließt, die Träger des kapitalistischen Geistes (daß es sich darum handelt, wird einzig aus den Worten labour and industry geschlossen) seien eben nicht die Großkapitalisten, sondern deren Gegner, die wesentlich breiteren Schichten bürgerlicher, aufsteigender Mittelstände. Dabei passiert ihm das Mißgeschick, daß er die Worte »these people«, welche sich offenbar auf die Holländer zur Zeit des Aufstandes beziehen, ganz sinnwidrig glossiert: »nämlich die puritanischen Dissenter« [oben S. 160]. Die »holländische Ketzerei« zur Zeit des Bruches mit Spanien hat mit den puritanischen Dissenters gar nichts zu tun, und WEBER »hob« ja, wie ihm TROELTSCH [oben S. 190] bezeugt, »ausdrücklich hervor«, daß es sich bei seiner These »nicht um eine unmittelbare Wirkung des primitiven Genfer Kalvinismus, sondern um eine solche des späteren puritanischen Kalvinismus handle«. Oder gibt TROELTSCH hier einmal wieder WEBERS Intentionen unrichtig wieder? Keinesfalls ist es leicht, aus diesem Labyrinth der Irrsale und Widersprüche einen Ausweg zu finden. Dazu kommt aber noch etwas ganz anderes: PETTY schrieb sein Buch etwa hundert Jahre nach dem Bruch Hollands mit Spanien, zu einer Zeit, da die Engländer bereits die Holländer zu überflügeln begannen und jene Entwicklung einsetzte, derzufolge der Holländer vom Unternehmer »kapitalistischen Geistes« zum Rentner, d. h. zum Kapitalisten des »traditionalistischen« Typus WEBERS, herabsank; er kann also keineswegs als eine Quelle für diejenige Epoche der holländischen Wirtschaftsgeschichte angesehen werden, in welche die eigentlichen Manifestationen kapitalistischen Geistes für Holland fallen; was er gibt, trägt überhaupt den Charakter einer zufälligen subjektiven Bemerkung, und er denkt dabei an eine bestimmte – nicht kapitalistische – Klasse der holländischen Bevölkerung zu seiner eigenen Zeit, der er ganz willkürlich für die Ausbildung des Toleranzgedankens in Holland eine Bedeutung zuschreibt, die den tatsächlichen Verhältnissen nicht unbedingt entspricht. Aber solche Erwägungen verursachen dem korrekten »Methodiker« WEBER keine Bedenken. Wie man sieht, hat WEBER mit seinen freiwilligen Mitarbeitern wenig Glück; er sollte sich doch ihre Beiträge etwas näher ansehen, ehe er sie, allzu gutgläubig, akzeptiert. Und der neueste Akt »soziologischer Befruchtung des wissenschaftlichen Denkens gerade dieser Südwestecke Deutschlands« hat ein recht bescheidenes Produkt gezeitigt.[29]

V

Ich komme jetzt zum Hauptvorwurf, den WEBER meiner Kritik macht, und in den TROELTSCH natürlich [oben S. 190 f.] einstimmt, gleich als ob er nie den Genossen mißverstanden hätte, daß ich nämlich gegen etwas polemisiere, was er (WEBER) nun und nimmer gesagt hätte. Niemals, so betont WEBER mit Energie, habe er behauptet, daß man das kapitalistische Wirtschaftssystem aus religiösen Motiven überhaupt oder aus der Berufsethik des »asketischen« Protestantismus ableiten könne. Er selber habe, wie er hinzufügt, diese Unterstellung »töricht« genannt und hervorgehoben, daß es kapitalistischen Geist ohne kapitalistische Wirtschaft und umgekehrt geben könne: trotzdem hätte ich in meiner Kritik diese »Unterstellung« gegen ihn gebracht.

Nichts ist unrichtiger als das. Ausdrücklich habe ich im

Eingang meines Resumés seiner Theorie [oben S. 58 f.] erklärt: »Nicht als ob WEBER den Kapitalismus schlechthin aus dem Kalvinismus ableiten wollte. Er verwahrt sich dagegen, ›eine so töricht-doktrinäre These‹ verfechten zu wollen, ›wie etwa, daß der kapitalistische Geist oder wohl gar der Kapitalismus nur als Ausfluß bestimmter Einflüsse der Reformation hätte entstehen können‹.«

Wenn es auch kapitalistischen Geist ohne kapitalistisches Wirtschaftssystem geben kann, so hat es doch für die Wirtschaftsgeschichte der Neuzeit nur Wert, den Manifestationen kapitalistischen Geistes nachzugehen, wenn er von der Tendenz getragen war und dazu beigetragen hat, Kapital zu sammeln, das kapitalistische Wirtschaftssystem zu statuieren, aufrecht zu erhalten und auszubauen. Und gewiß hat WEBER ausgesprochen, daß es kapitalistische Wirtschaft ohne kapitalistischen Geist gebe. Ich habe ihm aber gar nicht »unterstellt«, daß er das kapitalistische Wirtschaftssystem nur aus religiösen Motiven abgeleitet habe; bloß darauf habe ich vielmehr aufmerksam gemacht, daß es bei WEBERS Fassung des kapitalistischen Geistes unendlich viel Kapitalismus gibt, der ohne kapitalistischen Geist entstanden sein müßte, und daß sein »kapitalistischer Geist« eben nicht imstande ist, die Kapitalbildung und das kapitalistische Wirtschaftssystem der Neuzeit auch nur annähernd zu erklären, daß er ihm weiterhin einen viel zu großen Einfluß auf diesem Gebiet zugeschrieben hat.

Es ist aber nicht nur eine falsche Unterstellung, so setzt WEBER auseinander, wenn man ihm vorwirft, er hätte den Kapitalismus der Neuzeit aus der Reformation ableiten wollen, sondern auch wenn man von ihm behauptet, daß er das gleiche bezüglich des kapitalistischen Geistes für die Neuzeit versucht hätte: keineswegs habe er die ursprünglich religiös bedingten Momente asketischen Charakters mit dem kapitalistischen Geist identifiziert, sondern sie nur als *einen* konstitutiven Bestandteil *neben* andern hingestellt. Es war, wie er versichert, lediglich sein Ziel, »eine bestimmte konstitutive Komponente des Lebensstiles, der an der Wiege des modernen Kapitalismus stand, an dem sie – mit zahlreichen anderen Mächten – mitgebaut, zu analysieren und in ihren Wandlungen und ihrem Schwinden zu verfolgen«. Der kapitalistische Geist, wie er ihn versteht, ist also nicht der kapitalistische Geist der Neuzeit in seinem ganzen Umfang, sondern nur eine bestimmte Art oder ein bestimmter »Habitus kapitalistischen Geistes«, der durch Aktivität im Berufsleben und asketischen Sparzwang charakterisiert wird, und nur diesen will er auf Wesen, Herkunft und Wirkungen untersuchen. Kapitalistischer Geist ist ihm somit identisch mit Berufsethik, angewandt auf das Erwerbsleben und verbunden mit aksetischem Sparzwang. Die ganze Frage spitzt sich [oben S. 157] für ihn zu nach der Entwicklung desjenigen Habitus, den er (ad hoc und lediglich für seine Zwecke) ›kapitalistischen Geist‹ getauft hat. Und feierlich wäscht er seine Hände in Unschuld, wenn seine scheinbaren Anhänger durch eine falsche Auffassung seiner These Unheil gestiftet haben: »Dafür verantwortlich zu sein, wenn andere die von mir ausdrücklich und mit denkbar größtem Nachdruck als eine Einzelkomponente bezeichneten religiösen Momente verabsolutieren und mit dem ›Geist‹ des Kapitalismus überhaupt identifizieren oder gar den Kapitalismus daraus ableiten, – habe ich schon einmal abgelehnt. Ein solcher Versuch wird nicht dadurch bekämpft, daß man eine Reihe *anderer* Komponenten aufzählt, die zu jeder Zeit kapitalistische Expansion begleitet haben, wie kein Mensch bezweifelt.«

Der »kapitalistische Geist«, von dem Weber gehandelt hat, ist also gar nicht der »kapitalistische Geist« schlechthin, sondern eine besondere Spezies von »kapitalistischem Geist«, der erst in der Neuzeit aufgekommen ist[30], oder anders ausgedrückt, ein Zug des allgemeinen kapitalistischen Geistes, den dieser in der Neuzeit unter dem Einfluß des »asketischen« Protestantismus angenommen hat; daneben ist auch der ältere Typus bestehen geblieben. Webers »kapitalistischer Geist« ist also nicht einmal identisch mit dem »kapitalistischen Geist« der Neuzeit in seiner Totalität. Er bedeutet lediglich eine Redefigur, und zwar diejenige, die man schulgemäß pars pro toto nennt. Noch niemals hat sich WEBER so bestimmt und klar über das Verhältnis seines kapitalistischen Geistes zum kapitalistischen Geist überhaupt ausgesprochen, mit aller Schärfe anerkannt, daß es sich dabei nur um einen besonderen Zug, eine bestimmte Nuance des kapitalistischen Geistes auch in der Neuzeit handelt. Er hat sich vielmehr bisher über diesen Punkt nur ziemlich schwer faßbar geäußert; denn sonst hätte er doch wohl nicht allein von seinen Gegnern, sondern auch gerade von seinen Anhängern so bedauerlich mißverstanden werden können; wir kommen darauf noch bald zurück. Früher hatte er[31] gesprochen von der aus dem Geist der christlichen Askese geborenen rationalen Lebensführung auf Grund der Berufsidee als einem »konstitutiven Bestandteil des kapitalistischen Geistes«. Dieser Ausdruck ließ noch zwei Deutungen Raum. Wollte er damit sagen: das religiös-asketische Moment und das Produkt seiner Säkularisation ist im modernen kapitalistischen Stil eine konstitutive Komponente, und zwar, wie er jetzt ausdrücklich betont, »neben anderen«, und nämlich solchen (so fügen wir hinzu), die ihm gleichwertig sind? Oder gibt es andere gleichwertige Komponenten nicht, so daß es ein konstitutiver Faktor ist, nämlich in dem Sinne, daß es ein Faktor neben anderen ist, aber *der* konstitutive, durch den schließlich das Wesen des kapitalistischen Geistes in der Neuzeit bestimmt wird? Ich glaube, daß die zweite Deutung ursprünglich seinen Intentionen in höherem Grade entsprach. Denn das bezeichnete er ja von Anfang an als seine Aufgabe, die religiösen Einflüsse festzustellen, die »bei der qualitativen Prägung und quantitativen Expansion« des kapitalistischen Geistes mitbeteiligt gewesen sind. M. a. W.: er nahm an, daß bestimmte Züge, die für das Wesen des kapitalistischen Geistes der Neuzeit charakteristisch seien, aus den von ihm ins Auge gefaßten religiösen Momenten stammten, und daß diese weiterhin die räumliche Verbreitung des Kapitalismus, wo wir ihn immer seit der Reformation diesseits und jenseits des Ozeans finden, zum mindesten stark gefördert haben.

Demgegenüber muß ich feststellen: ich habe nirgends die von WEBER reprobierte Identifikation von Bestandteilen, die aus religiös-»asketischer« Wurzel stammen, und kapitalistischem Geist der Neuzeit überhaupt vorgenommen. Ich habe im Gegenteil stets zwischen »kapitalistischem Geist« im Sinne WEBERS und »kapitalistischem Geist« im üblichen Sinn oder schlechthin unterschieden. WEBER hat diese meine Ausführungen, indem er sie zitierte, mit einem Ausrufungszeichen versehen; er wird aber wohl nicht behaupten wollen, daß der Begriff vom kapitalistischen Geist, wie er ihn geprägt hat, der »übliche« sei; denn bisher hat noch niemand asketisches Verhalten gegenüber dem Reichtum (wie WEBER das beim Unternehmer »neuen Stils« getan hat) als ein wesentliches Merkmal des Begriffs vom kapitalistischen Geist gehalten. Ich leugne es nicht, daß diese Verbindung oft genug vorkommen mag, und daß sie in hohem Grade geeignet ist, wo sie vorhanden ist, sei es bei einem einzelnen, das Emporkommen, sei es, wo sie gleichsam als Massenerscheinung auftritt, die kapitalistische Entwicklung ganzer Gruppen und der gesamten Volkswirtschaft zu fördern. Charakteristisch ist sie aber nicht für das Wesen des kapitalistischen Geistes, wie sehr sie auch seine Wirksamkeit zu verstärken imstande ist, und er vermag ihrer auch recht gut zu entraten, wo er sonst mit der nötigen Intensität ausgestattet ist, und wo schon vorhandene Kapitalansammlung es erlaubt.

Keineswegs habe ich somit, um den von WEBER gebrauchten Ausdruck zu akzeptieren, die von ihm als Einzelkomponente bezeichneten religiösen Momente »verabsolutiert«. Ich habe nur darauf hingewiesen, daß diese Einzelkomponente nicht bestimmend ist für das Wesen des kapitalistischen Geistes in der Neuzeit, daß sie also keine »konstitutive« Bedeutung hat, und daß sie nicht entfernt ausreicht, das kapitalistische System der Neuzeit zu erklären. Eben dies gibt ja WEBER jetzt selber zu, wenn er jetzt ausführt [oben S. 165 ff.]: Der kapitalistische Geist, mit dem er sich beschäftige, beziehe sich gar nicht auf die großkapitalistische Entwicklung: von jeher gebe es den Typus der skrupellosen moneymaker vom Altertum an bis zum Imperialismus der City. Mit andern Worten: Es gibt, wie Troeltsch [oben S. 190 f.] sagt, einen zu allen Zeiten wirksam gewesenen Erwerbstrieb[32], der aber für den »kapitalistischen Geist« als nichts spezifisch modern-kapitalistisches außer Acht bleiben kann.

Demgemäß erklärt es Weber [oben S. 177, Anm. 15] für falsch, wenn bei der Untersuchung über die Geschichte des kapitalistischen Geistes, das »Auge nur an den, in *Nichts* Wesentlichem von den Erscheinungen aller Zeiten und Länder unterschiedenen großen Geldleuten haftet« ... »Es sind eben *nicht* die, in *allen* Zeitaltern kommerzieller oder kolonialer Expansion immer wiederkehrenden ganz großen Konzessionäre und Monopolisten: ökonomische ›Übermenschen‹, sondern deren *Gegner*: die wesentlichen Schichten bürgerlicher, *aufsteigender Mittelstände,* welche typische Träger der puritanischen Lebensauffassung waren.« Den Inhalt des letzten Satzes wird niemand bezweifeln, wohl aber, worauf wir schon hinwiesen, daß diese Mittelklassen allgemein wieder Quelle und Träger des Reichtums geworden sind, und wir werden weiterhin fordern müssen, daß eine Untersuchung, die sich mit der Entwicklung des kapitalistischen Geistes in der Neuzeit beschäftigt, die »ganz großen Konzessionäre und Monopolisten, die ökonomischen Übermenschen« nicht unter den Tisch fallen lasse: denn Träger kapitalistischen Geistes sind sie ohne Zweifel gewesen, und es kann noch viel weniger Ungewißheit darüber herrschen, wer für die Ausbildung des kapitalistischen Systems mehr geleistet hat, sie oder die aufstrebenden bürgerlichen Mittelklassen. Mit Emphase erinnert Weber daran, er habe stets betont, »daß der ganze *Typus,* wie ihn die großen italienischen, deutschen, englischen, holländischen und überseeischen Finanziers darstellen, eben ein Typus ist, den es gegeben hat, *solange wir überhaupt eine Geschichte kennen,* der in seiner Eigenart schlechterdings *gar nichts* dem ›Frühkapitalismus‹ der Neuzeit irgendwie Charakteristisches ist«. Wenn diese Elemente für Weber bei seinen Studien über die Geschichte des kapitalistischen Geistes in der

Neuzeit ausscheiden, so ist das ungefähr dasselbe, wie wenn jemand über das »Pferd« schreiben will; aber er bemerkt von vornherein: ich verstehe unter »Pferd« nur Schimmel; wo man bei mir von »Pferden« liest, sind also nur »Pferde in meinem Sinne«, d. h. Schimmel, zu verstehen. Vielleicht findet WEBER dieses Niveau meiner Argumente wieder einmal zu »niedrig«, oder auch zu »trivial« oder »subaltern« (zur Abwechslung würde ich hier »banausisch« vorschlagen); aber es ist schwer, in solchem Fall nicht drastisch zu werden. Zum mindesten hätte WEBER seinen Lesern und zumal seinen Anhängern manche fatale Mißverständnisse erspart, wenn er von Anfang an, um seine These hier nun einmal ganz schlicht wiederzugeben, seine Aufgabe klar und deutlich dahin bestimmt hätte: es hat sich unter dem Einfluß reformierter Berufsethik eine bestimmte Abart kapitalistischen Geistes im Laufe der Neuzeit entwickelt; ich will ihren Ursprung, die Grenzen ihrer Expansion feststellen, sowie der Frage der »qualitativen Prägung« nachgehen, d. h. zu ermitteln trachten, ob der »kapitalistische Geist«, der das kapitalistische Wirtschaftssystem der Gegenwart geschaffen hat, aus dieser Quelle bestimmte Züge empfangen hat, die für sein Wesen von »konstitutiver« Bedeutung geworden sind.

Nehmen wir einmal an, daß sich WEBER das Problem in dieser Formulierung gestellt hätte, und sehen wir zu, was er zu seiner Lösung beigetragen hat. Wertvoll ist seine Untersuchung über den Ursprung des Sondertypus, dem er nachgeht aufgrund seiner Analyse der einschlägigen religiösen Schriften, wenngleich man ihm nicht folgen kann, wenn er dabei die reformierte Berufsethik als eine »Askese« bezeichnet. Dagegen war ich nicht in der Lage, mich seinen Ausführungen über die räumliche Expansion des kapitalistischen Geistes in seinem Sinn anzuschließen. Ich hatte darauf hingewiesen, daß sie teils zu unbestimmt, teils zu weitgehend waren, und daran die Forderung geknüpft, daß wenigstens der Versuch gemacht würde, die Stärke ihrer Wirkung im Verhältnis zu der anderer Komponenten des kapitalistischen

Geistes im allgemeinen Sinn abzuschätzen. Das bezeichnet Weber nunmehr als eine »schwerlich lösbare Aufgabe«; er fügt hinzu: »Rachfahls Zumutung vollends, hier eine Art Statistik zu treiben, halte ich meinerseits, und muß jeder... für etwas reichlich harmlos halten.« Ein neuer Beleg dafür, wie Weber mit den Argumenten des Gegners umspringt! In seinen Aufsätzen hatte Weber bemerkt, daß, was den Einfluß des Kalvinismus auf die Kapitalbildung anlange, ziffernmäßig naturgemäß »jede exakte Bestimmung« unmöglich sei; das hatte ich mit den Worten glossiert: »Immerhin hätte der Versuch einer approximativen Schätzung gemacht werden können.« Was ich damit sagen wollte, liegt auf der Hand; der Nachdruck liegt auf der Gegenüberstellung von »exakter Bestimmung« und »approximativer Schätzung«. Natürlich wäre es Unsinn, wenn man daran gehen wollte, Tragweite und Wirkungen eines »weltanschauungsmäßigen Motivs zu *messen*«. Das habe ich aber auch gar nicht gefordert; ich habe nicht von »messen« gesprochen, sondern von »schätzen«. Was ich verlangte, das lief darauf hinaus: die kapitalistischen Erscheinungen in Holland, England und Nordamerika daraufhin zu prüfen, ob bei ihrer Entstehung die reformierte Berufsethik beteiligt war oder beteiligt sein konnte, und in welchem Verhältnis ungefähr zu den anderen »Komponenten« kapitalistischen Geistes. Es hätte sich dann herausgestellt, und ich habe in meiner Abhandlung das angedeutet, indem ich die Skizze einer solchen »approximativen Schätzung« dort gab, daß bei einer großen Masse kapitalistischer Phänomene der Einfluß der Weberschen »Askese« direkt ausgeschlossen ist, so daß der in den genannten Ländern tatsächlich vorhandene Kapitalismus gar nicht auf eben dieses Moment ohne weiteres zurückgeführt werden kann. Weber und Troeltsch hatten sich in dieser Hinsicht ihre Aufgabe von vornherein viel zu leicht gemacht, indem sie für die Länder reformierten Bekenntnisses in so unbestimmter und weitgehender Fassung von den Wirkungen des religiösen Momentes sprachen, den Anteil der libertinistisch, aufklärerisch und religiös indifferent gesinnten Elemente an der kapitalistischen Entwicklung daselbst so vollkommen ignorierten, daß da eine ins einzelne gehende Prüfung der Verhältnisse unumgänglich notwendig wurde.[33] Größere Exaktheit war da sehr wohl zu fordern; von einer »ziffernmäßig« herzustellenden exakten Bestimmung war nie die Rede.[34]

Wir kommen nun zur Frage des Maßes der religiös-»asketischen« Einflüsse bei der »qualitativen Prägung« des kapitalistischen Geistes im allgemeinen, d. h. des Verhältnisses zwischen kapitalistischem Geist überhaupt und solchem im Sinne WEBERS. Hat der Zug des neuzeitlichen Kapitalismus, den WEBER willkürlich »Geist des Kapitalismus« nennt, den gesamten Geist des Kapitalismus der Neuzeit in dem Grade beherrscht, wie WEBER behauptet? Welches war der Einfluß, den er tatsächlich ausübte? Hat WEBER Recht, wenn er behauptet, daß seinem »kapitalistischen Geist« zum mindesten für den kapitalistischen Geist im allgemeinen die Rolle eines »konstitutiven Faktors« zukommt?

Berufsethik, angewandt auf das Erwerbsleben, in Verbindung mit einem »asketischen Sparzwang«, das sind die charakteristischen Merkmale des »kapitalistischen Geistes« im Sinne WEBERS. Was wir bereits oben vom »asketischen Verhalten« gegenüber dem Reichtum gezeigt haben, das gilt auch vom »asketischen Sparzwang«. Er ist keineswegs von »konstitutiver« Bedeutung für den Begriff des kapitalistischen Geistes, sondern lediglich ein akzessorisches Moment, das von großem praktischen Wert sein kann. Er ist aber auch nichts, was dem kapitalistischen Geist der Neuzeit im Gegensatz zur Vergangenheit eine charakteristische Eigenart verleiht. Denn der Geist der Sparsamkeit ist zu allen Zeiten als Hilfskraft des kapitalistischen Geistes aufgetreten; er hat gewirkt zu jeder Zeit. Keineswegs soll geleugnet werden, daß er, wo er in der Neuzeit wirksam gewesen ist, ganz besonders gut auf dem Boden der reformierten Sittlichkeit gedieh und seine fördernde Kraft zu entfalten vermochte; aber so liegt doch die Sache nicht, daß er, sei es erst als Produkt reformierter Sittlichkeit, aufkam, sei es, wo er in neuerer Zeit bis in die Gegenwart hinein tätig ist und obwaltet, ohne weiteres als eine »Säkularisation« religiös-»asketischer« Motive betrachtet werden konnte. Es handelt sich vielmehr bei ihm um einen konstanten Faktor, der unter dem Einfluß jener Motive ohne Zweifel gesteigert und für die Entfaltung kapitalistischen Geistes besonders fruchtbar gestaltet worden ist.

Ebensowenig wie Sparsamkeit, ist ethische Auffassung des Berufs, Hingabe an den Beruf, Aktivität im Beruf erst ein Produkt reformierter Sittlichkeit, und ebensowenig ist die Verbindung dieser beiden Momente bereits »kapitalistischer« Geist. Auch jetzt behauptet Weber wiederum: der »asketische« Protestantismus habe für den (von jeher vorhandenen) Kapitalismus erst die entsprechende »Seele« geschaffen, nämlich die Seele des Berufsmenschen, der sich einig fühle mit seinem Tun, was im Mittelalter nicht der Fall gewesen sei. Er hält mir vor, daß die Berufsethik für eine bestimmte Tätigkeit nicht immer dieselbe sei, sondern mit der historischen Entwicklung wechsle. Das habe ich natürlich nie bezweifelt; wenn er mir aber weiterhin nachsagt, ich hätte zum Schluß meiner »Kritik« behauptet, daß die Berufsethik, wie sie der »asketische« Protestantismus kannte, schon im ganzen Mittelalter herrschend gewesen sei, so ist das wiederum eine jener Entstellungen gegnerischer Ausführungen, aus denen sich leider seine ganze Antikritik zusammensetzt. Ich hatte im Einklang mit Troeltsch selber [oben S. 109] nichts anderes behauptet, als daß Berufsethik, und sogar mit religiöser Färbung, nicht erst ein Produkt der Reformation sei, sondern daß durch diese lediglich für die Berufsethik die mönchisch-asketischen Einschränkungen in Wegfall kämen; daraus hatte ich geschlossen, daß ethische Auffassung des Berufs, geschweige denn Hingabe an den Beruf, Aktivität im Beruf keineswegs erst als Wirkungen einer Säkularisation reformierter Sittlichkeit in den kapitalistischen Geist der Neuzeit eingedrungen wären. Wenn das unrichtig sein sollte, müßte sich Weber mit seinem Freunde und Kollegen Troeltsch auseinandersetzen, auf dessen Lehre meine Ansichten fußen; hatte ich sie doch mit ausdrücklicher Erwähnung seines Namens übernommen.[35] Was aber macht WEBER? Er schiebt mir die Behauptung unter, daß ich die Berufsethik des »asketischen« Protestantismus schon rückwärts in das Mittelalter projiziert habe. Solche Kampfesweise beweist nichts anderes als die innere Schwäche der Position desjenigen, der sie zur Anwendung bringt.[36]

Tatsächlich sind die charakteristischen Züge des »kapitalistischen Geistes« der Neuzeit dieselben, wie sie es zu allen Zeiten waren. Es gibt solchen mehr »triebhafter Natur« und solchen, der rationalisiert und von einer bestimmten Berufsethik getragen ist, von jeher, und sie bestehen noch heutzutage neben einander. Ein gewisses Maß von Rationalisierung aber ist immer erforderlich, damit sich der bloße Erwerbstrieb auf das Niveau eines wahren »kapitalistischen Geistes« erhebe, aber nicht eine Rationalisierung der Lebenshaltung schlechthin, sondern des Erwerbstriebes selber, indem das spekulativ-rechenhafte Moment als regulierender Faktor bei der Betätigung eben des Erwerbstriebes zur gebührenden Geltung gelangt. Und daß dieses Moment nicht aus einer Säkularisation reformierter Berufsethik entstanden ist, liegt auf der Hand, wenngleich sie ihn, wie ich schon so oft und von vornherein zugegeben habe, zu fördern in hohem Grade geeignet war. Aber der kapitalistische Geist der Neuzeit ist das, was er ist, nicht erst auf dem Umweg über die protestantische »Askese« geworden; diese ist nicht die Wurzel der Rechenhaftigkeit, die das charakteristische Merkmal am Geist des Kapitalismus ist. Bei weitem übertreibt WEBER [oben S. 168] die Zerrissenheit und die Notwendigkeit von Beschwichtigungsmitteln für den Kapitalisten der vorreformatorischen Zeit: nicht erst und nicht nur durch die Einflüsse religiöser »Askese« ist der Kapitalist zum »Berufsmenschen« geworden, der sich innerlich eins fühlt mit seinem Beruf.[37]

Nicht energisch genug kann WEBER jetzt versichern, daß er die religiös-»asketischen« Einflüsse *nur* als *eine* Komponente für den modernen kapitalistischen Geist angesehen wissen will. Sein Ziel war es lediglich, so beteuert er, Bedeutung und Wirksamkeit gerade dieser einen Komponente festzustellen, und ein solcher Versuch, so beschwert er sich, wird nicht dadurch bekämpft, daß man »eine Reihe *anderer* Komponenten« aufzählt, die zu jeder Zeit kapitalistische Expansionen begleitet haben, »wie kein Mensch bezweifelt«. Oder, wie er mir in das Stammbuch schreibt: »Solch erstaunliche Wahrheiten allerdings, wie: daß das Streben nach ›Glück‹, nach ›Nutzen‹, nach ›Genuß, Ehre, Macht, Zukunft der Nachkommen‹ und dergleichen bei der Auslösung des Strebens nach dem Höchstmaß von Gewinn überall in sehr verschiedenen Kombinationen mitbeteiligt waren und sind, hätte RACHFAHL, glaube ich, sich sparen können, da schwerlich jemand zu finden sein wird, der sie bestreitet.« WEBER hat Recht: man sollte meinen, ich hätte mir diese erstaunlichen Wahrheiten sparen können; aber er irrt sich, wenn er sagt, daß schwerlich jemand zu finden sein wird, der sie bestreitet: eben deshalb, weil sich jemand fand, der sie bestritt, konnte ich mir ihre Aufzählung nicht »sparen«, – und dieser jemand war niemand anders als – Herr WEBER selber, der demnach ein sehr kurzes Gedächtnis zu haben scheint. Erinnert er sich denn gar nicht an seine lebhafte und temperamentvolle Schilderung des »Unternehmers neuen Stils«, der im Gegensatz zum »traditionalistischen« Kapitalisten der Träger des wahren »kapitalistischen Geistes« ist, der die Geschäfte nur aus der »irrationalen Empfindung der Berufserfüllung« heraus betreibt, dem von seinem Reichtum nichts für seine Person bleibt, der Ostentation und Aufwand scheut, dem nichts an bewußtem Genuß von Macht und gesellschaftlichem Ansehen liegt, der, ein wahrer Asket, Austern kaum auf ärztliche Verordnung hin ißt?[38]

Wie gesagt, immer wieder betont WEBER, daß er nur *eine* Komponente des kapitalistischen Stils zur Erkenntnis hat bringen wollen. Aber ist dem wirklich so? Von Anfang an betont er die Wichtigkeit dieser Komponente für die quantitative

Expansion und die qualitative Prägung des kapitalistischen Geistes mit dem denkbar stärksten Nachdruck; er weist ihr bei der Durchführung seiner These im einzelnen, sowohl was die begriffliche als auch was die historische Erörterung anlangt, eine Rolle zu, derzufolge sie tatsächlich, um WEBERS eigenen Ausdruck zu gebrauchen, »verabsolutiert« erscheint; es wird im Leser der Eindruck erweckt, zumal da ihr ja auch der Name des Ganzen beigelegt wird, als ob es sich bei dieser Komponente nicht nur um eine Teilerscheinung, sondern eben um das Ganze handelt, als ob dieser konstitutive Faktor so bedeutsam sei, daß er dem Ganzen seinen Stempel aufprägt und es gleichsam restlos in sich aufnimmt. So und nicht anders haben WEBERS Freunde und Anhänger die Sache aufgefaßt. Sie haben nicht daran gezweifelt, daß WEBERS »kapitalistischer Lebensstil« wirklich identisch sei mit dem kapitalistischen Geist der Neuzeit in seinem ganzen Umfang. Die Schriften von TROELTSCH sind von dieser Ansicht, wie wir sahen, getragen; jetzt hat er allerdings erklärt, WEBERS These unzulässig generalisiert zu haben; aber die Tatsache bleibt bestehen, daß er sie zuerst in diesem Sinn aufgefaßt hat. Auch GOTHEIN hat einfach den Geist des Kapitalismus aus dem Geist des Kalvinismus heraus entstehen lassen, und v. SCHUBERT sagte in Beziehung auf WEBER: »Mit Recht hat man den ›Geist des Kapitalismus‹, den Kern moderner Wirtschaftsgeschichte[39], abgeleitet aus dem entschlossenen Individualismus der Puritaner.« WEBER erklärt jetzt, er habe solche mißverständliche Auffassung durch andere schon einmal mit aller Schärfe abgelehnt, und zwar, wie er hinzufügt, »ohne daß RACHFAHL die Pflicht fühlte, dies, obwohl er es weiß, zu berücksichtigen«. Ich muß dazu bemerken, daß ich das keineswegs »weiß«; mir ist, als ich meine Abhandlung niederschrieb, von dieser Ablehnung nichts bekannt gewesen; ich muß sie wohl übersehen haben, und ich habe sie auch bis jetzt noch nicht zu finden vermocht. Es ist jedenfalls sehr sonderbar, daß noch vor zehn Monaten, zu der Zeit, als ich mit der eingehenden kritischen Nachprüfung der WEBERschen These begann, diese ihre irrtümliche Interpretation in der Aula der Heidelberger Universität durch den Festredner bei der Kalvin-Säkularfeier vorgetragen worden ist: daraus ist zu schließen, daß die besagte Aufklärung oder Desavouierung selbst am Wohnort des Autors, im Kreise seiner Kollegen und Anhänger, damals noch unbekannt war oder auch übersehen worden ist. Wenn solches aber am Sitz der »glücklich sich ergänzenden Arbeitsgemeinschaft« möglich war, so wird man mir es wohl auch verzeihen, daß ich von jener »Ablehnung« nichts erfahren habe.

Bei Weber mögen sich seine Anhänger bedanken, wenn er sie jetzt also rauh abschüttelt, wenn er sie, die doch nur seiner Entdeckung Apostel, seines Ruhmes Verkünder sein wollten, grausam bezichtigt, ihn nicht verstanden zu haben. Daß dadurch ihre Anhänglichkeit und Begeisterung nicht erschüttert worden ist, zeigt das Beispiel von Troeltsch, der die Zurechtweisung, die ihm zu Teil geworden ist, mit gebührendem Dank hingenommen hat. Da nun aber auch ich (was ich freilich zurückweisen muß) von Weber beschuldigt worden bin, auf der gleichen Spur zu wandeln, so muß ich mich um somehr der Genossen meines Unglücks annehmen, als ich ja dadurch auch für mich, wenn der Vorwurf doch berechtigt wäre, mildernde Umstände erwirken könnte. Bei allem Vorbehalt, daß er keineswegs den Kapitalismus und den kapitalistischen Geist »nur als Ausfluß bestimmter Einflüsse der Reformation« betrachte, hatte er diesen doch, wie wir sahen, für die Ausprägung des modernen kapitalistischen Lebensstils eine solche Rolle zugeschrieben, daß der Leser den Eindruck erhalten mußte, er sei durch sie im Wesentlichen geschaffen worden. In derselben Richtung wirkte seine Schilderung vom Unternehmer neuen Stils, die Gegenüberstellung dieses Typs als alleinigen Trägers kapitalistischen Geistes im Verhältnis zum »traditionalistisch« gebundenen Kapitalisten, seine Auseinandersetzung, daß der richtige kapitalistische Geist (gegenüber dem nur »triebhaften« Erwerbsdrang) auf einer »ethisch gefärbten Maxime« beruhe, nämlich auf der irrationellen Idee einer besonderen Berufspflicht, die ihrerseits wieder das Produkt der Säkularisation der innerweltlichen Askese des reformierten Protestantismus sei, des Puritanismus, der also »an der Wiege des modernen Wirtschaftsmenschen stand«. Und wenn ein Autor fortwährend von kapitalistischem Geist spricht, dabei aber nicht diesen schlechthin und in seinem ganzen Umfang, sondern nur einen besonderen Habitus meint, dürfte das nicht dem Leser zur Entschuldigung dienen, wenn er den wahren Intentionen des Verfassers gegenüber in Konfusion gerät?

Aber noch jetzt ist es mir nicht absolut sicher, ob WEBERS Anhänger und eventuell auch ich selber wirklich auf Irrpfaden gegangen sind. Wie sehr er jetzt auch betont, das religiös-»asketische« Moment sei nur *eine* Komponente »neben andern«, so ist er im geheimsten Winkel des Herzens doch noch immer der Überzeugung, daß diese Komponente die anderen so überragt und zurückdrängt, daß sie das Wesen des modernen kapitalistischen Lebensstils erschöpfend in sich darstellt. Sogar noch in seiner letzten Polemik gegen mich, in der er doch (m. E. allerdings mit Unrecht) zeigen will, daß ich demselben Mißverständnis verfallen bin wie TROELTSCH, GOTHEIN und v. SCHUBERT, entschlüpfen ihm einige Stellen, die schlecht zu seinen sonstigen Protesten und Beteuerungen passen. So [oben S. 157]: »Für die Entwicklung desjenigen ›*Habitus*‹, den ich (ad hoc und lediglich für meine Zwecke) ›kapitalistischer Geist‹ getauft habe, kam es ganz offenbar darauf an, *wem die Toleranz im konkreten Falle zugute kam.* Waren dies z. B. Juden oder ›asketische‹ christliche Denominationen, dann wirkte sie regelmäßig im Sinne der Verbreitung dieses ›Geistes‹.« Hier ist noch immer scheinbar lediglich von einem »Habitus« die Rede; aber was bedeutet dieser »Habitus« in Wahrheit? Durch ihn bzw. durch das ihm zugrunde liegende religiös-»asketische« Moment wird nicht nur das Streben nach Gewinn seines »triebhaften« Charakters entkleidet, »rationalisiert« und zugleich in die Sphäre einer »irrationellen« Berufsethik hinübergeleitet, d. h. der kapitalistische Stil der

Jetztzeit in seinen charakteristischen Merkmalen in Wahrheit geschaffen; sondern WEBER sagt noch dazu selber geradezu: »Nicht um die triebmäßige Gier nach Geld, nach Glück, nach dem splendor familiae usw. handelt es sich, ... sondern darum, daß der ›asketische‹ Protestantismus für den *Kapitalismus* auch die entsprechende *›Seele‹* schafft, die Seele des ›Berufsmenschen‹.« Also ist der WEBERSCHE »Habitus« kapitalistischen Geistes doch schließlich die »Seele des Kapitalismus«, allerdings in Gänsefüßchen.

Was nun? Deutlich steht hier zu lesen: Der Kapitalismus der Jetztzeit hat seine »Seele« empfangen durch den asketischen Protestantismus; dabei müssen wir in Rücksicht auf seine soeben zitierten Ausführungen allerdings die Einschränkung hinzufügen, insoweit er nicht jüdischen Ursprungs ist. Judaismus und »asketischer« Protestantismus sind somit für WEBER die beiden Wurzeln des heutigen Kapitalismus; die Erforschung der ersteren überläßt er bekanntlich SOMBART. Insoweit der Kapitalismus also nicht jüdischer Provenienz ist, hat er schlechthin und in seinem ganzen Umfang seine »Seele« erhalten durch das »asketische« Element in der Reformation. Ich will nicht noch einmal in ausführlicher Wiederholung auseinandersetzen, daß das eine bloße Behauptung ist, für die WEBER den Beweis nicht erbracht hat: der »Berufsmensch« ist keineswegs erst ein Produkt reformierter Ethik. Aber ganz davon abgesehen: Ist die »Seele« denn nur eine Komponente, die nicht mehr bedeutet, als die anderen Komponenten auch? Wenn der Kapitalismus der Jetztzeit, d. h. der nichtjüdische, seine »Seele« aus dieser Quelle empfangen hat, haben denn nicht doch die, welche die von WEBER so herb gerügte »Verabsolutierung« der einen Komponente vornahmen, einigermaßen Recht, und wird man es nicht mindestens verzeihlich finden, wenn sie in so schweren Irrtum verfielen, WEBERS Intention dahin aufzufassen, daß der kapitalistische Geist der Neuzeit schlechthin und in seinem ganzen Umfang aus der protestantischen »Askese« hervorgegangen sei? Oder ist hier die »Seele«, weil sie in Gänsefüßchen gerückt ist, etwas anderes als das, was man sonst unter »Seele« versteht? Handelt es sich hier wiederum, wie bei dem Wörtchen »Geist«, um einen Kunstausdruck, den er »ad hoc und lediglich für seine Zwecke« angewandt hat, um also irgendein Ding zu »taufen«, das ihm dabei gerade vorschwebte? Oder bedeutet »Seele« etwas anderes als »Geist«? Ich bin zu wenig »Fachmann« auf dem Gebiet der Nationalökonomie, um zu wissen, ob man hier zwischen »Geist« und »Seele« irgendwelche feinen Unterschiede macht, die auf den vorliegenden Fall zutreffen könnten. Ich bin nur Historiker, dem vom Anfang seiner Studien an stets eingeprägt worden ist, daß historische Methode nichts anderes ist, als lediglich Anwendung des gesunden Menschenverstandes auf das unserer Forschung zugewiesene Gebiet menschlichen Erkennens, und unter dem Druck des Bewußtseins dieses meines trivialsubalternen Standpunktes[40] bescheide ich mich, aus diesem Labyrinth der Zweifel und Möglichkeiten keinen Ausweg mehr zu finden.

Anmerkungen zu: Felix Rachfahl, Nochmals Kalvinismus und Kapitalismus

1 Vgl. meine Abhandlung »Kalvinismus und Kapitalismus«, in: Internationale Wochenschrift für Wissenschaft, Kunst und Technik [hrsg. v. Paul Hinneberg], 3. Jg., 1909, Nr. 39–43 [oben S. 57 ff.]. [Den in diesem Band zusammengefaßten Kritiken und Antikritiken lag die Fassung von Max Webers Aufsätzen zur »Protestantischen Ethik« aus den Bdn. XX und XXI des Archivs für Sozialwissenschaft zugrunde. Sofern in Anmerkungen und Zitierungen auf sie Bezug genommen wird, wurden die Zitate ergänzt durch die Angabe der Fundstelle in eckigen Klammern aus der Neuausgabe in den Siebenstern-Taschenbüchern, Bd. 53/54. Beispiel: Archiv, XX. Bd., S. 10 [STB 53/54, S. 37]. Angaben von Seitenzahlen in eckigen Klammern ohne den Zusatz STB beziehen sich auf die Kritiken und Antikritiken in *diesem* Band. Beispiel: [oben S. 14]. (Hrsg.)]

2 Max Weber, Antikritisches zum »Geist« des Kapitalismus, in: Archiv für Sozialwissenschaft, XXX. Bd., 1910, S. 176–202 [oben S. 149 ff.]. – Ernst Troeltsch, Die Kulturbedeutung des Calvinismus, in: Internationale Wochenschrift, 4. Jg., 1910, Nr. 15 und 16 [oben S. 188 ff.].

3 Kalvinismus und Kapitalismus [oben S. 126 ff.].

4 Die Bedeutung des Protestantismus für die Entstehung der modernen Welt, in: Historische Zeitschrift, 97. Bd., 1906, S. 42–46.

5 Die Sperrungen in den Zitaten aus Webers Antikritik rühren von diesem selbst her; ebenso verhält es sich bei den Zitaten aus der Antwort von Troeltsch.

6 Vgl. z. B.: Die Bedeutung des Protestantismus für die Entstehung der modernen Welt, a. a. O., S. 45: »Der Nachweis ist m. E. Weber vollständig gelungen, wenn man vielleicht auch stärker betonen darf ...« sowie ebenda den Passus über Ungarn, Ostfriesland, die bäuerlichen Provinzialstaaten der Niederlande und das »gut lutherische Hamburg«.

7 Die Bedeutung des Protestantismus, a. a. O., S. 43.

8 Meines Erachtens handelt es sich dabei um eine schiefe Wiedergabe meiner Ausführungen, Kalvinismus und Kapitalismus [oben S. 115 ff.], deren Sinn natürlich ein ganz anderer ist.

9 Etwas wohlwollend herablassend! Aber immer noch besser, als

wenn einem der gesunde Menschenverstand abgesprochen werden könnte!

10 Man vergleiche z. B. den Satz [oben S. 135] meiner Abhandlung.

11 TROELTSCH bemerkt [oben S. 208], daß seines »Wissens auf dem Boden des reformierten Individualismus derartige Entwicklungen (im Sinne von Patrimonialstaat und Absolutismus) nicht eingetreten sind«. Da darf ich ihn vielleicht auf ein Beispiel in seiner nächsten Umgebung aufmerksam machen. In der Abhandlung von R. SILLIB, Stift Neuburg bei Heidelberg (N. Archiv f. d. Geschichte der Stadt Heidelberg und der Rhein. Pfalz, V. Bd., Heidelberg 1903), findet sich (S. 201) der Satz: »In der kommenden Epoche (sc. seit der zweiten Hälfte des 16. Jahrh.) steht die Geschichte Neuburgs unter dem Zeichen der kurfürstlichen Herrschaft. Die Reformation erwies sich in ihren Folgen für die weitere Ausbildung der fürstlichen Machtentfaltung günstig, ja der Absolutismus fand gerade in den Theologen eine wirksame Stütze. Er wurde zur herrschenden Staatsform.«

12 Daß das wieder eine der unzulässigen Generalisierungen ist, wie sie TROELTSCH so sehr liebt, geht aus dem Beispiel der von ihm selbst so oft angeführten antirevolutionären, kalvinistisch-orthodoxen Partei Hollands von GROEN VAN PRINSTERER bis KUYPER hervor. Die Existenz dieser Partei hindert ihn aber nicht, [oben S. 204] zu behaupten, daß der moderne Kalvinismus zwar die Anwandlungen des Rationalismus des 18. Jahrhunderts ausgeschieden habe und wieder orthodox geworden sei, daß er aber den »politisch-sozialen Liberalismus« beibehalten habe!

13 TROELTSCH fällt über mein Buch »Wilhelm von Oranien«, 2 Bde., 1906–1908, [oben S. 203] das Urteil: »Es ist daran unverkennbar eine persönliche Auffassung der religiösen Dinge beteiligt, derzufolge die Wirkung der Religion auf das Leben nicht bloß heute, sondern auch früher eine verhältnismäßig geringe ist und positive Kulturwirkungen nur von einem dogmenfreien und aufgeklärten Toleranz- und Moralchristentum ausgehen können.« Was man nicht alles aus einem Buch heraus- oder (richtiger gesagt) in ein Buch hineinlesen kann!

14 Zum Schluß dieses Abschnitts noch einige Bemerkungen: [oben S. 130] meiner Abhandlung hatte ich gesagt: WEINGARTEN habe gezeigt, wie in England »durch die Synthese kalvinistischer und täuferischer Religiosität das Prinzip der Toleranz erzeugt und in einem großen, gewaltigen Anlauf zum Siege geführt und statuiert wurde«.

Das glossiert TROELTSCH [oben S. 211] mit den Worten: »Die kalvinistische Toleranz ist auch nach meiner Meinung aus dem Täufertum erst eingedrungen, was RACHFAHL aus dem glänzenden Buch von WEINGARTEN gelernt haben will, wo jedoch gerade davon nichts steht.« Was ich in meinem Satz gesagt habe, wird allerdings durch WEINGARTEN belegt; es ist geradezu das Thema des ersten Teils. Bei dieser Gelegenheit belehrt mich TROELTSCH auch über die Unterschiede zwischen der kalvinistischen und der rationalistisch-aufklärerischen Toleranz. Ich bin ihm dafür natürlich sehr dankbar, möchte aber hinzufügen, daß sich bekanntlich die Toleranzbewegung in England selbst im Zeitalter der ersten Revolution nicht nur mit der Rechtfertigung der nichtkonformistischen Freikirchenbildungen begnügte, sondern auch die Forderung der individuellen Gewissensfreiheit statuierte, ohne Rücksicht auf die Zugehörigkeit zu bestimmten Sekten, und das auch von independistischer Seite; vgl. u. a. HERMANN WEINGARTEN, Die Revolutionskirchen Englands, Leipzig 1868, S. 110 ff., insbesondere S. 112, Anm. 1.

15 Vgl. z. B. Die protestantische Ethik und der Geist des Kapitalismus, in: Archiv, XXI. Bd., 1905, S. 39 f. [STB 53/54, S. 143 f.] und WEBERS Antikritik in: Archiv, XXX. Bd. 1910, S. 184 [oben S. 158].

16 Die Literatur bietet dafür unzählige Beispiele. Besonders häufig findet er sich bei GOTTFRIED KELLER; so läßt z. B. im »Grünen Heinrich« (II, 10) eine »asketische Laune« dem Helden eine Wanderung durch Nacht, Kot und Regen als eine Wohltat erscheinen.

17 WILHELM MÖLLER, GUSTAV KAWERAU, Lehrbuch der Kirchengeschichte, 2. Aufl., Tübingen 1899, III. Bd., S. 83.

18 ERNST TROELTSCH, Die Bedeutung des Protestantismus für die Entstehung der modernen Welt, a. a. O., S. 24.

19 Vgl. MAX WEBER, Die protestantische Ethik und der Geist des Kapitalismus, in: Archiv, XX. Bd., 1905, S. 41 [STB 53/54, S. 67]: »unbedingt *neu* war jedenfalls (sc. in der Reformation) zunächst eines: die Schätzung der Pflichterfüllung *innerhalb* der weltlichen Berufe als des *höchsten* Inhaltes, den die sittliche Selbstbetätigung *überhaupt* annehmen konnte.« Man sieht: ich referiere in dem durch TROELTSCH beanstandeten Passus lediglich WEBERS Ansichten.

20 F. KATTENBUSCH in dem Referat »Kirchengeschichte« in der »Theologischen Rundschau«, Jg. 1910, Heft 4, S. 144, schließt die »innerweltliche Askese« gleichfalls in Gänsefüßchen und fügt hinzu: »wie er (sc. WEBER) es nannte« – eine recht skeptische Nuance.

21 Mehr als die Möglichkeit (allerdings in einem hohen Grad der Wahrscheinlichkeit) wird man, wie bisher die Sachlage immer noch ist, nicht behaupten können. Damit ist nun freilich TROELTSCH nicht zufrieden. Ich hatte WEBERS These, daß die Lehre BAXTERS das praktische Leben entscheidend beeinflußt hätte, als eine »bloße Meinung« gekennzeichnet. TROELTSCH ist damit nicht einverstanden: »dafür gibt RACHFAHL keinen Grund an. Jedenfalls hat er ihre Unwirksamkeit in diesem Falle nicht bewiesen, und die Übereinstimmung von Theorie und Praxis, für die WEBER genug Beispiele bringt, braucht daher hier gar nicht in Frage gestellt zu werden.« Eine sonderbare Art von historischer Methode! Die Verpflichtung des Beweises liegt doch wohl dem Autor einer These ob! Wo sind denn übrigens die Beispiele WEBERS für die Übereinstimmung von Theorie und Praxis zu finden? Auch habe ich gar nicht die »Unwirksamkeit« von WEBERS These »in diesem Falle« behauptet.

22 In meinen Aufsätzen hatte ich zur Korrektur der zumal von WEBER vertretenen Ansicht vom kalvinistischen Monopol für die kapitalistische Entwicklung auf das lutherische Hamburg hingewiesen. Dem gegenüber begnügt sich WEBER (Antikritik, Archiv, XXX. Bd., 1910, S. 184 [oben S. 158]), »für jetzt von einer freundlichen Mitteilung des Herrn Kollegen ADALBERT WAHL in Hamburg Gebrauch zu machen«. Darnach reicht in charakteristischem Gegensatz zu dem ihm (A. WAHL) von früher bekannten Verhältnissen in dem reformierten Basel mit seinem sparsam festgehaltenen Reichtum des alten Patriziates in Hamburg »*keines* der bedeutenden Familienvermögen, auch der als altvererbt geltenden, in das 17. Jahrhundert zurück, – mit *einer* einzigen Ausnahme: und dieses bildet eine bekannte *reformierte* Familie«. Ich weiß nicht, ob WEBER dem Briefschreiber einen besonderen Dienst mit der Wiedergabe dieser Äußerung erwiesen hat. Einmal ist, worauf mich ein Kollege von auswärts aufmerksam macht, der Reichtum einer Überseehandelsstadt viel beweglicher und unsicherer als der einer Industriestadt, wie Basel. Sodann kommt es in diesem Fall auf die ökonomische Stellung und Bedeutung Hamburgs nach der Mitte des 16. Jahrhunderts an, auf den seit diesem Zeitpunkt unverkennbaren wirtschaftlichen Aufschwung der Stadt, nicht auf die Provenienz des heutigen Hamburger Großkapitals.

23 Anderwärts weiß WEBER freilich sehr genau, daß dies das wahre Problem ist, wenigstens benutzt er sehr gern WAHLS Mitteilung über

Hamburg bezüglich der jetzt »bedeutenden Familienvermögen, auch der altererbten«; vgl. die vorige Anmerkung.

24 Als einen weiteren Beleg dafür, wie WEBER mit hypothetisch verschränkten Urteilen des Gegners umspringt, führe ich seinen Satz (Antikritik, a. a. O., S. 194, Anm. 23 [oben S. 182, Anm. 27]) an: »Wo ich von einer ›absoluten‹ Herrschaft des Puritanismus im englischen Wirtschaftsleben gesprochen haben soll, ist mir unverständlich.« Meine Bemerkung [oben S. 102] lautete: »Nur eine Episode in der politischen Geschichte Englands war die volle Herrschaft des Puritanismus, und keineswegs ist die Frage schon vollkommen spruchreif, welches seine Bedeutung für die englische Wirtschaftsgeschichte ist, ob er auch auf diesem Gebiet jemals eine so absolute Herrschaft ausgeübt hat, wie es nach WEBER der Fall sein *müßte*«, d. h. wenn die WEBERsche These von Wesen und Herkunft des »kapitalitischen Geistes« richtig wäre. Das ist doch wohl etwas ganz anderes.

25 TROELTSCH hinwiederum schreibt aufgrund dieser Ausführungen (ich wüßte nicht, welche Stellen er sonst dabei im Auge haben könnte) meiner Abhandlung »starke allgemein moralische Allüren« zu; in pikantem Kontrast dazu findet er, daß manche meiner Sätze »zum barsten Geschichtsmaterialismus« führen könnten. Ich notiere das nur, um die »Allüren« der Polemik von TROELTSCH zu beleuchten.

26 So hält er mir vor, daß mir »die innere Entwicklung Pennsylvaniens, die tragischen Konflikte der Quäkerethik mit der ›Welt‹ und ebenso die ... Intensität der aus Askese und Rationalismus gemischten Lebensluft ... in ihrer Rolle für Lebensstil und Berufsauffassung völlig unbekannt zu sein scheint« u. dgl. m. Meine Aufgabe war es, den wirklichen Manifestationen »kapitalistischen Geistes« nachzugehen, nicht aber über Sachen zu reden, die WEBER interessieren, mit meinem Thema aber eben nicht viel zu schaffen haben. Wer wird die Einwirkungen des Puritanismus auf die gesellschaftliche Entwicklung in den Vereinigten Staaten, auf den hier noch heutzutage herrschenden Lebensstil leugnen? Aber er war nicht der Boden für die Anfänge des kapitalistischen Systems im 18. Jahrhundert.

27 Nicht minder verzerrt gibt TROELTSCH meine Ansichten hier wieder. [Oben S. 202] schiebt er mir den Satz unter, daß die Niederlande »zu ihrem ihnen eigentlich natürlichen Geist, der erasmischen Aufklärung, und damit zur historischen Größe erst durch den Arminianismus gelangt« seien! Wo habe ich solchen Unsinn gesagt? In dieselbe Kategorie gehört es, wenn er behauptet, ich sähe »im Armini-

anismus nur den Geist der Niederlande zu sich selber kommen«. Gegen diesen Ausspruch, den ich, nebenbei gesagt, nie getan habe, erhebt er den Einwand, man könne dann »ebensogut behaupten, daß der deutsche Geist erst im Altkatholizismus sich erfaßt habe«. Sollte nicht immerhin der Arminianismus in der holländischen Geistesgeschichte eine etwas andere Rolle spielen, als in der deutschen der Altkatholizismus? Wenn er endlich die Meinung, daß Erasmus den niederländischen Nationalgeist darstellt, für eine unbegreifliche Übertreibung hält, so mag er sich doch mit BUSKEN-HUËT, der sonst WEBERS Autorität für Holland ist, auseinandersetzen, der (Rembrandts Heimat, I. Band, S. 120) das Urteil gefällt hat: »Trotz der reformierten Staatskirche und des Heidelberger Katechismus läßt sich die allgemeine Denkweise der Holländer mit den Worten bezeichnen: La Hollande est de la religion d'Erasme.«

28 Vgl. z. B. KARL EGER, Die Anschauungen Luthers vom Beruf, Gießen 1900, S. 152.

29 Nicht einmal beim Ausbruch des Aufstandes war das calvinistische Element in der Geschäfts- und Handelswelt alleinherrschend. Wenn WEBER die Publikationen GROENS VAN PRINSTERER wirklich kennen würde, (daß er sie nicht kennt, hindert ihn freilich nicht, PRINSTERER als Autorität auf wirtschaftsgeschichtlichem Gebiet gegen mich auszuspielen), würde er über die »holländische Ketzerei und ihr Verhältnis zur kapitalistischen Entwicklung« einigermaßen besser gegründete Vorstellungen haben. Sehr interessant ist zum Beispiel (Archives de la maison d'Orange-Nassau, Band II, S. 328 ff.) die Note sur la situation d'Anvers, in der sich ein Verzeichnis der hervorragendsten Kalvinisten und Lutheraner Antwerpens findet. Für beide Bekenntnisse ist die Zugehörigkeit zu den einzelnen Berufsständen ungefähr dieselbe, und reiche Kaufleute finden sich hier wie da. Es gab wohl einige sehr reiche Kaufleute, die sich zu den Kalvinisten hielten (darunter einige spanische Judenchristen, bei denen der kapitalistische Geist also vom »Judaismus«, nicht von der reformierten »Askese« kam); aber bei den Straßenkämpfen im März 1567 machten die Kaufleute, und nicht nur die fremden, gemeinsame Sache mit den Katholiken gegen die Kalvinisten, zu denen »la plus grande parti des citoyens des mestiers« gehörte, und die sich zumeist aus dem raublustigen Proletariat rekrutierten. Was es mit der »holländischen Ketzerei« jener Zeit für eine Bewandtnis hatte, das zeigt der auf der kalvinistischen Liste befindliche Name: »Me Jan Rubens eche-

vin de leur temps«. Es ist dies jener Dr. Rubens, der nachher im Exil der Geliebte der Prinzessin Anna von Oranien wurde: dieses Muster von »Askese« hielt sich später in Deutschland zum Luthertum und gab von seinem Gefängnis in Dillenburg aus der Gattin den Rat, nach Antwerpen zurückzukehren und »katholisch« zu leben; das tat sie denn auch nach seinem Tode, wodurch ihr Sohn, der berühmte Maler, zum Katholizismus zurückgeführt wurde. Und unter den niederländischen Exulanten, die als Träger höheren Wirtschaftslebens wirksam in Deutschland waren, gab es auch Lutheraner. In Frankfurt a. M. sind Großkaufmannsstand, Industrie und Exporthandel durch die niederländische Einwanderung entstanden; an ihr waren wohl großenteils, nicht aber ausschließlich Kalvinisten beteiligt, worauf Heldmann in seiner im letzten Heft der Jahrbücher für Nationalökonomie erschienenen Besprechung von Bothe (Beiträge zur Wirtschafts- und Sozialgeschichte der Reichsstadt Frankfurt, 1906) aufmerksam macht.

30 Vgl. Weber, Antikritik, a. a. O., S. 200 [oben S. 171]: »Geist des (in meinem Falle: des neuzeitlichen) Kapitalismus«; dazu Anm. 34 [oben S. 187, Anm. 40]: »Denn nur von diesem ist ja bei mir die Rede.«

31 Die protestantische Ethik, Archiv, XXI. Bd., S. 107 [STB 53/54, S. 187].

32 Die Schwäche der psychologischen Position des »Erwerbstriebes« ist mir sehr wohl bekannt. Aber Weber sagt selbst (Antikritik, S. 193 [oben S. 165]) »Ganz entbehrlich ist er wohl nicht«, und auch Troeltsch (s. o.) kommt nicht um ihn herum. Seine Erhebung von einem »naiv-triebhaften, irrationalen Faktor auf das Niveau des Rationalen innerhalb der christlichen Kulturwelt ist aber keineswegs lediglich das Werk »asketisch« reformierter Berufsethik oder eines Prozesses ihrer Säkularisierung. Wenn mir Weber weiterhin vorhält, er habe sich über das Verhältnis des Erwerbstriebes zum kapitalistischern Geist »so eindeutig ausgesprochen, daß ich diese Erörterung nur aus bösem Willen oder Vergeßlichkeit nicht beachten konnte«, so könnte ich ihm mit gleicher Münze heimzahlen, wenn ich ihn erst daran erinnern muß, daß ich mich des längeren [oben S. 75 ff.] gerade mit seinen Erörterungen über das Verhältnis von Erwerb und Erwerbstrieb zum kapitalistischen Geist auseinandergesetzt habe.

33 Noch jetzt operiert Troeltsch mit seinen unbestimmten Redensarten. So sagt er [oben S. 190]: für Weber handele es sich bei sei-

ner These darum, »den modernen Arbeits- und Berufsmenschen zu erklären, der die Verpflichtungen gegen seine Arbeit und sein Vermögen wie eine objektive Notwendigkeit empfindet und damit innerhalb des modernen Kapitalismus einen bedeutsamen Grundstock bildet«, mit anderen Worten: der moderne Kapitalist stammt als Arbeits- und Berufsmensch aus der Askese (vgl. darüber die folgenden Ausführungen oben im Text), und diese hat also »einen bedeutsamen Grundstock des Kapitalismus« geschaffen. Und ebenso spricht er daselbst im Sinne WEBERS vom »bürgerlich-puritanischen Kapitalismus vor allem Englands und Nordamerikas« als einem »der wichtigsten Haupttypen modernen Kapitalismus«. Dann müßte er zumindest den Versuch machen, sich mit meinen Ausführungen über den Anteil von Puritanismus und Aufklärung für Entstehung und Entwicklung des nordamerikanischen Kapitalismus auseinanderzusetzen. Aber es ist seine Maxime: nur immer flott die alten Behauptungen zu wiederholen, gleich als ob darüber kein Zweifel bestände und bestehen könnte, – das macht doch schließlich Eindruck!

34 Wo sich Kapitalismus kalvinistisch-puritanischer Provenienz konstatieren läßt, da kommen übrigens für den darin herrschenden Geist als Quelle in Betracht nicht nur die »asketische Berufsethik«, sondern auch der Einfluß einer an alttestamentlichen Traditionen und Vorbildern orientierten Lebensführung, also Momente judaistischen Ursprungs. Hier kann darauf nicht eingegangen werden.

35 Im übrigen hatte ich darauf aufmerksam gemacht, daß sich jeder Beruf seine besondere Ethik schaffe; diese Bemerkung reizt TROELTSCH [oben S. 199] zum Ausfall, das sei »nicht sehr tiefsinnig«: »In Wahrheit liegt in solchen Fällen stets eine Heranziehung allgemeiner ethischer oder metaphysischer Vorstellungen für diese bestimmten Zwecke vor.« Er wirft mir dabei vor, meine »Sätze würden dabei zum barsten Geschichtsmaterialismus führen«. Als ob ich je geleugnet hätte, daß die besondere Berufsethik, wie sie aus den speziellen Bedürfnissen und Verhältnissen eines bestimmten Berufs resultiert, zumal in gewissen Zeitaltern, eine allgemein-ethische oder metaphysische Färbung getragen hat! Daß das nicht der Sinn meiner »Sätze« gewesen sein kann, geht schon daraus hervor, daß ich – eben unter Berufung auf TROELTSCH selber – davon spreche, daß es im Mittelalter bereits nicht nur eine Berufsethik, sondern noch dazu eine solche mit religiöser Motivation gegeben habe, da ja die christliche Rechtfertigung des Erwerbslebens nicht erst von LUTHER stamme. Was

sich wohl TROELTSCH unter »Geschichtsmaterialismus« vorstellen mag?

36 Noch einige drastische Belege für WEBERS Polemik. In seinen Aufsätzen hatte WEBER die Äußerung JACOB FUGGERS herangezogen, »er wolle gewinen, dieweil er könne«. Daraus hatte WEBER geschlossen, FUGGER habe noch nicht den richtigen »kapitalistischen Geist« gehabt, da diesem Ausspruch noch der »Charakter einer ethischen Maxime, die Idee der Berufspflicht« fehle. Darauf hatte ich erwidert, daß diese Folgerung übereilt sei, da der Ausspruch für sich allein noch nichts beweise; ich hatte gefragt: »Woher weiß denn WEBER, daß sich FUGGER nicht seinem Beruf innerlich verpflichtet fühlte, daß nicht auch ihm die Idee vorschwebte, der Mensch habe die Pflicht, seine Aufgabe treu und gewissenhaft zu erfüllen, vor die ihn das Leben nun einmal gestellt hätte?« Was macht WEBER (Antikritik, a. a. O., S. 188, Anm. 15 [oben S. 181, Anm. 16]) daraus: »Rachfahl fragt, woher ich denn *wisse*, daß der von ihm (nach mir) zitierte Ausspruch JACOB FUGGERS Ausdruck einer *anderen* (als der puritanischen) »Berufsethik« sei. Das ist keine richtige Wiedergabe meines Gedankens. – In meinen Ausführungen über den erwähnten Ausspruch FUGGERS findet WEBER (Antikritik, a. a. O., S. 181, Anm. 7 [oben S. 176, Anm. 8]) einen Widerspruch: »Das gleiche Streben nach dem Gewinn um des Gewinnes willen, welches auf [oben S. 108] (bei FUGGER) sehr wohl einer ›ethischen Maxime der Lebensführung‹ entsprungen sein kann, kann [oben S. 79, 84] überhaupt nicht ›ethisch‹ genannt werden, weil es RACHFAHL verwerflich findet.« Ich habe [oben S. 79] (auf S. 84 habe ich über diese Dinge gar nicht gehandelt) es als zweifelhaft erklärt, ob eine Wirksamkeit, die den Gelderwerb als reinen Selbstzweck statuiert, überhaupt noch das Prädikat »ethisch« verdienen würde, da aus solcher »Berufsethik« Handlungen entspringen könnten, die sich nicht mit den allgemeinen ethischen Grundsätzen vertragen; [oben S. 108] habe ich ausgeführt, daß Abscheu vor bloßem Genuß ohne Arbeit den Wert einer ethischen Maxime haben könnte; worin liegt da ein Widerspruch?

37 Ich setze mich hier am besten mit den Ausführungen von TROELTSCH (Die Kulturbedeutung des Kalvinismus [oben S. 193 ff.] zur Frage der Berufsethik auseinander. Ihnen zufolge begnüge ich mich, »bei der Bestreitung der religiösen Herleitung (sc. des Kapitalismus aus dem Kalvinismus) lediglich damit, WEBERS Auffassung KALVINS und des primitiven Kalvinismus zu bemängeln und zu behaupten,

daß von diesem aus keine besondere Disposition des Puritanismus für den Kapitalismus gefolgert werden könne.« Das ist eine totale Verschiebung meiner Ansichten. Ich habe nirgends das »behauptet«, was mir TROELTSCH zuschreibt; ich habe vielmehr selber [oben S. 112] gezeigt, daß der Satz von der Profitlichkeit des Kapitals in allgemeiner Wendung schon von KALVIN gelehrt worden ist; aber ich habe zugleich betont (ebenda und [oben S. 83]), daß zwar solche und ähnliche Äußerungen förderlich auf die kapitalistische Entwicklung wirken konnten, daß jedoch sowohl bei KALVIN als auch bei den Puritanern die Berufsethik, insoweit sie dem Kapitalismus günstig war, eine Norm und Grenze an den Anforderungen der allgemeinen Ethik, an den Geboten der christlichen Nächstenliebe fand, und daß daraus Züge flossen, die mit dem modernen kapitalistischen Geist unvereinbar sind. Das zu widerlegen, haben weder WEBER noch auch TROELTSCH versucht. In diesem Zusammenhang wird auch die Haltlosigkeit gewisser weiterer Vorwürfe von TROELTSCH offenbar: meine Würdigung der wirtschaftlichen Ethik KALVINS als einer Anbahnung freierer Betrachtung des ökonomischen Lebens und damit einer freieren Berufsethik auch für die kapitalistische Unternehmung sei ebenso unvollständig und nichtssagend, wie meine »Phrase«, daß KALVIN die »Durchdringung der Arbeit mit dem Geist christlicher Sittlichkeit« bewirkt habe. TROELTSCH bringt dabei eine lange Erörterung über das Verhältnis lutherischer und kalvinistischer Ethik zu Arbeit und Besitz, die zu bestreiten ich ebensowenig Grund habe, wie ich Grund hatte, meinerseits auf diese Probleme einzugehen. Wie konnte ich leugnen wollen, daß die freiere Stellung KALVINS zum Wirtschaftsleben aus seiner besonderen Berufsethik folgt? Denn ich erkenne ja vollkommen die Existenz einer besonderen kalvinistisch-puritanischen Berufsethik an und behaupte nur, daß sie stets an der allgemeinen Ethik dieser Richtung in der Reformation orientiert war und blieb, und eben dazu hatte ich (im Gegensatz zu WEBER, der diesen Punkt ganz unberücksichtigt ließ) allen Anlaß. TROELTSCH sagt [oben S. 196] kategorisch: »Kalvin hatte keinen allgemeinen Geist christlicher Sittlichkeit, mit dem er die Arbeit durchdringen konnte.« Nun, schließlich ist ja doch die besondere Berufsethik KALVINS nur eine Applikation seiner allgemeinen Ethik, und diese war (bei allen ihren Besonderheiten, bei allen Abweichungen von der der anderen christlichen Richtungen) ein Ausfluß des allgemeinen Geistes christlicher Sittlichkeit. Oder ist dieser nur eine veraltete Utopie, an die nur noch der »Nicht-Fachmann auf theologischem Gebiet« glaubt? Es bleibt trotz Troeltsch dabei, daß die Durchdringung der Arbeit mit dem Geist christlicher Sittlichkeit nebst der freieren Stellung zum Wirtschaftsleben charakteristische Züge der allgemeinen Wirtschaftsanschauungen Kalvins waren, wozu dann aber noch seine spezielle Berufslehre kam. Und es bleibt weiterhin dabei, daß der »eigene Geist«, mit dem er die Arbeit durchdrang, an der allgemeinen christlichen Liebesmoral in einem Grade orientiert war, der nicht nur vom triebhaften Erwerbsdrang, sondern auch vom kapitalistischen Stil der Jetztzeit (als dessen rationalisierter Form) in entscheidenden Punkten ebenso abwich wie späterhin die Soziallehren der Puritaner. »Unerhört« aber ist es – leider sehe ich mich hier genötigt, diesen von Weber gegen mich gerichteten Ausdruck im vorliegenden Fall auf Troeltsch zu beziehen –, wenn dieser mir [oben S. 195] vorwirft, ich hätte mir betreffend die Stellung Kalvins zum Wirtschaftsleben meine Belehrung »bloß« aus Elster und Kampschulte geholt. Ausdrücklich habe ich die Übereinstimmung meiner Ansichten mit A. Lang, dem Autor der jüngsten, besten zusammenfassenden Biographie Kalvins [Johann Calvin. Schriften des Vereins für Reformationsgeschichte. 99. Bd., Leipzig 1909], konstatiert und die entscheidende Stelle aus Lang [oben S. 118] zitiert. Der Unterschied zwischen gesichterten Ergebnissen historischer Einzelforschung und »reiner Konstruktion« scheint Troeltsch noch nicht aufgegangen zu sein, wenn er als solche [oben S. 209] meine, wie gesagt, mit Lang sich deckende Charakteristik des Einflusses von Kalvin auf die ökonomische Entwicklung Genfs und überhaupt erklärt. Gewiß wird niemand dem reformierten Theologen Lang »innerliche Abneigung« gegen Kalvin nachsagen können. Aber es gehört nun eben zu den polemischen »Allüren« von Troeltsch, durch die Zeilen [oben S. 207] durchblicken zu lassen, ich hätte den Kalvinismus »bloß aus dem ihm innerlich abgeneigten Kampschulte studiert«. Das ist eine Insinuation, deren Motiv mehr als durchsichtig ist.

38 Noch ein Beitrag zur Charakteristik Weberscher Polemik! Er sagt (Antikritik, a. a. O., S. 197, Anm. 29 [oben S. 184, Anm. 35]): »Schier unglaublich ist es, wenn Rachfahl [oben S. 80] die ›agonalen Triebe‹, von denen *ich* hervorgehoben habe, daß sie heute vielfach *an die Stelle* des erloschenen asketischen ›Geistes‹ getreten sind, mir als einen von mir übersehenen Bestandteil im Begriff vom ›Geist‹ des Kapitalismus entgegenhält.« Zunächst tue ich das gar nicht an der erwähn-

ten Stelle, sondern anderswo [oben S. 62], und zwar konstatiere ich da lediglich einen Unterschied zwischen Webers Charakteristik des Unternehmers neuen Stils, dem er tatsächlich das Streben nach bewußtem Genuß der Macht abspricht, der doch aber für ihn der wahre Träger »kapitalistischen Geistes« ist, und der Schilderung, die Troeltsch vom modernen Kapitalismus gibt, und worin diesem ein »agonales Siegesbedürfnis« zugeschrieben wird. Weber selbst hat, soviel mir erinnerlich ist, nur einmal von rein »agonalen Leidenschaften« (Archiv, XXI. Bd., S. 109 [STB 53/54 S. 188/9]) gesprochen, die sich in den Vereinigten Staaten heutzutage mit dem Erwerbsstreben »assoziieren und ihm nicht selten geradezu den Charakter des Sports aufprägen«. Nach seinen eigenen neuesten Erklärungen würde das aber nicht in die Sphäre des »kapitalistischen Stils« in seinem Sinn, sondern des wilden, ungezügelten Erwerbstriebs fallen, der in »allen Stadien der Kulturentwicklung« auftritt.

39 Dazu gehören nun freilich nach Webers neuester Kundgebung die ökonomischen Übermenschen, die großen Finanziers usw., nicht mehr.

40 Es kommt mir so recht niederschmetternd zum Bewußtsein, wenn ich Webers zornige Philippika (Antikritik, a. a. O., S. 196, Anm. 28 [oben S. 183, Anm. 34]) lese: »Beiläufig: der Einfluß religiöser Momente ist denn doch auf politischem Gebiet von ganz anderer, fundamentalerer Bedeutung als nach dem Eindruck der ›Nichts-als-Politiker‹ unter den Historikern, die unter den ›großen Mächten‹ nur die großen Bataillone verstehen, mit denen freilich der liebe Gott auf dem Schlachtfelde zu gehen pflegt. Noch soviele ›Mächte‹ dieser Art haben z. B. den einen Satz der Bibel ›Man soll Gott mehr gehorchen als den Menschen‹, *solange* er den Glauben entschlossener Männer, und seien es auch kleine Minderheiten, wie die Puritaner fast überall es waren, beherrschte, nicht außer Gefecht zu setzen vermocht. An ihm scheiterten die ›Kulturkämpfer‹ des 17. und 19. Jahrhunderts, und beide Male hatte ihre Niederlage Konsequenzen von einer in Generationen nicht zu überwindenden Tragweite.« – Welche Fülle der Anregungen für uns »klugen Leute«, die wir uns solche Dinge nie hätten »träumen lassen«. Eine neue Epoche bricht an nicht nur für die Wirtschaftsgeschichte, nein, auch für die politische Geschichte! Ganze Generationen von Historikern werden zu tun haben, um diese neuen und originellen Ideen zu verarbeiten.

MAX WEBER

Antikritisches Schlußwort zum »Geist des Kapitalismus«

Professor RACHFAHL antwortet auf meine »Antikritik«. Statt eines ehrlichen Eingeständnisses seiner durch oberflächliche Lektüre verschuldeten groben Irrtümer enthält seine Antwort teils eine andere Wendung, teils eine noch krampfhaftere Übersteigerung der meisten von ihnen und bewegt sich übrigens in ganz der gleichen Art von Diskussionsführung, die ich zu kennzeichnen genötigt war.[1] Nachdem ich einmal, dem Wunsch unbeteiligter Freunde entsprechend, das sterile und lästige Geschäft der Auseinandersetzung mit seiner rein an *Worten* haftenden Rabulistik, welche den offen zutage liegenden Sachverhalt verschleiert, auf mich genommen habe, muß ich es durchführen. Im folgenden werde ich also 1. den »Geist« von RACHFAHLS Polemik notgedrungen nochmals feststellen – eine nach Lage der Dinge leider, um RACHFAHL in alle Schlupfwinkel zu folgen, unvermeidlich ziemlich langwierige Auseinandersetzung, die ich aber jedem Leser, der nicht speziell daran interessiert ist, zu überschlagen anheimstelle, – und dann 2. meinerseits – gegenüber der von RACHFAHL angerichteten und jetzt, zur Vermeidung des Eingeständnisses seines Unrechts, noch vermehrten Konfusion – einige von RACHFAHL hartnäckig ignorierte Züge meiner *wirklichen* »These« nochmals auf wenigen Seiten zusammenfassen, lediglich für diejenigen, die meine Aufsätze nicht jetzt nochmals genau gelesen haben. Für die anderen ist es überflüssig, aber sie sind naturgemäß eine verschwindende Minderheit.

I

Jedermann weiß: es ist ebensowenig jedes in bureaukratischen Formen funktionierende Staatswesen schon um deswillen vom »Geist des Bureaukratismus« beherrscht, oder muß jede noch so sehr nach deutschem oder französischem Muster organisierte Armee und der Staat, dem sie dient, von »militaristischem Geiste« beseelt sein (man denke an Italien im Gegensatz zu Deutschland und Frankreich), wie etwa jeder Gewerkverein (französisch: »syndicat«, englisch: »trade union«), bei ganz gleicher Organisation, vom Geist entweder des »Tradesunionismus« oder des »Syndikalismus« (zwischen denen hier ja die Wahl freistünde), oder ein Land mit kolonialem Imperium stets vom »Geist des Imperialismus«, – oder endlich: jede kapitalistisch organisierte Wirtschaft vom »Geist des Kapitalismus« (erst recht nicht natürlich: von jener spezifischen Ausprägung dieses Geistes, die ich als eine dem modernen Kapitalismus im Gegensatze zum Altertum und Mittelalter, und zwar am stärksten in der Zeit seines frühkapitalistischen Heroenzeitalters, eignende in Anspruch genommen habe) bestimmt sein muß. Daß wir nun trotzdem von einem solchen »Geist« mit Beisetzung des jenen Systemen entlehnten Adjektivs sprechen, hat – um es zu wiederholen – seinen Grund darin, daß allerdings diejenige oder diejenigen mehreren möglichen Attitüden, welche wir so bezeichnen, uns eben jenen Organisationsformen als irgendwie spezifisch »adäquat«: aus *inneren* Gründen ihnen »wahlverwandt« erscheinen, ohne daß sie doch deshalb in jedem einzelnen Fall, ja auch nur in der Mehrzahl oder dem Durchschnitt der Fälle notwendig daran gebunden wären. Es ist z. B. ein typischer Vorgang in aller Geschichte, daß eine (staatliche oder andere soziale) Institution in ganz den gleichen Formen weiter besteht, aber in ihrem »Sinn« für das geschichtliche Leben, ihrer kulturhistorischen »Bedeutung« verändert erscheint. Wenn wir in solchen Fällen von einer Änderung ihres »Geistes« sprechen – und wir pflegen es zu tun –, so haben wir natürlich die unbedingte Pflicht, jeweils zu verdeutlichen, was darunter verstanden sein soll und welche konkreten Ursachen diese Änderung bedingten. Dazu in meinem Fall durch die Aufdeckung *einer* – allerdings m. E. einer ganz besonders wichtigen – Ursachenreihe beizutragen, welche die

Herausbildung *einer* (wiederum: einer besonders wichtigen) konstitutiven *Komponente* des »Geistes« der modernen kapitalistischen Wirtschaft bedingte: einer Färbung desselben also, welche vom Altertum und Mittelalter in wichtigen Punkten spezifisch verschieden war, – dies war die Aufgabe, welche ich mir ausgesprochenermaßen gestellt hatte. Wenn RACHFAHL, im Vertrauen darauf, daß sein Publikum zu 99 Hundertsteln sicher weder meine Aufsätze, noch meine Antikritik gelesen hat oder lesen wird, – sich jetzt so gebärdet, als sei diese sorgfältig erwogene Begrenzung meiner Aufgabe erst ex post (natürlich womöglich: auf Grund seiner »Kritik«) hineininterpretiert, so erinnere ich zur Beurteilung dessen hier nur nochmals daran, daß ich als Ergebnis meiner Untersuchungen (die Stellen waren auch in meiner Antikritik *zitiert*!) hingestellt hatte: daß (Archiv, XXI. Bd., S. 107 [STB 53/54, S. 187]) »*ein* (NB.!) konstitutiver« Bestandteil des »kapitalistischen Geistes« den von mir behaupteten Ursprung habe: die spezifisch »bürgerliche Berufsethik« (Archiv, XXI. Bd., S. 105 [STB 53/54, S. 184]) und speziell den »asketischen« Zug, welcher ihr anhaftete, und seine Bedeutung gegenüber den gewaltigen seelischen Widerständen der Tradition behielt, bis der auf rein mechanischer Basis ruhende Kapitalismus unserer Gegenwart dieser Stütze *entbehren* konnte (Archiv, XXI. Bd., S. 108 [STB 53/54, S. 188]); – daß ich ferner die »Ableitung« (nicht etwa nur: des kapitalistischen Wirtschafts*systems*, sondern (ausdrücklich auch:) des kapitalistischen »*Geistes*« (ausdrücklich ferner in *meinem* Sinne des Wortes, auf den ich unten zurückkomme) aus der Reformation *allein* »töricht« genannt habe (Archiv, XX. Bd., S. 54 [STB 53/54, S. 77]) und überdies (Archiv, XXI. Bd., S. 4 Anm. 1 und 2 [STB 53/54, S. 78 Anm. 7 und 8], ferner [oben S. 30 f.]) die Selbstverständlichkeit, daß jene religionspsychologischen Bedingungen nur unter Voraussetzung zahlreicher anderer, insbesondere auch natürlich-geographischer »Bedingungen« die Entfaltung des Kapitalismus direkt mit herbeiführen konnten, auch noch ausdrücklich ausgesprochen hatte; – daß ich aber endlich und vor allem schon 1908 [oben S. 44], in Erwiderung auf eine der RACHFAHLschen geistesverwandte Kritik, zum Überfluß auch noch, um *jeder* »Verabsolutierung« des von mir erörterten Kausalzusammenhanges vorzubeugen, nochmals feststellte: es handle sich bei meinen Untersuchungen um die Analyse der Entwicklung eines dem entstehenden Kapitalismus der Neuzeit adäquaten ethischen »Lebensstils«, und *nur* um diese; wenn also seitens anderer »die Tragweite meiner Ausführungen ... überschätzt worden« sei, so sei dies nicht meine Schuld; es sei, fügte ich noch bei, sogar recht wohl möglich, daß nach Beendigung meiner Aufsätze ich »der Kapitulation vor dem historischen Materialismus geziehen« werde. Auch den polemischen kleinen Aufsatz, in welchem diese letzten Bemerkungen stehen, hatte RACHFAHL in seiner »Kritik« [oben S. 146, Anm. 21] *zitiert.* Auf meinen, mit den vorstehenden Zitaten belegten Vorhalt aber, daß er trotz alledem nicht die Pflicht gefühlt habe, dies alles, obwohl er es wisse, zu berücksichtigen, hat er jetzt die erstaunliche Keckheit, dem Publikum der »Intern. Wochenschr.« zu versichern: ihm sei von jenen meinen Ausführungen *nichts bekannt* gewesen, ja: er »habe sie auch heute noch nicht zu finden vermocht« [oben S. 266]. Ich stelle jedem anheim, welchen Ausdruck für dieses »Nichtkönnen« ich gebrauchen müßte, wollte ich einen anderen Standpunkt einnehmen als den des Achselzuckens über einen von der Manie des Rechtbehaltens um jeden Preis, auch den der literarischen Aufrichtigkeit, Befallenen. Ich konstatiere nur, daß RACHFAHL überdies *auch jetzt noch,* wo immer es ihm gerade in den Zweck seiner Polemik hineinpaßt, auf der »von Weber vertretenen Ansicht von dem calvinistischen« (sic, – nach allen seinen Beteuerungen, daß er meine Ansichten »richtig« wiedergebe!) »Monopol« (sic) »für die« (sic) »kapitalistische Entwicklung« [oben S. 258, Anm. 22] herumreitet, obwohl er auf der andern Seite auch wieder versichert: »er *habe* mir ja gar nicht unterstellt, daß ich das kapitalistische Wirtschaftssystem aus religiösen Ursachen abgeleitet habe« [oben S. 247 f.]. Dem gegenüber ist es natürlich völlig gleichgültig, daß R. ein »Exzerpt« aus meinen Aufsätzen an die Spitze seiner Kritik gestellt hatte und aus deren Inhalt dort zwar keineswegs überall, aber wenigstens überwiegend auch Richtiges wiedergab. Denn auch wo dies der Fall war, vergaß er selbst diese Reproduktion schon auf den nächsten Spalten, wie ich ihm wieder und wieder nachwies und nachweisen werde. Er war und ist eben in einer Zwangslage: da er nun einmal einen Festartikel über CALVIN schreiben wollte und es ihm reizvoll erschien, bei dieser Gelegenheit einem »Outsider« seine kritische Überlegenheit als historischer »Fachmann« zu zeigen, auf einem Gebiet, für welches er sich erst *ad hoc* »Material« beschaffen mußte, so fiel seine »Kritik« eben so aus, wie sie nun vorliegt, – jetzt aber muß er schon aus ressortpatriotischen Gründen »Recht behalten«, und, damit dies möglich sei, muß meine »These« so aussehen, wie sie zu seiner »Kritik« paßt. Man tut eben nicht gut, in diesem »Geist« an eine literarische Aufgabe zu gehen.

Zur Charakteristik des daraus sich ergebenden Niveaus seiner Polemik mache ich hier nur noch darauf aufmerksam, wie gütig Rachfahl meine (offenbar recht bedauernswerten) »Freunde und Anhänger« darauf hinweist, daß ich jetzt (vermutlich um mich vor seiner Polemik zu retten?) sie »rauh abschüttle«.[2] – Indessen: zur Sache selbst.

Die Replik RACHFAHLS beginnt mit seinem längeren Ausfall gegen TROELTSCHS Antikritik [oben S. 188 ff.]. Ob TROELTSCH es der Mühe wert findet, darauf zu antworten, weiß ich nicht. Ich meinerseits habe, da ich nun einmal überhaupt antworte, ein Interesse daran, aus dieser Diskussion auf folgendes hinzuweisen: in der »Kritik« RACHFAHLS [oben S. 117] hieß es (nach Anführung von Beispielen, in welchen, wirklich oder angeblich, *keine* Einwirkung religiöser Tatbestände auf politische Geschehnisse stattgefunden haben sollte): »aus allem dem erhellt doch eins: wie wenig sich die politische, wirtschaftliche und weltliche Entwicklung überhaupt (sic) durch religiöse Lehren binden läßt, wenn diese das rein religiöse Gebiet überschreiten«.[3] *Jetzt* heißt es [oben S. 229]: »ich (RACHFAHL) habe bestimmte konkrete Fälle vorgebracht, in denen Übertreibungen des Einflusses religiöser Momente ... begangen worden sind; daraus habe ich aber keinen (sic) allgemeinen Schluß nach der von TROELTSCH behaupteten Richtung hin[4] gezogen, und wenn er mir einen solchen unterschiebt (sic), so ist das ein Verfahren, das ich hier lieber nicht charakterisieren will, da ich dann sehr bittere Worte (sic) wählen müßte.« – So ist R.s Replik durchweg beschaffen, wie sich zeigen wird. Aber soll man da nun selbst »bittere Worte brauchen«? Ich meinerseits stehe erheitert und bereue es im Gegenteil aufrichtig, einen verworrenen Kritiker[5], dem es solche Kümmernisse verursacht, wenn man ihm *seine eigenen* Behauptungen vorhält, jemals so ernst genommen zu haben, wie es, immerhin, geschah. Ein anderer Zweck einer Polemik, als der, dem »Publikum« gegenüber im Recht zu *scheinen*, ist R. offenbar unfaßbar.

Weiter: In meiner Antikritik (Archiv XXX, S. 177 [oben S. 150]) verweise ich (unter Angabe des Orts, nämlich: Archiv XX, S. 19 Anm. 1 [STB 53/54, S. 90 Anm. 36]) gegenüber den irrtümlichen Angaben RACHFAHLS über die Beziehungen von SOMBARTS Arbeiten zu den meinigen auf *meine* ausdrücklichen und erschöpfenden Bemerkungen über diesen Punkt, die bereits in *meinem*, von R. »kritisierten«, Aufsatz stehen. Die Replik RACHFAHLS hierzu lautet: »daß SOMBARTS Kapitalismus Einfluß auf WEBERS These ausgeübt hätte, berichtet TROELTSCH (sic), – wie (sic) hätte ich auf die Vermutung kommen sollen, daß er (TROELTSCH!) ...... falsch orientiert wäre?«

Was ferner die Beziehungen zwischen den Arbeiten von TROELTSCH und mir anlangt, so haben TROELTSCH sowohl wie ich *erklärt*, 1. daß und warum keiner von uns für die Leistung des anderen verantwortlich ist; – 2. daß für die »Thesen«, welche TROELTSCH vertritt, meine »These« kein Beweisgrund ist und umgekehrt: jeder von uns könnte für seine Aufstellungen völlig Recht haben, auch wenn der andere mit den seinigen gänzlich fehlgehen sollte; – ferner 3. daß die Resultate meiner Arbeiten aber allerdings eine mit TROELTSCHS Ergebnissen sehr gut zusammenstimmende *Ergänzung* dieser letzteren darstellen, von welcher demgemäß 4. TROELTSCH *referierend* Notiz genommen hat, wobei ihm 5. in einigen für *ihn* gänzlich unwesentlichen *Einzel*punkten kleine Irrtümer untergelaufen sind (die dann RACHFAHL, wie ich hervorhob, in überaus kleinlicher Weise zu »fruktifizieren« versucht hat).[6] Ich hatte es nun »illoyal« genannt, daß ein angeblicher »Kritiker« Unterschiede zwischen TROELTSCH und mir, welche für jedermann offensichtlich Unterschiede in der *Terminologie* sind (kombiniert mit jenen an sich gänzlich gleichgültigen Irrtümern in der Wiedergabe einiger weniger meiner Formulierungen), dazu benutzt, um seinem Publikum gar nicht vorhandene Differenzen in der *Sache* vorzutäuschen und dabei auf der anderen Seite dennoch von »TROELTSCH-WEBERschen Begriffen« *gerade an denjenigen Punkten* (»Askese«) spricht, wo jene von ihm selbst zu Zwecken »effektvoller« Polemik ausgenutzten, wie jedermann sehen mußte: *rein terminologischen* Differenzen zwischen uns bestehen.[7] Dies Geschäft betreibt R. auch jetzt noch gelegentlich in gleicher Art weiter.[7a] Wenn er aber dabei nunmehr sogar [oben S. 241] sagt: sowohl TROELTSCH als ich »erkennen an (sic), daß sie mit dem Wort Askese verschiedenartige Vorstellungen verbinden«, so wird der Versuch, dieses »Anerkenntnis« als Verdienst seiner »Kritik« in Anspruch zu nehmen, nur den täuschen, der weder TROELTSCHS noch meine Arbeiten gelesen hat. Denn da TROELTSCH ganz ausdrücklich von der Askese im *Luthertum* sprach, ich ganz ausdrücklich meinen ganz andersartigen Askesebegriff als auf das Luthertum (und noch andere protestantische Gemeinschaften) nicht nur *nicht* zutreffend, sondern in schärfstem Gegensatz zu ihm stehend bezeichnet hatte, so brauchte für die Feststellung *dieses* terminologischen Unterschiedes in der Tat »kein Geist aus dem Grabe« – vielmehr: aus einem Tintenfasse – »aufzusteigen«. Auch der denkbar flüchtigste Leser mußte vielmehr sehen (und RACHFAHL *hatte* es gesehen), daß es sich eben um terminologische Verschiedenheiten handelte und nicht um sachliche. Ohne noch ein Wort zu verlieren, überlasse ich es daher jedem, der dafür Zeit hat, mit diesem klaren Tatbestand die kleinen Kunststücke zu vergleichen, mittels deren RACHFAHL trotz allem *auch jetzt* noch, also nachdem zum Überfluß TROELTSCH wie ich dies noch ausdrücklich erklärt hatten, die Sache »besser wissen« möchte.[8]

Und um endlich mit dieser doch wirklich etwas läppischen Kontroverse über die Terminologie ein Ende zu machen: ich *hatte*, wie erinnerlich, erklärt und – da RACHFAHL dies seinen Lesern, wie üblich, verschweigt, und mir in seinem üblichen, nicht anders als »hämisch« zu nennenden, Ton »Vaterfreude« an meiner (von mir eingehend aus sachlichen Gründen motivierten) *Ausdrucks*weise zuschreibt – so erkläre ich hier sehr gern *erneut*, daß mir selbstverständlich der Ausdruck »innerweltliche Askese« für *jeden* beliebigen anderen feil ist. – Sehr anders freilich steht es mit dem *sachlichen* Tatbestand. Von diesem nachher im Zusammenhang meines positiven Resümés (Abschnitt II). Hier muß notgedrungen zunächst noch weiter rein negativ gezeigt werden, daß die gleiche liederliche und sich um das ehrliche Eingeständnis seiner Oberflächlichkeiten herumwindende Art der Polemik durch die gesamte Replik R.s sich hindurchzieht.

R. versichert, die *Toleranz* nicht nur nicht als Trägerin kapitalistischen Geistes, sondern auch nicht als wirkende Ursache kapitalistischer Entwicklung hingestellt zu haben, – obwohl er doch (von den Ausführungen in seiner Kritik, die ich *völlig* korrekt wiedergegeben habe, ganz abgesehen) auch jetzt, schon auf *derselben* Seite [oben S. 246], wieder versichert: »Sie (die Toleranz) war der Boden, dessen der kapitalistische Geist *bedurfte*, um feste Wurzeln zu fassen und nicht der Verkümmerung ausgesetzt zu sein, und das ist nicht Konstruktion, sondern historische Tatsache.«[9] Nein, das ist, mag man nun hier, um RACHFAHLS Wortklauberei entgegenzukommen, etwa statt »Ursache«: »Bedingung« setzen, *weder* Tatsache *noch* (sinnvolle!) Konstruktion, sondern eine recht oberflächliche Behauptung, die von mangelndem Durchdenken der wirklichen Probleme zeugt. Der kapitalistische Geist (in *jenem* Sinne des Worts, den Rachfahl nach *seinen* eigenen Äußerungen damit verbindet) hat in Venedig, Genua, Florenz, Flandern, großen Teilen Frankreichs im ausgehenden Mittelalter und – beispielsweise – auch in Sevilla im 16./17. Jahrhundert wahre Orgien gefeiert, ohne daß die dort und damals selbstverständliche Intoleranz als solche ihm irgend Schaden getan hätte. Wo zum Beispiel die Quellen der Verkümmerung Sevillas (wohlgemerkt: soweit daran die Eigenart des Katholizismus mitbeteiligt war – und sie war es in immerhin erheblichem Grade –) wirklich lagen, das zeigen die jedem Kenner der spanischen Wirtschaftsgeschichte bekannten Konflikte der streng katholischen Stadt mit Kirche und Staat deutlich genug. Die Intoleranz hat insbesondere den, von Rachfahl als eigentlichen »Trägern« des kapitalistischen Geistes herausgehobenen, »ökonomischen Übermenschen«, also den ganz großen Bankiers und Monopolisten (die sich damit bekanntlich von Anbeginn der Geschichte her immer ziemlich leicht abgefunden haben), auch hier *nichts* zu leide getan. Die Fugger und ebenso z. B. die Großkapitalisten in Sevilla und sonst haben im 16. Jahrhundert aller Intoleranz ungeachtet ganz ebenso glänzende Geschäfte gemacht wie einerseits etwa die Peruzzi und Bardi und ihresgleichen im intoleranten Mittelalter und wie andererseits die englischen und holländischen Großkapitalisten ähnlichen Gepräges in intoleranten sowohl als in toleranten Ländern. Und: die lange Zeit praktisch äußerst weitgehende »Toleranz« des Normannenstaates hat ihrerseits den Schwerpunkt des mittelalterlichen Mittelmeerkapitalismus ebensowenig von den damals mit Leib und Seele kirchlichen und »intoleranten« oberitalienischen Städten in die sizilianischen Städte hinwegzuziehen vermocht, wie das (innerhalb der Grenzen der »Staatsräson«) praktisch so gut wie völlig tolerante Verhalten des Römerreichs dem Verfall des spezifisch antiken kapitalistischen »Geistes« und des antiken Kapitalismus selbst vorgebeugt hat. Und endlich hat der (wieder einmal von Rachfahls Eifer einfach vergessene) Umstand, daß ja das protestantische, anglikanische wie presbyterianische, England (und ebenso: Neu-England) prinzipiell so intolerant war wie ein katholischer Staat[10], dem Entstehen des kapitalistischen Geistes (in jenem generellen, unhistorischen Sinne RACHFAHLS) durchaus nichts in den Weg gelegt. Die, sei es offiziell tolerierte, sei es nichttolerierte, wenn nur faktisch nicht ausgerottete *Existenz* der Puritaner dagegen hat, ganz ebenso wie ihre *Herrschaft*, mochte diese ihrerseits intolerant oder tolerant sein, *gerade* jene »Nuance« (mit R. zu reden) des kapitalistischen Geistes allgemein gefördert, auf die ich das entscheidende Gewicht lege. Gerade *diese* »Nuance«, *nicht* aber die Existenz jener RACHFAHLschen großen Finanzleute, hat umgekehrt der intolerante *katholische* Staat, z. B. Frankreich [1685] in der Aufhebung des Ediktes von Nantes, in ihrer Entwicklung geknickt, wie dies die Zeitgenossen überhaupt, und speziell bekanntlich COLBERT, am besten gewußt haben. Mit einem Wort: der Protestantismus, und speziell der asketische, hat, gleichviel ob toleriert, tolerant oder intolerant, dem kapitalistischen Geist *sowohl* in seiner generellen (RACHFAHLschen) *wie* in seiner (in meinem Sinn) spezifischen Ausprägung Wurzel schlagen *helfen*. Der tolerierte oder herrschende Katholizismus dagegen hat ihn *nirgends* – oder bitte: wo? und wie? – *befördert*. Die Toleranz tat dies, nach RACHFAHLS jetzigem eigenen Zugeständnis, nur da, wo sie, als *solche*, dem »Wurzelschlagen« kapitalistischen Geistes zugute kam. Das aber *konnte* doch nur da der Fall sein, wo Bevölkerungsgruppen eben *aus religiösen, von einer etwaigen Intoleranz betroffenen Gründen, Träger* jenes (*spezifischen*) Geistes waren, – und nach R.s eigenen Ausführungen ist dies ja bei jenen großen Finanzleuten, die es doch in intoleranten ebenso wie in toleranten Zeitaltern und Staaten gegeben hat, eben *nicht* der Fall gewesen. Um die Kette zu schließen: – der intolerante Katholizismus wurde für den kapitalistischen »Geist« tödlich in der Neuzeit *nur* da, wo er 1. die *häretischen Träger bürgerlichen Geschäftsgeistes* ausrottete, – und, um es zu wiederholen: es ist eben *kein* Zufall, wie schon die Zeitgenossen (PETTY) wußten, daß asketische Häretiker oder doch der Häresie Verdächtige (übrigens schon im Mittelalter: siehe die von mir schon zitierten Humiliaten und ähnliche, – erst recht aber in der Reformations- und Gegenreformationszeit) κατ' ἐξοχήν dessen Träger waren, ferner 2. wo er durch Forcierung von Klostergründungen die (*auch* in den Klöstern, wie mein Aufsatz hervorhob, durch die Lebens*methodik* der Askese bedingte) Akkumulation von erworbenem Besitz aus dem privaten Erwerbsleben ausschaltete und in einen, *privat*kapitalistisch angesehen, »toten Kanal« leitete, und wo er, was uns hier speziell angeht, damit zugleich jene *Menschen*, welche ihrer, durch Anlage und Erziehung bedingten, rational-asketischen Eigenart nach aus der »gottgewollten« Arbeit einen »Beruf« zu machen spezifisch *prädisponiert* gewesen wären, aus der Welt sozusagen *heraus* sog und in die Zellen des Klosters versetzte. Also: was die Toleranz, rein als solche, d. h. *unabhängig* von der Frage, welcher Art von Religiosität sie zugute kam, tatsächlich für die Entwicklung der kapitalistischen Wirtschaft bedeuten konnte und mehrfach bedeutet hat, war genau das, was ich seinerzeit in meinen Aufsätzen schon gesagt hatte und was RACHFAHL mir nachzusprechen versuchte, ohne es auch nur jetzt korrekt fertig zu bringen, nämlich: 1. sie erhielt unter Umständen dem Lande Einwohner und – eventuell – Vermögensbestände, welche die Intoleranz verscheucht hätte[11]; – 2. dem kapitalistischen »Geist« (gleichviel wie man ihn definiert) ist sie da, aber auch natürlich *nur* da, zugute gekommen, wo *sie* es war, die spezifische Träger desselben dem Lande erhielt: Leute also, die als solche, d. h., wie schon gesagt: *weil dieser »Geist« mit der Eigenart ihrer Religiosität* zusammenhing, von der Intoleranz nicht geduldet worden wären. Dies eben war mit den Repräsentanten des asketischen Protestantismus der Fall. – 3. Unsinn ist es dagegen zu behaupten, die religiöse Intoleranz habe, *als solche*, irgendeinem *nicht* derartig religiös verankerten »Geist des Kapitalismus« den Boden abgraben können, wie R. behaupten muß, um »Recht zu behalten«. Wo hat sie das getan? Wie hätte sie es eigentlich machen sollen? Und warum hätte sie es versuchen sollen? Sie hat ja die Florentiner und alle späteren Großkapitalisten jederzeit ganz ruhig ihre Geschäfte machen lassen, *wenn* sie der Kirche die verlangte Obödienz bewiesen. Ja, die Kirche hat *mit* ihnen Geschäfte gemacht, an denen sie ganz kolossal viel Geld verdienten. – Damit wohl genug hiervon. –

Da ich RACHFAHL, nach Möglichkeit, auch keine irgend wesentlichen Einzelheiten seiner durch und durch vom »Geist« einer peinlich wirkenden Nichtaufrichtigkeit getragenen Polemik durchgehen zu lassen beabsichtige (denn es ist, so unwahrscheinlich ein solches Maß von Leichtfertigkeit erscheinen mag, tatsächlich *nicht eine* von ihnen, die nicht auf Verzerrung, oberflächlicher Lektüre – oder Üblerem – beruhte), – so verweise ich eine Anzahl solcher Einzelpunkte unter den Strich[12] und bringe zum Schluß dieser polemischen Partie des Aufsatzes nur noch einige besonders charaktervolle Beispiele dessen, was er sich gestatten zu dürfen glaubt.

In langen, ebenso wortklauberischen wie (m. E.) trivialen Ausführungen [oben S. 256 ff.] versucht RACHFAHL seinem Publikum – *trotz* seiner ausdrücklichen Ableugnung dieser Absicht, die er, ebenso wie seine eigenen Zitate aus meinem Aufsatz, schon in der nächsten Spalte wieder vergißt – die Meinung beizubringen: daß ich die Bedeutung derjenigen Züge des kapitalistischen Geistes, welche zu *allen* Zeiten den Trägern des Kapitalismus eigen gewesen sind, entweder *geleugnet* oder doch von kapitalistischem Geist *nur* da gesprochen habe, wo die von mir als bei der Geburt des modernen kapitalistischen Geistes beteiligt bezeichneten asketischen Züge vorhanden seien.[13] Daß dies nicht richtig ist, daß ich in meinen Aufsätzen genauso meine Aufgabe begrenzt hatte, wie dies in meiner »Antikritik« angegeben ist, habe ich RACHFAHL schon in dieser letzteren nachgewiesen. R.s Publikum aber bekommt diese nun einmal jetzt selbst für ihn nicht mehr abzustreitende Tatsache in der Form zu hören [oben S. 258]: *Ich* gäbe *jetzt* – offenbar: infolge der R.schen Kritik! – zu, daß die von mir analysierte Komponente »nicht entfernt ausreicht, das kapitalistische System (sic) der Neuzeit zu erklären«. Diese Leistung, angesichts der schon oben wiedergegebenen Stellen aus meinen Aufsätzen an sich schon ein starkes Stück, wird aber noch überboten durch den gleich folgenden Satz: ich hätte »zugestanden«: »der kapitalistische Geist, mit dem ich mich beschäftige, *beziehe sich gar* nicht auf die großkapitalistische Entwicklung«. Was ich wirklich gesagt habe, ist *Lesern* meiner Aufsätze, auf die ja freilich seine »Kritik« und »Replik« nicht berechnet sind, wohl erinnerlich: Gerade eine durch spezifisch »asketische« Lebensführung bedingte Anhäufung von Reichtum tendiert, – wie die immer wieder erforderlich werdenden »Reformationen« der Klöster im Mittelalter (auf die ich als Parallele verwiesen hatte) zeigen, und wie auch die Puritaner, Quäker, Baptisten, Mennoniten, Pietisten recht wohl aus eigenen, nur zu verständlichen Erfahrungen wußten, – immer wieder dahin, die Macht der Askese zu brechen: wenn nicht der aufgestiegene selfmademan selbst, so seine Söhne oder Enkel widerstehen eben von sich aus der »Versuchung«, der »Welt« (in diesem Fall: dem *genußfrohen Gebrauch* des erworbenen Gutes) zu leben, an sich noch seltener, als reichgewordene Klöster des Mittelalters dies taten. Es ist nun eben eine der Leistungen des asketischen Protestantismus, daß er dieser Tendenz *entgegen* wirkt, daß er insbesondere den von ihm als »Kreaturvergötterung« abgelehnten Tendenzen, den »splendor familiae« durch Immobilisierung des Besitzes als *renten*bringenden Vermögens zu sichern, wie der »seigneurialen« Freude am »high life«, dem schönheitstrunkenen Rausch im ästhetischen Genießen und »Sichausleben« wie dem protzenhaften Bedürfnis nach ostensiblem Prunk, gleichmäßig widerstrebt. Und diese, vom asketischen Protestantismus perhorreszierten Tendenzen sind es ja doch, welche ihrerseits die Gefahr »kapitalistischer Erschlaffung«: die Neigung zur Verwendung des Vermögens für *andere* Zwecke denn als »Erwerbskapital«, immer wieder heraufbeschwören, welche also dem kapitalistischen »Geist« (in *jedem* Sinn, den man mit dem Wort verbinden kann) entgegenwirken; denn jeder einzelne dieser Züge ist, wo immer er sich bei großen Unternehmern findet, eine

Hemmung seiner vollen Entfaltung und tut der »Kapitalbildung« Abbruch. Und zugleich sind gerade diese Züge solche, welche *allen* Arten von großen Vermögens- oder Einkommensbesitzern: feudalen Rentengrundherren so gut wie Kuponschneidern und wie hochsalarierten Staats- und Hofbeamten ganz *ebenso* sich anzuheften pflegen wie den ganz großen Kapitalisten. Oder vielmehr diesen letzteren, wenn sie überhaupt »Kapitalisten« im präzisen erwerbswirtschaftlichen Sinn des Wortes *bleiben* wollen, notwendig *weniger* als allen andern: – denn ihr Vermögen wird ja eben parallel mit dem Wachsen des (wie man heute in unklarer Terminologie zu sagen pflegt) »unproduktiven« Verbrauchs seiner kapitalistischen Zeugungskraft *beraubt*. Auf der anderen Seite: das, was an privatkapitalistisch relevanten Motiven einem solchen Großkapitalisten, der *nicht* unter der Macht jener von mir analysierten asketischen Lebensmethodik steht, verbleibt, insbesondere also, ganz allgemein gesprochen: das bewußte planvolle Streben nach Erweiterung seiner ökonomischen Leistungssphäre, darnach also: »etwas in der Welt fertig zu bringen« mit seinen ökonomischen Machtmitteln, – dieses durch die Natur des unvermeidlichen Mittels innerhalb der Sphäre der Erwerbswirtschaft in seiner Richtung determinierte Streben *teilt* der von allen religiösen Bestimmungsgründen emanzipierte Lebensstil mit demjenigen, den ich analysiert habe. Nur fehlt ihm das entscheidende *Fundament* im *persönlichen* Leben. Denn der seit der Aufklärung übliche Optimismus, wie er später im »Liberalismus« gipfelte, war nur ein Surrogat nach der *sozial* gewendeten Seite: er ersetzt das »in majorem Dei gloriam«. Nicht aber die *persönliche* Bedeutung der »Bewährung«, welche, rein diesseitig gewendet, vielmehr die Neigung zeigt, ins lediglich »Agonale« umzuschlagen oder aber unter die verschiedenen Komponenten trivial-bürgerlicher Selbstzufriedenheit sich einzureihen. Alle jene spezifischen Züge, welche einem von irgend etwas, was man »Geist« des Kapitalismus nennen kann, wirklich ganz durchtränkten Leben eignen: die kühle und menschlichkeitsfremde »Sachlichkeit«, die »Rechenhaftigkeit«, die rationale Konsequenz, der aller Lebensnaivität entkleidete Ernst der Arbeit und die fachmenschliche Verengung, alle diese Züge, welche den pathetischen antichrematistischen Widerspruch vom künstlerisch orientierten sowohl wie vom ethischen und vor allem vom rein menschlichen Standpunkt aus herausgefordert haben und herausfordern, entbehren eben dann bei ernsten Menschen ihrerseits einer geschlossenen Einheit der ethischen Selbstrechtfertigung, welche dabei vielmehr – ich habe das ja angedeutet –, wenn überhaupt, durch allerhand leicht als solche kenntliche Surrogate ersetzt wird. Dabei *kann* selbstredend der Kapitalismus recht bequem existieren, aber entweder, wie heute zunehmend, als eine fatalistisch hingenommene Unvermeidlichkeit, oder, wie in der Aufklärungsperiode einschließlich des Literalismus modernen Stils, legitimiert als irgendwie *relativ* optimales Mittel, aus der (im Sinn etwa der LEIBNIZschen Theodizee) *relativ* besten der Welten das *relativ* Beste zu machen. Aber er erscheint gerade den ernstesten Menschen *nicht* leicht mehr als äußerer Ausdruck eines in einer letzten, geschlossenen und angebbaren, Einheit der Persönlichkeit fundierten Lebensstils. Und es wäre ein erheblicher Irrtum, zu glauben, daß dieser Umstand für die Stellung des Kapitalismus innerhalb der Gesamtkultur: seine Kultur*wirkungen* zunächst, ebenso aber: sein eigenes inneres Wesen und schließlich auch: sein Schicksal, gleichgültig bleiben müsse.

Was ich über die *nicht* von der protestantischen Askese mitbedingten Züge des »kapitalistischen Geistes« gesagt habe, war also in der Tat nicht solcher RACHFAHLscher Unfug, wie: daß gerade die großen Kapitalisten »nicht in die moderne Wirtschaftsgeschichte hineingehören« und dergleichen, sondern: 1. daß ökonomischen »Übermenschen« (um der Kürze halber den Ausdruck beizubehalten) die asketischen Züge der kapitalistischen Berufsethik auch in der Reformationszeit weit weniger *spezifisch* sind, daher an ihnen weit weniger studiert werden können als (damals) an den aufsteigenden bürgerlichen Mittelklassen. Dies erklärt sich neben den schon erwähnten spezifischen »Versuchungen«, welchen gerade sie ausgesetzt sind, natürlich u. a.[14] einfach daraus, daß Leute, die einmal in dieser Machtstellung sich befinden, mit der Möglichkeit eines solchen politischen und ästhetischen Horizonts, wie sie ihn gewährt, die innere Situation des »Jenseits von Gut und Böse«: die Losgerissenheit von den ethischen und kirchlichen Gewissensbindungen, *weit leichter ertragen* können, als, nach allen Erfahrungen der Geschichte, das eben damals in den modernen Staatenverbänden mächtig erwachende Bürgertum dies konnte, *wenn* es innerlich in den »Geist« des Kapitalismus hineinwachsen und seinen Lebensstil so gestalten sollte, wie er es erheischt. Ferner habe ich 2. gesagt: die bloße »auri sacra fames«, das Streben nach Geld, ist nicht nur zu allen Zeiten der Geschichte vorhanden gewesen, es ist auch nicht einmal der »Kapitalistenklasse« irgendwie eigentümlich, es ist außerhalb ihrer mindestens ebenso verbreitet gewesen und noch heute verbreitet als innerhalb ihrer, ja der orientalische kleine Krämer, der barcajuolo, Kutscher, Kellner, Portier des heutigen Italien und ebenso anderer Länder (mit Ausschluß vornehmlich *gerade* der puritanisch beeinflußt gewesenen), ebenso der »notleidende Agrarier« usw., – sie alle haben es noch weit *mehr* als der Typus des »Kapitalisten«, dem, wo er *dauernd* erfolgreich sein soll, immer zum mindesten ein Zug von 1. Hingabe an die »Sache« und 2. rationaler Beherrschtheit zu eignen pflegt. Die Leistung der »innerweltlichen Askese« war die Schaffung einheitlicher *Grundmotive* für die Pflege *dieser* Qualitäten. RACHFAHL behauptet jetzt gegenüber meinem Hinweis auf seine kenntnislose Vergröberung der Probleme, um die es sich hier handelt, mit der ihm eigenen kecken Sicherheit: »die Schwäche der psychologischen Position (sic) des *Erwerbstriebs* sei ihm sehr wohl bekannt«. Mit Verlaub: er wußte *gar nichts* davon, denn sonst hätte er mir nicht die Stärke eben dieses »Triebes« (bei *anderen* als den Puritanern) in seiner »Kritik« in jener breiten und flachen Weise entgegengehalten, die ich zurückwies. Aber freilich: »er weiß es besser«, trotzdem und – eben deswegen. Er hat sich jetzt aus dem, was ich ihm entgegnet habe und was er, bei leidlich sorgsamer Lektüre, in meinem Aufsatz ausführlich erörtert finden konnte, einiges darüber angeeignet: nicht genug freilich, um nicht noch *jetzt* an verschiedenen Stellen seiner »Replik« ganz dieselben Platitüden wiederum vorzutragen. Aber es genügt ihm, um ganz munter davon zu fabulieren: daß die Erhebung dieses »Triebes« aus dem Gebiet des »Naivtriebhaften« auf das Niveau des »Rationalen« keineswegs »lediglich« das Werk der »*reformierten* Berufsethik« (auf die ich mich bekanntlich keineswegs beschränkte!) sei, – nähere Erläuterung oder Andeutung, wessen Werk denn nun sonst: – »vacat«.[15]

Auf ähnlichem Niveau stehen seine hierzu parallel laufenden Erörterungen über das, was ich »asketischen Sparzwang« genannt habe und dessen ethische Einschärfung die negativ gewendete Ergänzung zu jener Rationalisierung und ethischen Verklärung des Gewinnstrebens als Beruf durch die innerweltliche Askese bildet. Rachfahl entdeckt jetzt die erstaunliche Wahrheit, daß zur Akkumulation von Kapital (die übrigens, was ihm offensichtlich keineswegs klar ist, was aber jeder nationalökonomische Anfänger weiß, mit der Aufsammlung von großen »Vermögen«, von der er redet, ganz und gar nicht identisch ist), daß zum *Sparen* also – der »Geist der Sparsamkeit« gehört. Und da man ja zu allen Zeiten »sparen« mußte, um Kapital zu akkumulieren, so ist – ganz nach dem Muster des zu allen Zeiten vorhanden gewesenen »Erwerbstriebs« (der, wie erinnerlich, deshalb einer »Stütze« durch die von mir analysierte Berufsethik gar nicht bedurfte) – offenbar die innerweltliche Askese auch in dieser ihrer Funktion gar nichts »Neues«. Ich will dem Tiefsinn dieser Argumentation nichts hinzufügen. Daß freilich gegenüber dem: »Ihr sollt euch nicht Schätze sammeln auf Erden« und also: »Deo placere non potest« des mittelalterlichen Katholizismus es die eigentümliche, wenn man will: paradoxe, Leistung der Askese gewesen ist, *eben jenen gegen* das Sparen gerichteten Bibelsatz zu predigen, *gleichzeitig* aber durch die Art der von ihr geschaffenen Lebensführung erst recht jene von ihr perhorreszierten »Schätze« mit noch nie dagewesener Wucht und Kontinuität immer von neuem zu schaffen und vor naiv genußfrohem Verbrauch zu schützen (*solange* ihr »Geist« die Oberhand über die »Versuchung« behielt[16]), also: das Sparen und ebenso die Verwendungsweise des Gesparten zu anderen als persönlichen Genußzwecken zu *rationalisieren* und zu *verklären*, – dieser einfache, aber, wie ich ausgeführt habe, grundlegend wichtige Tatbestand ist wahrscheinlich für diese sogen. »historische Kritik« nicht zu fassen.

Man mag nach alledem ermessen, was man davon zu halten hat, wenn R. auf der einen Seite versichert, er habe in seiner Kritik »ganz wie ich«, geschieden »zwischen den zu allen Zeiten im Kapitalismus wirksam gewesenen geistigen Triebkräften und dem kapitalistischen Geist im WEBERschen Sinn«, – auf der anderen Seite aber sagt: die Züge *des* kapitalistischen Geistes der Neuzeit seien »dieselben, die sie zu allen Zeiten waren« [oben S. 264]; oder auf der einen Seite: die von mir hervorgehobenen Züge seien nur eine »Nuance« jenes »Geistes«, die »auch« (sic) der Neuzeit (welchen Epochen noch?) angehöre, insbesondere sei die »Mitwirkung der Methodik der Lebensführung recht bescheiden« [oben S. 250], ja bei vielen »kapitalistischen Phänomenen« (sic) sei die Wirkung der von mir analysierten Motive »ausgeschlossen« [oben S. 261] (es wird natürlich in keiner Weise auch nur im entferntesten anzudeuten versucht, bei *welchen* Phänomenen denn nun das letztere der Fall sein möchte), – auf der anderen Seite: kein Mensch bezweifle ja – und also, heißt das doch, habe ich damit gar nichts Neues gesagt – das Bestehen einer »inneren Beziehung zwischen Calvinismus (was wie gesagt, wieder zu eng ist) und Kapitalismus« und, wie es jetzt heißt: erst recht bezweifle niemand die maßgebende Rolle des Puritanismus für den amerikanischen Lebensstil, – die aber R. in seiner »Kritik« so entschieden wie möglich bezweifelt *hatte*, soweit das in diesem Zusammenhang Spezifische dieses Lebensstils: die Bedeutung der puritanischen Berufsethik für das Geschäftsleben, in Betracht kam: er bestreitet ja *noch jetzt* diese Einwirkung, – womit er freilich wohl allein stehen dürfte, auch ganz abgesehen von meinen speziellen Nachweisen in dem schon mehrfach zitierten, aber von R. nach wie vor geflissentlich ignorierten Aufsatz in der »Christlichen Welt«.

Ganz das gleiche gilt natürlich, wenn er, ohne den Schatten einer Begründung, ja selbst einer Erläuterung, einfach wie immer: ins Blaue hinein, seinem Publikum mit der Geste des »Kenners« versichert: der Kapitalist sei schon ohne die Einwirkung der von mir analysierten Motive »Berufsmensch« gewesen [oben S. 264], *keineswegs* bestünden in der calvinistischen Ethik Bedenken gegen den Genuß [oben S. 241], die »ethische Auffassung des Berufs« sei »nicht erst Produkt der reformierten (sic) Sittlichkeit« [oben S. 262], asketische Bedenken gegen den Genuß seien »nicht der neuzeitlichen Kapitalistenklasse«, speziell auch in *meinem* Sinn, wie ausdrücklich hinzugefügt wird, irgendwie typisch [oben S. 239], »Berufsethik«, »und sogar mit religiöser Färbung«, habe schon vor der Reformation bestanden, während ich 1. nachgewiesen habe, daß selbst der *Name* »Beruf« erst ein sehr spezifisches Produkt der Bibelübersetzung war und, aus rein religiösen Bedeutungen herstammend, weiterhin der Säkularisation verfallen ist, – 2. auch mehrfach die Unterschiede der thomistischen und ebenso der lutherischen Stellung zu dem, was man seit der Reformation »Beruf« nannte, gegenüber dem asketischen Protestantismus analysiert habe, ohne daß R. natürlich auch nur den leisesten Anfang eines Versuchs gemacht hätte, daran zu rütteln. Er hat statt dessen die Unbefangenheit, einfach zu versichern: es handle sich bei mir um »eine bloße Behauptung«.

Oder wenn [oben S. 258 f. und öfter] der Anschein erweckt wird, als sei das, was ich über die spezifische Bedeutung des asketischen Protestantismus des 17. Jahrhunderts[17] für die eben damals und *gerade* in den Gebieten desselben aufsteigenden bürgerlichen Mittelklassen gesagt habe, nicht schon ganz ebenso, größtenteils wörtlich, in meinem Aufsatz gesagt, wobei überdies jetzt diese Bemerkung dahin zu wenden versucht wird, als ob es sich bei »bürgerlichen Mittelklassen« nach meiner Ansicht um »Flickschuster« handle.[18] Ich denke mit der

Erwähnung dieser Leistung können wir die Analyse beschließen.

Vermerkt sei nur noch, daß R. meint: wenn ich einen Aufsatz über den »Geist des Kapitalismus« schreibe und dabei nur *eine* spezifische »Nuance« desselben behandle, so sei das, wie wenn ein Schriftsteller in einer Arbeit über »das Pferd« erklärte: nur vom »Schimmel« handeln zu wollen. Ich verweise den ebenso geistreichen (wie man sieht) als vergeßlichen (wie man gesehen hat) »Kritiker« auf die *Überschrift* meines Aufsatzes, lautend: Die protestantische Ethik *und* der Geist des Kapitalismus. Natürlich also doch nicht: die *Totalität* beider (R. hätte mich ja sonst auch anklagen können, daß ich nur vom »Schimmel« rede, weil ich bezüglich der *Ethik* z. B. die Sexualethik LUTHERS oder dergl. nicht behandelt habe), – sondern eben die *Relationen zwischen* beiden, woraus doch selbstredend folgt, daß nur das, was beiderseits, als kausierend oder kausiert, in Betracht kommt, behandelt wird. Um eine Polemik pflegt es nach meiner Erfahrung immer übel zu stehen, wenn der Polemiker, um wenigstens dem Schein nach »Recht« zu behalten, zu dem Mittel gezwungen ist: sich *noch* törichter *zu stellen*, als er (im vorliegenden Fall) ist.

II

Doch, nach so viel Polemik, nun endlich genug. Ich vergesse ganz, daß RACHFAHL die große Freundlichkeit hat, mir auch eine gute Lehre zu geben, wie ich es besser hätte machen können. Nämlich [oben S. 260] ich hätte sagen sollen: »es hat sich unter dem Einfluß reformierter Berufsethik eine bestimmte Abart kapitalistischen Geistes im Lauf der Neuzeit entwickelt; ich will ihren Ursprung, die Grenzen ihrer Expansion feststellen, sowie der Frage der qualitativen Prägung nachgehen, d. h. zu ermitteln trachten, ob der kapitalistische Geist, der das kapitalistische Wirtschaftssystem der Gegenwart geschaffen hat (sic), aus dieser Quelle bestimmte Züge empfangen hat, die für sein Wesen von konstitutiver Bedeutung geworden sind.« – Mit anderen Worten: Ich hätte 1. zunächst eine Voraussetzung machen müssen, die R. an anderen Stellen selbst perhorresziert: daß irgendein »kapitalistischer Geist« (gleichviel wie definiert) das kapitalistische Wirtschafts*system allein* aus sich geschaffen habe, – eine rein spiritualistische Konstruktion, die ich in meinen Aufsätzen ausdrücklich abgelehnt habe. Ich hätte ferner 2., wenn ich recht verstehe, das, was ich ja unter anderem gerade erst *beweisen* wollte: daß nämlich die reformierte Berufsethik (lassen wir R. diese »pars pro toto« hier durchgehen) die Bildung einer »Abart des kapitalistischen Geistes« (lassen wir auch diesen Ausdruck durchgehen) maßgebend beeinflußt habe, – *voraussetzen* müssen, und dann hätte ich 3. das, was ich in diesem Aufsatz ausgesprochenermaßen und nach seiner ganzen Anlage teils gar nicht, teils noch nicht (nämlich in den bisher allein erschienenen Partien nicht) verfolgen konnte: die Grenzen ihrer *Expansion*, – ermitteln sollen, worauf ich dann endlich 4. die (vergl. Nr. 1) schief gestellte Frage nach der »qualitativen Prägung« hätte erörtern dürfen. Damit hätte ich 5. mein Problem in einer Weise orientiert, die meinen Absichten nun einmal *nicht entsprach*: denn nicht die Förderung des Kapitalismus in seiner Expansion war das, was mich *zentral* interessierte, sondern die Entwicklung des *Menschentums*, welches durch das Zusammentreffen religiös und ökonomisch bedingter Komponenten geschaffen wurde: das war am Schluß meiner Aufsätze deutlich gesagt. Wie aber schließlich ersichtlich, hätte ich überdies, um dieses Programm, soweit es sinnvoll ist, ausführen zu können, gleich an die Spitze der Erörterung vor allem eine *Definition* dessen stellen müssen, was alles der komplexe Begriff: »Geist des Kapitalismus« enthalten kann. Denn ohne dies ist die Feststellung der Existenz einer »Abart« ja gar nicht möglich. Ich habe aber in meinem Aufsatz gesagt, warum dies nicht geschehen ist und, sollte ich nicht von vornherein die Geschichte vergewaltigen, nicht geschehen konnte. Ein spezifisch historisches Gebilde, wie das, was wir unter jenem Namen, zunächst ganz ungeklärt, vorstellen, kann zu begrifflicher Deutlichkeit eben nur – ich vermisse jeden Versuch einer Widerlegung dieser Ausführungen – durch Synthese seiner einzelnen Komponenten, wie sie die Realität der Geschichte darbietet, erhoben werden. So zwar, daß wir aus der Realität des historisch Gegebenen jene Einzelzüge, die wir dort in vielfach vermittelter, gebrochener, mehr oder minder folgerichtiger und vollständiger Art, mehr oder minder vermischt mit anderen, heterogenen, sich auswirkend finden, in ihrer schärfsten, konsequentesten Ausprägung auslesen, nach ihrer Zusammengehörigkeit kombinieren und so einen »ideal-typischen« Begriff, ein Gedankengebilde, herstellen, dem sich die *faktischen* Durchschnittsinhalte des Historischen in sehr verschiedenem Grade *annähern.* In Wahrheit verwendet ja jeder Historiker, bewußt oder (meist) unbewußt, kontinuierlich Begriffe *dieser Art,* wo er überhaupt scharfe »Begriffe« verwendet. Darüber habe ich mich, ohne bisher Widerspruch zu erfahren, auch außerhalb jener Aufsätze wiederholt ausgesprochen (ohne übrigens irgendwie mir einzubilden, daß durch jene methodologischen Versuche dieses gar nicht einfache Problem irgendwie endgültig »erledigt« sei, – ich habe vielmehr gewiß dringlichen Anlaß, über meine bisherigen Arbeiten in dieser Richtung sehr bescheiden zu denken –). Jedenfalls aber konnte in vorliegendem Fall, bei einer sehr komplexen historischen Erscheinung, zunächst nur von dem *anschaulich Gegebenen* ausgegangen werden und allmählich, durch Ausscheiden des für den notwendig isolierend und abstrahierend gebildeten Begriff »Unwesentlichen«, dieser zu gewinnen versucht werden. Demgemäß verfuhr ich so, daß ich zunächst 1. die von niemandem bisher bezweifelte Tatsache der auffällig starken Kongruenz von Protestantismus und modernem Kapitalismus: kapitalistisch orientierter Berufswahl, kapitalistischer »Blüte«, durch Beispiele in die Erinnerung rief, sodann 2. illustrativ einige Beispiele vorführte für *solche* ethische Lebensmaximen (FRANKLIN), die wir unzweifelhaft als von »kapitalistischem Geist« zeugend beurteilen, und die Frage stellte, wodurch sich diese ethischen Lebensmaximen von abweichenden, speziell von den Lebensmaximen des Mittelalters, unterscheiden, und dann 3. die Art, wie solche seelische Attitüden sich zu dem Wirtschaftssystem des modernen Kapitalismus *kausal* verhalten, wiederum durch Beispiele zu *illustrieren* suchte, wobei ich 4. auf den »Berufs«-Gedanken stieß, dabei an die längst (insbesondere durch GOTHEIN) festgestellte, ganz spezifische Wahlverwandtschaft des Calvinismus (und daneben des Quäkertums und ähnlicher Sekten) zum Kapitalismus erinnerte, und gleichzeitig 5. aufzuzeigen suchte, daß unser heutiger Begriff des Berufs irgendwie *religiös* fundiert sei. Damit ergab sich dann das Problem, *nicht* für die ganze ursprünglich beabsichtigte Aufsatzreihe (wie ausdrücklich an deren Schluß gesagt ist), wohl aber für die *zunächst* folgenden Ausführungen in den seinerzeit im Archiv für Sozialwissenschaft veröffentlichten Studien, dahin: wie verhält sich der Protestantismus in seinen einzelnen Abschattierungen zur Entwicklung des Berufsgedankens in seiner spezifischen Bedeutung für die Entwicklung derjenigen *ethischen* Qualitäten des Einzelnen, welche seine Eignung für den Kapitalismus beeinflussen. Die Frage hatte natürlich nur Sinn, wenn es überhaupt solche religiös bedingten spezifischen ethischen Qualitäten gab. Welcher *Art* diese sein könnten, war vorerst nur an Beispielen allgemein erläuterbar. In Verbindung mit der Erörterung des Problems selbst mußte also in immer weiterer Vertiefung der Nachweis erbracht werden (in Ergänzung zu dem schon bei der Entwicklung des Problems Gesagten), *daß* es solche Qualitäten in der Tat in bestimmten Bestandteilen protestantischer Ethik gab, *welche* dies seien, welche *Arten* von Protestantismus sie in spezifisch hohem Grade entwickeln konnten, und *worin* sie sich von den durch die mittelalterliche Kirche und von anderen Spielarten der Protestantismus teils anerzogenen, teils geduldeten Qualitäten unterschieden. Die eigentliche Behandlung des Problems selbst mußte dabei 1. nach Möglichkeit (d. h. soweit dies ein theologischer Laie leisten kann) zunächst die theoretisch-dogmatische Verankerung der Ethik bei den einzelnen Schattierungen des Protestantismus aufzufinden suchen, um zu zeigen, daß es sich nicht um rein akzessorische, mit dem Gedankengehalt der

Religiosität außer Verbindung stehende Dinge handelte, – 2. aber, was ja davon *sehr verschieden* ist: erörtern, welche *praktisch-psychologischen* Motive die Eigenart der Religiosität einer jeden von ihnen für das reale ethische *Verhalten* enthielt. Von allen seinen anderen Schiefheiten und Oberflächlichkeiten abgesehen, hat nun RACHFAHL noch nicht einmal das zu begreifen vermocht: daß diese eben genannten beiden Fragen *untereinander ganz verschiedene Dinge betreffen.* Daß es also zwar eine gewiß auch praktisch recht wichtige und interessante Frage ist, was an ethischen Idealen die kirchliche *Doktrin* des Katholizismus, LUTHERS, CALVINS und anderer in ihren Übereinstimmungen und Gegensätzen untereinander enthielt, ob gewisse, durch den asketischen Protestantismus praktisch-psychologisch gezüchtete, Arten des Verhaltens von der kirchlichen Theorie etwa, wie RACHFAHL vorträgt, »auch vom katholischen Laien« (nicht nur vom Mönch) »gefordert« wurden oder für ihn »galten«, – daß aber mit dieser Feststellung ja *schlechterdings gar nichts* darüber ausgemacht ist, ob der betreffende Typus von Religiosität denn nun auch in seinen Bekennern die *psychologischen Vehikel* schuf, welche ein jener kirchlichen Doktrin entsprechendes (oder etwa ein faktisch ganz anderes, oder etwa ein die Doktrin nach bestimmten einseitigen Richtungen hin noch übersteigerndes) *typisches Verhalten zu erzeugen geeignet war.* Wie ich selbst ausgeführt habe, findet sich z. B. Lob und Empfehlung gewissenhafter *Arbeit* für den in der Welt stehenden Laien selbstredend zu allen Zeiten, sowohl bei den Theoretikern der Ethik wie bei den Predigern im Mittelalter (BERTHOLD von Regensburg und ganz ebenso auch anderen) sehr regelmäßig (wogegen allerdings das Urchristentum – worauf schon HARNACK gelegentlich in einem kleinen Aufsatz hinweis – inbetreff der »Arbeit« wesentlich den antiken Standpunkt teilte).[19] Die Aussprüche LUTHERS nach gleicher Richtung sind bekannt. An der Lehre vom Segen auch weltlicher Arbeit hat es außerhalb des asketischen Protestantismus gewiß nicht gefehlt. Aber was hilft sie, wenn (wie im Luthertum) keine – in diesem Fall: *psychischen*

– *Prämien* darauf gesetzt sind, daß diesen theoretischen Lehren methodisch konsequent nachgelebt wird? Oder wenn (wie im Katholizismus) die weitaus größeren Prämien auf *ganz andere* Arten des Verhaltens gesetzt sind?, und überdies in Gestalt der Beichte ein Mittel gegeben ist, welches dem Einzelnen immer aufs neue ermöglicht, sich von schlechthin allen Arten von Verfehlungen gegen die Postulate der Kirche an das Leben seelisch zu entlasten?[20] Während umgekehrt der Calvinismus in seiner Entwicklung seit der letzten Zeit des 16. Jahrhunderts (und ähnlich das Täufertum) in dem Gedanken von der Notwendigkeit asketischer *Bewährung,* im Leben überhaupt und speziell auch im Berufsleben, als subjektiver Verbürgung der certitudo salutis (also nicht als *Realgrund,* sondern als einer der wichtigsten *Erkenntnis*gründe der eigenen Bestimmung zur Seligkeit) eine sehr spezifische und in ihrer Wirksamkeit auf *diesem* Gebiet nicht leicht zu überbietende, psychische Prämie für die asketische Lebensmethodik, die er forderte, schuf.

Diesen Sachverhalt habe ich in meinen Aufsätzen aufzuklären und die daraus folgende Lebensmethodik, und zwar, dem Zweck einer derartigen Analyse entsprechend, zunächst in ihren *spezifischen* Zügen und also in ihrer inneren Konsequenz darlegen müssen, wie sie in solcher absoluten Ungebrochenheit und vollends: in so voller Durchreflektiertheit dieses Zusammenhangs, ganz gewiß nicht als ein *bewußter* Besitz in jedem *Einzelnen* lebte, welcher in der Luft, die diese religiösen Mächte erzeugten, aufwuchs.

Daß und welche mächtigen Stützen jene Motive aber des weiteren auch in den kirchlichen und von den Kirchen und Sekten beeinflußten *sozialen* Institutionen fanden, suchte ich teils schon in meinen Aufsätzen im Archiv für Sozialwissenschaft kurz anzudeuten, teils in der mehrfach erwähnten Skizze in der »Christlichen Welt« etwas anschaulicher zu beleuchten. Ich rekapituliere das. Zunächst: die zentrale Kulthandlung des Abendmahls gewann gerade im »asketischen« Protestantismus einen sehr spezifischen Akzent. Der Gedanke, daß, wer nicht zu Gottes unsichtbarer Kirche gehört und dennoch an diesem Akt teilnimmt, »ißt und trinkt ihm selber zum Gericht«, dieser Gedanke ist ja an sich von einem pathetischen Gehalt, dessen Wucht uns heute, auch den meisten »Christen« unter uns, fast gänzlich abhanden gekommen ist, der aber doch auch für uns noch recht wohl aus den Jugendreminiszenzen der absterbenden Generation und aus den (für unseren Blick) sozusagen in die Winkel gescheuchten Resten kirchlich gebundener Lebensschwere lebendig rekonstruierbar ist. Im asketischen Protestantismus fehlt nun (und keineswegs etwa zufälligerweise!) das Institut der Beichte, welches dem Katholiken eine *Entlastung* von dem Druck solcher an den Einzelnen ergehenden pathetischen Fragen nach seiner Qualifikation gewährte. Und auch hier, wie überall, beantwortete sich das Problem, ob er zu den Qualifizierten gehöre, dem Protestanten nicht nach mittelalterlich-katholischer Art durch eine Summierung und Gegeneinanderrechnung von Schuld und Verdienst mit dem Resultat eines Mehr oder Minder von approximativer Zulänglichkeit, welches dann durch den Gebrauch kirchlicher Gnadenmittel ergänzt werden konnte, sondern, und zwar, wie ich darlegte, ganz speziell im asketischen Protestantismus: durch ein starres Entweder-Oder der ganzen, in der Gesamtheit ihrer ethischen Lebensführung sich manifestierenden *Persönlichkeit*. Der Einzelne ist erst hier, und wiederum auf dem Boden des asketischen Protestantismus unendlich schroffer als auf dem Boden des Luthertums (wie ebenfalls näher begründet wurde), einzig auf sich selbst: auf seinen Gnadenstand, der nur an seiner *gesamten* Lebensführung spürbar werden kann, seinem Gott gegenübergestellt. Auf der anderen Seite aber wieder untersteht nun seine äußere Lebensgestaltung auf diesem Boden sehr viel mehr der *Kontrolle durch seinesgleichen*: durch die Gemeindeglieder. Im Katholizismus und auch im Luthertum ist es letztlich doch allein der Vertreter des »Amts«, welcher es mit sich und mit dem einzelnen Kommunikanten abzumachen hat, ob er zum Abendmahl reif ist. Im Calvinismus trifft die Verantwortung dafür, daß nicht »Gottes Ruhm«, – auf dessen Verherrlichung ja das ganze soziale Leben *eindeutig* in einer in *dieser* Art den anderen großen Kirchen fremden Wucht bezogen ist, – durch die Teilnahme eines offensichtlich die Zeichen der Verwerfung an sich ›Tragenden‹ geschändet werde, *jedes einzelne Mitglied* der ganzen Gemeinde. Gerade die Laien haben vor einem knappen Menschenalter das KUYPERsche Schisma gemacht (KUYPER war Laienältester) durch das Verlangen der Zurückweisung ihrer Ansicht nach nicht qualifizierter, von auswärtigen Prädikanten geprüfter Konfirmanden vom Abendmahl: – in letzter Linie stand dahinter der prinzipielle Protest dagegen, daß überhaupt eine nicht der konkreten, ihre Korrektheit selbst kontrollierenden Abendmahls*gemeinde* zugehörige Instanz, welche immer sie sei, sich in diese jedes einzelne Gemeindemitglied direkt berührende Frage einmische. Die gewaltige soziale Bedeutung dieser Gedankengänge trat s. Zt. wohl am schärfsten zutage in den neuenglischen Kirchen, wo das Verlangen nach der ecclesia pura und der Reinheit speziell der Abendmahlsgemeinschaft direkt »Klassenunterschiede« im eigentlichsten Sinn stiftete, Kämpfe und Kompromisse über die Stellung der »Auch-Christen«, deren Berechtigung z. B. ihre Kinder zur Taufe zu bringen und dort zu vertreten und ähnliches, hervorgerufen hat. Wenn man die Kirchenordnungen des Protestantismus durchsieht, ihre Entwicklung und, soweit dies möglich, ihre praktische Handhabung verfolgt und in ihren Konsequenzen durchdenkt, so fällt zunächst auf, wie hier sehr erhebliche Teile jener sittlichen Lebensreglementierung, die wir in der Karolingerzeit im Sendgericht, im ausgehenden Mittelalter vielfach in der Hand der Städte, in der Zeit der Territorialstaaten in der Hand der fürstlichen Polizei finden, von den Kirchen in die Hand genommen werden, in sehr verschiedenem Grade freilich und im ganzen natürlich in den calvinistischen Gebieten (wo die ausdrückliche *Unterwerfung* unter die Kirchenzucht bei der Aufnahme in die Gemeinde, wie ich seinerzeit schon andeutete, gerade erst *nach* CALVIN in ihrer Bedeutung gesteigert wurde) wesentlich stärker als in den lutherischen. Aber – wie ich schon hervorhob – *noch* ganz ungleich stärker und wirksamer war (und ist in Resten bis auf die Gegenwart) jene Art des ethischen »training«, welches die asketischen *Sekten* ihren Mitgliedern oktroyierten. Ich habe davon auf Grund heutiger Beobachtungen in den Vereinigten Staaten seinerzeit in dem zitierten Aufsatz in der »Christlichen Welt« einiges erzählt. Der gegenwärtige Säkularisationsprozeß des amerikanischen Lebens und die ungeheure Einwanderung heterogener Elemente schwemmt derartige Reste schnell hinweg, und der rücksichtslose »Seelenfang« der konkurrierenden Denominationen schwächt überdies die Intensität ihrer Erziehungsleistung. Gleichwohl genügt schon ein geringes Maß von Aufmerskamkeit auf diese Dinge, um noch jetzt die Reste der für ihre Wirksamkeit charakteristischen Erscheinungen in ihrer einstigen Bedeutung lebendig vor sich zu sehen. Ich erinnere an das, was ich a. a. O. über die Funktion der Sekten im Wirtschaftsleben (die ihnen heute von allerhand rein weltlichen Organisationen allmählich abgenommen wird) gesagt habe. Speziell z. B. (statt zahlreicher ähnlicher Erlebnisse) daran, wie mir der Eintritt eines jungen Mannes in eine Baptistengemeinde in North Carolina damit motiviert wurde, daß er eine Bank aufzumachen gedenke, und sich bei näherer Nachfrage herausstellte, daß dabei nicht etwa speziell auf Baptistenkundschaft, sondern gerade auf diejenige der in jenem Gebiet weitaus überwiegenden *Nicht*sektierer gerechnet wurde, – Grund: wer dort zur Taufe zugelassen werden wollte, hatte während seines »Katechumenats« ein ganz erstaunlich systematisches Inquirieren der Gemeinde nach seinem Wandel (Wirtshausbesuch?, überhaupt jemals Trunk?, jemals Karten?, jemals »unclean life«? Verschwendung? nicht pünktlich bezahlte Schecks? oder andere Schulden? überhaupt Spuren geschäftlicher Unzuverlässigkeit irgendwelcher Art? usw. usw.) mit Erkundungen an allen früheren Orten seines Aufenthalts zu gewärtigen. Wurde er dann rezipiert, – nun so war damit seine Kreditwürdigkeit und geschäftliche Qualifikation derart verbürgt, daß er jeden nicht so legitimierten Konkurrenten schlagen konnte, zumal ein etwaiger Ausschluß wegen schlechten Verhaltens, wie von jeher bei den Sekten, seine soziale Exkommunikation bedeutete.[21] Genau dies finden wir vor zwei Jahrhunderten schon ebenso entwickelt. Ferner z. B.: die Quäker rühmen sich von jeher, das kapitalistisch sehr wichtige System der »festen Preise« anstelle des Feilschens nach orientalischer Art geschaffen zu haben. In der Tat ergibt die historische Zurückverfolgung, daß vor 200 Jahren die Blüte des quäkerischen Detaillistentums damit motiviert wurde, daß sich die Kundschaft der Festhaltung dieses Grundsatzes bei ihnen sicher fühlte, sicherer als irgendwelche mittelalterliche oder moderne Preisordnungen dies zu erreichen vermochten. Die Quäkergemeinde schritt auch ein, wenn jemand ein Geschäft begann, zu dessen Führung ihm die nötigen Kapitalien oder Kenntnisse fehlten usw. usw. Und in der Literatur aller dieser Sekten kann man, schon bald nach der Zeit ihres Entstehens, den Jubel darüber finden, daß der Herr sie sichtbar segne, indem die »Kinder der Welt« ihr Geld (als Depot, als Kommanditgut oder wie immer) zu ihnen trügen und nicht zu ihren eigenen Glaubens- oder Unglaubensgenossen, weil sie bei ihnen der erforderlichen persönlichen ethischen Garantien sicher seien. Ich verweise für ähnliche Einzelbeispiele auf jene Skizze und bemerke nur noch: jedermann weiß, daß es bis in die letzten Jahrzehnte hinein der Yankee von einigermaßen altem Schlag, und zwar *gerade* der *Geschäfts*mann, einfach nicht verstand, zuweilen noch heute nicht versteht, daß jemand gar keiner »denomination« angehört (diese möge nun sonst übrigens sein, welche immer: darin ist er absolut »tolerant«): ein solcher religiöser outlaw war ihm gesellschaftlich und geschäftlich verdächtig, *weil* ethisch nicht »legitimiert«. Daß ähnliches auch in Schottland und in englischen bürgerlichen Kreisen sich noch immer hie und da äußert, daran konnte wenigstens bis vor 15 Jahren sogar der Tourist, besonders Sonntags, erinnert werden. Der Geschäftsmann des amerikanischen Mittelstandes nun, wo er sich diesem früher überwältigenden Zwang zur religiösen Legitimation entzieht, hat heute statt dessen beliebige andere sich zunehmend bildende Organisationen zur Verfügung und trägt auch oft zur Legitimation, daß er die Qualitäten eines »gentleman« durch Hineinballotierung nachgewiesen habe, noch immer deren »badge« im Knopfloch (man sieht solche, an die Ehrenlegionsrosette erinnernde, Abzeichen massenhaft, wenn man nur darauf achtet).

Soweit und solange der echte Yankee-Geist noch herrschte, war die amerikanische Demokratie, auch ohne alle Trusts und Gewerkschaften, niemals ein einfacher Sandhaufen isolierter Individuen, sondern in starkem Maße ein Gewirr *exklusiver* Vereine, deren Urtypus die *Sekte* ist, und welche alle bei ihren Mitgliedern diejenigen Qualitäten als selbstverständliche Bedingung der Zugehörigkeit stellen und züchten, welche den geschäftlichen Gentleman ausmachen, wie ihn der Kapitalismus braucht. Gewiß: jemand in der Lage von Mr. PIERPONT MORGAN bedarf für sich dieser Legitimation nicht, um seine ökonomische Position einzunehmen. Und auch sonst liegen die Dinge heute schon sehr anders. Aber die Durchdringung des gesamten Lebens mit jenem spezifischen »Geist«, wie ihn diese Verbände förderten, war allerdings eine äußerst wichtige Voraussetzung dafür, daß der moderne Kapitalismus »Wurzel schlug«, d. h. in der breiten Schicht der bürgerlichen Mittelklassen sowohl wie schließlich auch in den von ihm in seinen Mechanismus einzufügenden Massen einen ihm adäquaten »Lebensstil« vorfand und dadurch das Leben so in seine Gewalt bekommen konnte, wie es geschehen ist. Begreiflicherweise haben Historiker vom Schlage RACHFAHLS keine Ahnung, welches Maß von Erziehungsarbeit zu tun war, um das zu ermöglichen.[22] Wenn aber jemand auf die, für eben jenen Typus von »gesundem Menschenverstand«, dessen R. sich so laut rühmt, so sehr »naheliegende« Vermutung käme: ob denn jene Qualifikation des religiösen trainings, Geschäftsleute heranzubilden, und ob dieser ganze Zusammenhang von spezifisch geschäftlichen und von religiösen Qualifikationsmerkmalen überhaupt nicht etwa erst *Folge* davon sei, daß jene religiösen Gemeinschaften sich eben, in einem bereits kapitalistischen »Milieu«, entwickelten, – so frage ich: warum entwickelte denn wohl die katholische Kirche solche Kombinationen und eine derartig auf den Kapitalismus abgestellte Erziehungsrichtung *nicht*? Weder in den großen Zentren des Mittelalters, die, wie Florenz, denn doch weiß Gott in ganz anderem Grade kapitalistisch »entwickelt« waren als z. B. das noch dünn besiedelte Bauerngebiet im westlichen North Carolina, aus dem ich erzählte, noch wie die wesentlich naturalwirtschaftlichen Gebiete der amerikanischen Kolonien, in denen sich bereits vor 200 Jahren das gleiche abspielte? Warum nicht das Luthertum? – Es vermählte sich eben ein Strang von psychischen Inhalten, der aus sehr spezifischen sittlich-religiösen Wurzeln entsprang, mit kapitalistischen Entwicklungs*möglichkeiten*. Wahr ist dagegen gewiß: daß jener mit so gewaltiger Energie gezüchtete Lebensstil der asketischen Gemeinschaften in konfessionell gemischten Gebieten, trotz aller heftigen Gegensätze[23], doch von Anfang an und steigend mit zunehmender Durchtränkung des Wirtschaftslebens mit kapitalistischem Geist, auch auf den Lebensstil *anderer*, mit ihnen *konkurrierender* Denominationen »abfärbte«: so sehr früh auf das holländische und amerikanische Luthertum, und auch auf den amerikanischen Katholizismus (während für das deutsche Luthertum bekanntlich der ältere Pietismus eine Form war, in der sich das Gleiche vollzog). Natürlich geschah dies so, daß die Unterschiede auf dem Wege dieser »Angleichung« nur gradweise verringert, nie aber voll verwischt wurden.[24] Aber allerdings: eine Angleichung an die *konsequentesten* Ausprägungen der protestantischen Askese (die calvinistische speziell) fand in der Tat, zum mindesten bei den mit ihnen gemischten Protestanten, nach allem, was wir heute davon erkennen können, fast immer statt, und schon deshalb allein könnte eine bloße Statistik der Zahl der eigentlichen Calvinisten z. B. unter den protestantischen Emigranten noch keinerlei Argument gegen die Bedeutung jener asketischen Lebensformen sein. Die heutigen Erörterungen im Katholizismus, wie man sich wohl am besten die Überlegenheit der ökonomischen Qualifikation der Protestanten zueignen könne, finden, der Sache, wenn auch nicht der Form nach, in manchen Bemerkungen SPENERS über das gute Fortkommen der Quäker durchaus ihr Gegenbild, und *unausgesprochen* wirkte das gleiche Motiv natürlich von jeher und überall ebenso wie noch jetzt in Amerika.

Und wenn man nun schließlich fragt, ob es – den *Ausdruck*: »innerweltliche Askese« einmal gänzlich bei Seite gelassen[25] – berechtigt ist, das, was ich so genannt habe, mit der katholischen Mönchsaskese *sachlich* in Parallele zu stellen, so will ich ganz davon absehen, daß von den hierher gehörigen protestantischen Ethikern, speziell Englands, die mittelalterliche Erbauungsliteratur mönchischen Ursprungs (BONAVENTURA u. a.) sehr regelmäßig zitiert wird, wo es sich um jene Forderungen handelt, die ich »asketisch« nannte. Aber man vergleiche doch einfach. Die Mönchsaskese verlangt: Keuschheit. Die protestantische Askese (in meinem Sinn des Worts) Keuschheit *auch in* der Ehe, im Sinne der Ausschaltung der »Begierde« und der Begrenzung des sittlich zu billigenden Geschlechtsverkehrs auf den *rationalen* »Naturzweck« der Fortpflanzung. Und diese Reglementierungen waren hier immerhin mehr als *bloßes* Theoretisieren. Gewisse asketisch-protestantische (pietistische, herrenhuterische), uns heute teilweise als direkt widernatürlich sich darstellende Lebensregeln auf diesem Gebiet sind ja bekannt. Die Art der Behandlung der Frau überhaupt aber ist von der *Ausschaltung* ihrer Betrachtung vornehmlich als Geschlechtswesen, gegenüber z. B. LUTHERS ungebrochener Bauernauffassung, aufs allertiefste beeinflußt. – Die Mönchsaskese verlangt: Armut, – man weiß, mit welchem faktisch paradoxen Erfolg: das ökonomische Prosperieren der Klöster hat, außer bei einigen strikt spirituellen, von den Päpsten bekanntlich als durchweg höchst verdächtig behandelten Denominationen, überall als Folge göttlichen Segens gegolten und *war* – neben den Stiftungen – in stärkstem Maße *Folge* ihrer rationalen Wirtschaft. Die protestantische Askese verwirft ihrerseits nicht nur das genußfrohe »Ausruhen« auf dem Besitz, sondern ebenso sein Erstreben »um seiner selbst willen«. Ich habe ausgeführt, mit welchem faktisch ganz ebenso paradoxen Erfolg. Die Mönchsaskese verlangt Unabhängigkeit von der »Welt« und verwirft insbesondere naiven Genuß. Die protestantische Askese tut genau das gleiche, und beide finden sich auch in den *Mitteln* der »Übung« (denn dies bedeutet ja das Wort »Askese«) zusammen: streng eingeteilte Zeit, Arbeit, Schweigen als Mittel der Bändigung alles Trieblebens, ferner Loslösung von allen allzu starken Bindungen an das Kreatürliche (Bedenklichkeit allzu intensiver persönlicher Freundschaft u. dgl.), Verzicht auf den Genuß als solchen, sei er im engsten Sinn »sinnlicher«, sei er ästhetisch-literarischer Art, überhaupt auf den nicht *rational*, z. B. hygienisch, zu rechtfertigenden Gebrauch der Güter dieses Lebens. Ausführlich habe ich auch daran erinnert, wie, bis in Einzelheiten hinein, sich der Umstand geltend macht, daß im Mittelalter der spezifisch von *»Berufs«* wegen »methodisch« lebende Mensch eben der Mönch war, – und also zeigt SEBASTIAN FRANCKS Äußerung (auf die R. jetzt mit gewohnter Loyalität meine wissenschaftliche These »begründet sein« läßt, obwohl ich erst in meiner Antikritik von ihr als Beispiel der Ansicht von *Zeitgenossen* sprach) doch wohl etwas mehr Verständnis von diesen Dingen als mein »Kritiker«. Was die *rationale* protestantische Askese (in *meinem* Wortsinn) von der Mönchsaskese scheidet, ist: 1. die Ablehnung aller irrationalen asketischen Mittel, welche übrigens ganz ebenso von gewissen gerade besonders bedeutsamen katholischen Orden, in spezifischer Art auch von den Jesuiten, abgelehnt oder beschränkt werden, – 2. Die Ablehnung der Kontemplation, – 3. endlich und hauptsächlich: die Wendung der Askese ins Innerweltliche, ihr Sich-auswirken in Familie und (asketisch gedeutetem) Beruf, aus der sich die schon erwähnten Unterschiede und alle anderen von selbst ergeben. Aber wenn der »Geist«, der in den beiderseitigen Grundsätzen der Lebensmethodik dort und hier sich zeigt, *nicht* als im innersten Wesen parallel und miteinander verwandt zu beurteilen ist, – dann weiß ich nicht, wann man noch von einer »Verwandtschaft« sprechen soll. Wie stark aus pietistischen Kreisen heraus bekanntlich gelegentlich geradezu das Verschwinden der Klöster bedauert worden ist, erwähne ich nur nebenbei, ebenso die klosterartigen Organisationen, welche gerade aus diesen Kreisen heraus immer wieder einmal geschaffen wurden, und verweise ferner auf das, was in meinen Aufsätzen z. B. über Bunyan gesagt ist. Innere Spannung und innere Verwandtschaft beider Seiten bezüglich der Stellung asketischer Ideale im Gesamtsystem des religiös orientierten Lebens keimen schließlich aus dem schon erwähnten Grunde hervor: das, was bei den Mönchen als *Realgrund* der Anwartschaft auf die Seligkeit wichtig war, im asketischen Protestantismus als ein (*ein* – nicht: *der* absolut einzige, aber allerdings wohl der wichtigste) *Erkenntnisgrund* ihrer seine Bedeutsamkeit besaß. Und da selbst moderne »Methodologen« (gerade auch auf dem Gebiet der Geschichtsmethodik, wie ich gelegentlich festzustellen hatte) diese beiden Sachverhalte nicht immer auseinanderhalten können, so ist es ganz gewiß wenig wunderbar, daß diese Entwicklung protestantischer »Werkheiligkeit« in der Praxis katholischen Eigentümlichkeiten oft wie ein Ei dem andern zu gleichen schien. Nur stammten eben die Keime in jedem von beiden Eiern von einem anderen geistigen Vater und entwickelten sich daher auch die Früchte zu einer sehr verschiedenen inneren Struktur.

Die *dogmatische* Fundierung der innerweltlichen Askese hier noch einmal zu rekapitulieren, führte nun wirklich zu weit: dafür muß ich den Leser gänzlich auf meinen Aufsatz verweisen, wo auch, wenigstens provisorisch und daher sehr skizzenhaft, angedeutet ist, daß die Frage: ob die Prädestinationslehre der Calvinisten oder die untheologische Dogmatik des Täufertums jene Basis bildeten, natürlich trotz aller Angleichung nicht schlechthin irrelevant für die praktische Lebensorientierung war. Diese, in vielem sehr fühlbaren, Unterschiede traten nur in diesem Teil meiner Ausführungen (der bis jetzt allein vorliegt) notwendig vor dem Gemeinsamen zurück. Näheres führte hier zu weit. Ich muß aber auch hier noch einmal nachdrücklich darauf hinweisen, daß für die empirische Nachprüfung der Frage: ob denn nun für die *Praxis* der Lebensführung jene religionspsychologischen Grundverhältnisse wirklich gerade in dieser ihrer von mir behaupteten spezifischen Wirkungsrichtung zur Geltung kamen, in meinen Aufsätzen nicht etwa Lehrbücher der Dogmatik, oder theoretische Abhandlungen über Ethik zugrunde gelegt sind, sondern ein ganz anderes Quellenmaterial: BAXTERS und SPENERS Publikationen insbesondere, die ich heraushob, beruhen auf der Seelsorge, und zwar ganz wesentlich auf Antworten gelegentlich von Anfragen der Seelsorgebefohlenen über konkrete praktische Fragen ihres Lebens. Und sie gerade stellen also in dem Maße der Widerspiegelung des *praktischen* Lebens einen Typus dar, der ungefähr den responsa der römischen Juristen für die Geschäfts- und Gerichtspraxis ihrer Zeiten entspricht. Gewiß enthalten diese und ihnen ähnliche Werke daneben auch kasuistische Spekulationen ihrer Urheber, wie dies auch bei den römischen Juristen der Fall ist, und wie es in einem, weder mit diesen noch mit jenen vergleichbaren, ganz ungeheuerlichen Maß für den Talmud zutrifft, der aber ebenfalls an direkt praktisch gewesenes Responsenmaterial anknüpfte. Aber schon die Form und der Zusammenhang machen es, natürlich nicht immer, aber glücklicherweise hinlänglich oft, kenntlich, wo aus dem Leben geschöpft ist. Und wo dies der Fall ist, da gibt es, außer Briefwechseln und allenfalls Autobiographien, *keine* Quelle, die an Authentizität und Lebendigkeit dieser gleichkäme. Weder populäre Pamphlete und Traktätchen, noch Predigten, – die man aber natürlich *daneben*, als Ergänzung, sehr wohl berechtigt ist, ausgiebig zu benutzen –, noch vollends irgendwelche Erzeugnisse der zeitgenössischen Literatur (so wichtig als Nebenquelle auch sie werden können), oder gar endlich die ganz am Äußerlichen haften bleibenden Feststellungen der Konfessionalität *einzelner* Kapitalistengruppen, zumal wenn man ihre Beeinflussung durch die von der protestantischen Askese geschaffene »Lebensluft« außer Betracht läßt. Recht selten leider sind wir in der glücklichen Lage, so genau das Ineinandergreifen religiöser und kapitalistischer Interessen an der Arbeit sehen zu können wie z. B. bei den von mir zitierten Webern von Kidderminster. – Damit soll nun nicht im mindesten die Wichtigkeit von Arbeiten, wie sie RACHFAHL wünscht, herabgesetzt werden. *Aber:* die *spezifische Richtung,* in welcher eine bestimmt gefärbte Religiosität wirken *konnte,* war m. E. nur auf dem Wege zu erschließen, den ich einschlug, – und darauf eben kam es mir ausgesprochenermaßen an. Diese Richtung war nun aber nicht eine bloße »Förderung« einer an sich schon ganz ebenso vorhandenen psychischen Disposition, sondern sie bedeutete, innerhalb der weltlichen Sphäre wenigstens, einen *neuen »Geist«:* aus ihrem eigenen religiösen Leben, aus ihrer religiös bedingten Familientradition, aus dem religiös beeinflußten Lebensstil ihrer Umwelt heraus erwuchs hier in den Menschen ein Habitus, der sie in ganz spezifischer Weise geeignet machte, den spezifischen Anforderungen des modernen Frühkapitalismus zu entsprechen. Schematisch ausgedrückt: anstelle des Unternehmers, der sich in seinem »Chrematismus« von Gott *höchstens* »toleriert« fühlen konnte, der, wie etwa noch heute der einheimische indische Händler, seine »usuraria pravitas« abzubüßen oder wett zu machen hatte, trat der Unternehmer mit dem ungebrochen guten Gewissen, von dem Bewußtsein erfüllt, daß die Vorsehung ihm nicht ohne bestimmte Absicht den Weg zum Gewinn zeige, damit er ihn zu Gottes Ruhm beschreite, daß Gott in der Vermehrung seines Gewinns und Besitzes ihn sichtbar segne, daß er vor allem am Erfolg in seinem Beruf, wenn dieser mit legalen Mitteln erreicht sei, seinen Wert nicht nur vor den Menschen, sondern vor Gott messen könne, daß Gott seine Absichten habe, indem er gerade *ihn* zum ökonomischen Aufstieg auserlesen und mit den Mitteln dazu ausgerüstet habe, – im Gegensatz zu anderen, die er aus guten, freilich unerforschlichen, Gründen zur Armut und zur harten Arbeit bestimmt habe, –

der in »pharisäischer« Sicherheit seinen Weg geht in strenger formaler Legalität, die ihm die höchste und, da es eine »Zulänglichkeit« vor Gott überhaupt nicht gibt, auch die einzige in ihrer Bedeutung sicher greifbare Tugend ist. Und auf der andern Seite, als hausindustrieller Handwerker oder als Arbeiter, steht der Mann der spezifischen »Arbeitswilligkeit«, dem die Gewissenhaftigkeit im gottgewollten »Beruf« das Bewußtsein seines religiösen Gnadenstandes gibt. Und die Perhorreszierung des spezifischen Frevels: die Vergötterung des Kreatürlichen durch Ausruhen auf dem Besitz, durch Genußfreude, durch Geld- und Zeitvergeuden für Nichtberufliches, drängt die Verwendung des im Beruf erworbenen Besitzes immer wieder in die »berufsmäßige« Bahn der Kapitalverwertung (beim Unternehmer) oder des »Sparens« und dadurch: des möglichen Aufsteigens (bei den »ethisch« qualifizierten Besitzlosen). Beruf und innerster ethischer Kern der Persönlichkeit – das ist das Entscheidende – sind hier eine ungebrochene Einheit. Noch so viele Einzelansätze zu einer praktischen Berufsethik dieser Art, die sich im Mittelalter finden – ich habe ausdrücklich mir vorbehalten, darauf zu sprechen zu kommen[26] –, ändern nichts daran, daß solch ein »geistiges Band« eben damals *fehlte.* Und in der Gegenwart, welche so sehr mit dem Begriff des »Lebens«, »Erlebens« usw. als mit einem spezifischen *Wert* operiert, ist die *innere Lösung* jener Einheit, die Verfehmung des »Berufsmenschen«, mit Händen zu greifen. Der moderne Kapitalismus aber, gegen dessen Getriebe ja jene moderne Empfindungsweise, welche eben angedeutet wurde, nicht nur aus sozialpolitischen Gründen, sondern jetzt erst recht wegen seiner Verknüpftheit mit dem Geist des Berufsmenschentums, sich auflehnt, bedarf dieser Stütze längst nicht mehr. Zwar finden wir die Reste der einstigen Bedeutsamkeit der religiösen Lebensinhalte für die kapitalistische Entwicklung, wie ich innerhalb und außerhalb meiner Aufsätze wiederholt gezeigt habe, sogar bis heute. Wo die Industrie noch jetzt auf diejenigen Qualitäten ihres Personals, die aus jenem Lebensstil folgten, angewiesen ist, da äußert sich dies auch noch jetzt oft genug in der konfessionellen Zusammensetzung z. B. ihrer von unten her aufgestiegenen Werkmeister und Angestellten im Gegensatz zu den einfachen Arbeitern, und ebenso im Unternehmertum, – dies alles statistisch erkennbar natürlich nur, wenn man jene Zufälligkeiten, die durch den Standort (wie er durch das Vorhandensein des unentbehrlichen Rohmaterials oft eindeutig bestimmt wird) und ferner durch die in der Statistik nicht geschiedene Einbeziehung handwerksmäßiger Betriebe einfließen, ausscheidet. Aber im Ganzen ist allerdings der heutige Kapitalismus, wie ich wiederhole, von der Bedeutsamkeit solcher Momente in weitestgehendem Maße emanzipiert. Was aber die Zeit des modernen Frühkapitalismus anlangt, so war es bisher noch niemandem eingefallen, zu *bezweifeln*, daß der Hugenottismus auf das engste mit der französischen bürgerlich-kapitalistischen Entwicklung verknüpft war, daß, *wohin er auch* Ende des 17. Jahrhunderts (nach der Aufhebung des Edikts von Nantes) emigrierte, *nicht* etwa nur nach Ländern minder entwikkelter Wirtschaft, sondern nachweislich *gerade* auch nach Holland, wo die Kapitalverwertung, wie ich schon bemerkt habe, teils anders instradiert, teils, wenn auch nur in bestimmten Schichten, zugunsten von Rentengenuß, sozialer Ostentation und einem dementsprechenden Verbrauch erschlafft war, er seine typischen gewerblichen Qualitäten exportierte. Daß in den Nordstaaten der Vereinigten Staaten die Art der bürgerlich-kapitalistischen Entwicklung *nicht* in ganz *spezifischer* Weise auf ihrem ebenfalls ganz spezifisch puritanisch bedingten Lebensstil beruht habe, dies zu behaupten ist R.s »Kritik« (*anders:* seine Replik) vorbehalten geblieben. Die gleiche Erscheinung in England gab er selbst, in der bei ihm üblichen verschwommenen Form, zu. Für Schottland haben schon die englischen Romantiker ganz den gleichen Zusammenhang erkannt.[27] Für Deutschland hatte GOTHEIN diese Dinge bereits festgestellt, einige Beispiele habe ich hinzugefügt. Für Holland habe ich Gründe dafür angeführt, warum hier die, ich wiederhole: in *ganz derselben* Richtung wirkenden Kräfte des asketischen Protestantismus durch ein Knäuel von teilweise vorstehend erwähnten Ursachen, von denen ich mir übrigens nicht im entferntesten schmeichle, bisher auch nur die wesentlichsten angedeutet zu haben, in einem Maße gebrochen wurden[28], welches ungefähr der ja auch ziemlich bald eintretenden auffallenden Stagnation seiner kapitalistischen (ich spreche nicht etwa speziell von der kolonialen) Expansion entsprach.[29] All dies (entsprechend der ökonomischen Qualifikation bestimmter Sekten schon im Mittelalter) waren zum großen Teil schon seit dem 17. Jahrhundert bekannte, und von niemandem, der sich damit überhaupt befaßte, bisher bezweifelte Dinge. Und sie sind in der Tat auch auf *keine* Weise, am allerwenigsten – aus den schon oben erwähnten Gründen – durch an sich natürlich eventuell historisch durchaus wertvolle Feststellungen wie die: daß es in Frankfurt, neben den calvinistischen, auch lutherische holländische Immigranten gab und dergleichen, zu erschüttern. Ich habe deshalb, wie ich schon bemerkte, an diese Dinge in meinem Aufsatz lediglich *erinnert*. Ich *erinnere* ebenso nochmals daran, daß die, ihrem inneren Wesen nach überhaupt asketisch-*rationale* Züge an sich tragenden russischen Schismatiker und Sektierer (das sind aber nicht etwa *alle* russischen Sekten) ganz ähnliche ökonomische Züge aufweisen, sobald ihre erste weltfremde Jugend überwunden ist. Das äußerste Extrem von Kombination geschäftlicher Qualifiziertheit mit ethischer »Weltablehnung« bildet – die Kastratensekte.

Bei dieser *illustrativen* Verwendung ganz bekannter Dinge mußte es (und muß es auch hier trotz R.s Schulmeisterei) bleiben. Und so nützlich und nötig für die historische Spezialanalyse der Entwicklung der einzelnen Gebiete die weitere Einzelforschung über das Kräftemaß der einzelnen Konfessionen ist, so nötig (vielmehr: wesentlich *nötiger*) die *Vergleichung* der Eigenart der Entwicklung der einzelnen, vom asketischen Protestantismus beeinflußten Länder ist (welche ja erst über die Gründe des hervortretenden Unterschieds ihrer Entwicklung Aufschluß geben kann), – die wirklich dringendsten Fragen liegen, wenigstens für mich, anderswo. Zunächst natürlich in der sehr viel tiefer ins einzelne zu verfolgenden *Differenzierung* der Wirkungen calvinistischer, täuferischer, pietistischer Ethik auf den Lebensstil. Ferner in der eingehenden Untersuchung der Ansätze ähnlicher Entwicklungen im Mittelalter und im antiken Christentum, soweit die Arbeiten von TROELTSCH hier noch Raum lassen. Dafür bedarf es aber der intensivsten Mitarbeit von Fachtheologen.[30] Dann in der Untersuchung, auf welche Weise, von der *ökonomischen* Seite her gesehen, jene immer wieder sich zeigende, in stets anders gewendeter, aber doch offenbar immer ähnlich fundierter Art, hervortretende Wahlverwandtschaft des Bürgertums zu bestimmten Lebensstilen, darunter auch (nicht etwa: *nur*) zu gewissen Einzelbestandteilen religiöser Lebensstilisierungen, wie sie am konsequentesten der asketische Protestantismus bot, zu erklären ist. Sehr vieles einzelne ist von sehr vielen Seiten zu jenem allgemeineren Problem schon gesagt, aber sehr vieles und, wie ich glaube, gerade auch Grundsätzliches, bleibt zu sagen übrig.

Um wenigstens auf *eine* Frage, mit der R. mir gegenüber in der hilflosesten Weise herumhantiert, noch eine kurze Antwort zu geben: darauf nämlich, *welche* Figuren im Gesamtbild des modernen Kapitalismus denn nun unbedingt *nicht* von der »innerweltlichen Askese« aus verstanden werden können und sollen, so bemerke ich: die *»Abenteurer«* der kapitalistischen Entwicklung, – den Begriff des »Abenteurers« hier im gleichen Sinn genommen, wie ihn G. SIMMEL kürzlich in einem hübschen kleinen Essay präzisiert hat.* Ihre wirtschaftsgeschichtliche Bedeutung ist innerhalb der Geschichte gerade auch (aber nicht nur) des Frühkapitalismus bekanntlich äußerst bedeutend, – und dennoch kann man die Entwicklung zur zunehmenden Herrschaft des Kapitalismus über das gesamte Wirtschaftsleben in gewissem Sinn und cum grano salis annähernd gleichsetzen der *Entwicklung vom ökonomischen Ge-*

* Abgedruckt in: Philosophische Kultur. Gesammelte Essays (1911), 2. Aufl. 1919, 3. Aufl. 1923 (Hrsg.).

legenheitsprofit zu einem ökonomischen System; und die Genesis des kapitalistischen »Geistes«, in meinem Sinne des Wortes, der Entwicklung *von der Romantik des ökonomischen Abenteuers zur rationalen ökonomischen Lebensmethodik.*[31]

Und wenn schließlich jemand auch noch von mir zu wissen begehrte: welches denn das vermutliche Schicksal der kapitalistischen Entwicklung (als Wirtschafts*systems*) gewesen wäre, wenn wir uns die Entfaltung der spezifisch modernen Elemente des kapitalistischen »Geistes« *fortdenken,* – wie erinnerlich, hat auch darüber RACHFAHL einige m. E. recht leichtfertige Bemerkungen hingeworfen, – so kann man gewissenhafterweise darauf natürlich in summa nur antworten: das wissen wir nicht. Aber es darf an die großen Züge der Entwicklung erinnert werden, für solche Nichtfachleute wenigstens, welche von dem populären Irrtum, daß bestimmte *technische* »Errungenschaften« die eindeutige Ursache der kapitalistischen Entwicklung gewesen seien, meist nicht ganz loskommen: Der Kapitalismus des Altertums entfaltete sich *ohne* technischen »Fortschritt«, ja man kann geradezu sagen: gleichzeitig mit dem Aufhören technischer Fortschritte. Die technischen Mehrleistungen des kontinentalen Mittelalters sind an Bedeutung für die *Möglichkeit* der modernen kapitalistischen Entwicklung nicht gering, aber freilich kein entscheidender »Entwicklungsreiz«. An objektiven Faktoren zählen letztlich bestimmte klimatische, die Lebensführung und die Arbeitskosten beeinflussende Momente, daneben solche, welche durch die zum erheblichen Teil durch den *Binnen-Kultur*-Charakter des Mittelalters (relativ, im Verhältnis zum Altertum, gesprochen) bedingte politisch-soziale Organisation der mittelalterlichen Gesellschaft und den daraus folgenden spezifischen Charakter der mittelalterlichen, speziell der binnenländischen Stadt und ihres *Bürgertums* erzeugt wurden, zu den wichtigsten der historischen Vorbedingungen (s. meinen schon zitierten Artikel im Handwörterbuch der Staatswissenschaften). Dazu treten gewisse, gegenüber dem Altertum zwar vielleicht nicht absolut, aber doch der Struktur, Verbreitung und Bedeutung nach neue Organisationsformen im Gewerbe (Hausindustrie) als spezifisch ökonomisches Moment. Der große Entwicklungsprozeß, der *zwischen* den spätmittelalterlichen, noch immer höchst *labilen,* kapitalistischen Entwicklungsvorgängen und der, für den heutigen Kapitalismus entscheidenden, *Mechanisierung* der Technik liegt, ist durch die Schaffung gewisser wichtiger objektiv-politischer und objektiv-ökonomischer *Vorbedingungen* für diese letztere ausgefüllt, *vor allem* aber durch die Schaffung und Vorbereitung des rationalistischen und antitraditionalistischen »Geistes« und des ganzen Menschentums, welches ihn praktisch in sich aufnahm: die Geschichte der modernen *Wissenschaft* und ihrer erst in der Neuzeit entwickelten praktischen Beziehungen zur Wirtschaft einerseits, die Geschichte der modernen *Lebensführung* in ihrer praktischen Bedeutung für dieselbe andererseits haben darüber die Hauptaufschlüsse zu geben. Von der letzteren Komponente ist in meinen Aufsätzen die Rede gewesen und sollte noch weiter die Rede sein. Die Entwicklung der *praktisch*-rationalen Methodik der *Lebens*führung ist selbstverständlich etwas von der Entwicklung des *wissenschaftlichen* Rationalismus Grundverschiedenes, mit ihm durchaus nicht einfach Gegebenes: die ersten Grundlagen der modernen Naturwissenschaft sind *katholischen* Gebieten und Köpfen entsprungen, und erst die methodische Inbeziehungsetzung der Wissenschaft zu *praktischen* Zwecken ist vornehmlich »protestantisch«, ebenso wie gewisse spezifische, für die *Methodik* wichtige Denkprinzipien eine Art von Verwandtschaft mit protestantischer Denkweise gehabt zu haben scheinen (das Nähere führt zu weit). – Daß es gänzlich irrig wäre, die – noch so strenge – »Gläubigkeit« *als solche,* in der damaligen Zeit ebenso wie später, als Hindernis der Entwicklung der *empirischen* Wissenschaften anzusehen, beweisen insbesondere die meisten englischen Heroen der Naturwissenschaft, vom 17. Jahrhundert bis zu FARADAY und MAXWELL (von denen Einer bekanntlich noch im 19. Jahrhundert in der Kirche seiner Sekte *gepredigt* hat). Die *praktische,* und zwar nicht nur gelegentliche, sondern *methodische* Einbeziehung der Naturwissenschaft in den Dienst der Wirtschaft ist einer der Schlußsteine jener Entwicklung der »Lebensmethodik« *überhaupt*, zu welcher sowohl bestimmte Einflüsse der Renaissance, wie der Reformation, insbesondere in der von mir (bruchstückweise) beschriebenen Wendung, entscheidend beigetragen haben. Fragt man mich nun aufs Gewissen, wie *hoch* ich denn nun die Bedeutung, speziell dieses *letzteren* Momentes veranschlage, so antworte ich, nach stets aufs Neue wiederholter, gewissenhafter Überlegung lediglich: nach meiner Ansicht *sehr* hoch. Daß es »ziffernmäßige« Teilungsschlüssel bei der historischen Zurechnung nicht gibt, liegt nicht an mir. –

Genug und übergenug. Vor der Masse des »Publikums«, welchem ja wirklich nicht zugemutet werden kann, weil es eine schlechthin verständnislose und der Sache nach illoyale »Kritik« gelesen hat, nun auch die »kritisierte« Arbeit selbst eingehend zu lesen, behalten jene Art von Klopffechter-Naturen, zu denen Rachfahl als »Kritiker« gehört (dies wenigstens habe ich, denke ich, nachgewiesen), stets recht. Daß einem Ordinarius der Geschichte es passiert sein könne, zumal bei *dieser* Sicherheit des Auftretens, die ganze *Frage*, um die es sich handelt, infolge einer maßlos oberflächlichen Lektüre de parti pris fundamental mißzuverstehen, und daß er dann nicht die geeigneten Qualitäten in sich aufbringen sollte, um dies *einzugestehen*, wenn man es ihm zeigt, – dies wird sicher von Leuten, welche den Gegenstand nicht genau kennen, schwer geglaubt werden. Das ändert freilich nichts daran, daß dem eben leider *doch so ist*, und daß ich dies habe beweisen können[32], zu meinem Bedauern auf Kosten des Raumes einer Zeitschrift, welcher für notwendig – durch die ausschließliche Schuld des »Kritikers« – *sterile* Polemiken nicht so im Überfluß bereitstehen kann, wie, anscheinend, derjenige der »Internationalen Wochenschrift«.

Anmerkungen zu: Max Weber, Antikritisches Schlusswort

1 Ich möchte sehr nachdrücklich erklären, daß die absolute Wertlosigkeit von R.s »kritischen« Leistungen mich nicht im mindesten hindert, andere Arbeiten von ihm sehr zu schätzen, bei denen er sich nicht auf ein für seine Eigenart nun einmal ungünstiges Gebiet begeben hatte. R. beschwert sich über die rücksichtslose Form meiner Antwort an ihn. Allein die in der Form und in der Sache absichtsvoll generöse und entgegenkommende Art, wie Troeltsch ihm entgegengetreten ist, hat nur den Erfolg gehabt, daß, wie man sich leicht überzeugt, R. von diesem Entgegenkommen in recht wenig loyaler Art »taktisch« zu profitieren sucht und daß überhaupt seine Ausfälle gegen Troeltsch sich durch ein Maß von Animosität auszeichnen, welches das, was er davon gegen mich aufbringt, noch übersteigt. Er wird eben, wo er »kritisiert«, anscheinend unvermeidlich zum bloßen Klopffechter und mit einem solchen spricht man, wenn überhaupt, in unverblümtem Deutsch. Ich hoffe, niemals wieder mit einem »Kritiker« dieser Art abrechnen zu müssen.

[Den in diesem Band zusammengefaßten Kritiken und Antikritiken lag die Fassung von Max Webers Aufsätzen zur »Protestantischen Ethik« aus den Bdn. XX und XXI des Archivs für Sozialwissenschaft zugrunde. Sofern in Anmerkungen und Zitierungen auf sie Bezug genommen wird, wurden die Zitate ergänzt durch die Angabe der Fundstelle in eckigen Klammern aus der Neuausgabe in den Siebenstern-Taschenbüchern, Bd. 53/54. Beispiel: Archiv, XX. Bd., S. 10 [STB 53/54, S. 37]. Angaben von Seitenzahlen in eckigen Klammern ohne den Zusatz STB beziehen sich auf die Kritiken und Antikritiken in *diesem* Band. Beispiel: [oben S. 14]. (Hrsg.)]

2 Damit übrigens kein Zweifel obwaltet, wen ich mit jenen »Anderen« seinerzeit gemeint habe, deren Verwertung meiner Ansichten mir (hie und da) einseitig erschien, bemerke ich: vor allem hat Hans Delbrück m. E. in der Tat viel zu sehr in die Trompete gestoßen, wie denn einzelne Historiker noch immer darauf aus sind, vor allem »Widerlegungen« der materialistischen Geschichtsauffassung geliefert zu erhalten. Auch kann ich die (übrigens mit viel Geist unternommenen) Ideenkonstruktionen von F. J. Schmidt (ebenfalls in den Preuß. Jahrbüchern), die, scheint mir, gleichfalls etwas zu viel aus dem schließen, was ich bisher allein näher ausführen konnte, nur als

»Konstruktion« gelten lassen, ohne sie damit übrigens an sich niedrig werten zu wollen. Der »britische Imperialismus« meines Freundes v. Schulze-Gaevernitz ist sicherlich sehr weit davon entfernt, eine einfache Konstruktion, und vollends eine solche an der Hand nur meiner Ansichten zu sein, wie R. behauptet hat. Soweit er diese überhaupt verwertet, hat er sie überdies seinerseits in sehr glücklicher Weise ergänzt und erweitert. Daß er die Kausalreihe »einseitig« nach der spiritualistischen Richtung hin verfolgt, wird er freilich selbst nicht in Abrede stellen: es ist dies zugleich seine Stärke und, wenn man will, seine Schwäche; ich trete insbesondere in dem Punkt: daß der Dualismus der Squirearchie und der bürgerlichen, immer wieder, noch in der Cobdenschen Bewegung in charakteristischer Art an den Dissent angelehnten Mittelklassen durch die ganze englische Geschichte der letzten 300 Jahre geht, natürlich den Bemerkungen von Bonn [in der »Frankfurter Zeitung«: vgl. Ges. Aufs. z. Religionssoziologie, 1. Bd. S. 81, Anm. 3 = STB 53/54, S. 114, Anm. 83] durchaus bei. Auch Schulze-Gaevernitz wird aber diesen Sachverhalt nicht bestreiten. – Mit Übertreibungen, wie sie speziell Delbrück vornahm, war dem Zweck, den meine, ein festumrissenes Thema, und zwar, wie ich denn doch wohl behaupten darf: in schlichter und prätentionsloser Sachlichkeit, behandelnden Aufsätze verfolgten, in der Tat nicht gedient. Aber ich war dafür nach meinen ausdrücklichen Vorbehalten einerseits nicht verantwortlich und habe überdies, wie Rachfahl *genau wußte* – denn wie gesagt: er zitiert die betreffende Abhandlung –, bei der ersten gegebenen Gelegenheit das meinige getan, sie gar nicht erst aufkommen zu lassen, so daß es der nachträglichen freundlichen Nachhilfe R.s wohl kaum bedurfte. Wenn er trotzdem solche Übertreibungen gegen *mich* ausspielt, so mag er das mit seinem literarischen Anstandsgefühl abmachen.

Die Wiedergabe meiner Ansichten durch Troeltsch, bei dem *einige wenige Sätze* allenfalls der Beflissenheit eines »Kritikers«, der solche Zitate nach Art der talmudischen Exegese von Thorastellen auspreßt (und dies jetzt gar noch für das Wesen der »historischen Kritik« erklärt!), Anlaß zu einer Fruktifikation in Rachfahls Art geben *konnten,* – und vollends die kurze Bemerkung v. Schuberts gehören natürlich überhaupt nicht hierher. Was aber gar den ebenfalls genannten Eb. Gothein anlangt, so weiß Rachfahl nicht oder hat, da er es bei mir hätte zitiert lesen können, wieder einmal einfach vergessen, daß dessen hierher gehörige Bemerkungen über ein Jahrzehnt *vor Erscheinen* meines Aufsatzes gedruckt waren. GOTHEIN hat natürlich seinen Standpunkt nicht geändert. Wo ich gegenüber Schriftstellern, die sich in ihren Ergebnissen mit mir berühren, wirklich Differenzen zu haben glaube, pflege ich dies natürlich nicht zu verschweigen. So hat sich jetzt TROELTSCH durch die kecke Sicherheit von RACHFAHLS Auftreten den Eindruck beibringen lassen, als hätte ich doch wohl irgend etwas zur Begründung meiner Ansichten erst »nachgeholt«. Sehr zur Wonne RACHFAHLS, versteht sich, der sich, ganz nach seiner Manier, natürlich nunmehr statt anderen Beweises *auf ihn* als Kronzeugen beruft. Ich meinerseits kann nur erneut bitten, sich durch Lektüre meiner Aufsätze davon zu überzeugen: daß *alles*, was in meiner Antikritik gesagt ist, ganz ebenso deutlich schon in meinen Aufsätzen gestanden hat. In meiner Antikritik ist *lediglich* auf den Einwurf betreffend Hamburg und die holländische Entwicklung mit zwei Einzelheiten geantwortet und sind, – was ich, da schon GOTHEIN die These von der Bedeutung speziell des Calvinismus für Deutschland begründet hatte, nicht für nötig hielt, – die Verhältnisse des Wuppertals zitiert (ich hätte für den Pietismus noch Calw hinzufügen können). Das ist alles! Was aber besagen diese winzigen »Neuheiten« gegenüber dem, was in meinen Aufsätzen für *alle* großen Hauptgebiete der Ausbreitung des asketischen Protestantismus (England, Frankreich, Niederlande, Amerika) gesagt war? – Daß TROELTSCH, der lediglich für sich antwortete und mich nur nebenher erwähnte, nicht noch einmal ad hoc für eine Polemik über *seine* Thesen *meinen* Aufsatz von A bis Z durchsah, versteht sich in der Tat leicht. Er hielt eben RACHFAHL für wenigstens partiell zuverlässig. Aber jemand, der diese Aufsätze von Grund aus »kritisiert« zu haben behauptet, und dabei noch, wie wir sehen werden, mit der »Exaktheit« seiner »historischen Kritik« (ausdrücklich im Gegensatz zu TROELTSCH!) prunken will?

Eine besonders charakteristische Leistung bietet dann die Stelle [oben S. 269], wo in der bei RACHFAHL beliebten Art, unter Verwendung von Fettdruck für die einzelnen *Worte*, an die er sich klammern möchte, den Lesern vorgeführt wird, daß, weil ich einmal davon rede, daß »der asketische Protestantismus für den Kapitalismus« – der Zusammenhang ergibt natürlich: für die zu jener Zeit, von der ich rede, spezifische Art von *bürgerlich*-kapitalistischer Entwicklung – auch die entsprechende »Seele« schaffe: die Seele des »Berufsmenschen«, – eben *doch* schließlich nach meiner These der von mir analysierte »Habitus« allein und an und für sich *alles* in sich enthalte, was an Motiven im heutigen (!) Kapitalismus wirke (soweit er nicht jüdischen Ursprungs sei, wird mir hier freundlichst noch untergeschoben, weil ich mit *einem einzigen* Worte an einer *gänzlich anderen* Stelle gelegentlich auch die Bedeutung des Verhaltens der Staaten gegenüber den Juden erwähnt hatte, als eines Falles, wo Toleranz oder Intoleranz in der Tat – s. u. – ökonomisch relevant werden konnte). Und das schönste ist, daß R. auf Grund dieser kläglichen Wortklauberei es einerseits [oben S. 269] »mindestens verzeihlich« findet, daß andere auf Grund jener von ihm zusammengetragenen Worte zu einer »Verabsolutierung« jenes einen Motivs gelangt seien, andererseits [oben S. 268] als solche, denen dies passiert sei, neben TROELTSCH auch GOTHEIN (der wie gesagt, über ein Jahrzehnt vor mir schrieb) und v. SCHUBERT nennt, nachdem er vorher [oben S. 267] versichert hatte, er selbst sei nicht in diesen, von ihm, wie wir sahen, sowohl in seiner Kritik wie, je nach Bedarf, *noch jetzt* vertretenen Irrtum über meine Ansichten verfallen. Ich finde das alles in der Tat lediglich »subaltern«. – Und in welchem Ton soll man eigentlich einem »Kritiker« antworten, der davon redet, ich hätte neuerdings in einer »Antikritik« Versuche gemacht, Aufgaben zu lösen, an die ich mich vorher »nicht gewagt« hätte?

3 Diese Formulierung allein schon ist für einen Historiker doch eigentlich allzu naiv. Ob etwas »das religiöse Gebiet überschreitet«, – *eben* dies ist bekanntlich in allen Kulturkämpfen aller Geschichte und bis heute der unerledigte Streitpunkt, um den sich alles dreht. R. behauptet: *ihm* falle es nicht schwer, die Grenzlinie anzugeben, – daß er es gleichwohl unterläßt, dies zu versuchen, scheint mir kein Verlust für uns. Denn er äußert weiterhin die wunderliche Ansicht, daß für diesen Punkt »die handelnden Personen der Geschichte oft einen merkwürdig feinen Instinkt bewiesen« haben. Nun: dieser »feine Instinkt« gestattete z. B. manchen hugenottischen Heerführern die Piraterie, derselbe Instinkt aber veranlaßte die hugenottische Kaufmannschaft nicht nur, sondern auch die ökonomisch uninteressierten Teilnehmer der Hugenottensynoden (die doch auch »handelnde« Personen waren) zu dem Versuch, sie dieserhalb zur Rechenschaft zu ziehen. Der gleiche »Instinkt« veranlaßte die STUARTS zum Kampf gegen die asketische Sonntagsruhe der Puritaner und die radikalen Schichten dieser zum Kampf gegen die Zehnten, auf denen z. B. die Existenz der Universitäten ruhte, und dies wieder CROMWELL zum

Bruch mit ihnen. Eben dieser angeblich eindeutige Instinkt inspirierte einerseits BISMARCKS Maigesetze, andererseits die Anordnungen des Papstes über das politische Verhalten der Katholiken in Italien und Deutschland und endlich die Opposition der Zentrumspartei einerseits gegen die Maigesetze, andererseits (gelegentlich) gegen den Papst. Alle Schwierigkeiten, denen das vatikanische Dogma ausgesetzt ist und sein wird, und alle Schwierigkeiten der Trennung von Kirche und Staat, resultieren aus der in der *Sache* liegenden Unmöglichkeit, eine Grenze des religiös Relevanten eindeutig zu bestimmen. Daß also nur »moderne Theologen« über jene Grenze im Zweifel sein könnten [oben S. 230 f.], gehört wohl in die politische Kinderstube. Solche Dinge sind ja allbekannt, und es ist mir wirklich nicht eingefallen, sie, wie R. mir in hämischer Form vorhält, für »originell« auszugeben. Und wenn ich deshalb auch wahrhaftig nicht der Ansicht war, daß »ganze Generationen von Historikern« sich mit der Ausschöpfung jener palpablen Dinge noch befassen müßten, – denn jeder sachlich ernst diskutierende Historiker vergißt dergleichen eben auch nicht, wie RACHFAHL, in der Polemik zum Zweck des Rechtbehaltens, – so glaube ich doch nach wie vor, daß sie R. selbst und seinesgleichen gelegentlich nachdrücklich in die Erinnerung zurückgerufen werden müssen. – RACHFAHL hat sich eben den Kampf gegen eine vermeintliche »Heidelberger« Spezialität zur speziellen Aufgabe gemacht. Eine mir vorliegende Dissertation, mit der bei ihm promoviert wurde, die sich u. a. mit den Arbeiten von G. JELLINEK über die religiöse Mitbedingtheit der »Menschenrechte« beschäftigt, zeigt, wie ich mich überzeugen konnte, die gleiche Manier bei der Wiedergabe bekämpfter Ansichten und dem Aufspüren angeblicher »Widersprüche« u. dergl. wie R.s eigene »kritische« Leistung. Nun ist gewiß niemand geneigt und verpflichtet, die Verantwortung für alles zu übernehmen, was in Dissertationen, auf die hin er promoviert, steht, – ich meinerseits würde das wenigstens ablehnen. Aber die *»Manier«* ist im vorliegenden Falle schwerlich zufällig. – Wenn übrigens R. seinerseits gegenüber TROELTSCH seine Ansicht über die Entwicklung der amerikanischen Demokratie dahin resumiert [oben S. 134], dieselbe habe sich »im wesentlichen *von selbst entwickelt*«, – so dürfte diese originelle Lösung des Problems den Vorzug einer für alle historischen Fragen empfehlenswerten Einfachheit an sich tragen. Im Ernst gesprochen: die völlige *Selbstverständlichkeit* der religiösen Basis des Lebens war in dem formal streng neutralen amerikanischen Staat gerade das, was ihn am wesentlichsten von europäischen und anderen Demokratien *unterschied* und was, – wie gerade TROELTSCH vortrefflich herausgearbeitet hat, – auch der »Trennung von Staat und Kirche« dort ein so völlig anderes Cachet gab als bei uns. Man kann ernstlich fragen: ob *ohne* diese (wie ich auch in der »Christl. Welt« hervorhob) im Leben *überall* vorausgesetzte Selbstverständlichkeit die amerikanische Demokratie in ihrer alten Eigenart möglich gewesen wäre. Heute schwindet das und ist natürlich z. B. das Gebet, mit dem der höchste Gerichtshof so gut wie auch jede *Parteiversammlung* eröffnet wurde, ebenso wie der »chapel record« (sic), von dem als Erfordernis für die Anrechnung des Semesters die Statuten vieler Universitäten reden, zu einer Farce geworden wie etwa der Gottesdienst vor der Reichstagseröffnung bei uns. Aber das war früher sehr anders!

4 TROELTSCH sagt (und RACHFAHL zitiert dies): RACHFAHL habe durch seine Beispiele »die Unwirksamkeit des religiösen Moments gegenüber dem allgemeinen Leben veranschaulichen« wollen.

5 RACHFAHL selbst führt für sich an, er sei durch meine Darlegungen konfus geworden. Dafür darf ich die Verantwortung ablehnen, wie RACHFAHLS Kritik und Replik jedem zeigen, der es sehen will.

6 Damit übrigens auch hier kein Zweifel bleibe: es handelt sich um solche Kleinigkeiten wie die Irrtümer TROELTSCHS über mein Verhältnis zu SOMBART, ferner über das, was in meinem Aufsatz über die Reformierten in Ungarn schon gesagt war, und ähnliches, um Dinge also, welche RACHFAHL noch jetzt, nachdem ich ihn auf die Irrtümlichkeit seiner aus TROELTSCH entnommenen Behauptungen in meiner Antikritik hingewiesen habe, seinem Publikum auftischt, – was ihn ergötzlicherweise nicht hindert, TROELTSCH, der diese Dinge mit Recht für herzlich gleichgültig hält, darauf hinzuweisen, daß die historische Kritik solchen Sünden gegenüber »nicht den Mut haben wird, sich zu diesem ebenso erhabenen wie angenehmen Standpunkt emporzuschwingen« (sic).

7 [Oben S. 86]: »Damit gelangen wir zur *fundamentalen* Differenz (zwischen TROELTSCH und mir) . . . der Auffassung (sic) von der altprotestantischen Askese«, – diese besteht darin [oben S. 87]: »daß er« (ich) »von einer gesamtprotestantischen Ethik (sic) im Sinn von TROELTSCH *nichts* weiß« (sic). Damit zu vergleichen [oben S. 89]: der »WEBER–TROELTSCHsche« Askesebegriff (ebenso noch jetzt in seiner Replik ausdrücklich: »die WEBER-TROELTSCHsche These«), ferner

[oben S. 88]: die Versicherung, daß das, was ich über den »asketischen Lebensstil« sage, »auf dasselbe hinauslaufe« wie die TROELTSCHsche »Definition« des Askesebegriffs und überhaupt die ganze gegen uns beide kollektiv gerichtete Polemik über diese von RACHFAHL erst zu polemischen Zwecken geschaffene »Frage«.

7 a Vgl. [oben S. 244; 261; 279, Anm. 37] und öfter.

8 Der kleine – ich kann nur sagen – Klopffechterkunstgriff, die Bemerkung von TROELTSCH, daß er meine Resultate einfach »übernommen« (d. h. in diesem Fall für jedermann ersichtlich: referierend und zustimmend *wiedergegeben*) habe, da wo sie eine *Ergänzung* der seinigen darstelle, – und meine Bemerkung: daß keine »Übernahme« meiner Theorien durch TROELTSCH (für jedermann ersichtlich: als wissenschaftliche *Begründung* seiner eigenen, ganz andere und weitere Ziele verfolgenden Forschungen) erfolgt sei, durch Fettdruck des Wortes »Übernahme« als »Widerspruch« erscheinen zu lassen, – entspricht durchaus dem Gesamtniveau dieser sogenannten »Kritik«. – Jetzt [oben S. 224] sucht R. seine Leser sogar glauben zu machen, TROELTSCHS Arbeiten seien »der einzige zusammenhängende Versuch, das WEBERsche Schema dem historischen Verlauf als zugrundeliegend aufzudecken« (sic, – ein »chemisch reiner« Unsinn, über welchen wohl TROELTSCH ebenso erheitert sein dürfte wie jeder, der weiß, womit sich eigentlich dessen Arbeiten in Wahrheit beschäftigen, auf den aber freilich der Unorientierte, auf den R. hier wie überall spekuliert, vielleicht hineinfällt). An anderer Stelle (in seiner ersten »Kritik«) waren u. a. v. SCHULZE-GAEVERNITZ und v. SCHUBERT in der gleichen Lage, eigentlich nur Apostel meiner »Lehren« zu sein. Und die »Juden« habe ich (nach RACHFAHL) »bekanntlich« SOMBART »überlassen«. Es scheint also, daß ich ein wahres Vasallenheer der allerhervorragendsten Gelehrten nach meiner Pfeife tanzen lasse. Vermutlich gehört jetzt auch Professor H. LEVY, den – nachdem ich mich auf eine freundliche Notiz von ihm bezogen hatte – R. in ebenso hämischer wie (m. E.) kindlicher Form als Mitverschworenen der nach ihm bestehenden »Arbeitsgemeinschaft« begrüßt, und schließlich doch wohl auch Professor A. WAHL dazu, dem ich durch Wiedergabe einer Bemerkung von ihm (nach R.) »schwerlich einen Gefallen erwiesen« habe. – Ein ähnliches Niveau zeigt es auch, wenn RACHFAHL, *genau wissend*, daß TROELTSCH da, wo er mir ausdrücklich zustimmt, teils ausgesprochenermaßen, teils selbstverständlich die in meinen Aufsätzen allein eingehender behandelten theologisch-religionspsy-

chologischen Ausführungen im Auge hat, die er als Fachmann zu beurteilen sicher vielfach besser als ich berufen ist, dagegen da, wo er sich als *Nichtfach*mann für inkompetent erklärt, selbstverständlich nicht jene in sein *Fach*gebiet schlagenden, sondern die von mir illustrativ, für die ohnedies bekannte Tatsache der ökonomischen Vormachtstellung des asketischen Protestantismus angeführten wirtschaftshistorischen Angaben, dennoch seinem Publikum vortäuscht: hierin liege ein Widerspruch oder sogar: ein »Widerruf« von TROELTSCHS *ausdrücklich auch jetzt* wiederholter Zustimmung zu jenen meinen religionspsychologischen Thesen.

9 Worin ich über die Rolle der Toleranz mit RACHFAHL übereinstimme, geht aus meinen Aufsätzen hervor, auf die ich in meiner Antikritik verwiesen hatte. Neues hat RACHFAHL schlechterdings nicht hinzugefügt.

10 Ein »Geschichts*konstrukteur*« könnte sehr wohl darauf verfallen, die Eigenart der holländischen Entwicklung daraus abzuleiten, daß hier der Calvinismus auf seine Intoleranz in besonders weitgehendem Maße (übrigens gerade z. B. in der Provinz Holland bekanntlich am wenigsten) hat verzichten müssen. Und ein Körnchen Wahrheit (aber freilich nur ein kleines) würde sogar in der Tat darin stekken können. – Da übrigens hier gerade von Holland die Rede ist, so erledige ich bei dieser Gelegenheit einige dahin gehörende »kritische« Leistungen RACHFAHLS. Ich habe darauf verwiesen, daß GROEN VAN PRINSTERER (dessen zum sehr erheblichen Teil religiös motivierte politische Sonderstellung gegenüber dem preußischen Konservatismus namentlich in den Korrespondenzen und Auseinandersetzungen mit dem STAHLschen Kreise, der ihm nahe stand und von ihm beeinflußt wurde, plastisch hervortritt) ganz ebenso wie ich die Kombination von starkem Verdienst mit begrenzten Ausgaben als ein Spezifikum der holländischen ökonomischen Entwicklung *erwähnt.* RACHFAHL, der die Stelle nicht kennt (er mag sie zur Vertiefung seiner Lektüre nur suchen!), *bezweifelt,* daß ich die Arbeiten dieses Gelehrten gelesen habe. Bei jedem anderen Schriftsteller von minder leichtem Geblüt müßte ich dies wohl eine »Unverschämtheit« nennen. Bei RACHFAHL, der, auf Grund seiner eigenen Gepflogenheiten, dabei natürlich gar nichts oder doch sehr wenig findet, liegt mir dies selbstverständlich fern. (Wenn BUSKEN-HUËT gelegentlich von ERASMUS als einem Vater der holländischen Kultur redet, so dürfte das für die Dinge, von denen er dort spricht, und in dem Sinne, in welchem es

geschieht, schon seinen guten Sinn haben. Für die *religiöse* Eigenart Hollands hat RACHFAHL seinerseits jenes Wort äußerst bedenklich »verabsolutiert«. Aber ERASMUS nun gar als Vater *ökonomischer* Eigentümlichkeiten Hollands? GROEN VAN PRINSTERER und auch BUSKEN-HUËT würden, wie ich es tat, gelacht haben. – Wer immer sich mit der holländischen Geschichte des 16. und, vor allem, des 17. Jahrhunderts unvoreingenommen befaßt, weiß, daß angesichts desjenigen weiteren »Kultur«-Begriffs, der hier in Frage steht, es töricht wäre, so von »der« holländischen Kultur zu sprechen, wie RACHFAHL es BUSKEN-HUËT nachspricht, daß vielmehr innerhalb der holländischen Geschichte, und zwar im wesentlichen bis heute, die schroffsten Gegensätze nebeneinander standen und sich auslebten.) Daß nun jene von GROEN nur als Tatsache erwähnte Eigenart der Holländer sehr wesentlich mit der scharfen Zucht ihrer religiösen Gemeinschaften zusammenhing, sieht jeder, der sich in die internen Auseinandersetzungen innerhalb dieser Gemeinschaften überhaupt irgendwie vertieft. Es sind durchaus typische Probleme der Lebensführung, die in Holland ebenso wie bei den Hugenotten, in Amerika und bei den kontinentalen Pietisten auftauchen und von all diesen asketischen Gemeinschaften zwar im einzelnen gelegentlich sehr charakteristisch nach dem Kulturmilieu differenziert, dennoch aber im Grundton streng einheitlich erledigt werden. RACHFAHL, der sich durch seine gesamte Polemik hin die Attitüde des Kenners gibt, möchte ich über seinen geistigen Besitz auf diesem Gebiet lieber keinen Offenbarungseid zuschieben. Jeder, der darüber gearbeitet hat, sieht: er kennt *nichts* davon, kennt größtenteils nicht einmal den literarischen Charakter auch nur des von mir in dem »kritisierten« Aufsatz zitierten kleinen *Bruch*teils der gedruckten Literatur darüber. – Ich meinerseits gebe die Hoffnung, gerade diese Partien meiner Arbeit fortführen (und dabei sehr viel weiter vertiefen) zu können, nicht auf, was freilich einen erneuten Aufenthalt in Amerika voraussetzt. Denn sowohl für die Quäker- wie für die Baptistengeschichte sind manche Dinge nur dort zu haben. Auf dem europäischen Kontinent, auch in den holländischen Bibliotheken, fehlt manches, was in den alten Sekten-Colleges dort und sonst nur (ich bin nicht ganz sicher, ob vollständig) in England zu haben ist. –

In Holland stand auf der anderen Seite: jenen pietistischen Kreisen und asketischen Sekten gegenüber, zweifellos viel Protzentum und Gefräßigkeit von Parvenüs; dann naive derbe Lebensfreude jener Marschenbauern, welche die Kapitalverwertung der Städte geschaffen hatte und denen es im ganzen, asketisch bewertet, »zu gut« ging, und ebenso eines teilweise ähnlich gestimmten Kleinbürgertums; etwas künstlerische Bohême und endlich die feine ästhetische, literarische, wissenschaftliche Geschmacks- und Urteilsrichtung der humanistisch durchgebildeten Schichten. Diese Gegensätze lagen übrigens schon, in etwas anderer Wendung, in der Zusammensetzung der südniederländischen Emigration nach dem Norden beschlossen: sie umfaßte bekanntlich, *neben* politischen Flüchtlingen *ohne* religiöses Pathos, einerseits zahlreiche Calvinisten, andererseits z. B. auch solche *Künstler*, die der Inkorrektheit ihrer persönlichen oder auch künstlerischen Ansichten wegen von der Kirche Verfolgung oder doch Zurücksetzung zu gewärtigen hatten, – deren typischer Lebensstil aber sich derartig gestaltete, daß man, und zwar ernstlich, behaupten konnte: die Liederlichkeit wäre von ihnen »aus Prinzip« methodisch gepflegt worden, – als eine Art Berufsethik also mit, gegenüber der innerweltlichen Askese, negativem Vorzeichen. Schon diese Behauptung ist übrigens charakteristisch – für die, von welchen sie ausging.

11 Derartige Schmälerungen des Vermögens- und Bevölkerungsbestandes sind natürlich des öfteren Folge der Intoleranz gewesen, sowohl katholischer wie protestantischer (z. B. auch in Genf, wie ich seinerzeit hervorhob). Aber: Vermögen ist nicht gleich: Erwerbskapital, und Bevölkerung nicht gleich: nach ihrer psychischen Disposition für die kapitalistische Verwertung qualifizierte Bevölkerung. Das Entscheidende blieb der »Geist«, der die tolerierte oder nicht tolerierte Bevölkerung und damit das Wirtschaftsleben beherrschte.

12 Dahin gehört: 1. das »gut lutherische Hamburg«. RACHFAHL wendet gegen das, was ich, unter Berufung auf eine Mitteilung ADALBERT WAHLS, darüber gesagt hatte, ein: Kaufmännische Vermögen seien labiler als industrielle (daher der Unterschied zwischen Basel und Hamburg). Die generelle Richtigkeit dieser These einmal vorausgesetzt (die ihm ein »geschätzter auswärtiger Kollege« mitgeteilt hat, vermutlich derselbe auch von mir sehr hoch geachtete Historiker, der auch mir diese Bemerkung machte), so wird dadurch natürlich die Beweiskraft *des* Umstandes nur noch größer, um dessentwillen ich den Fall überhaupt zitierte: daß nämlich das anscheinend *einzige* große *kaufmännische* Vermögen, welches seit dem 17. Jahrhundert in derselben Familie als Kapital arbeitet und also *ebenso* stabil geblie-

ben ist wie die Baseler *industriellen* Vermögen, der *reformierten* Konfession zugehört hat. Denn darauf kommt es ja für die Wirkung konfessioneller Unterschiede gerade an. Übrigens, der Sicherheit halber, *nochmals*: ich kann diese Einzeltatsache jetzt persönlich in ihren ursächlichen Zusammenhängen nicht im einzelnen nachprüfen und sie kann selbstverständlich zahlreichen »Zufällen« zuzurechnen sein, – nur daß sich eben auch die »Zufälle« doch recht stark *häufen*, von den großen, von mir angeführten Entwicklungszusammenhängen zwischen Kapitalismus und Protestantismus ganzer Länder ganz abgesehen. Ich habe sie nur zitiert, weil mir die von mir selbst als ganz selbstverständlich bezeichnete Tatsache, daß es zu jener Zeit auch Orte mit kapitalistischer Entwicklung und ohne asketischen Protestantismus gab, trotzdem als »Einwand« entgegengehalten wurde.

2. Petty – den Rachfahl zuerst zitiert hatte, natürlich ganz unvollständig, d. h. nur soweit es ihm in seine »Kritik« paßte – soll nach ihm bei den von mir zitierten Bemerkungen an Kapitalisten »nicht gedacht« haben, obwohl doch seine ganzen Auseinandersetzungen von der Tatsache ausgehen, daß das *Geschäft* in allen katholischen Ländern wesentlich in ketzerischen Händen sei, und obwohl spezieller Gegenstand der Untersuchung bei ihm (wie in so vielen Schriften der damaligen Zeit) die Frage ist, warum *dies* so sei und insbesondere woher eigentlich die internationale ökonomische Machtstellung Hollands stamme: seine »kapitalistische« Blüte, die ja der Merkantilismus an dem Maße des Geldzustroms in die einzelnen Länder messen wollte. Und das Paradoxe seiner (Pettys) Erklärung liegt an *genau dem gleichen Punkte*, wo ich es, ohne damals diese Stelle beachtet zu haben, als Problem fand und zu erklären suchte: daß nämlich die breiten Schichten des aufsteigenden bürgerlichen Mittelstandes, obwohl und gerade weil sie Feinde des in sündhaftem Genuß verzehrten Reichtums und seiner Besitzer waren (siehe die Stelle aus Petty bei mir: [oben S. 160]) und mit diesen *deshalb* keine religiöse Gemeinschaft hielten, aus der Art ihrer eigenen, religiös orientierten Berufsethik heraus (siehe daselbst) Träger des »Geistes« jenes nicht mehr wie im Mittelalter auf ethischer *Laxheit* ruhenden modernen Früh-Kapitalismus wurden, von dem ich gehandelt habe. Daß Petty die holländischen Freiheitskämpfer im Auge hatte, was mir R. einwendet, habe ich, wie immer, selbst [oben S. 159] gesagt; daß er sie nicht als Historiker, sondern mit den Augen *seiner* Zeit (des 17. Jahrhunderts) interpretierte (was R. Anlaß gibt, *jetzt* die

Bedeutung der Äußerungen dieses von ihm selbst herangezogenen Schriftstellers zur Abwechslung wieder einmal zu bezweifeln), zeigt ja gerade, wie damals, also: als nach RACHFAHLS eigener These Holland schon *nicht mehr* von jenen religiösen Motiven beherrscht war, dennoch die Dinge sich für einen geschäftlich gut unterrichteten Mann ausnahmen. Daß mir das »Mißgeschick« passiert sei, die holländischen Freiheitskämpfer mit jenen englischen Dissenters zu identifizieren, welche PETTY in der Nähe hatte, wird wohl selbst von RACHFAHLS Lesern nicht jeder ihm glauben. Daß aber, wie R. behauptet, die holländische Ketzerei zur Zeit des Bruchs mit Spanien mit den späteren englischen Dissenters »nichts zu tun« habe, kann nur jemand behaupten, der nichts von diesen Dingen weiß. Der puritanische Dissent in England ist, wie nicht nur die religiösen Prozesse schon unter ELISABETH, sondern überhaupt alle Quellen der Zeit beweisen, kontinuierlich aufs allerstärkste von Holland aus und (wie in Holland selbst) durch südniederländische Flüchtlinge gespeist und geistig gestützt worden. In letzter Linie auf holländische Einflüsse rückführbar ist nicht nur die spezifisch asketische Wendung des Calvinismus, sondern ebenso die Entwicklung des für das Independententum so wichtigen Baptismus (dessen Literatur von jeher für sich den Ruhm, Träger spezifisch moderner politischer und wirtschaftlicher Grundsätze gewesen zu sein, in Anspruch genommen hat und noch nimmt), des Mennonitentums (dessen »merkantilistische« Verwertbarkeit selbst preußische Soldatenkönige veranlaßte, seine Anhänger unter Dispens vom Kriegsdienst anzusiedeln), ferner, indirekt, auch der letzten Renaissance des Täufertums: des aus baptistischen Prädispositionen englischer Independentenkreise hervorgegangenen Quäkertums (dessen Tradition ebenfalls seit dem 17. Jahrhundert konstant für sich den Ruhm, Träger moderner Geschäftsethik zu sein und deshalb »von Gott mit Gütern gesegnet zu werden«, in Anspruch nimmt), und endlich: des Pietismus. Wie in Neuengland und Pennsylvanien, so hat sich auch in den Niederlanden das Grundschema der praktischen Berufsethik zunächst auf relativ sehr wenig kapitalistischem Boden entwickeln müssen (Ostfriesland), ist also nicht etwa eine *Folge* kapitalistischer Entwicklung; dann aber wurden Amsterdam und Leyden die Brutstätten, von denen aus z. B. spezifisch sektenmäßige Prinzipien des Gemeindelebens, nachdem sie dort ihre Vollendung erlangt hatten, ihre Fäden nach England spannen; und daß auch der Anstoß zur Fahrt der Pilgerväter von Holland ausging, könnte schließlich dieser Historiker ebenfalls wissen, wenn man von ihm auch nicht verlangen wird, daß er über die Positionen orientiert sei, welche das schottische und englisch-quäkerische Element, der englische Dissent überhaupt, bis an die Schwelle der Gegenwart heran in England eingenommen hat.

3. Daß nach RACHFAHL CALVIN [oben S. 241] den Lebensgenuß »in sinnlicher Hinsicht« *geboten* hat (eine immerhin recht schiefe Interpretation der von *mir* zitierten Äußerung, welcher übrigens noch einige andere zur Seite zu stellen wären), hindert ihn nicht, an anderer Stelle zu behaupten, daß schon CALVIN selbst dieselben Prinzipien vertreten habe, die dem asketisch gewendeten Calvinismus charakteristisch und für die Entwicklung des kapitalistischen Geistes wichtig sind.

13 Vgl. [oben S. 256]: man muß ja bei einem Wortrabulisten wie RACHFAHL nach Art von Handschriften zitieren, sonst kann er – siehe oben – seine eigenen Behauptungen nicht mehr finden. Vgl. ferner [oben S. 256], wo man darüber belehrt wird, meine Ansicht sei eine bloße »Redefigur, die man schulgemäß (sic) pars pro toto nennt«. RACHFAHL *seinerseits* hat dagegen vergessen, daß er *selbst* bezweifelt hatte [oben S. 110], daß die »kapitalistische Ethik«, in *welchem Sinne man sie auch fassen mag,* im Sinne kalvinistischer Berufsethik lag.

14 Ich kann hier im übrigen für die amerikanische Gegenwart z. B. auf VEBLENS vortreffliches Buch: »Theory of business enterprise« (1904) verweisen, dessen Betrachtungen u. a. gerade die allmähliche *Emanzipation* des *aller*modernsten Milliardärtums von der dem neuzeitlichen Kapitalismus bisher charakteristischen *bürgerlichen* Denkweise: »honesty is the best policy« herausheben. Ich habe in meinen Aufsätzen im Archiv für Sozialwissenschaft und in dem von RACHFAHL ignorierten in der »Christlichen Welt« die Genesis dieser Devise beleuchtet und komme unten darauf zurück.

15 In welchen seiner Ausführungen ich vollends eine »Auseinandersetzung« R.s mit mir über die Beziehung zwischen irrationalem »Trieb« und rationalen »Geist« hätte erblicken können [oben S. 277, Anm. 32] ist mir gänzlich dunkel. Ich verweise auf meine Antikritik und empfehle R., doch etwas höhere Anforderungen an sich selbst zu stellen.

16 RACHFAHL beschwert sich, daß ich die dem Tone nach hämische und in der Sache kleinliche Art niedriger hängte, mit der er jenes –

wohlgemerkt: von mir in einer Fußnote in *wenigen* Zeilen illustrativ erwähnte – Beispiel eines sehr erfolgreichen Kaufmannes, der gegen gewisse luxuriöse Genüsse (Austern) auch bei ärztlicher Verordnung seine Antipathie beibehielt, weil ihm jener, m. E. für ganze Generationen allerdings sehr charakteristische »asketische« Zug eignete: daß Genuß und Luxus *als solche* ein »Unrecht« gegenüber der berufs- und bestimmungsmäßigen Verwendung des Besitzes (als Kapital) sei, breittrat, um den Anschein zu erwecken, als spiele derartiges bei mir als *»Beweis«* eine entscheidende Rolle. Ich stelle fest, daß *trotz* meiner entsprechenden Bemerkungen noch jetzt in seiner Replik dies Beispiel die gleiche Rolle spielt, ja daß R. – obwohl er weiß, daß ich so weitfassend und mit so viel Beispielen, wie es mir eben die Gelegenheit gestattete, die *Gesamt*attitüde charakterisiert habe, in welche, *neben* zahlreichen anderen, eben auch jener kleine Zug hineingehört, – *sich nicht schämt*, nunmehr seinen Lesern den Satz vorzusetzen: »ich (RACHFAHL) habe wenigstens nicht damit angefangen, die Modalitäten des Austerngenusses für die Erkenntnis ... zu verwerten«. Dies ist in der Tat äußerst »effektvoll«.

17 Bei RACHFAHL ist – je nach Bedarf – bald das 16., bald das 18. Jahrhundert der Zeitraum, »auf den es ankommt«. Da sowohl die spezifisch asketische Wendung des Calvinismus, wie die Ausgestaltung des bis dahin durch den Münsterschen Aufruhr diskreditierten Täufertums zum Anabaptismus, Generalbaptismus, Partikularbaptismus, wie die Entstehung des Quäkertums und des Pietismus (den Methodismus habe ich selbst als Nachzügler und »revival« geschildert) gerade im 17. Jahrhundert und nur in den diesem unmittelbar benachbarten Jahren liegen, ebenso aber auf der andern Seite auch die erste großzügige und systematische Entfaltung bewußt *bürgerlich*-kapitalistischer moderner Staatenpolitik *und Literatur*, so kennzeichnen jene zeitlichen Fixierungen sich selbst als Produkte der sehr begreiflichen Verlegenheit, eine falsche, polemisch eingenommene, Position rechthaberisch à tout prix zu halten.

18 In Wahrheit entspräche dies letztere speziell doch wohl eher der Ansicht, die RACHFAHL selbst in seiner »Kritik« vertritt, – wenn man überhaupt von »Vertreten einer Ansicht« in einem Fall, wo es sich schließlich ja lediglich um Klopffechterei um ihrer selbst willen handelt, reden könnte. Nach R. ist es [oben S. 118] der Calvinismus (»ausgerechnet« gerade *er*), welcher unter anderem die Tendenz hat, (neben den »Kapitalisten«) nicht nur den »mittleren und kleineren

Kaufleuten und Handwerkern«, sondern speziell auch dem Angestelltenpersonal (sic) und der »Arbeiterschaft« (sic) zu »dienen« (sic) – ein Dictum, von dem man sich vergebens fragt, wie selbst eine blind um sich schlagende Gedankenlosigkeit es hat entstehen lassen können. Wie völlig gedankenlos freilich RACHFAHL überhaupt sich gebärdet, möge ein Fall illustrieren, über den er selbst ein derartiges Triumphgeschrei veranstaltet, daß ich ihm (nach so zahlreichen wenig ehrenvollen Blößen, auf die ich hinweisen mußte) es wirklich gern auch einmal gönnen würde, er hätte Recht, – könnte dies auch nur der oberflächlichsten Nachprüfung standhalten. Es sei mir, versichert er sein Publikum, offenbar äußerst »unangenehm«, von ihm darauf »festgenagelt« zu sein, daß ich bei Erwähnung Neu-Englands – wie er in seiner Kritik behauptet hatte – das Handwerk als Beweis des *kapitalistischen Geistes* hingestellt hätte. Würden sich seine Leser diese »festgenagelte« Stelle ansehen, so fänden sie dort: »Die Existenz von *Eisenhüttenwerksgesellschaften* (1643), *Tuchweberei für den Markt* (1659) *und* die hohe Blüte des Handwerks in Neu-England in der ersten Generation nach der Gründung der Kolonie sind, rein ökonomisch betrachtet, *Anachronismen* und stehen zu den Verhältnissen im Süden ... in auffallendstem Gegensatze ...« An dieser Bemerkung habe ich natürlich kein Wort zu ändern, ebensowenig an der Begründung, welche diese, teils kapitalistischen, teils (in einem Kolonialgebiet auf – wie ja RACHFAHL bei mir gelesen hat und mir gelegentlich als eigenen Gedanken entgegenhält – vielfach noch naturalwirtschaftlicher Entwicklungsstufe) immerhin auffallenden Erscheinungen eines selbständigen kräftigen Kleingewerbes als mit durch den in penetranter Weise religiös durchdrungenen Lebensstil der Einwanderer bedingt hinstellte, – wie dies übrigens vor mir von Amerikanern geschehen war. Ganz absehend von der wohl nicht zweifelhaften Antwort auf die Frage: wer und was denn nun hier für den konkreten Fall »festgenagelt« ist, »nagele« ich meinerseits nur wiederum ganz generell die Frage »fest«: wes Geistes Kind eine »Kritik« sein kann, die ihr Geschäft *durchweg* in nichts besserem als dem (überdies auch noch immer wieder mißglückenden) Versuche sieht, den »kritisierten« Schriftsteller auf einzelne *Worte* und Einzel*sätze* »festzunageln«. Und nichts anderes enthalten RACHFAHLS »Kritik« und »Replik« von A bis Z.

19 [Daß die spezifische ethische Schätzung der Arbeit und ihrer »Würde« nicht etwa ein dem Christentum *ursprünglich* eigener, oder

gar eigentümlicher, Gedanke war, hat noch kürzlich wieder Adolf v. Harnack scharf betont (Der Wert der Arbeit nach urchristlicher Anschauung, in: Mitt. des Ev.-Soz. Kongresses, 14. Folge 1905, Nr. 3/4, S. 48 f.). (Anm. Max Webers: Archiv, XXI. Bd., S. 79, Anm. 15a [STB 53/54, S. 250, Anm. 213].) Dazu s. noch: Friedrich Hauck, Die Stellung des Urchristentums zu Arbeit und Geld, 1921. (Hrsg.)]

Das: »wer nicht arbeitet, soll nicht essen« wendet sich gegen ein gewisses Schmarotzer-Missionartum, wie es zu jeder Zeit vorkam und wie es noch heute in klassischer Form der von Booker Washington ergötzlich geschilderte göttliche »Call« repräsentiert, der den Neger zu befallen pflegt, wenn er die Existenz als Heiliger derjenigen als Arbeiter vorzieht. Die anderen Stellen sind teils Bestandteile von Gleichnissen, teils eschatologisch bedingt. Die Arbeit mit *positivem* Vorzeichen findet sich weit stärker als im Urchristentum bei den Kynikern und in einigen heidnisch-hellenistischen Grabschriften aus Kleinbürgerkreisen. Angesichts der Ausführungen, welche ich in meinen Aufsätzen über die Einflüsse alttestamentlichen Geistes auf die puritanische Berufsethik gemacht habe, wirkt es etwas grotesk, wenn R., der davon nach Ausweis des Inhalts seiner hingeworfenen nichtssagenden Bemerkung doch *nur* aus eben diesen Ausführungen etwas weiß, mir diese selben Dinge jetzt entgegenhält. Ich habe übrigens auch daran erinnert, in welcher Art bekanntlich diese Renaissance des alten Testamentes mit den von mir besprochenen spezifischen Eigenschaften puritanischer Religiosität zusammenhing, – wie R. vergessen hat.

20 Das soll über den möglichen pädagogischen Wert der Beichte gar nichts Allgemeines aussagen. Aber man nehme die Beichtanweisungen zur Hand oder informiere sich anderweitig, nach was denn eigentlich in der Beichte gefragt wurde: es waren und sind ganz andere Dinge als solche, worauf es hier für uns ankommt. – Übrigens: ein hübsches Beispiel, wie sich in der *Praxis* die katholische Doktrin zum wirtschaftlichen Leben verhalten hat, bietet die Geschichte des Wucherverbots. Es ist bekanntlich auch heute nicht »aufgehoben«, konnte es auch, nach der feststehenden Maxime katholischen Kirchenregiments, nicht werden, da es in den Dekretalen ausdrücklich enthalten ist, bekanntlich auf Grund einer auf falscher Lesart (»μηδὲν« statt »μηδένα ἀπελπίζοντες«) beruhenden und daher ganz schiefen Übersetzung in der (inspirierten!) Vulgata. Aber es ist praktisch außer Kraft gesetzt, definitiv erst seit weniger als einem

Jahrhundert, durch Anweisungen der Kongregation des heiligen Offiziums, dahingehend: daß fortan die Beichtiger nicht mehr nach usuraria pravitas durch Eingehung von Zinsgeschäften inquirieren sollen, vorausgesetzt, daß es als verbürgt gelten könne, daß das Beichtkind sich in Gehorsam fügen *würde, falls* etwa die Kirche es wieder opportun finden sollte, auf der Innehaltung des Verbots zu bestehen. (Ganz ähnlich also, wie gewisse, m. W. bisher von der kirchlichen Zensur unangefochten gelassene, öffentliche Erörterungen in katholischen Kreisen Frankreichs den Wunsch aussprechen, die Beichtväter möchten nach dem »Onanismus matrimonialis«, der sterilisierten Begattung zum Zweck des Zweikindersystems, in der Beichte nicht mehr inquirieren, – trotz des biblischen Fluchs über den »Coitus interruptus«.) Die Art des Vorgehens ist durchaus der katholischen Kirche spezifisch: sie *duldet,* temporum ratione habita, wie im Mittelalter die faktische Existenz des von ihr in *keiner* Form positiv *gebilligten* kapitalistischen Getriebes, vorbehaltlich der Ahndung gewisser Formen [z. B. Zinsnehmen], deren es sich bediente, so jetzt *auch* den Gebrauch dieser Formen. Die protestantische Askese dagegen schuf ihm die positive Ethik, die »Seele«, deren jenes Getriebe bedurfte, damit »Geist« und »Form« einig seien.

21 Ich habe s. Zt. die so geschaffene Kreditwürdigkeit mit der spezifischen »Pumpfähigkeit« eines deutschen Verbindungsstudenten (zu meiner Zeit konnte man in Heidelberg fast »gratis« leben, nachdem man »das Band erhalten« hatte, – beim Fuchs wurde von den Kreditoren die Matrikel belegt) und der ebenso spezifischen Kreditfähigkeit des Klerus im Mittelalter (weil über ihm der Kirchenbann als Zwangsmittel schwebte) verglichen, und auch die oft bedenkliche Kreditfähigkeit des modernen jungen Offiziers, über dem die Entlassung schwebt, gehört hierher. Allein der soziologisch sehr wesentliche Unterschied liegt darin, daß in all diesen Fällen nicht, wie bei der Sekte, die Kreditwürdigkeit als *subjektive* Qualität der *Persönlichkeit* (durch Auslese bei der Aufnahme nach entsprechender Erziehung) gefordert, sondern nur (was bei den Sekten nebenher auch noch der Fall war) die *objektive* Garantie für die Gläubiger erhöht ist. – Die charakteristische Institution des methodistischen Jugend-»training« und der ebenso charakteristische Usus des Zusammenschlusses zu kleinen Gruppen zwecks regelmäßiger gegenseitiger Darlegung des Seelenstandes, zu einer beschränkt öffentlichen Beichte also, – die natürlich, da sie, im Gegensatz zu der katholischen Beichte

hinter dem vergitterten Fenster, sich an eine Mehrheit persönlich Gleichstehender richtete, eine psychologisch ganz andere *Situation* bedeutete als jene, – ist verfallen, bedeutete aber früher sehr viel.

22 Die Erziehung zu dem vorwaltenden Interesse für die »Realien« ist ein alter, in sehr bestimmter Art (wie ich angedeutet hatte) religiös verankerter Grundsatz der pietistischen Pädagogik; bei den Quäkern und Baptisten findet sich ganz Ähnliches von Anfang an; bei den Reformierten tritt es nicht selten noch heute, z. B. in der Art der Verteilung auf Real- und andere Schulen und in der Berufswahl, hervor. – Diese Spezifika sind unzweifelhaft sehr wichtig für die Zusammenhänge dieser Religiositätsformen mit der Entwicklung des modernen Kapitalismus. Ebenso sind die wohlbekannten Leistungen der Reformation *überhaupt* auf dem Gebiet des Volksschulwesens ganz sicher von Bedeutung. Aber diese letzteren ganz allgemeinen Zusammenhänge hatten ihre Grenzen: die Leistungen des preußischen Staats auf dem Gebiet der Volksschule *fehlten* in dem kapitalistisch höchstentwickelten Lande: England, bekanntlich; die »gute Volksschule« *als solche* und die kapitalistische Entwicklung gingen *nicht* parallel. – Daß übrigens im Protestantismus keine Besorgnis vor zunehmender Volksbildung herrsche resp. geherrscht habe, wie R. sich [oben S. 120] ausdrückt, ist auch eine sehr bedenkliche Übertreibung, speziell für unsere gut protestantischen Ostelbier. In meinem Aufsatz hatte ich auf den Zusammenhang gewisser konfessionell bedingter Schultendenzen mit der Stellung zur »fides implicita« hingewiesen [s. auch Wirtschaft und Gesellschaft 5, S. 342 f.].

23 In den konfessionell gemischten westfälischen Gebieten war noch vor 30 Jahren, unter den beiderseitigen Konfirmanden zumal, die ewige Plänkelei zwischen den Lutheranern, die »den Heiland durch die Gosse« (des Darmkanals nämlich: wegen des: hoc »est« corpus meum) »zogen« und den reformierten »heuchlerischen Werkheiligen« an der Tagesordnung.

24 Die Sonderart der lutherischen Missouri-Kirche den anderen Denominationen gegenüber ist eine sehr starke geblieben.

25 Es gehört zu R.s Eigenart, einerseits die größten Anstrengungen zu machen, um diesen Ausdruck nicht nur, sondern, wie er ja selbst behauptet, auch die entsprechende *sachliche* These: die innere Verwandtschaft mit der katholischen rationalen Mönchsaskese, zu »diskreditieren« (denn *darauf* läuft seine Art des sogen. »Kritisierens« ja überall hinaus), – andererseits mich darauf hinzuweisen, daß,

nach Ansicht geachteter Kirchenhistoriker, jene Spezifica asketisch-protestantischer Religiosität eine »noch nicht« volle Überwindung des Katholizismus bedeuten. In dem »noch« liegt aber eine Entwicklungs*konstruktion* an der Hand einer (subjektiv natürlich unangreifbaren) *Wertung* vor, welche z. B. etwa das, jede Werkheiligkeit ablehnende, Luthertum als die schlechthin »höchste« Ausprägung des Protestantismus ansieht und von da aus Stufenfolgen bildet. *Historisch* aber ist die Entwicklung der innerweltlichen Askese ein Produkt der *nach*reformatorischen Zeit, also eher ein *Wiedererwachen* von religiösen Motiven, welche *auch* der Katholizismus pflegte, nur eben in ganz anderer Art und mit anderer Wirkung.

26 Daß ferner der Entstehung des »homo oeconomicus« ganz bestimmte *objektive* Bedingungen, unter denen die Kultur des Mittelalters im Gegensatz zu der des Altertums aus geographischen, politischen, sozialen und anderen Gründen stand, entgegenkamen, habe ich an anderer Stelle (Hdwb. d. St.-W., 3. Aufl., Art.: »Agrarverhältnisse im Altertum«), soweit es die Gelegenheit erlaubte, angedeutet. Daß und wodurch ferner die Einbeziehung der modernen Wissenschaft in den Kreis der »Bedingungen« des ökonomischen Fortschritts in diese Ursachenreihe gehört, ist von SOMBART eingehend ausgeführt worden.

27 Vergleiche z. B. den Brief von JOHN KEATS an seinen Bruder Thomas (3. Juli 1818): »Diese Kirchenmänner« haben Schottland in »Colonnen von Sparern und Gewinnern formiert« (Gegensatz gegen Irland, von wo aus er schreibt).

28 Aber natürlich nicht durch die von mir in meinem Aufsatz erwähnte überwiegende Zugehörigkeit gewisser politischer Oberschichten zum Arminianismus oder doch zur Indifferenz. Denn entsprechendes findet sich anderwärts ganz ebenso, und auch in Holland sind es die Oberschichten, welche durch »Veradligung« ihres Vermögens (Ankäufe von Rittergütern, wie in England) aus dem kapitalistischen Getriebe (mindestens partiell) am meisten *auszuscheiden* trachteten. Daß übrigens R., angesichts meiner ausdrücklichen Bemerkung über den Arminianismus in meinem Aufsatz, zu behaupten sich gestattete: diese allbekannten Dinge seien mir unbekannt gewesen, und ähnliches noch jetzt, nachdem ich darauf hingewiesen habe, seinem Publikum zu wiederholen angemessen findet, entspricht nur allem dem, – was ich nicht immer wieder über ihn sagen mag.

29 Damit kein Mißverständnis entstehe: diese Stagnation hatte

sicherlich sehr wesentlich politische (äußere und innere) Ursachen. Damit ist aber andererseits natürlich die Mitwirkung jener Gebrochenheit der asketischen Züge durchaus nicht ausgeschaltet. Ich kann diese Frage z. Z. meinerseits in keinerlei Weise abschließend beantworten wollen, – und andere wohl auch nicht.

30 Daß meine Versuche von einer Anzahl angesehener theologischer Kollegen *nicht* schlechthin interesselos und prinzipiell unfreundlich aufgenommen wurden, ist mir an sich schon eine reichliche Genugtuung im Interesse der Sache. Denn ich verstehe natürlich vollkommen, daß ihnen diese Art der Inbeziehungsetzung gewisser religiöser Motivationsreihen, welche ja das, religiös *gewertet*, Grobe und Äußerliche, gerade für innerlich religiös gestimmte Naturen an der Peripherie Liegende, der eigentlich religiösen Inhalte sind, zu ihren Konsequenzen für das bürgerliche Leben als etwas erscheinen muß, was dem letzten *Wertgehalt* der betreffenden Religiositätsformen nicht gerecht wird. Das ist in der Tat so. Aber diese lediglich »soziologische« Arbeit (wie sie unter den Theologen selbst vornehmlich TROELTSCH betreibt) muß eben *auch* geleistet werden. Am besten gewiß durch die Fachleute selbst, denen wir Außenstehende nur vielleicht auf unserem Wege und mit unserer Betrachtungsweise hie und da einige auch sie interessierende Möglichkeiten von *Problemstellungen* nahebringen können, mögen sie sich nun zu unseren eigenen Versuchen zustimmend oder kritisch verhalten. *Dies* tun zu können, war meine Hoffnung, und von *jenen* Seiten, nicht aber von solchen gelegentlich dilettantisch hineinpfuschenden Klopffechtern wie R., erwarte ich fruchtbare und belehrende Kritik.

31 Dies bedürfte natürlich der näheren Interpretation, die ich hier beiläufig nicht geben kann. Ein, rein objektiv betrachtet, noch so waghalsiges Unternehmer-Risiko bedeutet, wenn es ein durch die »Sache« gegebener Bestandteil eines *rational* kalkulierten Geschäftes ist, durchaus kein »Abenteuer«.

32 Wenn man seine früheren Äußerungen mit seinen jetzigen vergleicht, wird man freilich wohl auf die Vermutung kommen, daß die letzteren mehr eine Art »Strafe« für mein freilich respektwidriges Verhalten bedeuten als irgend etwas anderes.

Ephraim Fischoff

Die protestantische Ethik und der Geist des Kapitalismus

Die Geschichte einer Kontroverse

I

Das Problem der Auswirkungen der Reformation auf die nachfolgende Wirtschaftsentwicklung, und speziell das der engen Beziehung, die zwischen dem Protestantismus, vor allem in seiner calvinistischen Ausprägung, und der Entwicklung des modernen Kapitalismus von Max Weber in seinen provokativen Protestantismus-Aufsätzen behauptet wurde, hat seit deren Erscheinen eine umfangreiche Kontroversliteratur hervorgerufen. Noch heute ist dies das bekannteste Werk des vielseitigen deutschen Gelehrten, vielleicht gerade deshalb, weil die Intention dieser Analyse so gründlich mißverstanden wurde. Über ein Vierteljahrhundert war sie der Anlaß einer umfangreichen Debatte unter Sozial- und Wirtschaftshistorikern über ein Problem, das die interessanteste Einzelfrage auf dem Gebiet der Wirtschaftsgeschichte genannt worden ist.[1]

»Die Protestantische Ethik und der Geist des Kapitalismus« erschien zuerst im Archiv für Sozialwissenschaft und Sozialpolitik[2] und findet sich jetzt als erste Abhandlung in Max Webers Gesammelten Aufsätzen zur Religionssoziologie.[3] In diesem Wiederabdruck blieb sie im wesentlichen unverändert, enthielt aber zahlreiche neue, z. T. sehr detaillierte Fußnoten, die vornehmlich einer besseren Dokumentation aus den Quellen dienten und auf verschiedene Kritiken, speziell auf die von Sombart und Brentano antworteten. Diese Ausgabe wurde im Jahre 1930 von Talcott Parsons, der vermutlich am stärksten die Interpretation von Max Webers Werk in Amerika beeinflußt hat, unter dem Titel »The Protestant Ethic and the Spirit of Capitalism« ins Englische übersetzt. In der deutschen Ausgabe folgt dieser ersten Abhandlung eine ergänzende zweite: »Die Protestantischen Sekten und der Geist des Kapitalismus«, die sich mit den speziellen Beiträgen der protestantischen Sekten beschäftigt. Diese zuletzt genannte Arbeit, der WEBER häufig für die vollständige Formulierung seiner These besondere Bedeutung beigemessen hat, wurde von PARSONS unglücklicherweise nicht in seine Übersetzung aufgenommen. Ebenso sind MAX WEBERS Repliken im Archiv[4] auf die Kritiken von FISCHER und RACHFAHL für die ergänzende Klärung seines Gedankengangs außerordentlich wichtig. Darauf hat ERNST TROELTSCH anläßlich zahlreicher Bezugnahmen wiederholt hingewiesen.[5] Viele der an WEBERS These vorbeizielenden Einwände wären sicherlich nicht erhoben worden, wenn die Kritiker mit diesen ergänzenden Ausführungen vertraut gewesen wären, da sie die wesentlichen Gedanken des gesamten WEBERschen Ansatzes noch einmal zusammenfassen und präzisieren.[6] Daher erscheint es wichtig, wegen der spezifischen Art der Komposition des Aufsatzes diese ergänzenden Bemerkungen mit dem Originaltext zusammen als eine Einheit zu lesen. MAX WEBER plante ursprünglich, seine Überlegungen auf andere Gebiete auszuweiten, und später in umgekehrter Richtung die Beziehung zwischen Religion und anderen Aspekten der Kultur, vornehmlich ökonomischen Einstellungen, Praktiken und Institutionen zu untersuchen. Aus einer Anzahl von Gründen, auf die wir später zurückkommen werden, ist es nie zu einer Ausführung dieses Plans gekommen.

Viele Gelehrte wurden durch WEBERS Ideen angeregt. Diejenigen von ihnen, die seinem Ansatz zustimmten, übernahmen auch häufig mehr oder weniger seine zentralen inhaltlichen Schlußfolgerungen. Während seine Ideen über die Beziehung zwischen Puritanismus und Kapitalismus von den Historikern bestritten wurden, fanden sie bei Theologen eine zustimmende Aufnahme. WEBERS Arbeit über den Protestantismus gilt als eine der grundlegenden Analysen auf dem Gebiet der Religionssoziologie und der allgemeinen Kultursoziologie.

Den größten Einfluß hat dieser Aufsatz wohl auf Ernst Troeltsch ausgeübt, der, von anderen Prämissen ausgehend, die historische Analyse der gesamten früheren Entwicklung des Christentums geliefert hat, die Max Weber ursprünglich selbst geplant hatte. Ernst Troeltsch, der mit Weber als einer der Gründer der Religionssoziologie in Deutschland anzusehen ist, übernahm Webers These über die Beziehung zwischen Protestantismus und Kapitalismus, entwickelte und popularisierte sie, so daß *sie* nicht selten die Weber-Troeltsch-Theorie genannt worden ist. Von allen Gelehrten, die an der Kontroverse teilnahmen, kam er wohl Webers Intention am nächsten. In seinen Schriften über die Eigenart des Protestantismus und dessen Einfluß auf die Kulturentwicklung[7] übernahm er die allgemeine These von Weber, im Bewußtsein ihrer fundamentalen Bedeutung, und bekannte dies offen. Speziell stimmte er dem Weberschen Ansatz zu, insofern er das Problem in universaler kulturgeschichtlicher Perspektive behandelte, und seinen inneren Zusammenhang mit den sozialökonomischen Tatbeständen hervorgehoben hatte. Troeltsch erkannte deutlich, daß Weber auf die Affinität zwischen Calvinismus und Kapitalismus zielte, daß der Calvinismus dem Kapitalismus für dessen rasche Entwicklung die »innere Hilfe« und »geistig-moralische Stütze« lieferte. Er akzeptierte Webers Differenzierung zwischen dem Geist und dem ökonomischen System des Kapitalismus; seine Idee, daß diese Dinge nicht notwendig zusammen auftreten müssen; und endlich seinen Schluß, daß die Herrschaft des kapitalistischen Systems über die Vorstellung von Menschen nicht auftritt, bevor nicht ein bestimmtes historisches Ereignis diese Verknüpfung zwischen kapitalistischem Geist und kapitalistischem System herbeigeführt hat.[9]

In gleicher Weise wurde Webers These von den Kirchenhistorikern mehr oder weniger übernommen, wie z. B. von H. v. Schubert, F. H. v. Funk, H. Hermelink; durch den Religionshistoriker C. H. Becker, dessen Islâmstudien eine exemplarische Arbeit in der Religionssoziologie im Geiste Weberscher Religionsanalysen darstellt; und bis zu einem gewissen Grade auch von Wirtschaftshistorikern, z. B. WERNER SOMBART und R. H. TAWNEY. SOMBARTS allgemeine Position steht in enger Beziehung zu der WEBERS, unterscheidet sich aber in Methoden und Schlußfolgerungen. SOMBARTS These über den Geist des Kapitalismus lieferte WEBER den Ausgangspunkt für seine Fragestellung; umgekehrt hat MAX WEBERS Aufsatz über den Protestantismus SOMBARTS eigene Behandlung des Problems stark beeinflußt. Andererseits verwarf MAX WEBER wieder SOMBARTS Anwendung des Kapitalismusbegriffs auf die Juden aufgrund seiner eigenen Analysen der Religionspsychologie und der Sozialstrukturen des antiken Judentums. TAWNEY leugnete den Wert der WEBERschen Arbeit nicht, modifizierte dessen Thesen jedoch in bestimmten Punkten: er kritisierte WEBERS offensichtliche Identifikation des kapitalistischen Geistes mit dem Calvinismus und dem englischen Puritanismus; ebenso unterschied TAWNEY zwischen dem früheren und dem späteren Puritanismus, indem er darauf hinwies, daß, um den kapitalistischen Geist zu entwickeln, der ursprüngliche Puritanismus weitgehend überwunden werden mußte; und schließlich schrieb er im allgemeinen den ökonomischen und politischen Bedingungen in England während des 16. und 17. Jahrhunderts für die Entwicklung neuer ökonomischer Praktiken und Einstellungen größere Bedeutung zu als irgendwelchen spezifisch religiösen Komponenten. Diese Modifikationen wurden von TAWNEY in seinen späteren Schriften noch ausgebaut, vor allem in seinem Vorwort zu der englischen Übersetzung der Protestantischen Ethik. Der Einfluß der WEBERschen These, nun aber in der modifizierten Form TAWNEYS, tritt in verschiedenen Studien, die durch ihn beeinflußt wurden, offen zutage. So z. B. in den Arbeiten von MARGARET JAMES, ISABEL GRUBB, W. J. WARNERS, P. S. ASHTON und RICHARD SCHLATTER.

Aber die zustimmende Aufnahme der WEBERschen These und ihr bemerkenswerter Einfluß auf andere Forscher ist nur die eine Seite des Bildes. Die andere bildet eine große Anzahl kritischer Stellungnahmen. Diese reichen von solchen, die WEBER in einzelnen Punkten kritisieren, die Hauptthese aber für gültig halten, so z. B. außer SOMBART und TAWNEY E. KNODT, J. KULISCHER, W. GUNSTEREN und P. KOCK, bis zu jenen, die seinen Ansatz nicht nur als im Detail irrig, sondern insgesamt als wesentlich inadäquat und steril ablehnen. Hierzu gehören unter den älteren Schriftstellern H. K. FISCHER, F. RACHFAHL, L. BRENTANO, G. v. BELOW, H. SEÉ und H. PIRENNE; unter den moderneren Schriftstellern H. M. ROBERTSON und P. C. GORDON WALKER.

Ob nun in mehr wissenschaftlichen oder mehr populären Beiträgen zur Diskussion der WEBERschen These, in zustimmenden wie kritischen Stellungnahmen: immer wieder wird sie als Kausalhypothese interpretiert, mit deren Hilfe WEBER den Kapitalismus vom Calvinismus ableitet. Kurz: es wird behauptet, die alte materialistische These über die Entstehung des Kapitalismus werde hier lediglich durch eine spirituelle ersetzt. Eine solche Deutung findet sich z. B. auch noch in dem Buch von H. RICHARD NIEBUHR »Social Sources of Denominationalism« (1929), das eine glänzende theoretische Einführung in die Soziologie des Christentums darstellt und weitgehend auf MAX WEBERS Religionssoziologie basiert. NIEBUHR spricht von »Webers well-known thesis to the effect that Calvinism was one of the major sources of modern capitalism« (p. 97), und noch deutlicher an einer anderen Stelle (p. 288, Anm. 9): »The theory of Weber which Tawney criticizes but in part follows, that Calvinism is a parent of capitalism ...« Neuere Beispiele einer solchen Fehlinterpretation von WEBERS Absicht finden sich z. B. bei J. M. MECKLIN (The Passing of the Saint, 1941, p. 189); MIRIAM BEARD (A History of the Businessman, 1938, p. 389, 377); E. FROMM (Escape from Freedom, 1941, p. 296); und E. TAEUSCH (The Concept of Usury, Journal of the History of Ideas, Vol. 3, 1942, pp. 291–318). Auf der anderen Seite wird WEBER schlicht den Marxisten zugerechnet; als einem solchen sei es ihm unmöglich, Wesen und Funktion von Religionen zu erkennen. Dies ist im allgemeinen die Ansicht von katholischen Autoren, z. B. Alois Dempf (»Religionssoziologie« in: »Hochland«, Bd. 18, 1921, S. 747).

Unglücklicherweise wurde in einer Reihe von Arbeiten der wissenschaftlichen Diskussion von Webers These der Boden dadurch entzogen, daß einige Autoren sie zum Anlaß nahmen, ihren persönlichen politischen, religiösen oder ökonomischen Werturteilen Ausdruck zu geben. Im Falle ihrer prinzipiellen Zustimmung zum kapitalistischen System behaupteten sie den fördernden Einfluß ihrer eigenen Religion, im Falle der Ablehnung des Kapitalismus leugneten sie jegliche Verbindung zwischen ihm und ihrer Religion. In ähnlicher Weise sind in die Kontroverse politische Ideologien eingegangen; so wurde z. B. Webers These zum Instrument anti-englischer Interessen verfälscht.[10] Die Fehlinterpretation von Weber tritt wohl am deutlichsten in vielen der katholischen Diskussionsbeiträge zutage; sie kulminiert zweifellos bei A. Fanfani, der die Entwicklung von Kapitalismus und Protestantismus dem Triumph der Kurzköpfigen über die Langköpfigen in der Besetzung von Herrschaftspositionen zuschreibt.[11] Kein Wunder, daß Schlatter den gegenwärtigen Stand der Diskussion als »rattling of dry bones« beschreiben kann.[12]

Die folgende Analyse der Kontroverse über Webers scharfsinnigen Aufsatz versucht zu zeigen, daß diese Arbeit weithin mißverstanden worden ist, sowohl von Freunden als von Gegnern, daß Webers vorsichtige und zugegebenermaßen unvollständige Untersuchung verfälscht worden ist und daß seine eigenen kritischen Warnungen für das Verständnis seiner These nicht beachtet wurden. Es ist dagegen nicht unsere Absicht, Webers Methode oder seine Schlüsse in ihrer ursprünglichen Form darzustellen oder sie zu rechtfertigen. Wir stehen allerdings auf dem Standpunkt, daß Webers erster Beitrag zu einer systematischen Religionssoziologie in seiner Intention richtig war, ganz abgesehen davon, daß es sich hier um einen bemerkenswert klugen und fruchtbaren Aufsatz handelt. Darüberhinaus ist darauf hinzuweisen, daß Webers umfangreiches späteres Werk[13] auf dem Gebiet der Religionssoziologie, das in vieler Hinsicht eine Ergänzung und Korrektur seiner ersten Arbeit darstellt, meist völlig außer acht gelassen wurde. Habent sua fata libelli.

WEBER war in die Kontroverse um seinen Aufsatz bis zum Ende seines Lebens verwickelt. Er antwortete auf Kritiken, fügte neue Daten hinzu und protestierte gegen verschiedene Fehlinterpretationen. In der Zwischenzeit hatte er sein gesamtes wissenschaftliches System weiter entfaltet, und die ganze Frage hatte ihren Platz in einer neuen Perspektive der Weltgeschichte gefunden. Dies hatte zum Ergebnis, daß eine Reihe von bezweifelbaren Positionen im Protestantismusaufsatz korrigiert wurden, indem er seine Aufmerksamkeit in verstärktem Maße auf die sog. Realfaktoren lenkte, die allerdings auch schon in seinem früheren Werk keineswegs in der Weise ignoriert wurden, wie dies sehr häufig angenommen wurde. Es ist in der Tat bemerkenswert, daß viele hervorragende Gelehrte in der Kritik an WEBERS früheren Werken in gleicher Weise fortfuhren, nachdem diese einen adäquateren Bezugsrahmen durch die späteren Aufsätze in der sich entwickelnden Religionssoziologie und durch die entsprechenden Partien in »Wirtschaft und Gesellschaft« und im »Abriß der universalen Sozial- und Wirtschaftsgeschichte« gefunden hatten. Zu diesen Autoren, deren publizierte Kritiken auch lange nach WEBERS späteren Arbeiten und nach seinem Tode sich allein auf den Protestantismusaufsatz bezogen, gehören BELOW, BRODNITZ, TAWNEY, KNIGHT, ROBERTSON, WALKER, KRAUS, M. BEARD, NUSSBAUM und TAEUSCH. Und diese Tendenz läßt sich bis heute verfolgen. An einem Beispiel läßt sich illustrieren, wie wenig WEBERS spätere Arbeiten bekannt geworden sind. FRANK H. KNIGHT, der WEBERS Abriß der universalen Sozial- und Wirtschaftsgeschichte übersetzte, bemerkte in »Historical and Theoretical Issues on the Problem of Modern Capitalism« (Journal of Economic and Business History, Vol. 1, 1928, p. 134), daß die ganze Frage des Ursprungs des modernen Kapitalismus gewinnen würde, wenn man sie in negativer Formulierung stellen würde: warum entwickelte sich der Kapitalismus nicht zu anderen Zeiten und an anderen Orten als im modernen westlichen Europa? Er fügte dann hinzu, daß WEBER diese Frage diskutiert habe und zitiert die Wirtschaftsgeschichte. Sicherlich muß KNIGHT die anderen Aufsätze in den »Gesammelten Aufsätzen zur Religionssoziologie« und in »Wirtschaft und Gesellschaft« gekannt haben, dennoch nimmt er keinen Bezug darauf. In gleicher Weise bezieht sich E. BRODNITZ in seiner Zusammenfassung von Arbeiten über die deutsche Wirtschaftsgeschichte zwischen 1900 und 1927 (Economic History Review, Vol. 1, 1927, p. 341) allein auf den 1. Band von WEBERS Religionssoziologie.

Daß jede Generation die Vergangenheit im Lichte ihrer eigenen Erfahrung neu zu interpretieren hat, ist ein allgemeines Axiom in der Geschichtsschreibung und in den Kulturwissenschaften geworden. WEBER hatte seinen Aufsatz in bewußter Reaktion auf die Deutung des Kapitalismus durch KARL MARX geschrieben. Von daher muß seine Überbewertung der Konsistenz und der Wirksamkeit von Idealfaktoren verstanden werden. Damit antwortete er auf die Mechanisierung des Menschen und die wachsende Dominanz ökonomischer Bedingungen im Denken von sonst so verschiedenen Autoren wie KARL MARX und FRIEDRICH NIETZSCHE in der Generation vor WEBER und FREUD, RATHENAU, TÖNNIES in seiner eigenen. In funktional-historischer Analyse hob WEBER die entscheidende Bedeutung religiöser Glaubensinhalte für die Entwicklung einer Moral, die dem Kapitalismus kongenial war, hervor; das war insofern konsequent, als er damit der von ihm betonten Wichtigkeit der verstehenden Methode in den Sozialwissenschaften folgte und seiner eigenen Idee, daß Geschichte das Nacherleben der Vergangenheit darstellt und die Soziologie eine Disziplin des inneren Verstehens ist.

II

WEBERS Untersuchungsabsicht in der »Protestantischen Ethik« wird erst eigentlich verständlich vor dem intellektuellen Hintergrund seiner Zeit. Er stand unter dem Eindruck der historischen Schule in der Nationalökonomie einerseits (und betrachtete sich selbst als einen der Nachfolger von GUSTAV SCHMOLLER[14]) und der marxistischen Tradition andererseits, die sich beide gegen die isolierte Betrachtung ökonomischer Prozesse und die abstrakte Konstruktion eines *homo oeconomicus* in der klassischen Ökonomie gewandt hatten. WEBER nun zielte auf die kulturgeschichtliche Analyse der entscheidenden gegenseitigen Einwirkungen zwischen der Wirtschaft auf der einen und den übrigen kulturellen Phänomenen auf der anderen Seite. Er sah seine wichtigste Aufgabe, auch in seinen historischen Untersuchungen, in der Erhellung der Zusammenhänge der zeitgenössischen europäischen Kultur.[15] Dabei erblickte er im modernen okzidentalen Rationalismus eines ihrer konstitutiven Elemente. Und dieser aktualisierte sich für ihn in besonderem Maße im modernen Kapitalismus und dessen charakteristischem »Geist«.

Die Diskussion des ganzen Problems begann bei KARL MARX, der dem Phänomen des Kapitalismus seine überragende Bedeutung in der modernen Sozialtheorie gegeben hatte, und mündete in eine umfangreiche Literatur dieser Thematik. Bestimmte deutsche Gelehrte hatten schon begonnen, das MARXsche theoretische Werk in den Begriffsrahmen einzufügen, der von der deutschen historischen Schule entwickelt worden war, unter ihnen einige der sogenannten Kathedersozialisten, besonders FERDINAND TÖNNIES und WERNER SOMBART. Diese bürgerlichen Ökonomen und Sozialtheoretiker beschäftigten sich vornehmlich mit dem Problem der psychologischen Grundlagen des Kapitalismus, führten den »Geist des Kapitalismus« als neue Variable ein und modifizierten auf diese Weise eine Reihe der marxistischen Thesen. WEBER anerkannte den großen Genius MARX und wies auf die außerordentliche Fruchtbarkeit der materialistischen Methode als heuristisches Hilfsmittel hin[16], widersetzte sich aber allen Versuchen, sie als die alleinige Methode der Sozialwissenschaft oder gar als Weltanschauung zu hypostasieren. Er betrachtete den wahren Wert dieser Methode wie aller wissenschaftlichen Deutungsschemata allein als »idealtypisch«. Gegen die marxistische Doktrin des ökonomischen Determinismus sozialen Wandels verfocht MAX WEBER eine pluralistische Interdependenztheorie.

Man muß sich die begrenzte Intention und die vorsichtige Behandlung des Themas in den hier zur Debatte stehenden Aufsätzen ganz klar vor Augen halten. In dieser ersten Arbeit, in der MAX WEBER den Einfluß religiöser Doktrin auf das ökonomische Verhalten untersuchte, hatte er nicht im mindesten die Absicht, eine vollständige Theorie des Kapitalismus, eine soziale Theorie der Religion oder eine umfassende Behandlung der Beziehung zwischen Religion und der Entstehung des Kapitalismus vorzulegen. Vielmehr war seine Absicht der Versuch, einen der grundsätzlichen und spezifischen Aspekte des modernen Ethos, seinen professionellen und spezialisierten Charakter verständlich zu machen, wie es sich wesentlich in den Begriffen »Beruf« und »Berufung« konkretisierte. Die vorherrschende Rationalität des modernen Lebens hatte auf WEBER einen außerordentlichen Eindruck gemacht; er zeigte aber auch, daß es verschiedene Typen der Rationalisierung gab, eine Tatsache, die gewöhnlich von den technologischen Theorien der Geschichte übersehen wurde.

MAX WEBER definierte den Kapitalismus als ein geschichtlich einzigartiges System[17] und leitete die Begriffselemente historisch ab: Kapitalismus war für ihn wesentlich charakterisiert durch die allgemeinen Trends zum Antitraditionalismus, zur gesellschaftlichen Dynamik, zum Rationalismus und zur langfristig kalkulierten industriellen Produktion. Prinzipiell aber sah er seine Aufgabe darin, die Entwicklung der Persönlichkeitsstruktur, die dem Kapitalismus adäquat und kongruent ist, zu analysieren und nachzuzeichnen. Für ihn war der moderne Kapitalismus nicht das automatische Ergebnis einer technologischen Entwicklung, sondern ebenso das einer Reihe von »objektiven« Faktoren – unter ihnen z. B. auch klimatische Bedingungen, die das Handeln und die Arbeitskosten wesentlich beeinflussen – und zahlreicher sozialer und politischer Elemente, so z. B. die Strukturwandlungen der mittelalterlichen Stadt und ihrer Bürgerschaft. Aber er wies immer darauf hin, daß es einen Faktor gab, den man nicht vernachlässigen durfte: nämlich die Entstehung einer rationalen antitraditionalistischen Normenstruktur in den Menschen, die diese Entwicklung vorantrieben. Diese aktualisierte sich für ihn vornehmlich in der Evolution der modernen Wissenschaft und ihrer vergleichsweise modernen Beziehung zur Wirtschaft, sowie der Entwicklung einer modernen Lebensführung, speziell in ihren praktischen Konsequenzen für das wirtschaftliche Handeln.[18] WEBERS begrenzte These war lediglich, daß bei der Entwicklung dieses Verhaltensmusters eines rational geordneten Lebens, mit seiner kraftvollen und unermüdlichen Verfolgung eines einmal gesetzten Ziels unter Vermeidung aller Flucht in die Magie, die Religionslehre eine bedeutende Rolle gespielt haben mußte.[19] Wie groß dieser Einfluß tatsächlich war, konnte er nicht sagen; er war in der Tat der Meinung, daß in einer historischen Analyse eine solche Quantifizierung unmöglich sei.[20] Konsequenterweise betonte er daher auch, daß niemand sagen könne, wie sich das kapitalistische Wirtschaftssystem entwickelt hätte, wenn es die speziellen modernen Elemente des kapitalistischen Geistes nicht gegeben hätte.[21]

Indem er die Affinität zwischen der bürgerlichen Lebensweise und bestimmten Komponenten der religiösen Lebensstilisierung zeigte, wie sie besonders deutlich im asketischen Protestantismus zutage trat, konzentrierte sich WEBER wesentlich auf die allmähliche Entwicklung eines psychologischen Habitus, welcher die Menschen in die Lage versetzte, den Anforderungen des modernen Kapitalismus in der Phase seiner Anfänge nachzukommen. Das bedeutete: der Unternehmer glaubte nun nicht mehr, daß eine Anhäufung von Reichtum von Gott bestenfalls geduldet würde, oder daß er für seine usuraria pravitas zu büßen hätte (wie es z. B. bei den Hindukaufleuten der Fall war), sondern er betrieb sein Geschäft mit dem festen Glauben, daß seine Vorsorge ihn letztlich in die Lage versetzte, Gottes Ruhm zu mehren und daß daher sein Erfolg als ein sichtbares Zeichen der Gnade Gottes aufgefaßt werden müßte und, wenn er nur auf rechtmäßigem Wege dazu gelangt war, als Maßstab für seinen persönlichen Wert vor Gott und den Menschen. Auf der anderen Seite leitete der Handarbeiter mit seiner Bereitschaft zur Arbeit die Gewißheit seines religiösen Gnadenstandes aus seiner Gewissenhaftigkeit in der beruflichen Normerfüllung ab. Wegen des Abscheus vor der Sünde der Abgötterei und der Kreaturvergötterung endlich, wie sie sich vor allen Dingen in der Anhäufung von Besitztümern und in dem leichtfertigen Genuß derselben manifestierte, floß das in der Ausübung des Berufs akkumulierte Kapital zurück in das Geschäftsunternehmen oder wurde gespart.

WEBER wies immer wieder auf die Wichtigkeit der kontrollierten bürgerlichen innerweltlichen Askese hin und unterschied sie von der außerweltlichen Askese und von dem emotionalen Typus des Pietismus. Er betonte, daß die protestantischen Sekten, speziell die Quäker und Baptisten, eine methodische Lebensregulierung hervorbrachten, die in auffallendem Gegensatz zur Moral des Katholizismus, des lutherischen Protestantismus und des Anglikanismus stand. Der Kernpunkt war für WEBER, daß der asketische Protestantismus[22] für das kapitalistische Wirtschaftshandeln adäquate Rechtfertigungsnormen entwickelt hatte, so daß der Berufsmensch bei seinem Reichtumserwerb darin nicht länger eine Verletzung ethischer Vorschriften sehen mußte. Gerade dies aber war für die ernsteren Individuen in früherer Zeit charakteristisch gewesen, ungeachtet ihrer offenbaren individuellen Solidität oder exemplarischen Macht. Ein Beispiel für diese innere Unsicherheit im wirtschaftlichen Handeln war etwa die Praxis, durch Wucher erlangtes Geld kurz vor dem Tode zurückzugeben; ein anderes die Errichtung religiöser Stiftungen als »Buße« für einen früheren finanziellen Erfolg. So wurden von gläubigen Katholiken unzählige theoretische und praktische Kompromisse geschlossen zwischen ihren religiösen Normen und den anders lautenden Handlungsanforderungen ihres Berufs, zwischen dem Ideal des »deo placere non potest«, wie es auch für Luther galt, und den Erfordernissen einer Erwerbskarriere. Die Integration beider Normenbereiche, die für das Individuum den permanenten Normenkonflikt beseitigte, war nach WEBERS Ansicht für die Entwicklung des Kapitalismus von entscheidender Bedeutung. Die Analyse dieser Integration war daher auch das zentrale Anliegen seines Aufsatzes (Archiv, Bd. 30, S. 200 [oben S. 170 f.]).

Unter den zahlreichen Komponenten, die für die Entwicklung des modernen Kapitalismus bedeutsam waren, richtete WEBER seine Analyse nur auf eine: die bürgerliche Lebensführung unserer rationalisierten Kultur. Er zeigte deren Entstehung aus dem Protestantismus und die schließliche Ablösung von ihrer religiösen Wurzel. Sie konkretisierte sich in bestimmten Motivationen des Alltagshandelns, und diese wurden vor allem mittels sehr wirksamer Indoktrinations- und Disziplinierungsmechanismen durchgesetzt. Er betonte immer wieder, daß dies nur *einer* der wirksamen Faktoren war, und wies alle Versuche zurück, ihn mit dem »Geist des Kapitalismus« überhaupt gleichzusetzen oder gar den Kapitalismus aus ihm abzuleiten.[23] Indem er die religiöse Ethik des Protestantismus als unabhängige Variable einführte und zunächst annahm, daß sie vornehmlich auch religiösen Ursprungs sei, wollte er die Entsprechung zwischen ihr und dem Charaktertypus zeigen, wie er ihn für den Kapitalismus für notwendig hielt. Es war dann seine Absicht, später sich dem Problem wieder zuzuwenden und den außerreligiösen Komponenten dieser religiösen Ethik nachzugehen.

Einige seiner Kritiker, so z. B. FISCHER[24] und RACHFAHL,[25] haben WEBER vorgehalten, daß das behandelte Problem einen statistisch-historischen Ansatz verlange. Weber erkannte zwar die Notwendigkeit an, die gleiche Entwicklung in bestimmten einzelnen Ländern vergleichend zu untersuchen, um die Zahl und Bedeutung der einzelnen religiösen Gruppen bestimmen zu können; und ebenso müsse man den Einfluß der Berufsethik mit dem anderer Faktoren vergleichen.[26] Da er die Konvergenz religiöser und ökonomischer Faktoren bei der

Schaffung des modernen »rationalen Menschen« untersuchte, bildeten in seinen Augen die Aufsätze zur Protestantischen Ethik ein Kapitel einer qualitativen Kultursoziologie, und für diesen Typ der Untersuchung hielt er eine statistische Methode nicht für angebracht. Sein Problem war, die spezifische *Richtung*, in die eine gegebene Religion wirken konnte, und die verschiedenen *Auswirkungen* eines spezifischen Systems religiöser Ethik auf einen Lebensstil festzustellen. Er war der Meinung, daß dieses Problem ausschließlich mittels der verstehenden Methode der Motivationsanalyse angegangen werden könnte. In seinen ersten beiden Aufsätzen zeichnete er daher in erster Linie die vielfältigen Verästelungen nach, die von den religiösen Glaubensartikeln zu praktischem Handeln führten. Scharfsinnig untersuchte er die psychischen Motivationen, die im reformierten Protestantismus ihren Ursprung hatten und zur methodischen Rationalisierung des Handelns und in der Folge zur Stützung konvergenter kapitalistischer Verhaltensweisen und Einstellungen führten.[27] Diese These wandte er auf alle Variationen des reformierten Christentums an in einer glänzenden dogmengeschichtlichen Untersuchung.

Weber betrachtete seine Protestantismusstudie nicht als eine abschließende oder gar dogmatische Formulierung einer Theorie über die Genese und Evolution der Reformation. Vielmehr sah er in ihr eine Vorstudie über den Einfluß bestimmter religiöser Ideen auf die Entwicklung eines Wirtschaftsgeistes und der Moral eines ökonomischen Systems. Er hat nicht eine idealistische (oder wie er sagen würde: spiritualistische) Interpretation des Kapitalismus geliefert, in der dieser aus religiösen Ideen *abgeleitet* würde. Viel Unzutreffendes ist über diesen Punkt geschrieben worden, weil viele Autoren in Weber nur den »Überwinder« des Marxismus sehen konnten.[28] Er war im Gegenteil ein Bewunderer von Marx' These, wies allerdings darauf hin, daß man sie nicht absolut und universal gleichsam als Summe der Philosophie ansehen dürfe. Wie er sich gegen jede Verabsolutierung und gegen jeden Monismus wandte, widerlegte er schließlich zwingend auch jeden idealistischen

Monismus.[29] In seiner Abhandlung und in den genannten Ergänzungen dazu wies er ausdrücklich die törichte Charakterisierung seiner These als »spiritualistisch« zurück.[30]

Er versuchte keine »psychologische Determination ökonomischer Ereignisse«[31], sondern betonte die »fundamentale Bedeutung der ökonomischen Bedingungen«.[32] WEBER wies oftmals darauf hin, daß ökonomische Wandlungen als Antwort auf ökonomische Bedürfnisse entstehen, und daß sie durch eine ganze Anzahl von Faktoren ausgelöst werden, unter ihnen demographische, geographische, technologische und geldwirtschaftliche Bedingungen.[33] Er hob hervor, daß der Kapitalismus auch ohne den Protestantismus entstanden wäre, ja, daß er in der Tat in vielen Kulturen ohne diesen entstanden ist; und daß er nicht entstehen würde und auch nicht entstanden ist, wo die genannten »objektiven« Bedingungen nicht vorlagen. Er leugnete nicht, daß verschiedene andere Systeme religiöser Ethik der des reformierten Protestantismus recht nahe kamen, hob aber hervor, daß die darin enthaltenen psychischen Motivationen wesentlich andere seien. Entscheidend für ihn war das bei den Individuen hervorgebrachte Ethos, nicht aber Predigten und theologische Kompendien, und dies Ethos war im reformierten Protestantismus aus einer Reihe von Gründen einzigartig. Er betonte, daß es zwischen den Bereichen der Religion und der Wirtschaft feste funktionale Abhängigkeiten gibt; aber in dieser seiner Studie konzentrierte er sich auf die Einflüsse, die von der Seite der Religion ausgehen. Nicht nur, daß er auch um die andere Seite wußte; er zeigte, wie durch Ironie des Schicksals die peinliche Befolgung einer religiösen Norm Wandlungen in der ökonomischen Struktur hervorrief, und wie diese wiederum die massive Irreligiosität der kapitalistischen Gesellschaftsordnung nach sich zog. Dabei räumte er ein, daß die religiöse Ethik selbst nicht ausschließlich religiösen Ursprungs sein müsse, und er betonte immer wieder die Notwendigkeit, den Einfluß des sozialen Milieus, speziell der ökonomischen Bedingungen, auf den Charakter und die Entwicklung religiöser Einstellungen zu untersuchen.[34]

Weber ging davon aus, daß die religiöse Offenbarung des Gründers einer Sekte als autonom-religiöse Erfahrung anzusehen sei und nicht als bloßer Reflex ökonomischer oder anderer Bedingungen. Er glaubte, daß man die Eigentümlichkeit der calvinistischen religiösen Ordnung nicht mit dem Hinweis erklären könne, sie sei eine Anpassung an bereits bestehende kapitalistische Praktiken gewesen; denn dann bliebe die Frage offen, warum der Katholizismus nicht die gleichen Ergebnisse gezeigt habe, wo er sich diesen angenähert hatte. Wenn aber eine religiöse Erfahrung ein soziales Phänomen, und das heißt innerhalb einer Sozialstruktur zum dominanten Normensystem geworden ist, dann setzt ein Prozeß der sozialen Selektion nach dem Kriterium der je unterschiedlichen Normerfüllung der Mitglieder ein. Diese resultiert in einer »Klassen«-Differenzierung der ursprünglich homogenen religiösen Gruppe; damit ruhen die Unterschiede zwischen deren Mitgliedern auf struktureller Basis.[35] WEBER hatte vor, auch dieser Seite des Problems nachzugehen. Er kehrte allerdings niemals mehr zu dieser Arbeit zurück. In der »Protestantischen Ethik« konzentrierte er sich auf den religiösen Faktor allein und führte ihn als ausschließlich religiöses Phänomen ein. Er war sich aber des vorläufigen Charakters seines Beitrags wohl bewußt und entwarf ein enormes und in der Tat unrealisierbares Forschungsprogramm, dessen Durchführung aber notwendig wäre, um das Projekt als abgeschlossen betrachten zu können.

III

Natürlich sind keineswegs alle Kritiken, die sich gegen MAX WEBER richteten, darauf zurückzuführen, daß die Kritiker WEBERS Intention unrichtig auffaßten. Zunächst muß auf die unbezweifelbare Tatsache hingewiesen werden, daß die Aufsätze, so wie sie uns vorliegen, bestimmte kompositorische Mängel aufweisen. Durch ihre Unvollständigkeit waren sie für einen sorglosen Leser vielen Mißverständnissen ausgesetzt, obwohl sich MAX WEBER gegen eine derartige akademische Kritik verwahrte. Im Archiv für Sozialwissenschaft erklärte WEBER im Jahre 1908 noch einmal die Gründe dafür, daß seine Aufsätze unvollständig geblieben waren, – teils waren es persönliche Umstände, teils der Druck anderer Verpflichtungen und teils die Tatsache, daß ERNST TROELTSCH begonnen hatte, »in einer höchst glücklichen Art und Weise eine ganze Reihe von Problemen, die auf WEBERS Linie lagen« zu behandeln, die WEBER dann nicht mehr zu duplizieren wünschte; auf der anderen Seite war er der Hoffnung, im darauffolgenden Jahr die Aufsätze noch einmal überarbeiten und gesondert herausgeben zu können. Er räumte ein, daß der Vorwurf der Unvollständigkeit berechtigt war, und betonte die Gefahr, daß der rasche Leser diese Tatsache übersehen könnte. Er hob aber hervor, daß aus den Aufsätzen kaum eine idealistische Geschichtskonstruktion herausgelesen werden könne.

In seiner Antwort auf die Kritik FISCHERS betonte WEBER, er habe sich mit äußerster Klarheit über die allgemeine Beziehung zwischen Religion und Wirtschaft geäußert, räumte aber dennoch die Möglichkeit ein, daß einige seiner Formulierungen zu Mißverständnissen Anlaß gegeben hätten. Er plante daher auch, in einer späteren Neuausgabe alle Ausdrücke zu eliminieren, die den Schluß nahelegten, es würden soziale Institutionen aus religiösen Motiven *abgeleitet*. Abgeleitet wurde – und er wurde nicht müde, dies hervorzuheben – das *Ethos* einer methodischen Lebensführung aus der protestantischen Askese; und diese stand zur Wirtschaftsordnung lediglich in einem *Adäquanz*verhältnis. In einem späteren antikritischen Artikel[37] spielte WEBER mit Bedauern auf die Unvollständigkeit seiner Untersuchung an und bemerkte in ironischer Wendung: Hätte er die Studie abgeschlossen mit einer Analyse, welchen Einfluß ökonomische Bedingungen auf die Entwicklung des reformierten Protestantismus hatten, so hätte ihn sicherlich der Vorwurf der Kapitulation vor dem historischen Materialismus getroffen, wie ihn jetzt der der Überbetonung des religiösen oder ideologischen Faktors treffe.[38] Daher wollte er seine Aufsätze betrachtet wissen als *Teil* einer Untersuchung, wie sich die Idee der Berufung entwickelt und in die Deutung bestimmter Berufe Eingang gefunden hat.

Abgesehen von der Unvollständigkeit offenbaren diese Aufsätze aber auch noch eine andere Schwierigkeit, die für die meisten Schriften MAX WEBERS charakteristisch ist – seine große Sorglosigkeit gegenüber dem Leser. Diese zeigt sich ganz besonders in der ungeheuren Menge der Details im Text, vor allem aber in der Flut der Anmerkungen, die über den Leser hereinbricht und ihn häufig von dem Kernpunkt der Argumentation abzieht. MARIANNE WEBER sprach von der »monströsen Form dieser Abhandlung«[39], die sich in der zweiten Ausgabe noch wesentlich verschlimmerte, als die »Fußnotengeschwulst« noch enorm anwuchs. Sie versuchte aber, diese Flut mit dem Hinweis zu rechtfertigen, daß WEBER für seine »sorgfältig-kausale Zurechnung intuitiv verstandener Zusammenhänge« in diesem ausgedehnten wissenschaftlichen Apparat jeden nur möglichen Beweis erbringen und sich selbst gegen das Mißverständnis seiner »sorgsamen Relativierungen« schützen wollte.

Verschiedene Interpretationsirrtümer beruhen aber auf dem ursprünglichen Text selbst. Z. T. sind sie von WEBER später korrigiert worden. Er bemerkte z. B., daß er mit seiner Behauptung, daß der Calvinismus eine enge Verbindung von intensiver Frömmigkeit und Kapitalismus gezeigt habe, wo immer er auftrat, allein den Diaspora-Calvinismus gemeint habe.[40]

Eine andere Reihe berechtigter Kritiken gegen WEBERS These beruht auf konkreten Forschungen in der Wirtschaftsgeschichte Europas, speziell Hollands und des Rheinlandes. Sowohl WEBER als auch TROELTSCH gründeten ihre Arbeiten auf inadäquatem Quellenstudium; sie zitierten angelsächsische Autoren, um die Wirkung deutscher und holländischer Calvinisten auf die ökonomische Entwicklung des Rheinlandes zu zeigen. Auf Grund der Untersuchungen der Geschichte Hollands – und es muß wieder darauf hingewiesen werden, daß diese Republik wahrscheinlich das erste Land war, in dem sich der Kapitalismus in großem Stil entwickelte – konnten moderne holländische Historiker wie z. B. de Jong, Knappert und de Pater[41] die These des Zusammentreffens zwischen Calvinismus und Kapitalismus bei den Holländern nicht bestätigen. Weiter führten konkrete Forschungen von E. Beins[42] über die Wirtschaftsethik der calvinistischen Kirche in den Niederlanden zwischen 1565 und 1650 zu schwerwiegenden Einwänden gegen Webers These. Ähnliches kommt in der wichtigen Wirtschaftsgeschichte der Niederlande von E. Baasch zum Ausdruck, der besonderes Gewicht auf die säkularen Faktoren der Entwicklung des Kapitalismus in Holland legte, die die Niederländer zu den bedeutendsten Bankiers im 17. Jahrhundert und die Judenkolonie in Amsterdam zu Ende des 18. Jahrhunderts zur größten in Europa machten.[43] Zu dem gleichen gegenteiligen Schluß kommt Koch in seiner Untersuchung der ökonomischen Entwicklung der Gebiete am Niederrhein[44] und Andrew Sayous' Studie über die Situation in Genf; Hashagens Aufsatz über die Beziehung zwischen Calvinismus und Kapitalismus im deutschen Rheinland kommt zu ähnlichen Schlüssen.[45] Ebenso wurde nachgewiesen, daß der Calvinismus die Entwicklung des Kapitalismus nicht notwendig bewirkt hat, weder in Ungarn, noch in Schottland, noch in Frankreich.

Diese Forschungen wandten sich gegen Webers These, daß der calvinistische Glaube den Kapitalismus unterstützt oder gar sein Entstehen begünstigt habe. Aber diese Kritiken glitten rasch ab in die Simplifizierung, die wir schon oben behandelt haben, Weber habe den kausalen Primat der protestantischen Ethik bei der Genesis des Kapitalismus behauptet und die notwenige Determination des letzteren durch die erstere, wo immer sie auftauchte. Wenngleich sie sonst Weber folgten, ist dieser Gefahr der Simplifizierung weder Robertson noch Hyma entgangen, was ihren Argumenten viel an Überzeugungskraft nimmt. Insofern alle diese Autoren, unter die auch Brentano, Sée, Pirenne, Brodnitz und v. Schulze-Gaevernitz zu rechnen sind, Weber die Behauptung des Calvinismus als notwendige kausale Bedingung für die Entwicklung des Kapitalismus unterstellen, haben sie alle Weber unvollständig gelesen.

Viele Kritiken seiner These, gerade auch in Arbeiten, die im letzten Jahrzehnt entstanden sind, entspringen einem solchen Mißverständnis oder einer solchen Simplifizierung seiner Theorie, für die er selbst nur in geringem Maße verantwortlich zu machen ist. Selbstverständlich bedurfte es bei WEBER, der einer der hervorragendsten Rechts- und Wirtschaftshistoriker seiner Generation war, nicht des Hinweises darauf, daß die Ursprünge des Kapitalismus sehr vielfältig und komplex waren, und daß er vielfältigen Wandlungen sowohl seiner sozialökonomischen Struktur als auch seiner ideologischen Deutung unterlag.[46] Im großen und ganzen hat die Mehrzahl seiner Kritiker die Richtung seines Interesses, die Begrenztheit des Zwecks der Untersuchung und die Behutsamkeit seines Vorgehns nicht verstanden.

Nur wenige seiner Kritiker argumentierten mit WEBER auf gleicher Ebene und hoben hervor, daß seine Irrtümer und Mängel wesentlich das Ergebnis der von ihm angewandten Methode sei. Und die wenigen, die WEBERS Methode angriffen, unter ihnen SÉE, ROBERTSON, WALKER und BORKENAU, taten dies in Unkenntnis seiner Schriften über den Charakter der Sozialwissenschaften und der ihnen adäquaten Methode. WEBERS Mängel beruhen nicht auf Unkenntnis, Naivität oder auf einseitiger Parteinahme; er benutzte im Gegenteil einen wohlüberlegten und scharfsinnigen Ansatzpunkt. Die Kenntnis von WEBERS allgemeiner Methodologie der Sozialwissenschaften ist nötig, um eine Reihe von Irrtümern und Mängeln in der Protestantischen Ethik zu klären. Er begriff Theorie als lediglich idealtypisch. Sofern diese über historische Ereignisse handelte, wandte er eine spezifische Forschungsmethode an, die auf interpretatives Verstehen historischer Ereignisse und Entwicklungen abzielte, ausgewählt nach deren »Kulturbedeutung«. Natürlich wollen wir hier nicht WEBERS Methode verteidigen: selbstverständlich hat sie Mängel; ihre Brauchbarkeit hat offenkundige Grenzen; und ihre Anwendung ist belastet mit spezifischen wissenschaftlichen Gefahren. Aber jede Untersuchung, bei der erkennbar diese Methode Anwendung fand, sollte in diesem Bezugsrahmen beurteilt werden, eben als Untersuchung mittels einer interpretativen, verstehenden Methode. Unter diesem Blickwinkel würden nicht wenige der Kritiken, die wir angeführt haben, ihre Spitze verlieren, oder würden zumindest in deren eigener Perspektive als die unvermeidlichen Konsequenzen von WEBERS atomistischem Verfahren erscheinen.

Die Anwendung der idealtypischen Methode führt zu verschiedenen Verzeichnungen, so etwa zu der Überbetonung der Begriffe »Beruf« [47] und »Prädestination«. Hier machte sich die Eigenwilligkeit in der Wahl der historischen Einzeltatsache, die zu interpretieren war, und in der Definition ihrer Eigenschaften und ihrer Wirkung außerordentlich bemerkbar. Die durch die Methode bedingten Vereinfachungen werden in gleicher Weise deutlich bei WEBERS Konstruktion des Begriffes »Protestantische Ethik« als einer Komponente des Calvinismus, Puritanismus, Pietismus, Methodismus und der anabaptistischen Sekten[48], sowie bei der allgemeinen Behandlung des Puritanismus.[49] Ein anderes Beispiel stellt seine Definition des »modernen Kapitalismus« dar, indem er hier auf dessen Neuartigkeit, seinen Rationalismus, und asketischen Charakter abstellte. Nachdem dieser einmal so definiert war, bestanden keine wesentlichen Schwierigkeiten, kongruente Elemente der schematischen Konstruktion der protestantischen Ethik, die in die gleiche Richtung wies, zu entdecken. Notwendig muß daher einem empirischen Historiker das ganze Verfahren tendenziell idealisierend erscheinen, während offensichtlich säkulare (ökonomische, politische, technologische) Faktoren vergleichsweise vernachlässigt wurden.

WEBERS Methode der »atomistischen Isolierung«[50] führt notwendig zur Vereinfachung einer komplexen historischen Gegebenheit, weil sie mittels Isolierung und Betonung einen in ihr enthaltenen Faktor von einem bestimmten Blickwinkel als bedeutsam ansieht, dessen Wirkung auf den weiteren Verlauf der historischen Entwicklung behauptet, und weil sie diesen bestimmten Faktor der gegebenen historischen Erscheinung tendenziell reifiziert. Daher kann diese Methode natürlich auch nicht als Mittel der Beschreibung eines ganzen historischen Problems oder der Interpretation einer gesamten Epoche oder Bewegung dienen.

Sein pluralistischer Agnostizismus – manifestiert in seiner Weigerung, welchen Gesichtspunkt auch immer als alleingültig anzuerkennen, damit nicht der einzigartigen Individualität historischer Ereignisse und dem fortwährenden Wandel kultureller Wertungen Gewalt angetan würde – war in der Intention lobenswert. Er schien einen Weg zur Funktionalisierung der Forschung und der Interpretation in den Sozialwissenschaften aufzuzeigen. In der *Anwendung* dagegen führte WEBERS isolierende Betrachtung zu unvermeidlichen Schwierigkeiten. Seine Methode impliziert das Zerlegen jedes komplexen Phänomens in seine Komponenten. Jede dieser Komponenten wird dann der Reihe nach als unabhängige Variable in die Analyse eingeführt und ihre Wirkung auf die anderen (abhängigen) Variablen aufgezeigt. Auf diese Weise ist es nach WEBER am Ende möglich, den unterschiedlichen Wirkungsgrad jeder Komponente auf den aktuellen historischen Ablauf abzuschätzen und zu bestimmen, in wieweit die historischen Phänomene sich den formulierten Idealtypen nähern. Dies war WEBERS Ansatzpunkt, als er es unternahm, den Problemen des Zusammenhangs zwischen der protestantischen Ethik und dem Geist des Kapitalismus nachzugehen. Aber sehr bald muß er selbst gespürt haben, daß diese Aufgabe unendlich und daher unmöglich zu lösen war. Darüberhinaus bietet seine Methode keine Möglichkeit, die Beziehungen der Faktoren untereinander, den Einflußgrad jedes einzelnen Faktors oder deren zeitliche Variationen zu bestimmen. Daher läßt sie Raum für persönliche Willkür bei der Wahl und Charakterisierung der entscheidenden historischen Einzeltatsache.

Für den Historiker, der nach den Ursachen eines bestimmten historischen Ereignisses sucht, ergeben sich aus WEBERS Methode für das Problem der zeitlichen Bestimmung historischer Ereignisse und die Behandlung zeitlicher Variationen entscheidende Schwierigkeiten, da sie es nicht zuläßt, den *Grad* der Wirkung, der den verschiedenen Einzelfaktoren zuzuschreiben ist, zu bestimmen. Denn die idealtypische Methode vernachlässigt den Zeitkoeffizienten oder erschwert doch zumindest die Formulierung von Zeitsequenzen, da sie eine teleskopische Betrachtung der historischen Wirklichkeit impliziert. Unterstellt man z. B., daß WEBERS Interpretation der calvinistischen Theologie richtig ist, und daß diese tatsächlich zu Aktivität, Dynamik, Fleiß etc., führte, so bleibt immer noch die Frage offen, ob nicht diese Faktoren ihre Wirkung nur deshalb entfalten konnten, *nachdem* der Kapitalismus schon eine dominante Position erreicht hatte.

Während man leicht bereit ist, die allgemeine These von der Kongruenz zwischen Calvinismus und Kapitalismus zu akzeptieren, wurde darauf hingewiesen, daß – zieht man die entscheidende Frage der Zeitfolge in Betracht – der Calvinismus dort, wo der Kapitalismus bereits seine entscheidende Macht entfalten konnte, später als der Kapitalismus entstand. Daher rührt der Schluß, daß der Calvinismus den Kapitalismus nicht kausal beeinflußt haben kann, daß vielmehr seine nachfolgende günstige Disposition für kapitalistische Ethik und Praxis nur als bloße Anpassung an bereits bestehende Verhältnisse anzusehen ist.[51]

Die Weiterentwicklung der WEBERschen These durch ERNST TROELTSCH und seinen amerikanischen Schüler REINHOLD NIEBUHR berücksichtigten diese Einwände, indem sie auf die Modifikationen eingingen, denen der spätere Calvinismus aufgrund verschiedener sozialer Ereignisse, wie religiöse Kriege, politische Einflußnahme und die Bedürfnisse des Erwerbslebens, seit dem ersten Auftreten der ursprünglichen Lehre unterlag. TROELTSCHS reiche Analyse deckte auf, wie diese Sozialethik das Gesamtergebnis bestimmter religiöser und ethischer Eigenheiten des Calvinismus war, der durch einen ausgeprägten Individualismus in seiner Prädestinationslehre, seinen Aktivismus und die wichtige Norm gekennzeichnet war, was zu erreichen möglich und praktisch war, auch anzustreben.

Auf der anderen Seite wies er darauf hin, daß die Wandlung von Verhaltensweisen außerhalb der calvinistischen Religion von großer Bedeutung war, so etwa die republikanischen Tendenzen in der Politik, die kapitalistischen in der Wirtschaft und bestimmte diplomatische und militaristische Strömungen im Bereich der internationalen Beziehungen. Alle diese Tendenzen gingen von Genf aus, wenn auch zunächst nur sehr zögernd. Später vereinigten sie sich mit den ähnlichen Elementen der calvinistischen Religion und Ethik, und erreichten in dieser Verknüpfung ihre soziale Mächtigkeit. Endlich nahmen sie in Verbindung mit der politischen, sozialen und kirchlichen Geschichte bestimmter Länder jenen eigenartigen Charakter der religiösen Moral der Mittelklassen (oder der bürgerlichen Welt) an, die sich vom früheren Calvinismus Genfs und Frankreichs unterschied.[52]

Im Lichte all dessen sollte man die WEBERsche These nicht länger entsprechend der landläufigen Interpretation auffassen, also als These der kausalen Wirkung der protestantischen Ethik auf die Entwicklung des Kapitalismus, sondern als Darstellung der vielfältigen Kongruenz so verschiedener Aspekte einer Kultur wie Religion und Wirtschaft. Die Aufsätze sollten vielmehr als Formulierung eines stimulierenden Bezugsrahmens gedeutet werden, der die Demonstration von interessanten Korrelationen zwischen verschiedenen kulturellen Faktoren erlaubt. Zwar betonte WEBER in der überarbeiteten Fassung (1920) seiner Aufsätze, daß er in ihnen gegenüber dem ursprünglichen Text sachlich Belangvolles nicht hinzugefügt, noch weggelassen habe; dennoch zeigt sein späteres Werk einen deutlichen Wandel der Blickrichtung oder zumindest der Akzentsetzung. Das Hauptgewicht legte er nicht länger auf die Ursächlichkeit der ökonomischen Ethik des radikalen Protestantismus für die Entwicklung des kapitalistischen Geistes. In seinen späteren Forschungen – wie sie in der systematischen Religionssoziologie kulminieren – betonte er mehr die Gleichläufigkeit dieser verschiedenen Bereiche unserer Kultur und subsummierte sie unter den umgreifenden Prozeß der Rationalisierung. Es ist wichtig, darauf hinzuweisen, daß auch einige der Schwierigkeiten, die sich aus WEBERS idealtypischer Methode ergaben, in seinen späteren soziologischen Studien über die nichtchristlichen Religionen, die bisher alle zuwenig Beachtung gefunden haben, behoben erscheinen. In diesen großartigen Studien, die allgemeine Kultursoziologien der großen Weltreligionen darstellen, behandelt WEBER den Einfluß materieller, geographischer und ökonomischer Bedingungen auf die religiösen und ethischen Ideen verschiedener Kulturen. Obwohl er religiöse Normen, Institutionen und Praktiken mit kühler, wissenschaftlicher Distanz betrachtete, leugnete er nie deren historische Realität und prägende Kraft auf gläubige Individuen. Seine allgemeine Auffassung war, daß menschliches Handeln unendlich komplex sei, aus zahlreichen Quellen bestimmt, und daß, wer bei seiner Analyse einseitige Kausalverhältnisse etabliere, sich den Vorwurf der groben Vereinfachung gefallen lassen müsse.

Angesichts der begrenzten Intention und der vorsichtigen Problemstellung (einschließlich der zahlreichen Hinweise auf die Unvollständigkeit der Argumentation), WEBERS eigenwilliger Methode, die statistische Beweise oder Widerlegung seiner These nicht zuließ, und seiner späteren Ergänzung in der systematischen Religionssoziologie müssen wir das Fazit ziehen, daß die Resultate den Aufwand lohnten. Dies gilt besonders in der Hinsicht, daß die Aufsätze unser Verständnis der katholischen und protestantischen Dogmengeschichte erheblich erweitert und den Weg zur Formulierung einer adäquaten soziologischen Theorie der Religion gewiesen haben. Bezüglich der Erweiterung unseres Wissens von vergangenem Wirtschaftshandeln ist allerdings der Ertrag der weitläufigen Diskussion der Aufsätze gering zu veranschlagen. Die »Protestantische Ethik« stellt eine einzigartige Einführung sowohl in sein umfangreiches soziologisches Werk wie in seine Geschichtsphilosophie dar; und sie exemplifiziert eindrucksvoll die ganze Breite von WEBERS Denken und die Spontaneität seines Temperaments. Als ein fruchtbarer erster Ansatz[53] für ein großes Problem, als eine Einführung in die Religionssoziologie, deren Grenzen er gleichzeitig abgesteckt hat, als Stimulus einer ganzen Forschergeneration in dieser neuen Disziplin und schließlich als Vorläufer einer funktionalen Analyse in der Kulturgeschichte, verdient MAX WEBERS Arbeit ein besseres Schicksal, als sie es bis heute hatte.

Anmerkungen zu: Ephraim Fischoff, Die protestantische Ethik und der Geist des Kapitalismus

1 F. L. Nussbaum, The Economic History of Renaissance Europe, in: Journal of Modern History, Vol. 13 (1941), p. 537.

2 Bd. 20 und 21 (1905).

3 Max Weber, Gesammelte Aufsätze zur Religionssoziologie, Bd. 1, Tübingen 1920. [Eine Taschenbuchausgabe der Aufsätze »Die protestantische Ethik und der Geist des Kapitalismus«, sowie »Die protestantischen Sekten und der Geist des Kapitalismus« erschien (zuerst 1965) unter dem Titel »Die protestantische Ethik I« als Band 53/54 der Siebenstern-Taschenbücher, hrsg. von Johannes Winckelmann. Sofern in Anmerkungen und Zitierungen auf jene Aufsätze Bezug genommen wird, wurden die Zitate ergänzt durch die Angabe der Fundstelle in eckigen Klammern aus der Neuausgabe der von Max Weber überarbeiteten Fassung (1920) in den Siebenstern-Taschenbüchern. Beispiel: Archiv, XX. Bd., S. 10 [STB 53/54, S. 37]. Angaben von Seitenzahlen in eckigen Klammern ohne den Zusatz STB beziehen sich auf die Kritiken und Antikritiken in *diesem* Band. Beispiel: [oben S. 14]. (Hrsg.)]

4 Archiv für Sozialwissenschaft und Sozialpolitik, Bde. 25 (1907) und 26 (1908) sowie 30 und 31 (1910) (fortan zitiert als »Archiv«) [oben S. 27 ff., 44 ff., 149 ff., 283 ff.].

5 Ernst Troeltsch, Die Soziallehren der christlichen Kirchen und Gruppen, Tübingen 1912 [Nachdrucke 1922 und 1961; darin werden insbesondere behandelt: I. Sektentyp und Kirchentyp S. 358–383. II. Der Kirchenbegriff S. 448–458, 512–521, 728–733. III. Sektentyp und Mystik S. 794–797. M. Weber wird von E. Troeltsch in den »Soziallehren« hauptsächlich zitiert: S. 645–657, 709–723, 788–794, 815 passim bis S. 963, wobei zahlreiche Hinweise auf dessen Antikritiken im »Archiv« erfolgen. (Hrsg.)]

6 Siehe insbesondere »Antikritisches Schlußwort«, Archiv, Bd. 31 (1910), S. 554/599 [oben S. 283–371].

7 Vgl. z. B. Ernst Troeltsch, Die Bedeutung des Protestantismus für die Entstehung der modernen Welt. München 1911 [Neudrucke 1924, 1928, 1963].

8 Die Soziallehren der christlichen Kirchen, a. a. O., S. 704.

9 Ibid., S. 715 ff. Ebenso übernahm Troeltsch mehrere andere

Interpretationen von M. WEBER, z. B. dessen Definition von »Kirche« und »Sekte« sowie zahlreiche konkrete Details. Hingegen modifizierte er in mehrfacher Hinsicht die allgemeine These MAX WEBERS. Hier wäre etwa TROELTSCHS Hervorkehrung der Unterschiede zwischen frühem und späterem Calvinismus zu erwähnen, oder der zwischen Luthertum und Calvinismus. Darüber hinaus betonte er bestimmte außerreligiöse Faktoren in der Entwicklung des späteren Calvinismus stärker als WEBER, wie z. B. den Ausschluß der Calvinisten von verschiedenen Gratifikationen des Feudalsystems; diese Tatsache hat ihre Hinwendung zu ökonomischem Handeln stark gefördert.

Weiter präzisierte er den WEBERschen Sektenbegriff vor allem in der Beziehung zwischen Sekten und Mystik. Seine Analyse der sektenartigen Elemente des primitiven Calvinismus machte erst das spätere Einmünden in den Sektentypus von Glaubensgemeinschaften verständlich.

10 Ein Beispiel einer solchen Fehlinterpretation von WEBERS Auffassung stellt der Artikel »Puritanismus« im Sachwörterbuch der Deutschkunde, Bd. 2 (1930), S. 96 ff. dar. Dasselbe gilt für viele Stellen in den Schriften von W. DIBELIUS; ferner O. BAUMGARTEN, Religiöses und kirchliches Leben in England (Leipzig 1922); L. SCHÜKKING, Die Familie im Puritanismus (Leipzig 1929); G. VON SCHULZE-GAEVERNITZ, Britischer Imperialismus und englischer Freihandel (München 1906). Siehe auch die groteske Verdrehung der WEBERschen These bei PETER ALDAG, Juden in England, 2 Bde., Berlin 1940.

11 Cattolicismo e protestantismo nella formazione storica del capitalismo, Mailand 1934. In einem früheren Buch (Le origini del spirito capitalistico in Italia, Mailand 1932) behandelt er den Ursprung des kapitalistischen Geistes vom Blickpunkt der katholischen Doktrin und unterwarf den Gegenstand einer durchgängigen Kritik unter Heranziehung einer Fülle bibliographischen Details. Er versucht dabei, vom Katholizismus den Vorwurf abzuwenden, für den Kapitalismus verantwortlich zu sein. Indem er WEBERS Analyse des Protestantismus übernahm, gelangte er schließlich zur Rechtfertigung des Katholizismus (und letztlich des italienischen Faschismus), indem er sie als Rückkehr zur Tugend nach den Verirrungen des Kapitalismus interpretierte. Aber seine Behandlung der Beziehung des Katholizismus zum Kapitalismus und seine Analyse des Protestantismus ist einseitig und wird der Sache nicht gerecht.

Vgl. R. BAINTON, Changing Ideas in the Sixteenth Century, in: Modern History, Bd. 8, 1936, S. 439.

Im allgemeinen dienten die Diskussionsbeiträge katholischer Autoren zur WEBER-TROELTSCHschen These der Propaganda für den Katholizismus. Die katholischen Analytiker gingen das Problem mit einem entschiedenen Vorurteil an. Entweder fanden sie schließlich in der katholischen Ethik alle jene ehrenwerten Einstellungen, die letztlich kulminierten in fleißigem strebsamem Handeln in innerweltlicher Askese, wie sie Weber den Puritanern zugeschrieben hatte, oder sie sprachen den Katholizismus von jeder »Schuld« am Kapitalismus frei, genauer: von der Schuld an jenen geistigen, unerwünschten Auswirkungen kapitalistischen Handelns. Der allgemeine Schluß war dann, daß der moderne Kapitalismus als Frucht des Protestantismus alle seine üblen Begleiterscheinungen dem letzteren zu verdanken hat, und daß das einzige Heilmittel für alle Krankheiten des ökonomischen Lebens im Katholizismus zu finden ist. So meinte F. J. SCHMIDT (Kapitalismus und Protestantismus, in: Preußische Jahrbücher 1905), der Calvinismus habe einen zweiten Sündenfall verursacht. Und G. O'BRIEN stellte den verwerflichen Früchten des Calvinismus, z. B dem ökonomischen Individualismus und allen seinen Konsequenzen, die angeblich sehr anderen Produkte des Katholizismus gegenüber (An Essay on the Economic Effects of the Reformation, New York 1923). GEORG WÜNSCH hat in seinem Aufsatz »Protestantischer Kapitalismus und katholische Propaganda« (Christliche Welt, Bd. 39, 1925, S. 350–358) diese ganze Argumentationsweise mit aller Klarheit aus der Sicht eines protestantischen Theologen kritisch untersucht. WÜNSCH folgt der WEBER-TROELTSCHschen Darstellung.

12 RICHARD SCHLATTER, The Social Ideas of Religious Leaders 1660 bis 1688 (London 1940), S. VI.

13 Die Frage nach der Entwicklung des modernen Kapitalismus und seiner spezifischen Ethik trat in WEBERS späterem Werk zurück hinter die Analyse der bedeutenden historischen Unterschiede zwischen Orient und Okzident. Diese Wendung in seiner späteren Religionssoziologie macht zweifelsfrei deutlich, daß bei der Entstehung eines »Geistes des modernen Kapitalismus« alle jene Faktoren wirksam gewesen sein müssen, die die Ausformung der modernen okzidentalen Kultur bewerkstelligt haben. Diese spätere Stellungnahme ist im Kern als ein Zugeständnis Webers an die massive frühere Kritik FELIX RACHFAHLS an seinem damaligen Aufsatz anzusehen.

14 Siehe die Rede WEBERS auf GUSTAV SCHMOLLER, zitiert bei CARL BRINKMANN, Gustav Schmoller und die Volkswirtschaftslehre (Stuttgart 1937), S. 8 ff. Vgl. ebenso MAX WEBER, Gesammelte Aufsätze zur Wissenschaftslehre, S. 208, wo er offen seine Herkunft von der historischen Schule bekennt, aber ebenso auf seine zu dieser bestehenden Differenzen in Richtung der auf KANT zurückgehenden modernen Erkenntnislehre hinweist.

15 Im Jahr 1904 übernahm MAX WEBER die Mitherausgeberschaft des Archivs. Aus diesem Anlaß wies er der sozialwissenschaftlichen Forschung das Verstehenlernen der modernen Welt als Aufgabe zu. Da diese wesentlich durch den Kapitalismus geprägt sei, käme dessen vorurteilsloser Analyse entscheidende Bedeutung in den Sozialwissenschaften zu (»Die Objektivität sozialwissenschaftlicher und sozialpolitischer Erkenntnis«, abgedruckt in: Gesammelte Aufsätze zur Wissenschaftslehre, Tübingen 1922, S. 170, 162 ff.). Vgl. auch: MARIANNE WEBER, Max Weber. Ein Lebensbild, Tübingen 1926, S. 290.

16 Im Objektivitätsaufsatz (a. a. O.) bekundete WEBER sein Interesse an einer Erneuerung der Methode des historischen Materialismus, jedoch nur als heuristisches Mittel. Zudem erklärte er ausdrücklich den Versuch, den Kapitalismus aus religiösen Ideen *abzuleiten*, als gänzlich inadäquat (a. a. O., S. 169).

17 WEBER war sich sehr wohl bewußt, daß es in der Wirtschaftsgeschichte der Welt eine ganze Skala von kapitalistischen Erscheinungen gegeben hat: Abenteurerkapitalismus, Piraterie, Wucherkapitalismus, spekulativen Beute- und Finanzkapitalismus etc. Aber: der moderne, rationale Industriekapitalismus, wie ihn allein die okzidentale Kulturentwicklung hervorbrachte, unterschied sich von den genannten Frühformen grundsätzlich. Es war die Pointe von WEBERS Darlegungen, daß für die Entstehung dieses spezifischen Typus des Kapitalismus verschiedene Faktoren notwendigerweise zusammenwirken mußten: die volle Entfaltung bestimmter ökonomischer Tendenzen, deren Beginn im kulturellen Bereich sichtbar geworden war, deren Durchbruch aber von verschiedenen historischen Faktoren gehindert worden war, ebenso das Hervortreten des »kapitalistischen Geistes«, einer Ethik oder einer Kombination von Verhaltensweisen, die aus den verschiedenen großen Geschichtskräften erwuchsen und in unserer charakteristischen Lebensform sich kristallisierten.

18 Archiv, Bd. 31, S. 598–599 [oben S. 325].

19 Vgl. Archiv, Bd. 26, S. 277, 281 [oben S. 47, 49 f.], wo diese

seine Absicht sehr deutlich wird: lediglich die charakterologischen Auswirkungen verschiedener Arten der Frömmigkeit nachzuweisen, nicht aber irgendwelche vorwaltenden Faktoren in den historischen Ereignissen einer bestimmten Epoche oder gar »*die*« bewegende Kraft im historischen Prozeß. Solche »Gespenster« gab es für ihn in der Geschichte nicht.

20 Antikritisches Schlußwort (a. a. O.) S. 598 [oben S. 325].

21 op. cit., S. 597 [oben S. 323].

22 op. cit., S. 583, Anm. 18, und S. 593 [oben S. 341, Anm. 20, und S. 319]. WEBER wandte sich energisch (Archiv, Bd. 26, S. 277 [oben S. 47 f.]) gegen die Auffassung von H. K. FISCHER, daß die Ethik der methodischen Lebensführung vor der Zeit des Puritanismus in Erscheinung getreten sei. WEBER betonte, daß diese Lebensmethodik, welche eine einflußreiche Komponente der modernen Berufsethik wurde, sich wesentlich unterschied von der des japanischen Samurai, des Cortegiano, dem ritterlichen Ehrbegriff des Mittelalters, der Stoa, der »objektiven Behandlung« des Lebens in der Auffassung der Renaissance (im Sinne BURCKHARDTS), der Gegenreformation, oder auch von einigen Ideen BACONS (in dieser Hinsicht dem Puritanismus nahestehend), der von Renaissance und Reformation etwa in gleicher Weise beeinflußt war. Sie alle besaßen ihre spezifischen Verhaltensregeln, und zahlreiche ihrer Komponenten mündeten in den Lebensstil der führenden Nationen.

Dennoch handelte es sich bei ihnen allen um Lebensrationalisierungen in einem völlig anderen Sinne und wiesen in andere Richtung. WEBER war überzeugt, all das bereits in seinem ursprünglichen Essay hervorgehoben zu haben (vgl. Archiv, Bd. 26, S. 278, Anm. 2 [oben S. 53, Anm. 2]).

23 Archiv, Bd. 30, S. 197, 202 [oben S. 169, 173 f.].

24 Archiv, Bd. 26, S. 273 [oben S. 41 f.].

25 Archiv, Bd. 31, S. 592, 595 [oben S. 318, 321].

26 Dennoch hielt er den Anwendungsbereich quantitativer Forschungsmethoden in den empirischen Sozialwissenschaften für begrenzt. In seinem Roscher-Aufsatz (Gesammelte Aufsätze zur Wissenschaftslehre, S. 37, Anm. 11), den er *vor* der Protestantischen Ethik schrieb, scheint er ROSCHERS Meinung zuzustimmen, ein empirischer Forscher, der die Realität verstehen und nicht vernebeln will, sollte zurückhaltend sein in der Verwendung von Zahlentabellen. Letztlich hielt WEBER es für Unsinn, letzte Werthaltungen auf quan-

titativem Wege untersuchen zu wollen (vgl. Archiv, Bd. 28, S. 263; Bd. 29, S. 529; Bd. 30, S. 191 [oben S. 163]).

27 Der entscheidende Punkt war für WEBER die ungebrochene Einheit der beruflichen Verhaltensanforderungen mit der Normenstruktur der Persönlichkeit. Er räumte ein, daß es zahlreiche Ansätze zu praktischen Berufsethiken dieser Art im Mittelalter gegeben habe, betonte aber, das »geistige Band« habe gefehlt. In gleicher Weise fehlt dieses Band heute. Dies zeigt sich besonders deutlich in der modernen Auffassung von Leben und Erfahrung als eines eigenständigen Werts, was eine Abwertung des Berufsmenschen impliziert. Diese gegenwärtige Einstellung richtet sich gegen den modernen Kapitalismus – teils aus reformerischen Gründen, teils wegen seiner Verbindung mit dem abgelehnten Menschentyp. Der heutige Kapitalismus aber bedarf der Stütze durch religiöse Sanktionierung nicht mehr. Sicherlich lassen sich auch heute noch Spuren der früheren Bedeutung religiöser Werte für die kapitalistische Entwicklung finden (Archiv, Bd. 31, S. 593–594 [oben S. 319]), aber ganz allgemein hat sich der Kapitalismus von solchen Einflüssen freigemacht.

28 Auch seine Frau ist hier nicht auszunehmen. Vgl. MARIANNE WEBER, a. a. O., S. 350.

29 Vgl. seinen ätzenden Angriff auf RUDOLF STAMMLER wegen dessen angeblicher theoretischer Überwindung der marxistischen Methode (R. Stammlers »Überwindung« der materialistischen Geschichtsauffassung, in: Gesammelte Aufsätze zur Wissenschaftslehre [S. 291 ff]). Vgl. ebenso die verschiedenen ökonomischen Aufsätze der Periode 1903–1908.

30 Die protestantische Ethik, in: Gesammelte Aufsätze zur Religionssoziologie, Bd. 1, S. 54, 110 [STB 53/54, S. 59, 131] und Archiv, Bd. 25, S. 244 ff.; Bd. 30, S. 192 [oben S. 28 ff ; 164 f.].

31 H. M. ROBERTSON, Aspects of the Rise of Economic Individualism, Cambridge 1933, S. XII.

32 Die protestantische Ethik, a. a. O., S. 12 [STB 53/54, S. 21].

33 op. cit., S. 12, 38–39 [STB 53/54, S. 21, 46]; Abriß der universalen Sozial- und Wirtschaftsgeschichte, 3. Aufl., Berlin 1958, S. 301 f.; Wirtschaft und Gesellschaft, 5. Aufl., Tübingen 1972, S. 717.

34 The Protestant Ethic (engl. Übersetzung), New York 1958, S. 183 [Ges. Aufs. z. Religionssoziologie, I. Bd., S. 205 = STB 53/54, S. 190].

35 ROBERT MICHELS, Probleme der Sozialphilosophie, Leipzig 1913, S. 192.

36 Archiv, Bd. 25, S. 246 ff. [oben S. 31 ff.].
37 Archiv, Bd. 30, S. 196 ff. [oben S. 168 f.].
38 Vgl. Archiv, Bd. 26, S. 280, Anm. 5 [oben S. 55, Anm. 5].
39 MARIANNE WEBER, a. a. O., S. 351 ff.
40 Archiv, Bd. 25, S. 245, Anm. 5 [oben S. 36, Anm. 5].
41 J. C. H. DE PATER, De tachtigjarige Oorlog. Geschiedenis von Nederland, hrsg. von H. BRUGMANS, Amsterdam 1936, Bd. 4, S. 98–99.
42 E. BEINS, Die Wirtschaftsethik der calvinistischen Kirche der Niederlande 1565–1650, in: Nederlandsch Archief voor Kerkegeschiedenis, N. S. Bd. 24, 1931, S. 81–156.
43 E. BAASCH, Holländische Wirtschaftsgeschichte, Jena 1927, S. 7–8. Diese Untersuchungen wurden zusammengefaßt in: A. HYMA. Christianity, Capitalism, and Communism. Ann Arbor 1937, Kap. 6; ebenso in: ders., Calvinism and Capitalism 1555–1700 (in: Journal of Modern History, Bd. 10, 1938, S. 321–343). Vgl. auch G. BRODNITZ, Englische Wirtschaftsgeschichte, Jena 1918, Bd. 1, S. 283, Anmerkung 3.
44 P. KOCH, Der Einfluß des Calvinismus und des Mennonitentums auf die niederrheinische Textilindustrie, Krefeld 1928.
45 J. HASHAGEN, Kalvinismus und Kapitalismus am Rhein, in: Schmollers Jahrbuch, Bd. 47, 1924, S. 49–72.
46 Für das Fehlen einer positiven dynamischen Einstellung zum Kapitalismus im Altertum, trotz des Vorhandenseins »kapitalistischer« Aktivitäten, führt WEBER im wesentlichen politische Gründe an, so vor allem Erfordernisse der Staatsräson und die Autarkie der Polis. Er wies darauf hin, daß das Vorurteil der antiken politischen Theorie gegenüber dem Reichtumserwerb nicht primär ethischen Charakter trug, zumindest in weit geringerem Maße als dasjenige der mittelalterlichen Kirche, die die rein kommerziellen Beziehungen wegen ihres unpersönlichen Charakters mißbilligte. Er betonte aber, daß die Ablehnung von Arbeit und produktiver, einschließlich geschäftlicher, Tätigkeit eine der hervorstechendsten Einstellungen der [in der Antike] herrschenden Klasse darstellte. Eine ethische Idealisierung von Erwerbsarbeit gab es nicht; lediglich unter den Kynikern und dem hellenistisch-orientalischen Kleinbürgertum kann man Spuren solchen Handelns finden. So fehlten dem »Wirtschaftsmenschen« der Antike die ethische Rechtfertigung für die Rationalisierung des Wirtschaftslebens, die ihr Gegenstück zu Beginn der Neuzeit in der Berufsethik fand. Diese war weitgehend ein Produkt religiöser

Motivierung. Die fehlende Integration der Einstellungen zum wirtschaftlichen Handeln der Menschen muß daher zu den Gründen für das Fehlen des modernen Typus des Kapitalismus in der Antike gerechnet werden. Vgl. MAX WEBER, Agrarverhältnisse im Altertum, in: Handwörterbuch der Staatswissenschaften, 3. Aufl., 1909, Bd. 1, S. 66 ff.; Archiv, Bd. 31, S. 593, Anm. 25 [oben S. 344, Anm. 26].

47 Zur Überschätzung der Bedeutung des »Berufs« im Protestantismus vgl. A. HYMA, Christianity, Capitalism and Communism, a. a. O., S. 4, 125; und A. FANFANI, Cattolicismo e protestantismo a. a. O., [s. o. Anm. 11]. Vgl. auch H. M. ROBERTSON, Aspects of the Rise of Economic Individualism, a. a. O., S. 6, 8, 28, 202.

48 Siehe T. C. HALL, Religious Background of American Culture, Boston 1930, S. 210.

49 Vgl. das Vorwort von R. H. TAWNEY zur englischen Übersetzung der Protestantischen Ethik, S. 6–11.

50 Diese Methode wurde von F. BORKENAU in seinem Buch »Der Übergang vom feudalen zum bürgerlichen Weltbild«, Paris 1934, als »isolierend-kausal« bezeichnet. H. SÉE charakterisiert sie als »simpliste« in: Dans quelle mesure Puritains et Juifs ont-ils contribué aux progrès du capitalisme moderne? (in: Revue Historique, Bd. 155, 1927, S. 63).

51 Dies ist die Ansicht von TAWNEY, ROBERTSON und LASKI (The Rise of European Liberalism, New York 1936, S. 34). A. HYMA bemerkt: »Weber and his disciples have committed a grave anachronism in their eagerness to prove a theory« (Christianity, Capitalism and Communism, a. a. O., S. 126, 161).

52 ERNST TROELTSCH, Die Soziallehren der christlichen Kirchen und Gruppen.

53 WEBER gab seiner Auffassung, daß es im Wesen der Wissenschaft liege, daß ihre Ergebnisse überholt werden, in seinem Vortrag »Wissenschaft als Beruf« (abgedruckt in: Gesammelte Aufsätze zur Wissenschaftslehre) Ausdruck. Dennoch müsse der Wissenschaftler diese tragische Tatsache als sein Berufsschicksal anerkennen und unbeirrt auf sich nehmen.

(Übersetzt von WALTER M. SPRONDEL)

Reinhard Bendix

Die »Protestantische Ethik« im Rückblick*

In einer Arbeit über »Wertschätzung der Arbeit und Sauberkeit« berührte Nikolai A. Mel'gunov Themen, die für uns weitgehend mit dem Werk Max Webers verknüpft sind. Die adlige Verachtung der Handarbeit und darüber hinaus jeder Art von Spezialisierung, die Verbundenheit von Gewerbstätigkeit mit religiösem Dissent und insbesondere protestantischem Dissent, die allgemeine Ansicht, daß Arbeit eine Bürde sei, was in der russischen ebenso wie in der katholischen Kulturwelt im Zusammenhang mit der Häufigkeit von Feiertagen steht, die beobachtbaren Unterschiede zwischen Protestanten und Katholiken im Rheinland – diese und andere Themen finden sie in Max Webers Werk behandelt. Indessen Weber selbst betrachtete diese Gedanken als Gemeinplätze der Literatur. Er war überzeugt, daß die von ihm vorgelegten Studien eine den Sachzusammenhang erklärende Analyse der Beziehung zwischen protestantischer Ethik und jener inneren Einstellung zur Erwerbstätigkeit darboten, die er als »innerweltliche Askese« bezeichnete. »›Neu‹ ist also nicht, daß hier dieser Zusammenhang behauptet wird, über den schon Laveleye, Matthew Arnold u. a. gehandelt haben, sondern umgekehrt: seine ganz unbegründete Anzweiflung. Es gilt, ihn zu *erklären.*«[1] Hier weist M. Weber mehr hin als bezieht sich auf eine frühere Literatur, in der Schriftsteller sich über die innerweltliche Bedeutung des Protestantismus geäußert hatten. Zweifellos wußte er nichts von Mel'gunov. Indessen wird ein kurzer Überblick über jene andere Literatur zeigen, daß viele Schriftsteller des 19. Jahrhunderts Betrachtungen anstellten, die denen Mel'gunovs sehr ähnelten.

* Für seine wertvolle Hilfe bei der Abfassung dieser Bemerkungen möchte ich Jean Guy Vaillancourt meinen besonderen Dank aussprechen. [R. B.]

Der belgische Autor EMILE DE LAVALEYE war der Verfasser eines Lehrbuchs der politischen Ökonomie, das in den 80er und 90er Jahren des vergangenen Jahrhunderts weit verbreitet war. In einem Kapitel über den Einfluß von Philosophie und Religion auf die Arbeitsleistung verknüpfte er insbesondere evangelisches Christentum mit der wirtschaftlichen Blüte von Ländern und bemerkte, daß der Gleichheitsanspruch und der einfache Lebensstil der Protestanten den ökonomischen Fortschritt begünstigte, während Intoleranz ihn beeinträchtigte. LAVELEYE erwähnte ferner VOLTAIRES Beobachtung, daß es unter den Quäkern in England und den Mennoniten in Holland keine Armen gäbe.[2] Außerdem veröffentlichte LAVELEYE eine Schrift über Protestantismus und Katholizismus in ihren Beziehungen zu Freiheit und Wohlfahrt der Völker, die offensichtlich als Parteinahme in den konfessionellen Auseinandersetzungen seines Landes gedacht war. LAVELEYE stellt hier in gehässiger Weise protestantische Tugenden katholischen Lastern gegenüber, und beiläufig werden hierzu auch die Auswirkungen beider Konfessionen auf das Geschäftsleben angeführt. Im Vorwort zur deutschen Ausgabe dieser Schrift (von 1875) ließ sich der Politologe JOHANN KASPER BLUNTSCHLI hierüber einschlägiger aus. Wie schon MEL'GUNOV legte er dar, daß die bedeutendsten Fabriken im katholischen Rheinland sich in protestantischen Händen befanden. Er bemerkte außerdem, daß ein großer Teil der deutschen Literatur und Wissenschaft das Werk von Protestanten, weniger von Katholiken war, während er andererseits darauf hinweist, daß sich Katholiken vergleichsweise mehr in Musik und höherer Bildung hervorgetan hätten – ein Punkt, der auch in MAX WEBERS Studien eine gewisse Bedeutung gewinnt.[3]

M. WEBER bezieht sich auf MATTHEW ARNOLD als einen weiteren Schriftsteller, der die enge Beziehung zwischen den protestantischen Dissidenten und dem wirtschaftlichen Unternehmertum verzeichnet hatte. Aber ARNOLD vermerkt dieses Beziehungsverhältnis nur nebenher; er hält es weitgehend für fraglos. Er beschäftigt sich vor allem mit den Auswirkungen des Puritanismus auf kulturellem Gebiet, und wahrscheinlich war er es, der insofern MAX WEBER wie auch BLUNTSCHLI angeregt hat. An einer Stelle spricht ARNOLD davon, daß die englische Mittelklasse (middle class) zu Beginn des 17. Jahrhunderts »in das Gefängnis des Puritanismus geraten« und daß sie »für 200 Jahre dort geistig eingeschlossen gewesen« sei. Die Mittelklasse in ihrer Überzeugung von der Macht des Handelns zog Nutzen aus dem, was sie wurde, »...und die gesamte Nation mit ihr; sie vertiefte und festigte für ihre Nation den Sinn für das Tätigsein. Aber sie schuf einen Typus der Lebens- und Verhaltensweise, deren Verfehltheit sie schwerlich begriff, die aber wegen ihrer Abscheulichkeit und ungeheueren Langweiligkeit unheilvoll verwerflich ist und gegen die der gesunde Sinn für die Selbstbewahrung der Menschlichkeit sich auflehnt.«[4]

Hier und in vielen ähnlichen Ausführungen spricht ARNOLD von dem puritanischen Verhaltensmuster – nicht so sehr im Hinblick auf dessen Wirkungen als bezüglich seiner großen gefühlsmäßigen und kulturellen Verbindlichkeit, obwohl er beide Gesichtspunkte gelten läßt. Die gleiche Betrachtung findet sich in M. WEBERS Analyse. Aber während ARNOLD dieser Erscheinung als Kulturkritiker gegenüber steht, behandelt WEBER sie in funktionaler Hinsicht. In seiner Sichtweise ist die puritanische Abwertung gefühlsmäßiger Bindungen, der Sinnenfreude und der Kunst der unerläßliche Preis für die Unterwerfung der alltäglichen Lebensführung unter eine derart strenge und von der Furcht eingegebene Charakterzucht.

JOHN KEATS und HENRY TH. BUCKLE sind zwei weitere Schriftsteller, auf die M. WEBER verweist. Beide behandelten die Rolle der Religion in Schottland unter besonderer Hervorhebung des seelenmordenden Schreckens, den die Kirche dort ausübte. KEATS bemerkte, daß große sprachliche Ähnlichkeit zwischen den beiden benachbarten Küsten von Schottland und Irland, dennoch aber eine große kulturelle Verschiedenheit bestand. Obgleich beides arme Länder waren, zeigten sich schottische Bauernhäuser hübsch, sauber und behaglich; verglichen mit den elenden irischen Hütten stellten sie geradezu Paläste dar. Aber die Jungen und Mädchen in Schottland lebten in ständiger Einschüchterung durch die Altvorderen, »sie bildeten regelrechte Kader von Sparern und Verdienern. Ein derart haushälterisches Heer kann nicht verfehlen, das Land zu bereichern und ihm den Eindruck größeren Wohlstandes zu verleihen als der ihrer armen unbedachten Nachbarn – diese Kirchenmänner haben Schottland schweres Unrecht angetan, indem sie Witz, Lachen und Küssen in Acht und Bann taten...«.[5] Das ist eine klare, wenngleich beiläufige Darlegung hinsichtlich der merkwürdigen Erscheinung, auf die sich M. WEBERS besondere Aufmerksamkeit richtete: Armut, sorglose Lebensfreude und Katholizismus auf der einen, Wohlstand, Wohlanständigkeit, Gewinnstreben und eine vom Presbyterianismus eingegebene Lebensangst auf der anderen Seite.

Was KEATS in einer beiläufigen Bemerkung ausdrückte, war Gegenstand einer ausführlichen Untersuchung in BUCKLES »Civilization in England«. Auch hier der Gegensatz zwischen Nachbarländern; aber BUCKLE vergleicht mehr die Auswirkungen des Protestantismus in Schottland und England als des irischen Katholizismus und schottischen Presbyterianismus. Für ihn ist der Protestantismus das Kennzeichen des Fortschritts und der Zivilisation im Gegensatz zum Katholizismus, obzwar praktisch dasselbe Glaubensbekenntnis, je nach dem Kulturstand der Bevölkerung, verschiedenartige Wirkungen hervorzurufen vermag. »Während in England der Protestantismus die Verbreitung des Aberglaubens herabgesetzt, die Stellung der Geistlichkeit geschwächt und die Toleranz gefördert hat, und mit einem Wort den weltlichen Interessen die Oberhand über die kirchlichen verschaffte, dürfte das Ergebnis in Schottland davon völlig verschieden sein. Hier änderte die Kirche zwar ihre äußeren Formen, nicht jedoch ihren Geist, und sie hegte nicht nur weiterhin ihre früheren Ansprüche, sie bewahrte vielmehr unseligerweise zugleich ihre überkommene Machtstellung.«[6] In Schottland rief die protestantische Bewegung »niemals die Wirkungen hervor, die man hätte erwarten können und die sie in England tatsächlich hervorgebracht hat«.[7]

Vom Standpunkt der späteren Untersuchungen M. Webers bildet den interessantesten Teil von Buckles Erörterungen das Kapitel über den »schottischen Bildungsstand während des 17. Jahrhunderts«. Zufolge Buckle stellte Schottland das Paradoxon eines Volkes dar, das gleichzeitig politisch freidenkend und auf religiösem Gebiet das Gegenteil davon war. 120 Jahre nach der Einführung des Protestantismus hatte die herrschende Schicht in Schottland vermöge ihrer Geringschätzung bzw. Verfolgung der Kirche die Geistlichkeit auf die Seite des Volkes getrieben mit dem Erfolg, daß dadurch der Geist der Demokratie bestärkt wurde, da beide, Geistlichkeit und Bevölkerung, sich durch die herrschende Klasse unterdrückt fühlten. »Aber gerade diese Umstände, die dem Volk einen gewissen Schutz gegen politischen Despotismus verliehen, setzten es desto mehr der Tyrannei der Kirche aus. Da die Leute sich auf niemanden verlassen konnten als auf ihren Prediger, lieferten sie sich ihnen ganz und in jeder Hinsicht aus. Auf diese Weise wurde die Geistlichkeit nach und nach zur obersten Instanz nicht nur in geistlichen, sondern ebenso in weltlichen Angelegenheiten... Billigerweise wird man erkennen müssen, daß die kirchliche Knechtschaft, der die Schotten während des 17. Jahrhunderts verfielen, im ganzen eine selbstgewählte und daß, so unheilvoll immer sie sich auswirkte, jedenfalls ihr Ausgangspunkt trefflich war, insofern als der Einfluß der protestantischen Geistlichen wesentlich auf der Unerschrockenheit beruhte, mit der sie sich bereitwillig zu Führern des Volkes in einer Zeit machten, in der diese Aufgabe voller Gefährdung und die örtlichen Oberschichten allzu bereit waren, sich mit der Krone zu verbünden, um die letzten Spuren nationaler Freiheitlichkeit zu beseitigen.«[8]

Buckle unterließ nicht den Hinweis, daß gegen Ende des

17. Jahrhunderts die Aktivität des schottischen Bürgertums sich von den religiösen Streitigkeiten ab- und dem neuen Betätigungsfeld des gewerblichen Unternehmertums zuwandte. Aber diese Bemerkung fällt im Zusammenhang mit der Erörterung der allgemeinen Befriedung der schottischen Gesellschaft und des Verfalls der Feudalstruktur mit ihrer Lehnstreue.[9] BUCKLES Interesse galt hauptsächlich einer eingehenden Untersuchung des »kirchlichen Despotismus«. Trotz ihrer offensichtlichen Parteinahme liefern seine Ausführungen einen eindrucksvollen Überblick über die Literatur des 17. Jahrhunderts, welche einen Großteil der Themen behandelt, die sich bei MEL'GUNOV finden und denen sich später M. WEBER zuwandte.

BUCKLE schildert die geistige Verstümmelung des Volkes, indem er ausführlich aus den Predigten dieser Zeit zitiert. Wir lassen hier einen Teil seiner eigenen Zusammenfassung dieser Wiedergaben folgen: »Arm zu sein, schmutzig und hungrig, sein Leben im Elend zu verbringen, es in Furcht zu verlassen, von Schwären, Schmerzen und Krankheiten aller Art heimgesucht zu sein, unter ständigem Seufzen und Stöhnen zu leben, mit tränenströmendem Gesicht und schluchzender Brust, – kurz mit ständigem Jammer geschlagen und auf alle denkbare Weise gemartert zu sein: alles dies standhaft zu ertragen, wurde als ein Erweis der Gottgefälligkeit erachtet, so gut wie das Gegenteil als ein Zeichen der Sündhaftigkeit. Es kam nicht darauf an, was der Mensch wünschte: die bloße Tatsache, *daß* er es wünschte, stempelte es zur Sünde. Alles Natürliche war per se schlecht. Die Geistlichkeit raubte den Leuten ihre Feiertage, ihre Vergnügungen, ihre Aufführungen, ihren Spaß und ihren Sport; sie unterdrückte jede Art Fröhlichkeit, verbot alle Belustigungen, unterband alle Festlichkeiten, sie erstickte jede Möglichkeit des Vergnügens und verbreitete einen allumfassenden Trübsinn über das ganze Land ...«[10]

Hier zeigt sich ein solches Maß lähmender Härte, daß nicht einmal für den Hang zur »Voraussicht und Vorsorge für die

Zukunft« Raum blieb, der in WEBERS nachfolgender Studie eine so bedeutsame Rolle spielte.[11] Zugleich vermittelt BUCKLE einen sehr lebendigen Eindruck von der »Macht und Qual jener metaphysischen Vorstellungsweisen«, wie M. WEBER dies an einer Stelle nennt. Es kann sein, daß der Nachdruck, den WEBER auf die ungeheuerliche religiöse Furcht, hervorgerufen durch den Prädestinationsglauben legte, teilweise auf BUCKLES plastischen Bericht zurückgeht.[12]

Damit nähern wir uns dem besonderen Anliegen MAX WEBERS: den Verhaltensweisen, die bestimmten dogmatischen Vorstellungen entsprechen. In dieser Hinsicht sind verschiedene andere seiner historischen Bezugnahmen aufschlußreich. Nach Erwähnung von KEATS, BUCKLE, LAVELEYE und ARNOLD führt MAX WEBER die Mennoniten in Ostpreußen an, die selbst FRIEDRICH WILHELM I. »trotz ihrer absoluten Weigerung, Militärdienst zu leisten, als unentbehrliche Träger der Industrie gewähren ließ«. WEBER bezeichnet dies als ein ganz besonders eklatantes Beispiel für den »Zusammenhang religiöser Lebensreglementierung mit intensivster Entwicklung des geschäftlichen Sinnes«.[13] FRIEDRICH WILHELM I. ist bekannt für die Rücksichtslosigkeit, mit der er die militärische Leistungsfähigkeit seines Landes vorantrieb. Die brutalen Praktiken seines Rekrutierungspersonals sind gerade im Hinblick auf das Schicksal der Mennoniten belegt. Nahezu alle zum Militärdienst gezwungenen Mennoniten widerstanden unerschütterlich auch den mannigfaltigsten Torturen auf Grund ihrer religiösen Überzeugungen. FRIEDRICH WILHELM dekretierte demgemäß die Ausweisung der gesamten Mennonitengemeinde zugunsten anderer Christen, die den Militärdienst nicht verweigerten. Daraufhin unterbreitete die Königliche Kriegs- und Domänenkammer in Königsberg im März 1732 dem König eine Petition mit der Begründung, daß die Durchführung des Edikts den königlichen Einkünften und dem sonstigen Nutzen Seiner Majestät beträchtlichen Schaden zufüge, da besagte Mennoniten als Gewerbetreibende und Landwirte von größtem Segen für das Land seien und ihre

Anwesenheit ein beachtliches Einkommen für die königliche Schatzkammer gewährleiste. Der König geruhte daraufhin, den Mennoniten die erbetene Immunität zu erteilen und versicherte sie Seines Königlichen Schutzes unter der Bedingung, daß sie sich zur Gründung und Entwicklung von Textilwerkstätten bereitfänden. Demzufolge kehrte die große Mehrzahl der ausgewiesenen Mennoniten nach Königsberg zurück.[14] Die ganz besondere wirtschaftliche Leistungsfähigkeit der Mennoniten muß für die Zeitgenossen klar zutage gelegen haben und so beeindruckend gewesen sein, daß selbst die Beamten gerade dieses Königs es wagten, sein Allerhöchstes Mißfallen zu erregen, und der König selber sich herbeiließ, sich von seiner früheren Entscheidung abbringen zu lassen.

Eine Anzahl weiterer Bezugnahmen auf die damals vorliegende Literatur soll nur kurz erwähnt werden. Weber vermerkt William Pettys Beobachtungen über die wirtschaftliche Blüte Hollands, die dieser den dortigen religiösen Dissenters zuschrieb, eine Erklärung, der er die Form eines allgemeinen Prinzips gab.[15] Weber führt ferner Eberhard Gothein an, der insbesondere die Bedeutung der calvinistischen Diaspora als Pflanzstätte kapitalistischer Wirtschaft hervorhebt[16], sowie die gleichartige Thematik in den Schriften von J. E. T. Rogers.[17] Unter Bezugnahme auf diese Darstellungen weist M. Weber darauf hin, daß hier der Augenschein nicht eindeutig zu sein brauche, obwohl er eine allgemeine Affinität zwischen Entstehung des Protestantismus und Begünstigung von Geschäftssinn nahelegt. Französische, spanische, niederländische, österreichische und preußische Staatsmänner haben zeitweilig dissentierende protestantische Minderheiten in dem Bemühen protegiert, Handel und Gewerbe zu fördern. Aber es war nicht ohne weiteres durchschaubar, ob der wirtschaftliche Auftrieb dieser sektiererischen Gemeinden auf die wirtschaftliche Überlegenheit der Kulturgebiete zurückzuführen ist, aus denen sie gekommen waren, oder vielleicht auf »den gewaltigen Einfluß des Exils und der Herausreißung aus den traditionellen Lebensbeziehungen«.[18] Auf jeden Fall gab die Tatsache, daß in einer Vielzahl von Fällen Katholiken als Minderheiten *keine* hervorragenden Leistungen in Handel und Industrie entwickelt hatten, ein starkes Argument dagegen ab, dem Minoritätsstatus als solchem zu großes Gewicht als Erklärungsgrund beizumessen.[19]

Es gab noch andere Schriftsteller, auf die WEBER sich zur Unterstützung seiner Ansicht berief, daß eine gewisse Art von Wahlverwandtschaft zwischen dem Protestantismus und der Entfaltung von Handel und Industrie bestand. Unter den älteren Autoren nennt er: MANLEY, TEMPLE, MONTESQUIEU, HEINE, MACAULEY, CARLYLE, WISKEMANN und andere; unter den jüngeren: ASHLEY, DOYLE, BERNSTEIN, CUNNINGHAM und HERMANN LEVY. Diese Bezugnahmen auf die Literatur sind ganz und gar willkürlich, und die Nichterwähnung anderer Namen ist ohne jede Bedeutung.[20] Aus dieser Übersicht geht hervor, daß MEL'GUNOVS kurzer Aufsatz Teil einer bedeutend früheren Literatur ist, die sich mehr oder weniger eingehend über die Beziehung zwischen religiösem Glauben und wirtschaftlichem Verhalten ausließ und in diesem Zusammenhang vorzüglich über die Bedeutung des Protestantismus.

Demgemäß sollte man WEBERS scheinbar beiläufige Bemerkung ernst nehmen, daß die Beweislast denjenigen obliegt, die das Vorliegen eines solchen Beziehungsverhältnisses leugneten. Er hielt es für sehr wahrscheinlich gegeben, aber einer deutlicheren Formulierung und kausalen Erklärung für bedürftig. Dieser spezifische Blickwinkel rechtfertigt es, sich die ausgedehnte kritische Literatur ins Gedächtnis zurückzurufen, die das Beziehungsverhältnis, das WEBER bejahte, entweder mit Beispielen belegte, oder »widerlegte«. Es ist wichtig festzuhalten, daß eine solche Literatur in Ansätzen zu seiner Zeit bereits bestand. Er kannte sie und nahm ersichtlich an, daß für ein wirkliches Verständnis dieser Adäquanz durch eine bloße weitere Anhäufung von Beispielen nichts zu gewinnen war. Und auch heute könnte ein Leser MAX WEBERS Studie [über die protestantische Ethik] mit ganz anderen Augen ansehen, wenn man ihm klarmachte, daß WEBER viel mehr von dem Bestehen einer positiven Beziehung zwischen protestantischer Frömmigkeit und ökonomischem Wachstum ausging, als daß er sie zu beweisen suchte. Sein Bestreben ging dahin, dieses Beziehungsverhältnis zu *verstehen*, unter der Voraussetzung, daß es tatsächlich bestand. Moderner ausgedrückt,: auch wenn eine Korrelation [zwischen verschiedenen Faktoren] aufgezeigt worden ist, selbst wenn sie nur schwach ist, bedarf sie immer noch der deutenden Erklärung.[21]

M. Weber verwendete für seine Erklärung die Form der idealtypischen Konstruktion. Seine Argumentation mag folgendermaßen wiedergegeben werden. Gesetzt, es besteht eine wirkliche Beziehung von unbestimmter Größenordnung zwischen protestantischer Gläubigkeit und dem »Geist des Kapitalismus«. Vereinzelte Beispiele einer Beziehung zwischen bestimmten religiösen Vorstellungen und kapitalistischem Geschäftssinn und ebenso von kapitalistischer Einstellung ohne Beziehung zu religiösen Glaubensinhalten finden sich im gesamten Verlauf der Geschichte. Aber die erste Herausbildung eines kapitalistischen Wirtschaftssystems [Max Weber würde formulieren: einer rationalen kapitalistischen Organisation der gewerblichen bürgerlichen Arbeit (Hrsg.)] geschah in Westeuropa und insbesondere in England. Da die objektiven Voraussetzungen für die Entstehung eines solchen Systems auch anderwärts vorgelegen haben, jedoch nicht zu einer mit der englischen vergleichbaren ökonomischen Entwicklung führten, so muß jener »Durchbruch« jedenfalls zum Teil auf spezielle begünstigende kulturelle Faktoren zurückgeführt werden. Und da jenes frühere Schrifttum viele unterschiedliche Verwandtschaftsbeziehungen zwischen Protestantismus und kapitalistischem Unternehmergeist aufgewiesen hatte, sah M. Weber seine eigene Aufgabe darin, im Wege begrifflicher Isolierung zu zeigen, *wie* bestimmte religiöse Bewußtseinsinhalte und eine eigenartige, praktisch betätigte Wirtschaftsgesinnung miteinander verknüpft sein können. Alles dies geht deutlich genug aus M. Webers Originaltext hervor, wo er mit Betonung heraushebt, daß die ethische Erweckung mit ihrem tiefen Eingriff in das praktische Leben nur im Lichte derjenigen dogmatischen Glaubensvorstellungen verstanden werden kann, die die Menschen jener Tage in einem Ausmaß beeinflußten, das wir uns heute nur schwer vorzustellen vermögen. M. WEBER erklärt, daß er diese religiösen Gedankengehalte »in einer ›idealtypisch‹ kompilierten Konsequenz vorführen [werde], wie sie in der historischen Realität nur selten anzutreffen war. Denn gerade *wegen* der Unmöglichkeit, in der geschichtlichen Wirklichkeit scharfe Grenzen zu ziehen, können wir nur bei Untersuchung ihrer *konsequentesten* Formen hoffen, auf ihre spezifischen Wirkungen zu stoßen.«[22]

Solange man den Einfluß der »großen Traditionen« (REDFIELD) auf die Verhaltensweisen der Menschen nicht abstreitet, wird höchstwahrscheinlich die Analyse der Verhaltensmuster [MAX WEBER würde sagen: der typischen Verhaltensweisen (Hrsg.)] auf den von MAX WEBER initiierten Bahnen erfolgen müssen. Aber mit den idealtypischen Konstruktionen dieser Art ist eine eigentümliche Problematik gegeben. Bewußt vereinfachen und steigern sie das Beobachtungsmaterial zu dem Zweck, »in der historischen Wirklichkeit scharfe Grenzen zu ziehen«. Hierdurch entfernt sich die Analyse von der unbestimmten Mehrdeutigkeit und vielfältigen Verschlungenheit des [faktischen] Verhaltenszusammenhanges, was ein besonderes Vorgehen erforderlich macht, um diese so unerfaßten Tatsächlichkeiten einer nachträglichen prüfenden Untersuchung zu unterziehen.[23] Selbstredend stellt dieser Abstand zwischen Begriff und Beobachtungsmaterial ein ganz allgemeines Problem dar. Es darf jedoch, gerade im Hinblick auf die durch M. WEBERS Untersuchungen gegebenen Anregungen, darauf hingewiesen werden, daß auf Grund der seitherigen historischen Entwicklung unser Vermögen, die von ihm gewonnenen Einsichten in einem größeren Rahmen nutzbar zu machen, sich von der Sache her erheblich erweitert hat.

Auch andere Kulturen (cultural patterns) als die durch den sektiererischen Protestantismus gekennzeichnete haben jene Arbeitsethik und Methodik des Wirtschaftsverhaltens hervorgebracht, die M. WEBER als »innerweltliche Askese« bezeichnet. Dementsprechend ist es möglich, den Gesichtskreis der WEBERschen Untersuchungen zu erweitern, ohne den Frageansatz aufzugeben, den er für solche vergleichenden Analysen entwickelt hat. Sobald sich das Interesse von dem Blickpunkt der Eigenart der westlichen Kultur abwendet, läßt sich das WEBERsche Vorgehen umkehren, und man beginnt mit der augenscheinlichen Feststellung von Fällen »innerweltlicher Askese« und erforscht dann die (meist weltlichen, aber auch religiösen) Faktoren, welche auf solche wirtschaftlichen Verhaltensweisen hingewirkt haben mögen. Derartige Untersuchungen, sagen wir: russischer oder japanischer Entwicklungen, können durch ein genaues Verständnis von MAX WEBERS ursprünglichem Beitrag nur gewinnen. Hierzu zu verhelfen, war der Zweck der vorstehenden Darlegungen.

Anmerkungen zu: Reinhard Bendix, Die »Protestantische Ethik« im Rückblick

1 Max Weber, Die protestantische Ethik und der Geist des Kapitalismus (Gesammelte Aufsätze zur Religionssoziologie, 1. Bd., S. 28, Anm. 3; vgl. S. 196, Anm. 2 [STB 53/54, S. 82, Anm. 22; vgl. S. 272, Anm. 289]).

2 Émile de Laveleye, Éléments d'économie politique, Paris 1882; engl. Übersetzung, London 1884; amerikanische Ausgabe New York 1889, S. 44.

3 Émile de Laveleye, Protestantismus und Katholizismus in ihren Beziehungen zu Freiheit und Wohlfahrt der Völker (1875) ständig u. S. IV–V des Vorworts von J. K. Bluntschli.

4 Aufsatz über die »Gleichheit« (1878) in: Lionel Trilling (Hrsg.), The Portable Matthew Arnold (New York 1949, S. 595).

5 John Keats, Complete Poetical Works and Letters (Cambridge 1899, S. 310). Das Zitat entstammt einem Brief des Dichters an seinen Bruder Thomas vom 3. Juli 1818 [oben S. 344 Anm. 27].

6 Henry Thomas Buckle, History of Civilization in England (London 1857/61; New York 1861, II. Bd. S. 153).

7 Ibid.

8 Ibid., II. Bd., S. 260/61.

9 Ibid., II. Bd., S. 236 ff.

10 Ibid., II. Bd., S. 314.

11 Vgl. ebda. S. 313, wo Buckle Gedanken an die Zukunft als unvereinbar mit der restlosen Ergebenheit in Gottes Willen bezeichnet.

12 Vgl. Max Webers eigene Betonung der Bedeutung dieser Erwägung in seinen »Kritischen Bemerkungen« zu H. K. Fischers »Kritischen Beiträgen« (Archiv f. Sozialwissenschaft, XXV. Bd. 1907, S. 248 f. [oben S. 33 f.]).

13 Max Weber, Gesammelte Aufsätze zur Religionssoziologie, I. Bd., S. 28 [STB 53/54, S. 37].

14 Wilhelm Mannhardt, Die Wehrfreiheit der altpreußischen Mennoniten (Marienburg 1863, S. 118–120). [In dem von Max Weber (Gesammelte Aufsätze zur Religionssoziologie, I. Bd. S. 159, Anm. 1 [STB 53/54, S. 243, Anm. 186]) betont hervorgehobenen Artikel »Mennoniten« von S. Cramer in der Realencyklopaedie für Protestantische Theologie und Kirche, 3. Aufl., 12. Bd. 1903, wird auf S. 613 die Tatsache der Wehrfreiheit der ostpreußischen Mennoniten

kurz erwähnt; daselbst wird in der Literaturangabe auch das Buch von W. MANNHARDT aufgeführt. Da MAX WEBER die aus seinem Text ersichtlichen näheren Einzelheiten mitteilt, darf mit einer an Sicherheit grenzenden Wahrscheinlichkeit angenommen werden, daß er das Buch gekannt hat. (Hrsg.)]

15 Siehe CHARLES H. HULL (Hrsg.), The Economic Writings of Sir William Petty (Cambridge 1899, I. Bd., S. 261–264 pass.).

16 EBERHARD GOTHEIN, Wirtschaftsgeschichte des Schwarzwaldes, I. Bd. 1892, S. 673–714.

17 JAMES E. T. ROGERS, Holland (London 1888; New York 1900, S. 51); The Economic Interpretation of History (London 1888; New York 1889, S. 74–84); The Industrial and Commercial History of England (Oxford 1891; New York 1892, S. 35 ff.).

18 MAX WEBER, Ges. Aufsätze zur Religionssoziologie, I. Bd., S. 27 [STB 53/54, S. 36]. In der Anm. 2 auf S. 23 a. a. O. [STB 53/54, S. 80, Anm. 12] hatte M. Weber gesagt: »Daß Emigranten aller Konfessionen der Erde: indische, arabische, chinesische, syrische, phönikische, griechische, lombardische, ›cawerzische‹, als Träger kaufmännischer Schulung hochentwickelter Länder in andere übersiedelten, war eine ganz universelle Erscheinung und hat mit unserem Problem nichts zu tun.«

19 A. a. O., S. 22/23 [STB 53/54, S. 32/33].

20 Bei ALFRED MARSHALL z. B. findet sich eine einschlägige Stelle, die zu den einsichtigeren dieser früheren Deutungen gehört. Sie verknüpft die »Vereinzelung von jedermanns religiöser Verantwortlichkeit« bei den Puritanern mit der »zähen Arbeitsvervollkommnung in der gewerblichen Kunstfertigkeit« (Principles of Economics (1890), London [6]1910, S. 742–744; New York 1895, I. Bd., S. 36–39). NEIL SMELSER macht mich darauf aufmerksam, daß sich ähnliche Ausführungen häufiger bei englischen Autoren des frühen 19. Jahrhunderts finden, die die Entwicklung von Handel und Industrie behandeln.

21 Das es gelegentlich schwach sein kann, war nicht nur u. a. aus BUCKLES Erörterungen ersichtlich, sondern wurde ausdrücklich von M. WEBER selbst erklärt. Nach Hervorhebung des Zusammentreffens von »virtuosem kapitalistischen Geschäftssinn mit den intensivsten Formen einer das ganze Leben durchdringenden und regelnden Frömmigkeit« gerade im Fall des Calvinismus fügt M. WEBER in einer Anmerkung hinzu: »*Dann* natürlich, soll das heißen: wenn die [ob-

jektive] *Möglichkeit* kapitalistischer Entwicklung in dem betreffenden Gebiet überhaupt gegeben war« (Ges. Aufsätze zur Religionssoziologie, 1. Bd., S. 26, Anm. 1 [STB 53/54, S. 80, Anm. 15]).

22 Ges. Aufsätze zur Religionssoziologie, 1. Bd., S. 87 [STB 53/54, S. 117]. – Siehe auch M. Webers Ausführungen daselbst S. 82/83 [STB 53/54, S. 76/77], wo der Untersuchungszweck seiner Studie sorgfältig abgegrenzt wird. Nicht viele der Kritiker Webers sind hierin auch nur annähernd so sorgsam verfahren.

23 Für diese Seite der Weberschen Methodologie in einem vergleichenden Zusammenhang vgl. Reinhard Bendix, Cultural-Educational Mobility and Development: Japan and the Protestant Ethic (in: S. M. Lipset and Neil Smelser (Ed.), Social Structure and Social Mobility in Economic Development, Chicago 1966, S. 262–279).

[Das im Text geschilderte Vorgehen der Formulierung begrifflich ›reiner‹, d. h. unter bestimmten Fragegesichtspunkten und unter Annahme theoretisch ›idealer‹ Bedingungskomplexe erfolgender, Konstruktionen ist im Prinzip das gleiche wie in den makro- und mikrophysikalischen Naturwissenschaften. Die so geschaffenen analytischen Modelle werden mittels Beobachtung und Experiment auf ihre heuristischen Qualitäten überprüft und ggf. variiert, bzw. es müssen für die ›abweichenden‹ Phänomene abweichende Erklärungsweisen ermittelt werden. Sowohl bei dieser selektiven Methode wie bei der Formulierung ›empirischer Regeln‹ wahrscheinlichkeitsgemäßen Geschehens werden zunächst gewisse konkrete Erscheinungen nicht miterfaßt und müssen alsdann gesondert aufgearbeitet werden. Die unendliche Mannigfaltigkeit des Realwirklichen läßt sich eben nicht, wie Max Weber stets betont hat, in *einer* Formel ausdrücken. Er stellt im Zusammenhang vergleichender Untersuchungen daher ausdrücklich fest: »Es *muß* hier, um zunächst die charakteristischen Differenzen herauszuheben, notgedrungen in einer ›idealtypischen‹ Begriffssprache geredet werden, welche der historischen Realität in gewissem Sinn Gewalt antut, – aber ohne dies wäre vor *lauter Verklausulierung* [Hervorhebungen nicht im Original] eine klare Formulierung überhaupt ausgeschlossen. Inwieweit die hier möglichst scharf gezeichneten Gegensätze nur relative sind, wäre gesondert zu untersuchen« (Ges. Aufs. z. Religionssoziol., 1. Bd., S. 113, Anm. 1 [STB 53/54, S. 213, Anm. 69]; dazu vgl. ferner a. a. O., S. 264 f., 267, 536 bis 538). (Hrsg.)]

(Übersetzt von Johannes F. Winckelmann)

Adams, James Luther: Theokratie, Kapitalismus und Demokratie. Eine Kritik an Max Webers Darstellung der protestantischen Ethik, in: Zeitschrift für Evangelische Ethik, 12. Jg. (1968) S. 247–267.

Albert, Hans: Erwerbsprinzip und Sozialstruktur. Zur Kritik der neoklassischen Marktsoziologie, in: Jahrbuch für Sozialwissenschaft, Bd. 19 (1968) S. 1–65.

Aubin, Gustav: Der Einfluß der Reformation in der Geschichte der deutschen Wirtschaft. Halle 1929.

Baechler, Jean: Essai sur les origines du système capitaliste, in: Europäisches Archiv für Soziologie, Band 9 (1968) S. 205–263.

Baumgarten, Ed.: Benjamin Franklin. Der Lehrmeister der amerikanischen Revolution. Frankfurt 1936.

Baumgarten, Eduard: Max Weber – Werk und Person, Tübingen 1964, II. Teil, 6. Kap., III. Teil, 1. Kap.

Beard, Charles: The Reformation of the 16th Century. Michigan (Ann Arbor Paperback) 1962.

Beerling, R. F.: Protestantisme en Kapitalisme: Max Weber in de critiek. (Publicaties van het Soc. Instituut, No. 3). Groningen 1946.

Beins, Ernst: Die Wirtschaftsethik der calvinistischen Kirche der Niederlande 1565–1650, in: Niederlandsch Archief voor Kerkgeschiedenis (1931) S. 81 bis 156.

Bellah, Robert N.: Reflections on the Protestant Ethic Analogy in Asia, in: Journal of Social Issues, Vol. 19 (1963) pp. 52–60.

Bellah, Robert N.: Religious Evolution, in: Amer. Sociol. Rev., Vol. 29 (1964) pp. 358–274.

Bendix, Reinhard: Max Weber – Das Werk. Darstellung, Analyse, Ergebnisse. München 1964.

Bendix, Reinhard: Tradition and Modernity Reconsidered, in: Comparative Studies in Society and History, Vol. 9 (1966/67) S. 282–346.

Bendix, Reinhard: The Cultural and Political Setting of Economic Rationality in Western and Eastern Europe, in: Id. (Ed.), State and Society, pp. 335–351. Boston 1968.

Berger, Stephen D.: The Sects and the Breakthrough into the Modern World: On the Centrality of the Sects in Weber's Protestant Ethic Thesis, in: Sociological Quarterly, Vol. 12 (1971) S. 486–499.

Bergier, J. F.: La Pensée économique et sociale de Calvin, in: Annales, Tome 17 (1962) pp. 348–355.

Besnard, Philippe (Hrsg.): Protestantisme et capitalisme. La controverse post-weberienne. Paris 1970.

Best, E. E.: Max Weber and the Christian Criticism of Life, in: Theology Today, Vol. 16 (1959) pp. 203–214.

Biéler, A.: La pensée économique et sociale de Calvin. Genf 1959.
Biéler, André: Calvinism and Capitalism, in: Reformed and Presbyterian World, Vol. 25 (1960) pp. 145–159.
Biermann, Benno: Die Protestantismusdebatte. Entwicklung, Stand und Bedeutung für eine Soziologie der Unternehmerschaft, in: Intern. Jhb. f. Religionssoziologie, Bd. 4 (1968) S. 233–250.
Birnbaum, Norman: Conflicting Interpretations of the Rise of Capitalism: Marx and Weber, in: Brit. Journ. Sociol., Vol. 4 (1953) pp. 125–141.
Borkenau, Franz: Der Übergang vom feudalen zum bürgerlichen Weltbild. Paris 1934 (Neudruck: Junius-Druck 1969).
Bosse, Hans: Marx – Weber – Troeltsch. Religionssoziologie und marxistische Ideologiekritik. München–Mainz 1970.
Bowle, I.: The Unity of European History, London 1949.
Brentano, Lujo: Die Anfänge des modernen Kapitalismus, S. 117–157. München 1916.
Brey, Hedwig: Hochscholastik und »Geist« des Kapitalismus, Diss. München 1927.
Brodrick, J.: The Economic Morals of the Jesuits. An Answer to Dr. H. M. Robertson. London 1934.
Burrage, Champlin: The early English Dissenters. 2 vols., Cambridge 1912.
Burrell, S.: Calvinism, Capitalism and the Middle Classes, some Afterthoughts on an Old Problem, in: Journal of Modern History, Vol. 32 (1960) pp. 129–141.
Burrell, S.: The Role of Religion in Modern European History. New York 1964.
Chambon, Joseph: Der französische Protestantismus. Sein Weg bis zur französischen Revolution. München 1937.
Clark, H. W.: History of English Nonconformity. 2 vols., London 1911.
Coomans, Antoon: Protestantisme en Kapitalisme. Status Quaestionis van de controverse die ontstaan is naar aanleiding van Max Weber's Thesis. Brüssel (Lizentiatsabhandlung der Sint-Aloysiushandelshogeschool) 1969.
Correll, Ernst: Das schweizerische Täufermennonitentum. Tübingen 1925.
Cragg, G. R.: From Puritanism to the Age of Reason. Cambridge 1950.
Cunningham, W.: Christianity and Economic Science. London 1911.
Curtis, T. D.: The Protestant Ethic and Craft Guilds as a Stimulus for the Industrial Revolution, in: Southwestern Social Science Quarterly, Vol. 48 (1968) pp. 632–634.
Davis, A. A.: The Decline of the Protestant Ethic, in: Social Forces, Vol. 12 (1944) pp. 282–286.
Dobb, Maurice: Entwicklung des Kapitalismus. Vom Spätfeudalismus bis zur Gegenwart. Köln 1970.
Eisenstadt, Shmuel N.: Transformation of Social, Political, and Cultural Orders in Modernization, in: Amer. Sociol. Rev., Vol. 30 (1965) pp. 659 bis 673.

Eisenstadt, Shmuel N. (Ed.): The Protestant Ethic and Modernization. A Comparative View. New York 1968 (mit umfangreicher Bibliographie).
Eisenstadt, Shmuel N.: Die Protestantische Ethik und der Geist des Kapitalismus (= deutsche Fassung der Einleitung des voranstehenden Titels). Köln 1971 (mit ausgewählter Lit.).
Elton, Geoffrey R.: Reformation Europe 1517–1559. London 1963; auch: Europa im Zeitalter der Reformation 1517–1559. 2 Bde. (Siebenstern-Taschenbuch 157/158), Hamburg 1971.
Erikson, Kai T.: Wayward Puritans. A Study in the Sociology of Deviance. New York 1966.
Falk, Werner: Democracy and Capitalism in Max Webers Sociology, in: Sociol. Rev., Vol. 27 (1935) pp. 373–393.
Fanfani, Amintore: Le Origini dello Spirito Capitalistico in Italia, Milano 1933.
Fanfani, Amintore: Cattolicesimo e Protestantesimo nella formazione storica del Capitalismo, Milano 1934.
Farcese, Dennis P.: Calvinism, Capitalism, and Confusion: The Weber Thesis revisited, in: Sociological Analysis, Vol. 29 (1968) S. 193–201.
Febvre, Lucien: Une critique de Weber, in: Annales d'histoire économique et sociale, Vol. 6 (1930).
Fechner, Erich: Der Begriff des kapitalistischen Geistes bei Werner Sombart und Max Weber und die soziologischen Grundkategorien Gemeinschaft und Gesellschaft, in: Weltwirtschaftl. Archiv, 30. Bd. (1929) S. 194–211.
Fechner, Erich: Der Begriff des kapitalistischen Geistes und das Schelersche Gesetz vom Zusammenhang der historischen Wirkfaktoren (Vergleich und Ausgleich zwischen Sombart und M. Weber), in: Archiv für Sozialwissenschaft, 63. Bd. (1930) S. 93–120.
Freund, J., et Lüthy, H.: Controverse sur Max Weber, in: Preuves 163 (1964) pp. 85–92.
Fullerton, Kemper: Calvinism and Capitalism: Interpretive Summary of an Essay by Max Weber, in: Harvard Theological Review, Vol. 21 (1928) pp. 162–196.
George, Charles H. and Kath.: The Protestant Mind of the English Reformation 1570–1640. Princeton/N. J. 1961.
Giddens, Anthony: Marx, Weber, and the Development of Capitalism, in: Sociology, Vol. 4 (1970) S. 289–310.
Glenn, Norval D. and Ruth Heyland: Religious Preference and Worldly Success: Some Evidence from National Surveys, in: Amer. Sociol. Rev., Vol. 32 (1967) pp. 73–85.
Goddijn, W.: Katholieke minderheit en Protestantse dominant. Assen 1957.
Goldstein, Bernice, and Eichhorn, Robert L.: The changing Protestant Ethic: Rural Patterns in Health, Work and Leisure, in: Amer. Sociol. Rev., Vol. 26 (1961) pp. 557–565.

Gollin, G. L.: The Religious Factor in Social Change. Max Weber and the Moravian Paradox, in: Archives de sociologie des religions, Tome 12 (1967) pp. 91–97.

Gooch, G. P.: English Democratic Ideas in the 17th Century. 2nd Ed., Cambridge 1927.

Gordon-Walker, P. C.: Capitalism and the Reformation, in: Economic History Review, Vol. 8 (1937) pp. 1–19.

Greeley, Andrew: The Protestant Ethic: Time for a Moratorium, in: Sociol. Analysis, Vol. 25 (1964) pp. 20–33.

Greeley, Andrew M.: Continuities in Research on the »Religious Factor«, in: Amer. Journ. Sociol., Vol. 75 (1969/70) pp. 355–359.

Green, Robert W. (Ed.): Protestantism and Capitalism – The Weber Thesis and its Critics. Boston 1959.

Groethuysen, Bernhard: Die Entstehung der bürgerlichen Welt- und Lebensanschauung in Frankreich. Halle 1927–30.

Grubb, Isabel: Quakerism and Industry before 1800. London 1930.

Gundlach, Gustav: Zur Soziologie der katholischen Ideenwelt und des Jesuitenordens. Berlin 1927.

Gunsteren, Will. F. van: Kalvinismus und Kapitalismus – Ein Beitrag zur Erkenntnis der Beziehungen zwischen kalvinistischer Sozialethik und kapitalistischem Wirtschaftsgeist. Amsterdam 1934.

Gurwitsch, A.: Zur Bedeutung der Prädestinationslehre für die Ausbildung des kapitalistischen Geistes, in: Archiv für Sozialwiss., Bd. 68 (1933) S. 616–622.

Hagen, Everett: On the Theory of Social Change. Homewood, Ill. 1962.

Halbwachs, Maurice: Les Origines Puritaines du Capitalisme, in: Revue d'histoire et de philosophie religieuse, Tome 5 (1925) pp. 132–154.

Halbwachs, Maurice: Une Controverse: Puritanisme et Capitalisme, in: Annales d'histoire économique et sociale, Tome 7 (1935).

Haller, William: The Rise of Puritanism 1570–1643. New York 1938 (auch: Harper Torchbook 22, 1957).

Haller, William: Liberty and Reformation in the Puritan Revolution (1955). 2nd Ed., New York–London 1963.

Hansen, Niles M.: Protestant Ethic as a General Precondition for Economic Development, in: Canadian Journal of Economics, Vol. 29 (1963) pp. 462–474.

Hansen, Niles M.: Weber and Veblen on Economic Development, in: Kyklos, Vol. 17 (1964) pp. 447–469.

Hansen, Niles M.: Early Flemish Capitalism. The Medieval City, the Protestant Ethic, and the Emergence of Economic Rationality, in: Social Research, Vol. 34 (1967) pp. 226–248.

Hashagen, Justus: Der rheinische Protestantismus und die Entwicklung der rheinischen Kultur. Essen 1924.

Hashagen, J.: Kalvinismus und Kapitalismus am Rhein, in: Schmollers Jahrbuch, 47. Jg. (1924) pp. 49–72.

Hassan, Riaz: Belief Systems and Job Satisfaction. An Empirical Test of the Weberian Thesis, in: Sociologus, Bd. 20 (1970) S. 57–71.

Hauser, Henri: Les Débuts du Capitalisme. Paris 1927.

Hauser, Henri: L'économie calvinienne, in: Bulletin de la societé de l'histoire du Protestantisme français (1935) pp. 230–242.

Hayek, F. v.: Capitalism and the Historians. Chicago 1954.

Hector, M.: Aspects of the Rise of Economic Individualism, in: Social Forces, Vol. XII (1934).

Hermelink, Heinrich: Reformation und Gegenreformation, in: Gustav Krüger, Handbuch der Kirchengeschichte, II. Bd. 1911 (2. Aufl. 1929).

Hertz, K. H.: Max Weber and American Puritanism, in: Journ. for the Scientific Study of Religion, Vol. 1 (1962) pp. 189–197.

Hill, Christopher: Protestantism and the Rise of Capitalism, in: Essays in the Economic and Social History etc.: In Honour of R. H. Tawney, ed. by F. J. Fischer, pp. 15–39. Cambridge 1961.

Hill, Christopher: Society and Puritanism in Pre-Revolutionary England. London 1964.

Hill, Christopher: Reformation to Industrial Revolution. British Economy and Society 1530–1780. London 1967.

Holl, Karl: Die Geschichte des Wortes Beruf, in: SB Preuß. Ak. d. Wiss., phil.-hist. Klasse 1924, S. XXIX ff.; abgedr. in: Ges. Aufsätze zur Kirchengeschichte, III. Bd. 1928, S. 189–219 (Neudruck 1965).

Honigsheim, Paul: Zur Religionssoziologie des englischen Protestantismus, in: Köln. Vjhr. Soz., Bd. XI (1932) S. 401–411.

Honigsheim, Paul: Katholizismus und kapitalistische Mentalität in der nordfranzösischen Textilindustrie, in: Köln. Ztschr. f. Soziol., 13. Jg. (1961) S. 685–701.

Hoselitz, Bert F.: Economic Development and Change in Social Values and Thought Patterns, in: Explorations in Social Change, ed. by G. K. Zollschan and Walter Hirsch, pp. 673–693. London 1964.

Hudson, W. S.: Puritanism and the Spirit of Capitalism, in: Church History, Vol. 18 (1949) pp. 3–17.

Hudson, W. S.: The Weber Thesis re-examined, in: Church History, Vol. 30 (1961) pp. 88–102.

Hundeshagen, C.: Calvinismus und staatsbürgerliche Freiheit. Zürich 1946.

Hyma, A.: Christianity, Capitalism and Communism, Ann Arbor 1937.

Hyma, Albert: From Renaissance to Reformation. Grand Rapids 1955.

Jackson, Elton F. et al.: Religion and Occupational Achievement, in: Amer. Sociological Rev., Vol. 35 (1970) pp. 48–63.

Johnson, Benton: Max Weber and American Protestantism, in: Sociological Quarterly, Vol. 12 (1971) S. 473–485.

Jonassen, C. T.: The Protestant Ethic and the Spirit of Capitalism in Norway, in: Amer. Sociol. Rev., Vol. 12 (1947) pp. 676–686.

Jostock, Paul: Der deutsche Katholizismus und die Überwindung des Kapitalismus. Regensburg 1932.

Kennedy, R. E.: The Protestant Ethic and the Parsis, in: Amer. Journ. Sociol., Vol. 68 (1962) pp. 11–20.

Knight, F. H.: Historical and Theoretical Issues in the Problem of Modern Capitalism, in: ders., On the History and Methods of Economics, Chicago 1956, pp. 89–103 (zuerst 1928).

Knoll, August: Das Kapitalismus-Problem in der modernen Soziologie, in: Zeitschr. für die ges. Staatswiss., Bd. 113 (1957).

Koch, P.: Der Einfluß des Calvinismus und des Mennonitentums auf die niederrheinische Textilindustrie. München 1928.

Kocka, H. J.: Karl Marx und Max Weber – Ein methologischer Vergleich, in: Ztschr. f. d. ges. Staatswiss., Bd. 122 (1966) S. 328–357.

Kowalik, Tadeusz: Neue Debatte um das Verhältnis Max Webers zu Karl Marx, in: Ekonomista (1968) S. 747–757.

Kozyr-Kowalski, Stanislaw: Weber and Marx, in: Polish Sociological Bulletin (1968) S. 5–17.

Kraus, Joh. Bapt. (S. J.): Scholastik, Puritanismus und Kapitalismus. Eine vergleichende, dogmengeschichtliche Studie, München 1930.

Lefort, C.: Capitalisme et religion au XVIe siècle, in: Temps modernes (1952) pp. 1892–1906.

Lenski, Gerhard: The Religious Factor. Garden City, N. Y. 1961 (dtsch.: Religion und Realität. Saarbrücken 1967.)

Léonard, Emile: Economie et Religion, les Protestants Français au XVIII. siècle, in: Annales d'histoire économique et sociale (1940).

Lipset, Seymour, and Bendix, Reinh.: Social Mobility in Industrial Society. Berkeley 1959.

Little, D.: Max Weber revisited: The Protestant Ethic and the Puritan Experience of Order, in: Harvard Theological Review, Vol. 59 (1966) pp. 415–428. A revised version, in: Intern. Jahrb. füı Religionssoziol. III, pp. 101–113. Köln und Opladen 1967.

Löwith, Karl: Max Weber und Karl Marx, in: Archiv für Sozialwiss., Bd. 67 (1932) S. 175–214. (Wiederabdruck in: Ges. Abhandlungen, S. 1–67. Stuttgart 1960.)

Lüthy, Herbert: La Banque Protestante en France. 2 vols., Seupen 1959 bis 1961.

Lüthy, Herbert: Nochmals Kapitalismus und Kalvinismus, in: Schweizer. Zeitschr. für Geschichte, 11. Jg. (1961).

Lüthy, Herbert: Protestantismus und Kapitalismus, in: Merkur, Nr. 203 und 204 (1965).

Lüthy, Herbert: Le passé présent. Monaco 1965.

Mack, Raymond, Murphy, R. J., and Yellin, Seymour: The Protestant Ethic, Level of Aspiration and Social Mobility: An Emperical Test, in: Amer. Sociol. Rev., Vol. 21 (1956) pp. 295–300.

Marcuse, Herbert: Industrialisierung und Kapitalismus im Werk Max Webers, in: ders.: Kultur und Gesellschaft 2, S. 107–129. Frankfurt 1965.

Martin, Alfred v.: Ratio und Dynamik der kapitalistischen Entwicklung, in: ders., Ordnung und Freiheit, S. 122–157. Frankfurt 1956.

Marx, Karl und Engels, Friedrich: Über Religion. Berlin Ost (Institut für Marxismus-Leninismus) 1958.

Maurer, Heinrich: Studies of Religion, I.: The Sociology of Protestantism, in: Amer. Journ. Sociol., Vol. 30 (1924) pp. 257–286 und pp. 408–438.

Mayer, Albert and Sharp, Harry: Religious Preference and Worldly Success, in: Amer. Sociol. Rev., Vol. 27 (1962) pp. 218–227.

McClelland, David: The Achieving Society, New York 1961.

McCormack, Thelma: The Protestant Ethic and the Spirit of Socialism, in: Brit. Journ. Sociol., Vol. 20 (1969) pp. 266–276.

Means, R. L.: Weber's Thesis of the Protestant Ethic: The Ambiguity of Received Doctrine, in: Journal of Religion, Vol. 45 (1965) pp. 1–11.

Means, R. L.: Protestantism and Economic Institutions: Auxiliary Theories to Weber's Protestant Ethic, in: Social Forces, Vol. 44 (1966) pp. 372 bis 381.

Merton, R. K.: Social Theory and Social Structure. Glencoe, Ill. 1957.

Miller, Perry and Johnson, Thomas E. (Eds.): The Puritans. A Sourcebook of Their Writings. 2 vols. (zuerst 1938), New York–Evanston–London (Harper Torchbook 1093/94) 1963.

Morgan, Edm. S.: Review of K. Samuelsson's Religion and Economic Action, in: William and Mary Quarterly, Vol. 18 (1963) pp. 135–140.

Morgan, Edm. S.: Visible Saints. The History of a Puritan Idea. New York 1963.

Müller-Armack, A.: Religion und Wirtschaft, Kap.: Genealogie der Wirtschaftsstile. Stuttgart 1959.

Nafziger, E. W.: The Mennonite Ethic in the Weberian Framework. Explorations in Entrepreneurial History, 2nd Series, Vol. 2 (1965) No. 3.

Nelson, Benjamin: Religious Traditions and the Spirit of Capitalism, Harper Torchbook 1130.

Nelson, Benjamin: The Idea of Usury. Princeton 1949; 2nd Ed., enlarged, Chicago–London 1969.

Nelson, Benjamin: Review of K. Samuelsson's Religion and Economic Action, in: Amer. Sociol. Rev., Vol. 27 (1962) p. 856.

Nelson, Benjamin: Max Weber's »The Protestant Ethic«: 1904–1964, in: Abstracts of Papers, 59th Annual Meeting of the Amer. Sociol. Ass. (1964).

Nelson, Benjamin: In Defense of Max Weber, in: Encounter Nr. 131, pp. 94–95 (August 1964).
Nelson, Benjamin: Max Weber and Talcott Parsons as Interpreters of Western Religious and Social Development, in: Abstracts of Papers Presented at the Annual Conference of the Soc. for the Scientific Study of Religion. New York 1965.
Nelson, Benjamin: Conscience and the Making of Early Modern Cultures: »The Protestant Ethic« beyond Max Weber, in: Social Research, Vol. 36 (1969) pp. 4–21.
Niebuhr, H. Rich.: The Social Sources of Denominationalism. New York 1959.
Nürnberger, Rich.: Die Politisierung des französischen Protestantismus. Tübingen 1948.
Ott, Hugo: Die katholische Wirtschaftsethik und ihr Einfluß auf die wirtschaftliche Aktivität der Katholiken am Beginn des industriellen Zeitalters. Zur Auseinandersetzung um den »Einfluß der Religion auf die Entwicklung des kapitalistischen Denkens und Handelns« (Max Weber). Eine Skizze, in: Vjschr. f. Sozial- und Wirtschaftsgeschichte, Bd. 56 (1969) S. 289–298.
Parsons, Talcott: Capitalism in Recent German Literature, Sombart and Weber, in: Journal of Political Economy, Vol. 36 (1928) pp. 641–661, and, ibid.: Vol. 37 (1929) pp. 31–51.
Parsons, Talcott: H. M. Robertson on Max Weber and his school, in: Journal of Political Economy, Vol. 43 (1935) pp. 688–696.
Parsons, Talcott: The Structure of Social Action. New York 1937; 2nd Ed. Glencoe, Ill. 1949.
Parsons, Talcott: Motivation of Economic Activities, in: Canadian Journal of Economics and Political Science, Vol. 6 (1940) pp. 187–203.
Parsons, Talcott: Max Webers Sociological Analysis of Capitalism and Modern Institutions, in: An Introduction to the History of Sociology, ed. by Harry E. Barnes, New York 1948, pp. 287–308.
Parsons, Talcott, and Smelser, N. J.: A Sociological Model for Economic Development, in: Explorations in Entrepreneurial History, Harvard 1956.
Parsons, Talcott: Preface to new ed.: Max Weber, The Protestant Ethic etc., pp. XIII–XVII. New York 1958.
Parsons, Talcott: Christianity and Modern Industrial Society, in: Sociological Theory, Values and Sociocultural Change: Essays in Honor of Pitirim A. Sorokin, ed. by Edward A. Tiryakian. New York 1963.
Parsons, Talcott: Neuere angelsächsische Literatur zu Max Webers Religionssoziologie, in: Max Weber und die Soziologie heute, Verhdlg. des 15. dt. Soziologentages, S. 234 ff. Tübingen 1965.
Pauck, William: The Heritage of the Reformation. New York 1961.
Perry, Ralph Barton: Puritanism and Democracy, Harper Torchbook 1138.
Post, Werner: Kritik der Religion bei Karl Marx. München (Kösel) 1969.
Rammstedt, Otthein: Sekte und soziale Bewegung. Köln und Opladen 1966.

Rendtorff, Trutz: Die Säkularisierungsthese bei Max Weber und ihre Bedeutung für die gegenwärtige Religionssoziologie, in: Verhdlgen des 15. dt. Soziologentages, pp. 241–245. Tübingen 1965.

Rendtorff, Trutz: Zur Säkularisierungsproblematik. Über die Weiterentwicklung der Kirchensoziologie zur Religionssoziologie, in: Intern. Jahrb. für Religionssoziol. II, pp. 51–72. Köln und Opladen 1966.

Riemersma, Jelle C.: Religious Factors in Early Dutch Capitalism 1550 bis 1650. The Hague–Paris 1967.

Robertson, Hector: Aspects of the Rise of Economic Individualism: A Criticism of Max Weber and his School. New York 1959 (zuerst Cambridge 1933).

Roover, R. de: L'Evolution de la lettre de Change (spez. pp. 145 ss.). Paris 1953.

Salman, D. H.: Psychology and Sociology in Max Weber's Theories, in: Social Compass, Vol. 10 (1963) pp. 536–539.

Salz, Arthur: Zur Geschichte der Berufsidee, in: Archiv für Sozialwiss., Bd. 37 (1931) S. 380–423.

Samuelsson, Kurt: Religion and Economic Action. London 1961.

Sayous, Andrée E.: Calvinisme et Capitalisme, l'experience genevoise, in: Annales d'histoire économique et sociale, Tome 7 (1935) pp. 225–244.

Sayous, Andrée E.: Die großen Händler und Kapitalisten von Amsterdam gegen Ende des 16. Jahrhdts. und im 17. Jahrhdt., in: Weltwirtschaftliches Archiv, 45. und 46. Bd. (1937/38).

Schmidt, F. J.: Kapitalismus und Protestantismus, in: Preußische Jahrbücher, 122. Bd. (1905) S. 189–230.

Schmidt, K.: Die Problematik des Puritanismus im Lichte seiner Erforschung, in: Zeitschrift für Kirchengesch. Bd. 60 (1941) S. 207–254 (mit Literatur).

Schneider, Herbert W.: The Puritan Mind. (Zuerst 1930.) Michigan (Ann Arbor Paperback) 1958, 2. Aufl. 1961.

Schücking, Lewin: Die Familie im Puritanismus. Leipzig 1929.

Schulze-Gaevernitz, Gerhard v.: Die geistesgeschichtlichen Grundlagen der angloamerikanischen Weltsuprematie, III: Die Wirtschaftsethik des Kapitalismus, in: Archiv für Sozialwissenschaft, 61. Bd. (1929) S. 225–265.

Scoville, Warren C.: The Persecution of the Huguenots and French Economic Development 1680–1720. Berkeley 1960.

Seé, Henri: Les Origines du Capitalisme Moderne. Paris 1926 (dtsch.: Die Ursprünge des modernen Kapitalismus. Bern 1948.)

Seé, Henri: Dans quelle mesure Puritains et Juifs ont-ils contribué au Progrès du Capitalisme Moderne?, in: Revue Historique, Tome 155 (1927).

Sombart, Werner: Der Bourgeois. München 1913 (Neudruck 1923).

Staedtke, Joachim et al.: Demokratische Traditionen im Protestantismus. Schriftenreihe der Akademie für Politik, Heft 2, München–Wien 1969.

Stankiewicz, W. J.: Politics and Religion in 17th Century France. Berkeley 1960.

Stark, W.: Capitalism, Calvinism and the Rise of Modern Science, in: Sociol. Rev., Vol. 43 (1951) pp. 95–104.

Strieder, Jakob: Studien zur Geschichte kapitalistischer Organisationsformen. München 1914 (2. Aufl. 1925).

Tawney, R. H.: Introduction, in: Max Weber: The Protestant Ethic, London 1930, New York 1958.

Tawney, R. H.: Religion and the Rise of Capitalism, London 1926, rev. Ed. 1937; auch: Religion und Frühkapitalismus, Bern 1946.

Thorner, Isidor: Ascetic Protestantism and the Development of Science and Technology, in: Amer. Journ. Sociol., Vol. 58 (1952/53) pp. 25–38.

Topitsch, Ernst: Max Webers Geschichtsauffassung, in: Wissenschaft und Weltbild, Wien (1950) 3. Jg., Heft 6.

Trevor-Roper, Hugh: Religion, the Reformation, and Social Change, in: Historical Studies IV, pp. 18–44. London 1963.

Troeltsch, E.: Die Bedeutung des Protestantismus für die Entwicklung der modernen Welt. München 1911 (Neudr. 1963).

Troeltsch, Ernst: Die Soziallehren der christlichen Kirchen und Gruppen. Tübingen 1912 (Neudruck 1961).

Turksma, L.: Protestantse ethiek en rationeel kapitalisme. Bijdrage tot en oneindige diskussie, in: Mens en Maatschappij, 1960, pp. 177–196, auch: Protestant Ethic and rational Capitalism, in: Social Compass, Vol. IX (1961) pp. 445–473.

Venturi, F.: The Roots of Revolution. New York 1960.

Veroff, Joseph, Sheila Feld, and Gerald Gurin: Achievement Motivation and Religious Background, in: Amer. Sociol. Rev., Vol. 27 (1962) pp. 205 bis 217.

Vincent, Jean-Marie: Le capitalisme selon Weber, in: l'homme et la societé, No. 4 (1967) S. 61–77.

Vincent, Jean-Marie: Weber ou Marx, in: l'homme et la societé, No. 10 (1968) S. 87–101.

Vontobel, Klara: Das Arbeitsethos des deutschen Protestantismus von der nachreformatorischen Zeit bis zur Aufklärung. Bern 1946.

Wagner, Helmut: The Protestant Ethic: A Mid-Twentieth Century View, in: Sociol. Analysis, Vol. 25 (1964) pp. 34–40.

Wagner, Helmut, Doyle, K., and Fisher, V.: Religious Background and higher Education, in: Amer. Sociol. Rev., Vol. 24 (1959) pp. 825–856.

Walzer, Michael: Puritanism as a Revolutionary Ideology, in: History and Theory, Vol. 3 (1963).

Walzer, Michael: Revolution of the Saints: A Study in the Origins of Radical Politics. Cambridge, Mass. 1965.

Wappler, Paul: Die Täuferbewegung in Thüringen von 1526–1584. Jena 1913.

Warner, S.: Max Weber's Comparative Studies in Non-Capitalistic Societies, in: Journ. of Economic History, Vol. 30 (1970) pp. 74–90.
Watkins, Owen C.: The Puritan Experience. London 1972.
Wax, Murray: Ancient Judaism and the Protestant Ethic, in: Amer. Journ. Sociol., Vol. 65 (1960) pp. 449–455.
Wax, Rosalie and Wax, Murray: The Vikings and the Rise of Capitalism, in: Amer. Journ. Sociol., Vol. 61 (1955) pp. 1–10.
Wernle, Paul: Der schweizerische Protestantismus im XVIII. Jahrhundert. 3 Bde., Tübingen 1923–25.
Winckelmann, Johannes F.: Max Weber – Das soziologische Werk, in: Köln. Ztschr. f. Soziol., 17. Jg. (1965) S. 743–790.
Winckelmann, Johannes F.: Max Webers Verständnis von Mensch und Gesellschaft, in: Max Weber. Gedächtnisschrift der Ludwig-Maximilians-Universtät München, hrsg. v. K. Engisch, B. Pfister und J. Winckelmann, S. 195–243. Berlin 1966.
Wingren, Gustaf: Luthers Lehre vom Beruf. Forschungen zur Geschichte und Lehre des Protestantismus, 10. Reihe Band III (m. Lit.-Verz.). München 1952.
Wünsch, Georg: Protestantischer Kapitalismus und katholische Propaganda, in: Christliche Welt, Nr. 39 (1925) S. 350–358.
Wünsch, Georg: Evangelische Wirtschaftsethik. Tübingen 1927.
Yinger, Milton: Religion, Society, and the Individual, pp. 529–542. New York 1957.

Helmut Gollwitzer
Die marxistische Religionskritik und der christliche Glaube

Der Theologe Gollwitzer begegnet dem marxistischen Nein zur Religion mit kritischer Offenheit und macht die besondere Aufgabe des Christen in diesem Ringen deutlich. Seine große Studie regt den Dialog zwischen Christentum und Marxismus kräftig an. (33)

Friedrich Gogarten
Verhängnis und Hoffnung der Neuzeit
Die Säkularisierung als theologisches Problem

Gogartens Denken kreist um das Problem von Glauben und Säkularisierung. Während man im allgemeinen darunter die Auflösung der abendländischen Kultur und des Christentums versteht, sieht Gogarten den Ansatz zur Säkularisierung bereits im christlichen Glauben selbst begründet. Daraus ergibt sich eine völlig neue Sicht unserer Epoche und der sie bewegenden Kräfte. (72)

Paul Tillich *Der Protestantismus als Kritik und Gestaltung*

Der Protestantismus ist für Tillich nicht eine besondere konfessionelle Ausprägung des Christentums, sondern die geschichtliche Verkörperung eines allgemeinen bedeutsamen Prinzips. Das Buch enthält alle wichtigen Schriften Tillichs, die sich auf den Protestantismus und seine Probleme beziehen. (64)

Paul Tillich *Für und wider den Sozialismus*
Herausgegeben von Wolf-Dieter Marsch

In diesem Band sind Tillichs wichtigsten Aufsätze zusammengefaßt, die für das weltweite Gespräch zwischen Christen und Marxisten eine unentbehrliche Grundlage und Wegweisung bieten. (132)

Ernst Troeltsch *Die Absolutheit des Christentums*
Einleitung von Trutz Rendtorff

Die Schrift über die Absolutheit des Christentums, 1902 geschrieben, stellt einen Angelpunkt des theologisch-philosophischen Denkens von Ernst Troeltsch dar. In ihr weitet sich die religionsgeschichtliche zur weltgeschichtlichen Fragestellung. (138)

Als Siebenstern-Taschenbuch 53/54 erschien

MAX WEBER

Die protestantische Ethik I

Eine Aufsatzsammlung

Herausgegeben von Professor Dr. Johannes Winckelmann

Was ist protestantische Wirtschaftsethik und wo liegen ihre Wurzeln? Was ist Geist des Kapitalismus und in welchen Beziehungen steht er zur Kultur der westlichen Industriegesellschaft? Max Weber kommt in seinen berühmten religionssoziologischen Abhandlungen zu erstaunlichen Ergebnissen. Seine Beobachtung, daß die Entstehung der modernen Wirtschaftswelt und ihrer Berufsauffassung durch bestimmte Glaubensinhalte mitbedingt war, bedeutet eine Erweiterung der These von Karl Marx, ohne daß Weber jemals die grundlegende Bedeutung von Wirtschaft, Gesellschaft und Herrschaft auch für die religiösen Bewußtseinsinhalte in Zweifel gezogen hätte. Seine Untersuchungen ziehen interessante Vergleiche zu außereuropäischen Kulturen und deren Wirtschaftsgesinnung.

Text und Anmerkungen der 1904 bis 1906 geschriebenen, von Max Weber 1920 überarbeiteten Abhandlungen wurden einer umfassenden Revision unterzogen und durch Angaben zwischenzeitlich erschienener wissenschaftlicher Literatur ergänzt. Mehrere, die Thematik fortführende Abschnitte aus dem übrigen Werk Max Webers wurden hinzugefügt. Damit wird für Forschung und Studium, für die weltweite Erörterung der Zusammenhänge zwischen Reformation und Wirtschaft, aber auch für alle interessierten Leser eine den Anforderungen der Gegenwart entsprechende Ausgabe der berühmten Aufsätze vorgelegt.

Siebenstern Taschenbuch Verlag Hamburg